Colección
Educación, crítica & debate

Edición: Primera. Abril de 2017

Diseño: Gerardo Miño
Composición: Eduardo Rosende

ISBN: 978-84-16467-60-0

dirección postal: Tacuarí 540 (C1071AAL)
Ciudad de Buenos Aires, Argentina
tel-fax: (54 11) 4331-1565
e-mail producción: produccion@minoydavila.com
e-mail administración: info@minoydavila.com
web: www.minoydavila.com
redes sociales: @MyDeditores, www.facebook.com/MinoyDavila

Silvia Redon Pantoja y José Félix Angulo Rasco
— coordinadores —

Investigación cualitativa en educación

MIÑO y DÁVILA
EDITORES

El creciente interés en la indagación cualitativa en educación representa algo más que un mero refinamiento de los modos de indagación existente. Representa el comienzo de una nueva manera de pensar en la naturaleza del saber y en cómo éste puede crearse.

Elliott Eisner. El ojo ilustrado.

ÍNDICE

INTRODUCCIÓN

Silvia Redon Pantoja y José Félix Angulo Rasco

El presente libro de metodologías de la investigación cualitativa en educación, reúne a investigadores e investigadoras de distintos países aunados por un solo objetivo: la pasión por investigar en el campo disciplinar de la pedagogía, concebida como una ciencia de la educación, que requiere re-mirar y volver a revisar aquellas metodologías por las cuales, se recrea, aporta y complementa su corpus disciplinar para transformarlo.

Este manual pretende reunir distintas miradas metodológicas que aporten a los investigadores en educación en particular y a las ciencias sociales en general un marco mínimo de consideraciones a tener en cuenta a la hora de investigar e indagar cualitativamente. Aunque el foco de este libro está puesto en la metodología, el propósito de toda investigación es aportar al conocimiento ya existente. Hablar de conocimiento nos obliga a iniciar este recorrido con una breve aproximación epistemológica (Capítulo nº 1), que nos permita identificar algunos elementos que la constituyen y muestren al lector o lectora un breve panorama del terreno inicial por el cual el investigador debe comenzar. Independiente de la diversidad de posiciones y racionalidades en las que el investigador o investigadora se sitúen –positivistas-hermenéuticas-críticas- el conocimiento es una creación humana. El conocimiento como creación de la facultad simbólica de lo humano nos ubica en un terreno inventado. El conocimiento como invención y producto cultural, estará siempre atrapado por las variables que nos hace humanos: el tiempo, el espacio, los contextos, lo ético, lo estético, lo político, el género, el poder y los intereses de las élites. Por otra parte, el conocimiento hecho ciencia tiene un sentido, un fin. Fin o sentido que en demasiadas ocasiones ha sido disfrazado de neutralidad y asepsia; concepción que ha sido defendida y propagada por una posición hegemónica heredada de occidente y revestida de absolutos y certezas incuestionables. Hoy existe consenso en la idea de que el conocimiento como facultad simbólica de la acción humana se configuró a través de

11

la historia por asimetrías de poder, económicas, raciales, sexistas, etc., mayoritariamente desde la cultura de la elite de hombres blancos. Por ello, la investigación cualitativa debe considerar y contemplar cuestiones de justicia cognitiva que permita a las mujeres, a las minorías y marginados y marginadas, a los precarios y a los subalternos participar de forma protagónica en la construcción de nuevos conocimientos, reparando las parcialidades y desigualdades que el conocimiento unívoco heredado de occidente ha justificado como única verdad.

Este principio ético y político-teleológico de la Ciencia Social- y su sentido, exigen no enredar y confundir los planos en la Investigación cualitativa. La postura de Denzin y Lincoln que alude al séptimo momento en el que la investigación cualitativa debiera considerar en su dimensión teleológica contribuir a la vida plena de una sociedad más justa en Derechos Humanos y por tanto la superación de las desigualdades, es valiosa, necesaria y se adentra en el sentido de lo que la ciencia debe perseguir. Sin embargo, confundir los supuestos éticos con los metodológicos, no le hace bien ni a la ética, ni a la investigación. Justamente por lo valioso del *thelos* de la ciencia, desde su fundamento ético en la investigación cualitativa, el rigor de los procesos metodológicos es fundamental. No se trata de retroceder a los albores de la investigación cualitativa del siglo XX cuyo énfasis en la validez y confiabilidad de los resultados centrados en el rigor de la "independencia" u objetividad del investigador/a para interpretar las subjetividades, envestían al investigador de arrogancia, certezas y pedestales. Mucho menos se trata de retroceder a la obsesión por los métodos o el análisis del discurso como hegemonía del investigador, no es ésta la justificación de este libro; sí, en cambio, exponer que las técnicas y sus explicaciones epistemológicas desde sus planos ontológicos contienen un saber y un conocimiento que no es relativo y menos arbitrario. La acción política emancipadora es relevante en el mundo educativo y social y la ciencia debe contener este principio, pero sin duda, superarlo.

La primera parte aborda la reflexión epistemológica, con el objetivo de situar las técnicas, diseños y métodos en el ámbito de la educación, desde la lente con la se mira al objeto de estudio y por tanto se configura (Capítulo nº 2). Nos referimos a los supuestos ontológicos, metodológicos y epistemológicos que subyacen en toda problematización de la realidad desde una perspectiva cualitativa, fenomenológica y hermenéutica que asume al conocimiento como una invención situada. Dichos supuestos justifican los criterios de credibilidad de los hallazgos y los resultados de las investigaciones. Esta primera parte no pretende, hacerlo así sería sumamente arrogante, convertirse en una especie de marco conceptual dominante y hegemónico como punto de partida de los criterios de rigor o veracidad; muy por el contrario, se presenta esta reflexión epistemológica, precisamente para rescatar el conocimiento y la voz del "subalterno"; aquél que ha estado invisibilizado, sin voz, al no formar parte de la élite del poder cultural, político y económico que subyace a la ciencia oficial y que en el caso de las ciencias sociales y las metodologías de la investigación cualitativa se ha arropado –por un lado- de fundamentalismos y un cierto conservadurismo metodológico y, por otro, de prácticas arbitrarias en las que pareciera que en investigación cualitativa todo cabe y todo vale.

Para ello nos servimos de la mirada del realismo crítico de Bhaskar y de los últimos aportes del *Handbook* de Denzin y Lincoln (Capítulo nº 2) en el que se nos desafía a mirar aquello que subyace a lo instituido (lo dado por sentado), para comprender las estructuras que posibilitaron su institución en el campo de lo social.

Otro objetivo de este libro se encuentra en la reflexión epistemológica, vinculada con la importancia por democratizar el conocimiento desde la apertura técnica y metodológica. Ello significa, ni más ni menos, que la relevancia de toda investigación radica en velar por la coherencia interna entre problema de investigación, objeto de estudio, supuestos ontológicos, epistemológicos y metodológicos, detallando y argumentando: qué se quiere investigar (problema y objeto de estudio), cómo se investiga (técnicas y procedimientos para recoger información) y el logro alcanzado en el trabajo de investigación (resultados en torno a los objetivos propuestos); permitiendo que tanto 'el objeto' estudiado como el investigador, cambien roles y puedan implicarse en la tarea común por aportar a un conocimiento que colabore con la vida buena, vale decir, la justicia y la democracia. Ello necesariamente implica en la reflexión epistemológica, abordar el habla situada desde el mismo conocimiento situado. En palabras de Jorge Mario Flores (Capítulo nº 3) la epistemología situada lee la historia de la ciencia y la filosofía desde el lado opuesto al pensamiento hegemónico; se evidencia que el conocimiento está referido a momentos específicos del desarrollo de la sociedad; se muestra que las teorías permiten inteligibilidad de momentos particulares de la realidad social y que la pretensión de universalidad es un grave error de los clasificadores o difusores de la ciencia, quienes se justifican en la necesidad de imponer formas de pensar el mundo, pertenecientes, a los conquistadores o colonizadores en cualquiera de sus expresiones.

La segunda parte del libro se dedica a exponer los diferentes modos de recoger la información. El trabajo de campo en la investigación cualitativa se podría resumir o sintetizar desde dos dimensiones y capacidades humanas; la conversación y la observación. La literatura es extensa a la hora de profundizar en las especificaciones técnicas que requiere cada una de las técnicas y métodos que se utilizan en la investigación cualitativa, nosotros sólo hemos abordado alguna de ellas, sin embargo, la sensibilidad ética y sensorial del investigador o la investigadora siguen siendo prioritarias y el primer paso. Agudizar la mirada y la "escucha" en la conciencia y sensibilidad humana del investigador o investigadora (como instrumento de medida) hacia otro u otra persona, es la acción más valiosa con la que cuenta todo investigador cualitativo para recoger la información en el trabajo de campo. Es el mundo de la existencia de otro ser humano y su contexto, captada por los ojos y oídos, la mejor técnica y herramienta que posee la persona investigadora en el trabajo de campo. Accedemos a ese mundo simbólico propio de nuestra especie, a través de los lenguajes de cada cultura, intentando traducirlos con la mayor fidelidad posible, sin olvidar, que aunque intentemos ser nativos en las conversaciones y observaciones, seguimos siendo extranjeros y subyace en todo el recorrido investigativo, la inevitable tensión ethic-emic.

El trabajo de campo en la investigación cualitativa, por lo tanto, se sostiene en dos dimensiones y capacidades humanas: la conversación –el habla- y la observación. Los oídos y los ojos, como acabamos de señalar, se vuelven los grandes instrumentos con que cuenta el investigador o la investigadora para recoger la información; aunque según sea la problemática de estudio o las pretensiones de la indagación, los ojos y los oídos se transformarán, se complementarán y tomarán cuerpo en diversas metodologías, técnicas y aun herramientas (como la cámara de fotos). La literatura disponible sobre cada una de estas metodologías y técnicas es extensa y prácticamente inabarcable. En esta parte hemos querido, sin embargo, ofrecer un marco selectivo, pero claro, preciso y, así lo esperamos, útil de las más importantes opciones que están a nuestra disposición.

El capítulo 4 sobre los estudios de caso nos describe el, a nuestro juicio, diseño[1] más importante para investigar cualitativamente y uno de los menos comprendidos. Por ello, los autores enfatizan dos cuestiones: definir el caso y seleccionar el caso. El capítulo 5º, se centra en una breve revisión de la observación etnográfica, señalando también la importancia de la observación participante y sus diversos grados de implicación del o de la investigadora. El capítulo 6º, puede ser entendido como una prolongación del habla y de la vista. De la vista puesto que los datos visuales registrados (digitalmente), constituyen amplificaciones y extensiones de las observaciones (registradas en el diario de campo) y del habla en razón de que las imágenes visuales pueden servir de catalizador para que el habla, la conversación, aparezca en toda su calidad cualitativa y humana. El capítulo 7º, se ocupa de la entrevista etnográfica y el Capítulo 8º del grupo de discusión y focal. Aunque se puede, y se deben leer por

---

1   Denominamos diseño a una estrategia de indagación que combina o puede combinar diversas técnicas, como la observación participante, la entrevista en profundidad y los datos visuales.

separado, recomendamos su lectura seguida. El primero nos sitúa en la conversación personal, uno a uno y el segundo en el habla colectiva, el habla común. El objetivo de la entrevista es, por ello, captar la experiencia desde la subjetividad de una trama biográfica, mientras que tanto grupo de discusión y focal indagan en la construcción colectiva del discurso como trama normativa y horizonte ideológico que se teje desde los consensos intersubjetivos como configuración de un habla común. El capítulo 9º sobre la investigación narrativa y el capítulo 10º, sobre las metáforas nos introducen en esa frontera en la que el conocimiento, la narración y el lenguaje, se entretejen ofreciéndonos enormes oportunidades para comprender al otro, la tela de sus contextos, sus aspiraciones y deseos y los significados con los que vive y entiende su mundo. Los capítulos 11º y 12º, se orientan hacia una estrategia de indagación más cercana con la acción, con el cambio, con la transformación. Mientras que, en la primera, la investigación-acción, se centra en mejorar una situación educativa o social, en la otra es la voz de la comunidad y su transformación lo que importa. El capítulo 13º sobre la autoetnografía conecta coherentemente con los capítulos anteriores, porque tanto para la narrativa como para la investigación-acción, el sujeto investigador debe convertirse él mismo en objeto de indagación. El capítulo 14º, nos introduce en las nuevas posibilidades que la cultura y las tecnologías digitales nos brindan, tanto como *objeto de indagación* como medio para la investigación. El capítulo 15º, último de esta parte, rompe con las técnicas cualitativas, pues el cuestionario se encuentra en el límite epistemológico entre lo cuantitativo y lo cualitativo. Hemos querido dedicarle un capítulo porque un cuestionario, bien situado y justificado en un proyecto de investigación cualitativa, tiene mucho que ofrecer.

La tercera parte del libro está dedicada tanto al análisis de los datos como a las complejidades derivadas del mismo y relacionadas con él. El Capítulo 16º nos introduce en un terreno, demasiado olvidado o poco transitado por la investigación cualitativa: los procesos de análisis del contenido. Dicho de otra manera, no hemos encontrado en los libros de metodología de la investigación trabajos realmente focalizados con los análisis del discurso; pareciera que con la recogida de datos y la utilización de un software de análisis bastara para llegar a las conclusiones. El Capítulo 17º, es, a su modo, un complemento del anterior, puesto que trata el tema de la teoría fundamentada que es, a su vez, tanto una estrategia de indagación, como un modo *potente* de llevar a cabo el proceso de análisis de los datos. El Capítulo 18º, nos plantea una especie de vuelta a las fuentes *hermenéuticas* de la investigación cualitativa, enfatizando, no sólo que toda interpretación es un diálogo, sino que la esencia de la interpretación es la doble hermenéutica a la que toda investigación cualitativa ha de hacer frente. El Capítulo 19º, por su lado, nos introduce en el rico y extenso debate sobre la validez y el rigor en la investigación; temática siempre bajo disputa, pero que no podemos obviar en nuestros proyectos de indagación. El Capítulo 20º, que también puede considerarse una complementación del anterior, describe y analiza el sentido de la triangulación y las posibilidades que nos puede y debe brindar. El Capítulo 21º, se centra no sólo en exponer brevemente el sentido de los métodos mixtos, sino que principalmente nos recuerda que una cosa es la convergencia técnica-metodológica y otra, muy diferente, la inevitable divergencia epistemológica. El Capítulo 22º, revisa la idea de causalidad tal como subyace a los planteamientos experimentales y cuasi-experimentales en la investigación social, criticando su sentido y oportunidad, cuando se trata de interpretar y comprender los acontecimientos sociales y educativos. El Capítulo 23º, pretende orientar a todo investigador o investigadora a la hora, compleja, de elaborar un informe de investigación. El Capítulo 24º, y desde la experiencia misma de la práctica de investigación, nos ofrece un marco ético para cuidar y proteger la vida de aquellos que nos permiten entenderla y analizarla. Los capítulos 25º y 26º por su parte pretenden tanto orientar los primeros pasos que en toda investigación se ha de darse para conocer el estado de la cuestión sobre una temática que queramos indagar, como las primeras lecturas, desde una perspectiva histórica, recomendables para introducirse y comenzar a pensar cualitativamente el mundo social y educativo que nos rodea.

***

Quisiéramos terminar con una breve reflexión, sobre el mismo hecho de investigar cualitativamente. Lo obvio no necesariamente lo es, por tanto los ojos y los oídos no necesariamente ven y escuchan. Con ello queremos decir que el trabajo de campo cualitativo requiere recoger la información desde una consciencia sensorial desarrollada. Esto supone aceptar que lo que se muestra en el campo no es necesariamente lo que es, lo que se dice no es necesariamente lo que se hace y lo que se piensa. Resulta necesario "bucear" en el mundo de la vida, atender a los detalles que no son detalles, ver lo que está oculto, lo que se esconde por un lado y por otro, lo que se intenta resaltar, lo no visibilizado. Es necesario escuchar lo que no se dice y también lo que se reitera, interpretar el mundo que subyace del mundo de la superficie, a veces contradictorio y opuesto, distinguir los relatos instituidos desde el discurso oficial y lo correcto, lo que transita por el camino del "deber" y lo que realmente piensan los sujetos, sienten y hacen pero está oculto por temas de poder, miedos, reconocimientos, represalias, castigos, inseguridades y cuestiones de confianza. Sólo esperamos que, en esta aventura cualitativa de interpretación del mundo, este libro que presentamos sea de alguna utilidad.

***

No queremos finalizar esta introducción sin señalar que esta compilación ha sido posible en gran parte como fruto de los proyectos de investigación nacionales y extranjeros, en los que muchos de los autores y autoras, que aquí escriben han estado implicados.

Un particular reconocimiento merece (CONICYT-Chile) y los siguientes proyectos: FONDECYT nº 1150509, FONDECYT nº 1160391 y SEJ 2664 (de Excelencia-Junta de Andalucía. España), proyectos que, desde su trabajo metodológico, han plasmado y determinado muchas de las ideas y reflexiones aquí reflejadas. Por otro lado, quisiéramos agradecer el apoyo recibido por el Centro de Investigación para la Educación Inclusiva (Center for Research of Inclusive Education), CIE160009, del que los coordinadores de este libro forman parte.

— PRIMERA PARTE —

CAPÍTULO 1

Breve introducción a la epistemología

José Félix Angulo Rasco

> *"Scholars do not have to agree on issues, but they must be able to discuss them extensively in their disagreements" (House, 1992)*

Las dimensiones de la racionalidad

En el campo de la educación resulta inevitable encontrar dos dimensiones básicas: una relacionada con la necesidad de explicar los procesos educativos y, la otra, con la importancia, y no menos necesidad, de normar o justificar la validez de la acción o el desarrollo de procesos educativos. Para analizar con mayor profundidad estas dos características es necesario llevarlas a un terreno diferente y traducirlas con respecto a dos nuevos ejes. El terreno especial en el que pretendo realizar este análisis es el que he denominado "dimensiones de la racionalidad" o, dicho de otra forma, los parámetros posibles de nuestra capacidad de entender y actuar racionalmente (Angulo, 1988, 1991b).

Este tipo de análisis, en un decorado nuevo, se justifica porque, por encima de cualquier otra cosa, nos interesa situar aquí con especial claridad el marco general –el marco de razón– en el que incluir la comprensión epistemológica de la educación y, por extensión, la investigación y acción educativa. Y esto, desde luego, no puede hacerse si no preparamos antes las bases de su arquitectura, a menos que estemos dispuestos a aceptar la circularidad de las definiciones.

Pues bien, las dimensiones de nuestra razón son dos: la "racionalidad de la representación" y la "racionalidad de la acción"[1]. Ambas tienen un cometido esencial: la primera nos permite comprender el mundo, establecer sus límites, explicarlo; con ella construimos –interrogando e investigando– nuestra comprensión explicativa y teórica del mundo.

---

1. Véase en general, y para todas estas cuestiones, Angulo (1988).

Con la segunda –con la racionalidad de la acción– accedemos al mundo; accedemos intencionalmente al mismo, lo transformamos y adaptamos según nuestros intereses y valores.

Estas dos dimensiones coinciden parcialmente con las dos características epistemológicas de la Didáctica y, por extensión, de la Pedagogía: explicar y actuar. Explicar los fenómenos educativos no es otra cosa que intentar construir una representación válida (racional) de los mismos. Intervenir y normar la acción educativa, no es otra cosa que actuar racionalmente sobre los contextos, ambientes y relaciones educativas para mejorarlos, cambiarlos u optimizarlos (véase figura 1).

En principio, cualquier objeto o acontecimiento (natural o psicosocial) puede ser incluido en una u otra dimensión, ya sea que expliquemos o demostremos la veracidad de las interpretaciones que sobre su constitución podamos construir, o bien actuemos con o sobre él para adaptarlo a nuestras necesidades y exigencias. ¿Pero cómo se constituyen internamente estas dimensiones? La respuesta a esta pregunta supone poner un nuevo pilar en nuestra arquitectura. Como he señalado en otro lugar (Angulo, 1988; 1991b)[2], estas dimensiones se expresan epistemológicamente de forma diferente. Aquí llamamos *concepciones* a dichas expresiones epistemológicas, en lugar del manido término de "paradigma"[3].

¿Cuales son, pues, estas concepciones? Yo creo que fundamentalmente contamos con dos concepciones que se reparten por igual en ambas dimensiones de nuestra razón: la concepción positivista y la interpretativa. Ambas alimentan, constituyen y determinan las claves, los principios y los factores de nuestra interpretación y de nuestra acción. Veamos cada concepción por separado.

La concepción positivista

La concepción positivista, que ha recibido a lo largo de su extensa historia varias denominaciones[4], se ha desarrollado como el programa de investigación científica por excelencia, llegando a constituirse como el único "marco de razón" legítimo. En su desarrollo y en su constitución han participado directa o indirectamente autores tan sobresalientes como

---

2. Este desarrollo implica algunas variaciones conceptuales al "modelo" presentado originalmente en Angulo (1988).

3. Aunque usado profusamente en la literatura educativa este concepto posee serios problemas: Gage (1963); Bellack (1978); Doyle (1978); Giroux (1980); Popkewitz (1984), han sido señalados por Shapere (1971) y Masterman (1972). Véanse también Angulo (1988 y 1991b).

4. Como por ejemplo: empirismo lógico, experimentalismo, verificacionismo, falsacionismo, etc. Véase Radnitzky (1970) y Angulo (1988a).

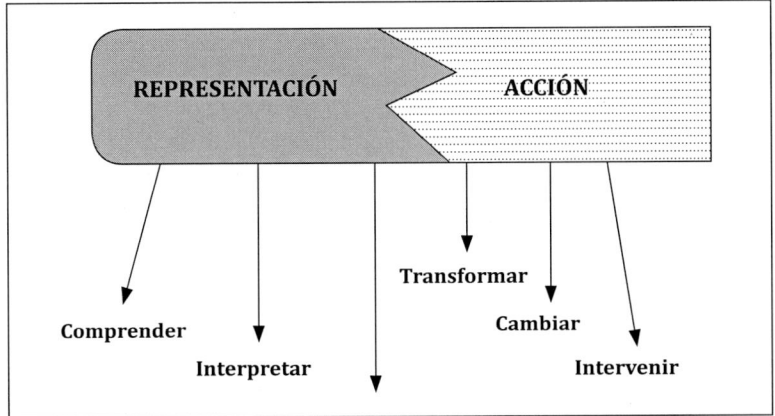

Fig. 1. Dimensiones de la racionalidad.
Fuente: Elaboración propia.

Bacon, Comte, Mill, y, más recientemente, Russell, el primer Wittgenstein y el Positivismo Lógico Vienés hasta llegar a sus últimas derivaciones, mucho más flexibles que las anteriores, en Popper y, especialmente, en Bunge.

Dos son las tesis más fuertes que esta concepción mantiene: *La forma-lista-nominalista* y la *fenomenista-empirista*. A estas dos tesis hay que añadir ciertos "residuos" que se desprenden de las mismas, por el mero hecho de su puesta en funcionamiento "epistemológica": *la unidad metodológica y lingüística de las ciencias; el reduccionismo operacional; la hipertrofia del contexto de justificación a expensas del contexto de descubrimiento; y la neutralidad valorativa de la ciencia* (Kolakowski, 1966; Radnitzky, 1970; von Wright, 1971; Quintanilla, 1971, 1972, 1973; Giddens, 1987; Piaget, 1979; Harré, 1981).

La tesis formalista-nominalista afirma que la concepción positivista se orienta hacia el desarrollo y la construcción de un lenguaje lógico-formal que modele y "exprese" la estructura del mundo. Este lenguaje formal, que constituye la estructura medular de las teorías científicas, por ejemplo, no es meramente (en las ciencias factuales) un lenguaje autorreferido, es un lenguaje que dice cosas con sentido sobre el mundo; es decir, no es un lenguaje simplemente tautológico. Sus términos, su vocabulario, sus construcciones se refieren significativamente a los hechos del mundo. Por otro lado, esta tesis también afirma que cada concepto o cada enunciado se refiere a hechos, o mejor, a una entidad individual sobre el mundo ("*unum nomen, unum nominatum*")[5] y se refiere a que dichas entidades son

---

5. Esto es lo que normalmente se denomina "nominalismo".

"invariantes", en el sentido en que los átomos de hidrógenos son átomos de hidrógeno más allá de quien sea quien los perciba, mida o registre, y dónde.

Por su parte, la tesis fenomenista-empirista afirma que sólo podemos conocer los fenómenos, que sólo podemos registrar lo que se "manifiesta" a la experiencia. Con ello, el positivismo equipara la "esencia" con el "fenómeno", en su versión más fuerte. En su aceptación menos rígida, esta tesis señala que el lenguaje utilizado no añade nada a los hechos empíricos y a los datos observados medidos; dicho de otra manera, los conceptos teóricos no *improntan* (determinan o sesgan) los datos empíricos que utilizamos para confirmarlos o falsarlos. La realidad, a través de los hechos, está a disposición del conocimiento científico. Los hechos mismos son concretos, singulares; y la realidad puede ser fragmentada en factores, variables y procesos singulares ("individualismo metodológico").

La sola presencia de estas dos tesis viene a reafirmar y a apuntalar la bondad epistemológica de las ciencias naturales: su poder formal (lógico-matemático) y su poder empírico (hechos del mundo que se comprenden nomológicamente).

Como decía al principio, de estas dos tesis pueden ser derivadas ciertas consecuencias o residuos, de un orden conceptual más bajo:

i) *La unidad metodológica y lingüística de las ciencias.* Según esta consecuencia, sólo se puede llamar ciencias a aquellas disciplinas que se conformen metodológica y lógicamente a los cánones establecidos por las ciencias físico-naturales. En una versión más suavizada –como por ejemplo la que utiliza Snow (1973)– este requisito se toma como un ideal de aproximación. Esto significa que existe sólo un método de investigación: el "experimental desarrollado" (o hipotético-deductivo), y que resulta necesario, en orden a la comprensión del mundo, la construcción de enunciados generalizables nomológicos y legaliformes del mismo, que aceptan *ceteris paribus* su universalidad y "necesidad natural".

ii) *El reduccionismo operacional de los hechos*[6], hace referencia a que como nuestros conceptos señalan individuales fenoménicos (i.e. hechos empíricos), la realidad puede ser medida y organizada cuantitativamente. Este criterio conlleva tanto la idea de la invarianza del significado, en cuanto que el significado empírico de los términos en los enunciados proposicionales, o de los enunciados mismos, es invariante, no depende del contexto de uso; como la idea de neutralidad cognitiva de las teorías, por cuanto los conceptos teóricos no añaden nada a los datos empíricos que sirven para confirmar o falsar las teorías. En todo caso siempre es posible establecer un enunciado empírico observacional que no dependa de la teoría.

---

6. En la versión más fuerte este residuo implica un claro "reduccionismo físico".

iii) *La hipertrofia del contexto de justificación a expensas del contexto de descubrimiento*, señala que el "descubrimiento" es asunto de la subjetividad del científico. El análisis racional del conocimiento sólo puede centrarse en los presupuestos lógicos y metodológicos de su trabajo, i.e. en aquellos supuestos que pueden ser evaluados intersubjetivamente, por procedimientos lógicos reconocidos. Con ello la metodología se convierte en una "tecnología" neutral, en la que no influyen factores históricos, sociales, psíquicos o "políticos"[7].

iv) *La neutralidad valorativa de la ciencia*, que supone a su vez la separación "radical de hechos y valores". El conocimiento científico es neutral porque nos dice cómo son las cosas, el mundo (social y natural), pero no nos indica cómo *deben ser*. La única incidencia aceptable y válida sobre la realidad es la que se realiza gracias al poder instrumental que dicho conocimiento posee. Por lo tanto, los valores, ni afectan ni deben afectar al trabajo de investigación o a sus resultados (Angulo, 1992).

El giro sociohistórico

Todos estos supuestos han sido "contestados" desde dentro mismo de la epistemología de las ciencias físico-naturales. Este movimiento de crítica y replanteamiento dentro del campo ha sido denominado "giro sociohistórico" y está compuesto por epistemólogos e historiadores tan importantes como Kuhn, Toulmin, Feyerabend, Hanson, Lakatos, Stegmüller y Hübner (Angulo, 1988)[8]. Para conocer –si bien brevemente– sus consecuencias, veamos puntualmente algunas de sus críticas.

Primero, los datos con los que un científico tiene que contrastar una teoría, no pueden ser descritos con independencia del lenguaje teórico (del vocabulario teórico) de cada teoría o de cada caso (Hanson, 1977). Los hechos estarían siempre determinados, o bien por la teoría que va a ser validada, o por otras teorías que se introducen[9] en el proceso mismo de validación e indagación científica. "La ciencia no conoce 'hechos desnudos', los 'hechos' que registra nuestro conocimiento están ya interpretados de alguna forma y son (...) esencialmente teóricos" (Feyerabend, 1976: 3)[10].

Por lo tanto, resulta absolutamente erróneo afirmar o mantener la creencia en enunciados falsadores (contrastadores), intersubjetivamente

---

7. La idea de metodología como tecnología ha sido defendida por uno de los voceros popperianos más cualificados, Radnitzky (1978, 1979).
8. Véase también Chalmers (1976), Suppe (1974) y Brown (1977).
9. La teoría de los instrumentos utilizados en la medición, por ejemplo.
10. Kuhn afirmaba al respecto: "Las teorías no evolucionan gradualmente por ajuste a los hechos que se encontraban presentes en todo tiempo... surgen al mismo tiempo que los hechos a los que se ajustan" (1962: 220).

independientes de la teoría (o teorías) que se desea contrastar. Dichos enunciados son internos al proceso de contrastación y no externos. Al mismo tiempo, y apoyada en esta conclusión, existe la convicción de que la percepción de la realidad, el conocimiento de la misma, se realiza a partir de paradigmas o "estructuras conceptuales" (que incluyen a los lenguajes teóricos). Dichas estructuras conceptuales "seleccionan" la realidad percibida, la modelan e interactúan con ella (Bohm, 1974). Sin embargo, los límites de un paradigma no son absolutos y los procesos y las construcciones cognitivas de los científicos tampoco (Stegmüller, 1979: 334 y ss.). En todo caso, el conocimiento científico interpreta, pero no "describe" la realidad, como si los datos y acontecimientos fueran neutrales con respecto a las formas de comprensión. La validez, como señala Kuhn, sólo tiene aplicación intrateórica (1972: 434).

Segundo: ni la racionalidad científica, ni la razón en general pueden ser equiparadas a la logicidad (Toulmin, 1972). La lógica formal es un instrumento para la expresividad de la razón; pero las reglas de la lógica formal no son exclusivamente las reglas del pensamiento y el conocimiento racional. Por lo mismo, la reconstrucción lógica del conocimiento, ni ayuda al científico ni aclara la dinámica de su trabajo. La racionalidad es un acontecimiento complejo, pero siempre un logro humano. Comprenderla supone comprender la base humana (social, institucional, cultural, política, etc.) por la que se constituye.

Tercero: como consecuencia del punto anterior, el conocimiento de la ciencia no puede realizarse únicamente a través del análisis lógico de sus resultados aislados o conectados meramente por vínculos lógicos y de crecimiento empírico *acumulativo*[11]. El conocimiento de la empresa humana llamada ciencia, no puede excluir el reconocimiento de la estructura institucional y comunal, a través de la cual surge y se desarrolla dicha empresa. Tanto el conocimiento científico como la racionalidad que representa, es un logro del trabajo de investigación y de la crítica argumentativa de los científicos, en el mejor de los casos. Este carácter social de la ciencia enfoca el análisis epistemológico justamente hacia lo que el positivismo se ha negado sistemáticamente a indagar: las prácticas reales y materiales de investigación, y las determinaciones sociales e ideológicas que, conformando e influyendo en los foros públicos de discusión e investigación, determinan su desarrollo. Es la práctica científica, los modos de investigación particulares y colectivos de los científicos, lo que en primera instancia desmiente el poder explicativo del tratamiento lógico formal de la racionalidad científica.

---

11. Ya sean teorías, conceptos teóricos o explicaciones nomológicas.

"Si la razón científica no puede separarse de la práctica de la ciencia, si es 'inmanente a la investigación', entonces tampoco puede ser formulada ni entendida fuera de las situaciones específicas de la investigación. Para comprender la razón científica uno tiene que convertirse en parte de la propia ciencia" (Feyerabend, 1973: XVI)[12].

En este sentido, son muy importantes las investigaciones realizadas por Knorr-Cetina (1977, 1979, 1981). Las conclusiones a las que llega dicha autora, después de un largo trabajo de campo en un destacado laboratorio de bioquímica de Estados Unidos, no pueden ser más significativas. En principio, la "naturaleza" (bioquímica, objeto de investigación) no se encuentra en estado "puro", sino que es introducida en el mismo laboratorio como "producto del trabajo científico" (Knorr-Cetina, 1981: 4). Esto es: el investigador, en su proceso de indagación, crea las condiciones y define el contexto en el que la naturaleza "aparece"; ésta nunca viene dada, por el contrario, resulta "construida" por el investigador.

En segundo lugar, el lenguaje interactivo utilizado por el científico *durante* el proceso de investigación, no difiere del propio uso cotidiano de los términos "en una variedad de funciones pragmáticas y retóricas que no tienen mucho que ver con el concepto epistemológico de verdad" (Knorr-Cetina, 1981: 4). En tercer lugar, el científico no está preocupado originalmente por la consecución de la verdad, sino por lograr que "las cosas funcionen" (*"making things work"*) (Knorr-Cetina, 1981: 4-5; 1977: 671); éste es un principio que gobierna las acciones del laboratorio. En lugar de preocuparse por la verificación o la falsación de los resultados (como Popper cree), la primera preocupación del científico es su producción. El éxito científico estriba en el éxito particular al conseguir producir resultados. Dicha producción depende de las condiciones concretas que el laboratorio ofrece y de las dificultades materiales, también concretas, a las que tiene que hacer frente.

"Los productos de la ciencia son construcciones específicas contextualizadas que dependen del trabajo de situaciones contingentes y de intereses estructurales del proceso por el cual son generados, y que no pueden ser comprendidos adecuadamente sin el análisis del proceso de construcción" (Knorr-Cetina, 1981: 5).

---

12. En otro lugar Feyerabend añade: "La práctica científica puede pasar por encima de la lógica e igualmente por encima de los 'hechos' y de las leyes bien acreditadas. Y puede pasar por encima de la lógica porque contiene siempre fundamentos de ordenación variable, que encajan mucho mejor con la realidad y con los sucesos variantes de la investigación que las simples reglas e ideas que proponen los lógicos y que repiten, maquinalmente confiados, los filósofos de la ciencia" (1982: 150).

Este enfoque de la investigación científica nos devuelve una imagen que es mucho menos "altiva" y "misteriosa" de lo que ha sido hasta ahora. Además, con trabajos como estos se socava de manera radical, la fe indeleblemente depositada en la reconstrucción lógica del conocimiento científico y en el predominio del contexto de justificación. En particular, esta nueva orientación que debe aceptar la epistemología y que filósofos de la ciencia tan poco dogmáticos como Toulmin han sido incapaces de tomar, aunque no de intuir, conlleva quizás un giro mucho más marcado hacia el lado psicosocial del análisis epistemológico de la racionalidad, de lo que se ha podido imaginar. Las estructuras conceptuales que la ciencia construye, valida y desarrolla, se doblan siempre en estructuras y prácticas materiales[13].

Cuarto. También para la comprensión del desarrollo y el progreso científico es necesario la conjugación de su entramado histórico (Miller, 1972). La sola utilización del análisis lógico, además de tergiversar, dogmatiza peligrosamente su imagen histórica. La ciencia no evoluciona ni lineal, ni acumulativamente (Laudan, 1977). La historia de la ciencia es la historia dialéctica de las contradicciones, las rupturas, los solapamientos genealógicos, los conflictos y las imbricaciones retroactivas entre las ideas del pasado y las ideas del presente, entre la teoría y la experiencia, entre la legitimidad social del conocimiento y su validez epistemológica (Sayers, 1982)[14].

"La adquisición acumulativa de novedades no previstas resulta una excepción casi inexistente a la regla de desarrollo científico. El hombre que tome en serio los hechos históricos deberá sospechar que la ciencia no tiende al ideal que ha forjado nuestra imagen de su acumulación" (Kuhn, 1962: 155)[15].

El estudio detallado de las fuentes incluye de modo inevitable tanto el razonamiento práctico en la acción de los investigadores (Knorr-Cetina, 1981: 22), como el análisis histórico de los procesos de razonamiento de los grandes científicos: "El historiador debe mantenerse en guardia con objeto de percatarse de los aspectos significativos del proceso de pensamiento de un Newton, un Kepler, un Galileo, un Darwin, o un Einstein" (Cohen, 1974: 387).

---

13. En una importante medida el programa fuerte de la sociología del conocimiento desarrolla esta ideas. Véanse Bloor (1998) y Barnes, Bloor y Henry (1996).

14. Esta cuestión es enfatizada también por Apple (1979) y Popkewitz (1981).

15. En el mismo sentido, Feyerabend (1973: 27) señala que "lo que debemos hacer es sustituir los castillos formales en el aire, bellos, pero inútiles, por un estudio detallado de las fuentes primarias en la historia de la ciencia. Este es el material a analizar, y éste es el material del que deben surgir problemas filosóficos".

CAPÍTULO 1

Y éste es un tipo de análisis del que no se puede prescindir alegando injustificadamente su falta de validez: "No se puede suponer que los datos del psicólogo, sólo porque son del psicólogo no puedan ayudar a alguien que tenga intereses epistemológicos" (Kuhn, 1977: 164).

Quinto. Una idea extremadamente relevante que se desprende de los análisis sociohistóricos, es la de que la ciencia progresa y se realiza a través de comunidades de científicos, comunidades que pueden ser definidas epistemológicamente, si no ya por la ambigüedad de la noción de paradigma, sí, al menos, por la fecunda noción de programa de investigación (Lakatos, 1970, 1978).

Al margen de su validez lógica y del predominio del análisis formal e interno con el que Lakatos (1970, 1978) ha presentado siempre esta noción, los programas de investigación representan, quizás, uno de los aportes más importantes para el conocimiento descriptivo de la racionalidad científica. Sin embargo, la idea misma de programas de investigación debe ser reconvertida, liberada de sus servidumbres y sus esquematismos formalistas, para que conceptualmente se permita su aplicación no sólo al desarrollo del conocimiento científico particular en las ciencias naturales, sino al desarrollo de planteamientos sistemáticos y valorativos orientados tanto a la comprensión, como a la transformación de la realidad en el campo de las ciencias sociales y del conocimiento educativo (Shulman, 1986). Podríamos decir, retomando esta idea, que la concepción positivista se desarrolla desde sus orígenes a través de programas de investigación, en cuyo centro se encuentran las convicciones más sólidas que la personifican. Estos programas de investigación, no lineales y en ocasiones contradictorios, configuran el devenir histórico del ideal epistemológico, metodológico y político del espíritu positivo[16].

La concepción interpretativa

Esta concepción tiene una historia *vigente* y *reconocible* no tan larga como la representada por la concepción positivista; pues aunque sus orígenes más lejanos pueden ser trazados hasta la "hermenéutica bíblica" (Freund, 1973), es sólo a finales del siglo pasado, y más concretamente a

---

16. Recientemente un epistemólogo tan ponderado y mesurado como Laudan (1986: 11 y ss.) señalaba parecidas críticas a la concepción positivista, entre las que destacan al menos tres: "no se rechazan teorías simplemente porque presentan anomalías, así como tampoco, en general, se las acepta por el mero hecho de estar confirmadas empíricamente"; "los cambios de teorías científicas, y las controversias sobre ellas, se resuelven en cuestiones conceptuales, más que de apoyo empírico"; y "los principios específicos y 'puntuales' de racionalidad científica que los científicos emplean al evaluar teorías no están fijados de modo permanente, sino que se han modificado sustancialmente a través de la historia de la ciencia".

principios del presente[17], cuando dicha concepción comienza a configurarse como un "programa de investigación" legítimo.

Además de la hermenéutica (Gadamer, 1975a, 1975b), esta concepción viene comprendida por diversas escuelas como el interaccionismo simbólico (Mead, 1934; Blumer, 1971; Cronk, 1973; Spradley, 1979; Schwatz y Jacobs, 1979; Bogdan y Biklen, 1982), la fenomenología social (Schütz, 1932, 1962, 1964), la etnometodología (Garfinkel, 1967, 1968; Wolf, 1979; Pollner, 1974; Cicourel, 1964, 1974; Mehan y Wood, 1975; Leiter, 1980) y la etnografía (Malinowski, 1922; Erickson, 1973; Wolcott, 1975; Sanday, 1979; Ogbu, 1981; Lutz, 1981; LeCompte y Goetz, 1982; Jacob, 1987).

Las cuestiones principales de esta concepción pueden ser organizadas a través de cuatro tesis principales y de dos hipótesis resultantes (Angulo, 1988). Las tesis son las siguientes:

i) Según nos ha enseñado la hermenéutica, los *procesos de comprensión/interpretación* son procesos substantivamente existenciales, insertos profundamente en el ser humano. El conocimiento de las formas y estructuras de la realidad social, así como el conocimiento de los productos simbólicos del ser humano, no pueden hacerse sin el concurso de la interpretación dialogante con la realidad simbólica y significativa. La comprensión del mundo humano es el resultado de la interpretación, porque la interpretación es el fondo esencial y *existencial* de la comprensión significativa del mundo (Angulo, 1990c).

ii) Según el interaccionismo simbólico, los sujetos se orientan en la realidad social a través del universo de significados que manejan y construyen. Pero estos significados no son producto exclusivo de su interpretación subjetiva e individual. La realidad social es una realidad interactiva. Los sujetos construyen los significados y atribuyen significados a las cosas, a otros sujetos y a los ambientes en el mundo social como resultado de su interacción con otros sujetos. En el contexto de la interacción, la situación se define, negocia y significa. Al mismo tiempo, ni la interpretación que cada sujeto realiza de los significados del copartícipe, ni tan siquiera las definiciones resultantes de la interacción, quedan establecidas de modo inamovible. Los significados cambian porque cambian los sujetos y los contextos implicados en la interacción.

iii) Para la fenomenología social, lo que los participantes en la interacción aportan y a través de lo cual interpretan la realidad, es su conocimiento a la mano, su experiencia biográfica, su *universo particular de significados*. Pero en la interacción, los significados se relacionan reflexivamente con el contexto mismo. Por ello, los significados de los objetos, de las situaciones y de los otros sujetos, están recorridos por la indexicalidad

---

17. Especialmente con la obra de Weber ([1922]1969).

ineludible que la reflexividad introduce. Es el uso concreto en el contexto concreto de interacción el que determina en última instancia el significado de las cosas. Sin embargo, gracias a la actitud natural, los sujetos pueden presuponer la generalidad, la constancia del mundo y del significado; gracias a la *epojé* de la actitud natural, la realidad externa, el mundo fuera, es visto por los sujetos como independiente, no indexicalizado. El precio de la actitud natural, de la suspensión de la duda en el "afuera", en su constancia invariable, es el trabajo incesante que se ha de efectuar a través de las prácticas de razonamiento común. Gracias a dichas prácticas, la facticidad del mundo social se manifiesta. El mundo social y su racionalidad, no son ya resultado de una construcción, sino el logro de las subjetividades encontradas.

iv) Con la etnografía, la construcción y el logro de la subjetividad se torna resultado objetivo. La cultura es el vínculo objetivo y compartido, que unifica los universos particulares de significados y acciones, de prácticas, de razonamientos y de interacciones. Ya venga definida semióticamente, o como un conjunto de elementos funcionales, la cultura ordena y determina, si bien no exclusivamente, el mundo social de los sujetos. Una cultura es un marco común de entendimiento; a partir de él, de las situaciones concretas en las que se encuentren, los sujetos actúan, razonan, deciden y comprenden su realidad psicosocial. La cultura es, en cierta medida, la consecución objetiva de las subjetividades; al mismo tiempo, la objetividad de la cultura es el fundamento de las subjetividades. La etnografía nos señala que más allá de las particulares interpretaciones que cada participante realiza, se encuentra una estructura simbólica, común y general que confiere sentido al mundo material y social en el que los sujetos se desenvuelven.

De estas cuatro tesis pueden ser derivadas dos hipótesis esenciales para la concepción interpretativa. Estas dos hipótesis han sido denominadas por Wilson (1977: 249 y ss.) "cualitativo-fenomenológica" y "ecológico-naturalista".

La primera hipótesis viene definida de la siguiente manera:

"Aquéllos que trabajan en esta tradición afirman que el científico social no puede comprender la conducta humana sin comprender la estructura en la que los sujetos interpretan sus pensamientos, sentimientos y acciones" (Wilson, 1977: 253).

Esta hipótesis general supone, al menos, dos consecuencias. En primer lugar, que los sujetos, los seres humanos, interactúan a través de símbolos (Woods y Hammersley, 1977) y que, por dicha "mediación simbólica", se define tanto el "mundo social" en el que viven, como ellos mismos (Erickson, 1973).

En segundo lugar, y como consecuencia de lo anterior, los seres humanos actúan sobre sus semejantes, ellos mismos y las cosas, según los significados que les atribuyen; esta atribución es un proceso continuo, interactivo y de negociación en el que los significados son construidos.

En tercer lugar, al ser los significados construidos, se supone que los sujetos conocen y aprenden dichos significados (Magoon, 1977) en los procesos de interacción, y que para captar el significado de los fenómenos sociales, es necesario estudiar y conocer (i.e. comprender) los "procedimientos de interpretación" de los sujetos (Bauman, 1978) o, dicho de otra manera, los métodos que emplean para *definir la situación* (Woods y Hammersley, 1977). A su vez, éstos están determinados de modo inmediato aunque no únicamente por la biografía particular de los sujetos (*"personal histories"*); como advierte Dale, "la manera por la que el actor define las situaciones y les otorga significado (...) está restringida al rango de presuposiciones que trae a la situación como producto de su biografía personal" (Dale, 1973: 176).

La segunda hipótesis, "ecológico-naturalista", señala que la conducta humana "está influida significativamente por los ambientes en los que ocurre" (Brofenbrenner, 1979). Esta hipótesis a su vez se desglosa en dos suposiciones: primero, la necesidad esencial de estudiar los acontecimientos psicosociales en su "ambiente natural", y segundo, que dichos ambientes generan regularidades en la conducta que, a menudo, trascienden las diferencias entre individuos[18].

Desde la concepción interpretativa, la cuestión de cómo el ambiente influye en los sujetos origina dos tipos de exigencias: la ecológico-ambiental y la ecológico-cultural. Según la primera, el punto de vista científico interpretativo admite y reclama "el examen directo del mundo social real empírico", y no el estudio de simulaciones *elaboradas* del mismo (Blumer, 1971; Denzin, 1970). El ambiente natural es, pues, la "fuente directa de los datos" (Bogdan y Biklen, 1982). Solo así, se afirma, puede asegurarse el respeto a la incidencia y determinación que los contextos tienen en la construcción de los significados y en el desarrollo de los procesos de comprensión de los sujetos.

Por otro lado, la exigencia ecológico-cultural matiza que los contextos no se refieren tanto a los ambientes "físicos" como a los ambientes simbólico-culturales. Por "ambiente simbólico-cultural" se entiende tanto los elementos propiamente simbólicos (papeles, valores, normas y

---

18. Esta hipótesis tienen su origen inmediato en la psicología ecológica y los trabajos de Barker (1969), por ejemplo. Además de Doyle (1978, 1986), han sido Zeichner (1986, 1987), Zeichner y Tabachnick (1985) y Zeichner, Tabachnick y Densmore (1987), quienes han reconocido la importancia de los contextos, no sólo físicos, en el análisis de los fenómenos educativos y de formación docente.

CAPÍTULO 1

el lenguaje mismo) como elementos socioestructurales (organizaciones, instituciones, procesos de participación, etc.). Es en este sentido, pues, en el que las interacciones, construcciones y negociaciones de significados sólo pueden ser comprendidas si son investigadas desde la ecología cultural en la que se producen y que, a su vez, reproducen continuamente.

La introducción de esta última exigencia marca un necesario contrapeso con respecto a la hipótesis cualitativo-fenomenológica. Si ésta enfatiza el carácter subjetivo, en cuanto dependiente de la percepción "significativa" del sujeto (su biografía, por ejemplo), y particular, en cuanto dependiente de la negociación *específica* del proceso social, la exigencia ecológico-cultural advierte que éstas a su vez se producen y son determinadas por marcos culturales intersubjetivos, relativamente comunes. Los significados, aclara Erickson (1986: 129), son también "no-locales" en origen.

El concurso de la ecología cultural evita en cierta medida la sobredeterminación subjetiva (i.e. idealista), en la que en ocasiones la concepción interpretativa se ve atrapada, pero no excluye la intervención de la subjetividad. La cultura es, pues, el aspecto "objetivo" de los procesos sociales, en el sentido fuerte, incluso, de un orden y una historia social que determinan efectivamente –pero no de manera absoluta– la interpretación de la realidad (Carr y Kemmis, 1983: 95).

En fin, los procesos sociales están conformados tanto por las interpretaciones subjetivas de los sujetos, como por las estructuras y elementos intersubjetivos (i.e. objetivos) "no-locales", que mediatizan sus interacciones y que, a su vez, son producto de los primeros, y están reformulados en cada proceso de interacción mismo.

Reconsideración crítica de la crítica

Existe sin duda un tercer planteamiento en abierto contraste con los dos anteriores. Este planteamiento –o, si se quiere, "concepción"– ha recibido variadas denominaciones: radical, crítico, sociocrítico y neomarxista. No creo que como concepción teórico-filosófica, dicha concepción tenga que ser puesta en duda; sin embargo, resulta ciertamente difícil clasificarla en paralelo a las dos concepciones que acabamos de ver, al menos por dos razones: la primera es que tanto la concepción positivista como la interpretativa delimitan ámbitos metodológicos "inconmensurables" y propios, es decir, cada una de estas concepciones se expresan, respectivamente, a través de criterios de racionalidad de la representación propios. Frente a ellos, la "concepción crítica" *no posee* dichos criterios propios. Por ejemplo, el famoso estudio de Bowles y Gintis (1985), *metodológicamente* se encontraría en la concepción positivista, mientras que los estudios de Sharp y Green (1975) y Willis (1977) en la interpretativa. Lo que hace "distinta" –y esto resulta realmente importante– a esta concepción, al menos en este plano, es la "radicalización" que lleva a cabo de dichos principios, su abierta utilización "ideológica", i.e. su crítica social e ideológica de los postulados de las teorías rivales (Sharp, 1980; Angulo, 1992).

No obstante, y salvando las cuestiones que acabamos de señalar, el lugar propio de discusión de esta concepción podría estar justo allí donde Habermas (1968) la sitúa: *en potenciar y realizar un ideal de emancipación esencial para la acción transformadora de la realidad humana y social.* Pero ¿qué elementos aporta la "concepción crítica" a, por ejemplo, la concepción interpretativa? Quizás resulte útil recordar la crítica que Habermas realiza del trabajo de Gadamer (1975a); en ella, Habermas (1970) señala que la sociología interpretativa, indefectiblemente, hipertrofia el lenguaje "en las formas de vida del sujeto", con ello se conecta con la "presuposición idealista según la cual la conciencia lingüísticamente articulada determina la práctica material de la vida". Pero...

"la infraestructura lingüística de una sociedad es parte de un complejo que, aunque mediado simbólicamente, está también constituido por los constreñimientos de la realidad (...) Las acciones sociales sólo pueden ser comprendidas por una estructura objetiva construida conjuntamente por el lenguaje, el trabajo y la dominación. La sociología no puede ser reducida, por ello, a sociología interpretativa. Se requiere la referencia a un sistema, que, por un lado, no suprima la mediación simbólica de la acción social en favor de una visión naturalista de la conducta controlada meramente por señales y estímulos, pero que, por el otro lado, no sucumba al idealismo del lenguaje, y que no sublime los procesos sociales enteramente como tradición cultural" (p. 361).

El mismo discurso de Marx, anclado en el *positivismo cientificista*, se encontraba orientado técnicamente en su acción, por no decir *instrumentalmente* (Habermas, 1968). Es decir, aunque se haya postulado abiertamente el poder emancipador de la tecnología, esto no significa que en realidad dicho interés haya sido el interés rector último de su trabajo. Como ha demostrado la historia, la emancipación tecnológica es más un sueño o una "legitimación" espúrea, que una realidad social reconocible. La racionalidad tecnológica no puede promover otro interés que el técnico o instrumental, i.e. el control social (Angulo, 1991).

En efecto, el excesivo énfasis de la concepción interpretativa en la comprensión/interpretación subjetiva del actor de su mundo social, le priva justamente del trasfondo social que abierta o veladamente determina, aunque no absolutamente, los procesos "internos" de comprensión (Angulo, 1992). El mundo social, como afirman Sharp y Green (1975: 21), es mucho más que la constelación de significados que los sujetos manejan, ya sea individual o colectivamente. Lo que la concepción interpretativa no contesta, frente a lo que se muestra indiferente, es por qué ciertos significados se institucionalizan a expensas de otros, por qué ciertas constelaciones de normas, de papeles sociales, de lenguajes, de categorías se presentan como legítimos por encima de los otros (Apple, 1979).

"El mundo social no está estructurado meramente por el lenguaje y los significados, sino por modos y fuerzas de producción material, por sistemas de dominación relacionados de alguna manera con la realidad material y su control (...) la construcción intelectual de la realidad social, la estructuración del lenguaje y del significado está afectada por las relaciones de dominación y subordinación en la sociedad (...) y los diferentes intereses de los grupos en la estructura social" (Sharp y Green, 1975: 25).

Afirmando la exclusividad de la subjetividad, la concepción interpretativa acepta el orden establecido, la bondad y naturalidad de los sistemas socio-colectivos. ¿Cómo romper justamente con esta reducción a la subjetividad? ¿Cómo desentrañar la naturalidad y bondad ficticia de las estructuras sociales? Para Sharp y Green (1975: 59) la respuesta es nítida:

"... mucho más que atender a la comprensión hermenéutica del sujeto individual actuando en toda su idiosincrasia particular, la tarea del científico social estribaría en intentar desarrollar en las situaciones sociológicas la estructura subyacente y las interconexiones, constreñimientos y contingencias que impone".

Esto significa, ni más ni menos, que el investigador debe situar las interpretaciones del actor dentro de una comprensión crítica e histórica de la evolución y estructuración social (Apple, 1979; Sharp, 1980). ¿Cuáles son las relaciones de poder? ¿Cuál es la jerarquía social imperante? ¿Cuáles son las bases económicas y materiales que justifican ciertas acciones e interpretaciones?, son algunos de los interrogantes que el investigador debe formular para comprender los procesos de comprensión del actor. Pero estas preguntas no pueden ser respondidas, y ni siquiera formuladas, sin *una teoría política de la sociedad*, i.e. una teoría de la acción como *praxis*. Como afirma Habermas (1976: 3) en referencia al materialismo histórico, ésta sería una teoría de la sociedad "concebida con intención práctica, que evita la debilidad complementaria tanto de la política tradicional como de la moderna filosofía social". Sin embargo, todo ello no puede implicar la anulación de la subjetividad del actor. El análisis del significado no puede ser abolido por su contextualización y su conexión con los "determinantes" socioeconómicos, que sin duda intervienen en su creación[19]. Por

---

19. Esta es también una pieza clave para superar cierto determinismo que ha invadido a la concepción crítica misma, como Sharp (1981) y Giroux (1983), señalan.

otro lado, la concepción crítica, como decíamos al principio, es antes que nada (o mejor, en tanto *crítica*) una concepción implicada en la acción y transformación emancipativa de la realidad social, y es ahí, justamente, donde hay que plantearla[25].

Como afirma Habermas (1971: 2), "la crítica comprende que sus afirmaciones de validez sólo pueden ser verificadas en los procesos exitosos de ilustración ['*enlightment*'], y esto significa: en el discurso práctico de aquellos implicados".

Referencias

Agar, M. H. (1980). *The professional stranger. An informal introduction to Ethnography.* New York: Academic Press, Inc.

Alvira, F. *et al.* (Comp.) (1975). *Los dos métodos de las ciencias sociales.* Madrid: Centro de Investigaciones Sociológicas.

Angulo, J. F. (1988). *Análisis epistemológico de la racionalidad científica en el ámbito de la didáctica.* Málaga: Universidad de Málaga.

Angulo, J. F. (1990a). Las posibilidades de la explicación interpretativa: un enfoque constitutivo. *Philosophica Malcitana, 3* (3), 25-44.

Angulo, J. F. (1990b). El problema de la credibilidad y el lugar de la triangulación en la investigación interpretativa. En J. B. Martínez Rodríguez (Comp.) *Hacia un enfoque interpretativo de la enseñanza.* (pp. 95-110). Granada: Universidad de Granada.

Angulo, J. F. (1990c). Las posibilidades de la explicación interpretativa: un enfoque constitutivo. *Philosophica Malcitana, 3* (3), 25-44.

Angulo, J. F. (1991). Contra la simplicidad. *Revista de Educación, 296,* 389-440.

Angulo, J. F. (1991). Racionalidad tecnológica y tecnocracia. Un análisis crítico. En AA.VV., *Sociedad, cultura y educación.* Homenaje a Carlos Lerena Alesón. (pp. 315-342). Madrid: Universidad Complutense de Madrid.

Angulo, J. F. (1992). Objetividad y valoración en la investigación educativa. Hacia una orientación emancipadora. *Educación y Sociedad, 10,* 91-129.

Apel, K. O. (1986). *Estudios éticos.* Barcelona: Alfa.

Apple, M. W. (1979). *Ideología y currículo.* Madrid: Akal.

Barker, R.G. (1969). Wanted: An eco-behavioral science. En E. R. Willems y H. L. Raush (Eds.) *Naturalistic viewpoints in pscyhological research* (pp. 31-43). New York: Holt, Rinehart and Winston, Inc.

Barnes, B., Bloor, D. y Henry, J. (1996). *Scientific Knowledge. A Sociological Analysis.* Chicago: University of Chicago Press.

Bauman, Z. (1978). *Hermeneutics and Social Science: Approaches to understanding.* London: Hutchinson.

Bellack, A. (1978) *Competing Ideologies in Research on Teaching.* University Reports on Education, I, Uppsala. Department of Education. University of Uppsala, September.

Bernstein, R. J. (1983). *Beyond objectivism and relativism.* Oxford: Basil Blackwell.

Bloor, D. (1998). *Conocimiento e imaginario social.* Barcelona: Gedisa.

Blumer, H. (1971). *El interaccionismo simbólico. Perspectiva y metodología.* Barcelona: Hora.

Blumer, H. (1971). *El interaccionismo simbólico. Perspectiva y metodología.* Barcelona: Hora.

Bogdan, R. C. y Biklen, S. K. (1982). *Qualitative research for education.* Boston: Allyn & Bacon, Inc.

Bohm, D. (1974). La ciencia como percepción-comunicación. En F. Suppe (Comp.) *La estructura de las teorías científicas* (pp. 421-439). Madrid: Editora Nacional.

Bowles, S. y Gintis, H. (1985). *La instrucción escolar en la América capitalista.* Madrid: Siglo XXI.

Braithwaite, R. B. (1959). *Scientific explanation: A study of the function of theory, probability and law in science.* Cambridge: Cambridge University Press

Brofenbrenner, U. (1979). *The ecology of human development: Experiments by nature and desing.* Cambridge, MA: Harvard University Press.

Brown, H. I. (1977). *La nueva filosofía de la ciencia.* Madrid: Tecnos.

Bunge, M. (1969). *La investigación científica.* Barcelona: Ariel.

Bunge, M. (1980). *Epistemología.* Barcelona: Ariel.

Campbell, D. y Stanley, J. (1963). *Experimental and quasi-experimental designs for research.* Chicago, IL: Rand-McNally (Trad. esp. Buenos Aires: Amorrortu, 1978).

Carr, W. y Kemmis, S. (1983). *Becoming critical: knowing through action research.* Victoria: Deakin University Press.

Chalmers, A. F. (1976). *¿Qué es esa cosa llamada ciencia? Una valoración de la naturaleza y el estatuto de la ciencia y sus métodos.* Madrid: Siglo XXI.

Cicourel, A. V. (1964). *Método y medida en Sociología.* Madrid: Editora Nacional.

Cicourel, A. V. (1974). *Cognitive sociology. Language and meaning in social interaction.* New York: The Free Press.

Cohen, R. S. (1974). Epistemology and Cosmology: E. A. Milne's Theory of Relativity. *The Review of Metaphysics, 3* (3), 385-405.

Cook, T. D. y Campbell, D. T. (1979). *Quasi-experimentation: Design & analysis issues for field settings.* Chicago: Rand McNally.

Cronbach, L. J. (1957). Las dos disciplinas de la psicología científica. En F. Alvira *et al.*, (Comp.) *Los dos métodos de las ciencias sociales* (pp. 93-121). Madrid: Centro de Investigaciones Sociológicas.

Cronk, G. F. (1973). Symbolic interactionism: A "left-meadian" interpretation. *Social Theory and Practice, 2* (3), 313-333.

Dale, R. (1973). Phenomenological perspectives and the sociology of the school. *Educational Review, 125* (3), 175-181.

Denzin, N. K. (1970). *Sociological methods: A source book.* Chicago: Aldine Publishing Company.

Doyle, W. (1978). Paradigms for research on teacher effectiveness. En L. S. Shulman (Comp.) *Review of research in Education*, Vol. 5 (pp. 163-198). Itasca, IL. AERA. Peacock Publish.

Doyle, W. (1986). Classroom organization and mangement. En M. C. Witrock (Comp.) *Handbook of research on teaching*, 3rd Edition (pp. 392-431). New York: Macmillan.

Erickson, F. (1973). What makes school ethnography "ethnographic"? *Anthropology and Educational Quarterly, 15* (1), 51-66.

Erickson, F. (1986). Qualitative methods in research on teaching. En M. C. Witrock (Ed.), *Handbook of research on teaching.* 3rd edition: A Project of The American Educational Research Association. New York: Macmillan.

Feyerabend, P. K. (1973). *Tratado contra el método.* Madrid: Tecnos.

Feyerabend, P. K. (1976). *Cómo ser un buen empirista. (Defensa de la tolerancia en cuestiones epistemológicas).* Valencia: Cuadernos Teorema, nº 7. Universidad de Valencia.

Feyerabend, P. K. (1982). Una lanza por Aristóteles. Anotaciones al Postulado del Aumento del Contenido. En G. Radnitzky y G. Andersson (Comp.) *Progreso y racionalidad en la ciencia* (pp. 133-164). Madrid: Alianza.

Freund, J. (1973). *La teoría de las ciencias humanas.* Barcelona: Península, 1975.

Gadamer, H.-G. (1975a). *Verdad y método.* Salamanca: Sígueme.

Gadamer, H.-G. (1975b). Hermeneutics and social science. *Cultural Hermeneutics, 1* (2), 307-316.

Gage, N. L. (1963). Paradigms for research on teaching. En N. L. Gage (Comp.) *Handbook of research on teaching* (pp. 94-141). Chicago: Rand McNally and Comp.

Gage, N. L. (1978). *The scientific basis of the art of teaching.* New York: Teachers College Press.

Gage, N. L. (1989). The paradigm wars and their aftermath: A "historical" sketch of research on teaching since 1989. *Teachers College Record*, *91* (2), 135-150.

Gage, N. L. y Needels, M. C. (1989). Process-product research on teaching: A review of criticisms. *The Elementary School Journal*, *89* (3), 253-300.

Garfinkel, H. (1967). *Studies in ethnomethodology*. New Jersey: Prentice-Hall.

Garfinkel, H. (1968). The origins of the term "ethnomethodology". En R. Turner (Comp.) *Ethnomethodology* (pp. 15-18). Harmondsworth: Penguin Books.

Giddens, A. (1976). *Las nuevas reglas del método sociológico*. Buenos Aires: Amorrortu.

Giroux, H. (1980). Critical theory and rationality in citizenship education. *Curriculum Inquiry*, *10* (4), 229-366.

Giroux, H. (1983). Theories of reproduction and resistance in the new sociology of education: A critical analysis. *Harvard Educational Review*, *53* (3), 257-293.

Glaser, B.G. y Strauss, A. L. (1967). *The discovery of grounded theory: Strategies for qualitative research*. Chicago: Aldine.

Goetz, J. P. y LeCompte, M. D. (1982). *Etnografía y diseño en investigación educativa*. Madrid: Morata.

Grundy, S. (1987). *Producto o praxis del curriculum*. Madrid: Morata.

Guba, E. G. (1978). *Toward a methodology of naturalistic inquiry in educational evaluation*. Los Angeles, California: Center for The Study of Evaluation. University of California.

Guba, E. G. y Lincoln, Y. (1981). *Effective evaluation. Improving the usefulness of evaluation results through responsive and naturalistic approaches*. San Francisco: Jossey-Bass Publis.

Guba, E. G. y Lincoln, Y. (1982). Epistemological and methodological bases of naturalistic inquiry. *Educational Communication and Technology Journal*, *30* (4), 233-252.

Habermas, J. (1968). *Conocimiento e interés*. Madrid: Taurus.

Habermas, J. (1970). Toward a theory of communicative competence. *Inquiry, 3* (1-4), 360-375.

Habermas, J. (1971). *Knowledge and Human Interests*, trans. Jeremy J. Shapiro. London: Heinemann.

Habermas, J. (1973). *Problemas de legitimación en el capitalismo tardío*. Buenos Aires: Amorrortu.

Habermas, J. (1976). *La reconstrucción del materialismo histórico*. Madrid: Taurus.

Hanson, N. R. (1958/71). *Observación y explicación. Patrones de descubrimiento*. Madrid: Alianza.

Harré, R. (1981). The positivism-empiricist approach and its alternative. En P. Reason y J. Rowan (Comp.) *Human Inquiry* (pp. 3-17). Chichester: John Wiley & Sons.

Hempel, C. (1952). *Fundamentals of concept formation in empirical science*. Chicago: University of Chicago Press (trad. española: *Filosofía de la ciencia natural*. Madrid: Alianza, 1987).

Hempel, C. y Oppenheim, P. (1948). Studies in the logic of explanation. *Philosophy of Science*, *15*, 135-175.

House, E. R. (1992). Response to «Notes on Pragmatism and Scientific Realism». *Educational Researcher, 21* (6), 18-19.

Jacob, E. (1987). Qualitative research traditions: A review. *Review of Eductional Research*, *57* (1), 1-50.

Kaplan, A. (1964). *The conduct of inquiry*. San Francisco: Chandler.

Knorr-Cetina, K. D. (1977). Producing and reproducing knowledge: Descriptive or constructive? Toward a model of research production. *Social Science Information*, *16* (6), 669-696.

Knorr-Cetina, K. D. (1979). Tinkering toward success: Prelude to a theory of scientifics practice. *Theory and Society*, *18* (1), 347-376.

Knorr-Cetina, K. D. (1981). *The manufacture of knowledge. An essay on the constructivist and contextual nature of science*. Oxford: Pergamon.

Kolakowski, L. (1966). *La filosofía positivista*. Madrid: Cátedra.

Kuhn, T. S. (1962). *La estructura de las revoluciones científicas*. México: Fondo de Cultura Económica (segunda reimpresión, 1977).

CAPÍTULO 1

Kuhn, T. S. (1972). Lógica del descubrimiento o psicología de la investigación. En I. Lakatos y A. Musgrave (Comp.) *La crítica y el desarrollo del conocimiento* (pp. 81-111). Barcelona: Grijalbo.

Kuhn, T. S. (1977). *La tensión esencial*. México-Madrid: Fondo de Cultura Económica.

Lakatos, I. (1970). Falsification and the methodology of scientific research programmes. En I. Lakatos y A. Musgrave (Comp.) *La crítica y el desarrollo del conocimiento* (pp. 91-196). Barcelona: Grijalbo.

Lakatos, I. (1978). *The methodology of scientific research programmes*. Philosophical Papers Volume 1. Cambridge: Cambridge University Press.

Laudan, L. (1977). *El progreso y sus problemas. Hacia una teoría del crecimiento científico*. Madrid: Ediciones Encuentro.

LeCompte, M. D. y Goetz, J. P. (1982). *Etnografía y diseño en investigación educativa*. Madrid: Morata.

Leiter, K. (1980). *A primer on ethnomethodology*. Oxford: Oxford University Press.

Lutz, F. W. (1981). Ethnography- The holistic approach to understanding schooling. En P. Green y W. Wallat (Comp.) *Etnography and Language in Educational Settings* (pp. 51-63). Norwood, NJ.: Ablex.

Magoon, A. J. (1977). Constructivist approaches in educational research. *Review of Educational Research*, *47* (4), 651-693.

Malinowski, B. (1922). *Los Argonautas del Pacífico*. Barcelona: Península, 1975.

Masterman, M. (1972). La naturaleza de los paradigmas. En I. Lakatos y A. Musgrave (Comp.) *La crítica y el desarrollo del conocimiento* (pp. 159-201). Barcelona: Grijalbo.

McCarthy, T. (1978). *The critical theory of Jürgen Habermas*. Cambridge, Mass.: The MIT Press.

Mead, G. H. (1934). *Mind, self and society*. Chicago: University of Chicago Press. (trad. *Espíritu, persona y sociedad*. Buenos Aires, Paidós, 1968).

Mehan, H. y Wood, H. (1975). *The reality of ethnomethodology*. Malabar, Florida: Robert E. Krieger Publ.

Miller, E. (1972). Positivism, historicism and political inquiry. *American Political Science Review*, *66* (3), 796-817.

Ogbu, J. U. (1981). School ethnography: A multilevel approach. *Anthropology and Educational Quarterly*, *12* (1), 3-29.

Piaget, J. (1979). *Tratado de la lógica y conocimiento científico. Naturaleza y métodos de la epistemología*. Vol. I. Buenos Aires: Paidós.

Pollner, M. (1974). Sociological and commonsense models of labeling process. En R. Turner (Comp.) *Ethnomethodology* (pp. 27-40). Harmondsworth: Penguin Books.

Popkewitz, T. S. (1981). Qualitative Research: Some Thoughts about the Relation of Methodology and Social History. En T. S. Popkewitz y B. R. Tabachnick (Comp.) *Field Based Methodologies in Educational Research and Evaluation* (pp. 154-178). New York: Praeger.

Popkewitz, T. S. (1984). *Paradigma e ideología en investigación educativa*. Madrid: Mondadori.

Popper, K. (1950). *La sociedad abierta y sus enemigos*. Buenos Aires: Paidós.

Quintanilla, A. (1971). Formalismo y epistemología en la obra de K. Popper. *Teorema*, *1* (4), 48-81.

Quintanilla, M. A. (1972). *Idealismo y filosofía de la ciencia*. Madrid: Tecnos.

Quintanilla, M. A. (1973). Popper y Piaget: dos perspectivas para la teoría de la ciencia. *Teorema*, *13* (1), 77-83.

Radnitzky, G. (1970). *Contemporaty schools of metascience*. Göteborg, Sweeden: Akademiförlaget. Scandinavian University Books.

Radnitzky, G. (1978). Los límites de la ciencia y de la tecnología. *Teorema*, *8* (3-4), 229-261.

Radnitzky, G. (1979). La tesis de que la ciencia es una empresa libre de valores. En G. Radnitzky y G. Anderson (Comp.) *Estructura y desarrollo de la ciencia* (pp. 49-107). Madrid: Alianza.

Sanday, P. R. (1979). The ethnographic paradigm(s). *Administrative Science Quarterly*, *24* (10), 527-538.

Sayers, S. (1982). Contradiction and dialectic in the development of science. *Science and Society, 14* (4), 409-436.

Schütz, A. (1932). *Fenomenología del mundo social.* Buenos Aires: Paidós, 1972.

Schütz, A. (1962). *El problema de la realidad social.* Buenos Aires: Amorrortu, 1974.

Schütz, A. (1964). *Estudios sobre la teoría social.* Buenos Aires: Amorrortu, 1974.

Schwatz, M. y Jacobs, J. (1979). *Sociología cualitativa: métodos para la reconstrucción de la realidad.* México: Trillas. 1984.

Shapere, D. (1971). The paradigm concept. *Science, 172* (3), 706-709.

Sharp, R. (1980). *Knowledge, Ideology and the Politics of Schooling.* London: Routledge & Kegan Paul.

Sharp, R. (1981). Marxism, the concept of ideologym and its implications for fieldwork. En T. S. Popkewitz y B. R. Tabachnick (Eds.) *The Study of Schooling: Field-based Methodologies in Educational Research and Evalaution* (pp. 112-154). New York: Praeger.

Sharp, R. y Green, A. (1975). *Education and social control.* London: Routledge & Kegan Paul.

Shulman, L. S. (1986). Paradigmas y programas de investigación en el estudio de la enseñanza: una perspectiva contemporánea. En M. C. Witrock (Comp.) *La investigación de la enseñanza.* Vol. 1 (pp. 9-91). Barcelona: Paidós.

Snow, R. E. (1973). Theory construction for research on teaching. En R. M. Travers (Comp.) *Second handbook for research on teaching* (pp. 77-112). Chicago: Rand McNally College Publis.

Spradley, J. P. (1979). *The ethnographic interview.* New York: Holt, Rinehart and Winston.

Stegmüler, W. (1979). *La concepción estructural de las teorías.* Madrid: Alianza.

Suppe, F. (Comp.) (1974). *La estructura de las teorías científicas.* Madrid: Editora Nacional.

Toulmin, S. (1972). *La comprensión humana I. El uso colectivo y la evolución de los conceptos.* Madrid: Alianza.

von Wright, G. H. (1971). *Explicación y comprensión.* Madrid: Alianza.

von Wright, G. H. (1971). *Explicación y comprensión.* Madrid: Alianza.

Wallace, W. (1971). *La lógica de la ciencia en sociología.* Madrid: Alianza.

Weber, M. ([1922]1969). *La acción social. Ensayos metodológicos.* Barcelona: Península.

Willis, P. (1977). *Learning to labor: How working class kids get working class jobs.* New York: Columbia University Press.

Wilson, S. (1977). The use of ethnographic techniques in educational research. *Review of Educational Research, 47,* 245-265.

Winch, P. (1958). *Ciencia social y filosofía.* Buenos Aires: Amorrortu.

Wolcott, P. (1975). Criteria for an ethnographic approach to research in schools. *Human Organization, 34* (2), 111-127.

Wolf, M. (1979). *Sociologías de la vida cotidiana.* Madrid: Cátedra.

Woods, P. y Hammersley, M. (Eds.) (1977). *School experience: Explorations in the sociology of education.* London: Croom Helm.

Zeichner, K. (1987). The ecology of field experience: Toward an understanding of the role of field experiences in teacher development. En M. Haberman y J.M. Backus (Comp.) *Advances in teacher education.* Vol. 3 (pp. 94-117). Norwood. Ablex Publish. Corp.

Zeichner, K. M. (1986). Content and context: Neglected elements in studies of student teaching as an occasion for learning to teach. *Journal of Education for Teaching, 12* (1), 5-24.

Zeichner, K. M. y Tabachnick, B. R. (1985). The development of teacher perspectives: Social strategies and institutional control in the socialization of beginning teachers. *Journal of Education for Teaching, 11* (1), 1-25.

Zeichner, K. M., Tabachnick, B. R. y Densmore, K. (1987). Individual, institutional, and cultural influences on the development of teachers' craft knowledge. En J. Calderhead (Comp.) *Exploring teachers' thinking* (pp. 21-59). London: Cassell.

CAPÍTULO 2

Realismo ontológico e investigación

José Félix Angulo Rasco y Silvia Redon Pantoja

El trabajo plantea la necesidad de volver a pensar en la epistemología de la investigación en educación, ofreciendo un mapa que nos ayude a transitar por distintos planos de análisis: desde ontológicos a técnico/ instrumentales. Todos estos planos son interdependientes con las dimensiones éticas y políticas de todo conocimiento. Los planos relacionados con la ontología tratan respectivamente de los supuestos sobre la naturaleza del mundo (social y natural) y sobre el peso –ontológico– de nuestras teorías y conjeturas fundamentadas. Peso que entre otros, se traduce en un conocimiento situado e inventado desde la capacidad simbólica de nuestra especie, en las coordenadas de tiempo y espacio, tejidas por intenciones, poderes, políticas, sesgos, arrogancias, culturas, género, valores y *epistemes* previas que cambian y mutan, según el momento histórico por el que se transita. El plano epistemológico se centra en los criterios de verdad, el metodológico en la implementación de las estrategias de investigación y el técnico/instrumental en la práctica concreta de indagación.

Este capítulo aspira a plantear dos cuestiones importantes: primero, la importancia de asumir el realismo ontológico (de Bhaskar) en la investigación educativa, para evitar caer en el relativismo posmoderno por una parte y asumir, por otra, que en el campo de las ciencias sociales toda realidad ontológica es producto de estructuras que subyacen al fenómeno de lo social; segundo, que la aceptación del realismo ontológico no determina de manera absoluta las posiciones que se vayan a adoptar en otros planos y, como luego veremos, que una parte fundamental del trabajo ontológico implica develar y transparentar dichas estructuras subyacentes.

Once upon a time, a long long time ago...

Once upon a time, a long long time ago, en el campo de la educación y especialmente de la didáctica, se escribía, publicaba, leía y discutía sobre epistemología. Las obras de Kuhn (1962), Horkheimer (1968), Popper (1973), Ayer (1976), Lakatos y Musgrave (1975), Feyerabend (1973),

Mugüerza (1981) y posteriormente de Habermas (1968a), fueron durante un tiempo breve un camino, no exento de dificultades, por el que era obligatorio transitar. Se publicaron trabajos que ayudaron a pensar sobre los pensadores y sus implicaciones en el campo de la educación. Baste recordar *Epistemología y educación* (AA.VV., 1978), *Las fronteras de la ecuación* (Pérez Gómez, 1978) y desde el mundo anglosajón, el trabajo de Popkewitz (1981).

Luego se descubrió gracias a los trabajos de Parlett y Hamilton (1976) y de Guba (1981) –publicados en una importantísima compilación realizada por José Gimeno Sacristán y Ángel Pérez Gómez (1983) bajo el título de *La Enseñanza: su teoría y su práctica*– además del de Guba y Lincoln (1981)– que la epistemología se prolongaba, más allá de la psicometría a la que nos habíamos acostumbrado, en la investigación cualitativa y en los nuevos criterios de rigor que formulaba.

Pero en lugar de florecer y desarrollarse, las nuevas ideas se fosilizaron, se convirtieron en lo peor: una reducción sobre la nueva trinidad de los paradigmas positivista, práctico y crítico, y aunque repetidamente se optaba y profesaba por la fe *crítica*, citando a Carr y Kemmis (1986) –mucho más digerible que los textos originales de Habermas (1968a, 1968b, 1973)– nadie se aventuraba más allá de esta servidumbre nominal. Después, tras el ruido cacofónico y huero de estas simplificaciones, vino el silencio, cumpliendo quizás la sabia advertencia de Wittgenstein al final de su Tractatus: de lo que no se puede hablar mejor es callarse. Pero este *silencio epistemológico*, explicable en parte por la falta de voluntad reflexiva, fue ocupado rápidamente por ciertos "ismos" que todavía encontramos aquí y allá: nos referimos al globalismo (forma actual del neoliberalismo) (Beck, 1997) y al posmodernismo (Harvey, 1989; Anderson, 1998). "Ismos" que operan como "sacos sin fondo" en los cuales "todo cabe" y que, al no tener fondo, su interior es difuso y acarrean confusión conceptual (Angulo, 2009), cuestión que se habría evitado si el análisis y el pensamiento epistemológico se hubieran hecho presentes en el campo disciplinar de la pedagogía.

Este trabajo quiere ser un primer paso en una revisión de las distintas corrientes epistemológicas que actualmente podemos encontrar en el campo de las ciencias sociales y de la educación. Aquí queremos comenzar con la presentación de un mapa básico con el que guiar nuestras reflexiones y los debates conjuntos. El mapa que queremos desarrollar es un intento de ordenación del espacio conceptual, desde el que diseccionar y recolocar algunas posiciones teóricas, epistemológicas y ontológicas.

El plano vertical: de la ontología a la práctica de investigación

A nuestro juicio, y siguiendo en parte las ideas seminales de Tom (1985), podemos distinguir cinco niveles básicos; niveles que pueden diferenciarse pero que están en continua *inter*-relación, de tal manera que pueden incluso cruzarse en propuestas concretas. Estos niveles o planos son los siguientes: *ontológico, epistemológico, metodológico y técnico/ instrumental,* planos que emergen y se interrelacionan con dimensiones ético-políticas.

Denominamos nivel o plano **ontológico** al nivel en el que se determina cómo es la naturaleza del mundo (social y natural). En este sentido es posible establecer a su vez dos subplanos: **ontológico**$_1$ (O_1) y **ontológico**$_2$ (O_2).

El plano **ontológico**$_1$ hace referencia a las cuestiones generales sobre la naturaleza del mundo; por ejemplo, si los objetos que componen el mundo social o natural son o no independientes de quien los percibe; si el mundo es externo o está mediatizado o incluso construido por los seres humanos, quiere decir por el lenguaje como concreción del pensamiento simbólico; si el mundo aparece conformado por regularidades o "mecanismos" no perceptibles[1].

El plano **ontológico**$_2$ hace referencia a cuestiones menos "generales" sobre la naturaleza del mundo; por ejemplo, aquí se encuentran las teorías como corpus específicos de conocimiento que validamos o construimos para explicar la naturaleza del mundo social y natural y las posiciones teóricas que podamos adoptar o adoptemos. Son el horizonte crítico que define las categorías conceptuales, dentro de los marcos disciplinares en los que se define la problemática de investigación. Este, que es el plano esencialmente teórico sobre la "representación" particular de una parte u objeto (objetos o seres) del mundo, se encuentra, indudablemente, relacionado con el anterior. En un sentido fuerte, las posiciones teóricas subscriben, explícita o implícitamente, visiones de la naturaleza y de la constitución del mundo; en un sentido más débil ontológicamente hablando nos señalan cuestiones, circunstancias y características básicas, para quien la defiende, sobre el mundo y que suelen ser olvidadas u omitidas por otras posiciones. En este plano ontológico$_2$ se hacen presentes las dimensiones éticas y políticas que subyacen a todo conocimiento en la comprensión y/o transformación de la realidad. Con esto nos referimos al "sentido" de la investigación. ¿Para qué investigamos en las ciencias sociales y específicamente en educación? Esta dimensión teleológica de la investigación siempre entraña una cuestión ética, vale decir un valor, un bien, lo político entendido como la convivencia de la especie humana, a lo que debiera propender toda investigación, sustentando formas de

---

1.   Bhaskar (1978: 36) señala que la ontología no es un mundo aparte de lo que la ciencia investiga y no trata de un substrato físico misterioso. La ontología, que se pregunta cómo tiene (es) que ser probablemente el mundo para que sea posible para la ciencia, tiene como su método el transcendental y como sus premisas a la ciencia misma.

convivencia más equitativas, justas, democráticas e igualitarias (Denzin y Lincoln, 2011).

Denominamos nivel o plano **epistemológico** a aquel en donde se establecen los criterios de validez, bondad y calidad del conocimiento "científico" o racional. Aquí se podrían situar las cuestiones sobre la objetividad/subjetividad, las teorías sobre la generalización, la conjunción entre causalidad y explicación científica, la fiabilidad y validez de los instrumentos, la doble hermenéutica. En este plano cobra gran relevancia la validez otorgada al informante mismo en las fases hermenéuticas y su condición igualitaria; es lo que, al fin y al cabo, podría mutar investigador e investigado otorgando validez al par *ethic/emic*[2]. El verticalismo y distancia entre sujeto y objeto, investigador e investigado del paradigma cientificista dominante, se debería transformar en las ciencias sociales en una integración dialógica entre informantes e investigadores en bien de la validez y credibilidad en la construcción del conocimiento.

Denominamos nivel o plano **metodológico** al que recoge las distintas vías de indagación sobre y en el mundo social y natural. En este plano se encuentran las disputas sobre los diseños de investigación, los estudios de casos, los problemas de las muestras, el análisis biográfico, etc[3]. En el plano metodológico deberán incorporarse los contratos éticos según la metodología escogida en las ciencias sociales.

Denominamos nivel o plano **técnico/instrumental** al que abarca todo lo concerniente a los instrumentos, procedimientos y estrategias específicas de recogida y análisis de información y datos[4]. En este plano técnico/instrumental es posible y legítimo considerar la historia, la política y las cosmovisiones valorativas que "determinan" la práctica misma[5]. Por otro lado, resulta necesario tener presente también en este plano o nivel práctico de recogida de la información, los derechos y cuidados éticos de los "informantes" (contratos éticos, consentimientos, asentimientos) y la interpretación de dicha información. Por último está la condición ética de la utilización de dicho conocimiento, que correspondería a sus productos (el conocimiento científico) como impacto en la interacción social y su consecuencia política (por ejemplo, el uso de los instrumentos psicométricos

---

2. Sobre *emic* y *etic*, véanse Harris (1987) y Angulo (1990).

3. Somos conscientes de que en gran parte de la literatura, metodología tiene un significado mucho más amplio (englobando a epistemología) que el que aquí adoptamos.

4. Podríamos afirmar que los planos epistemológicos y metodológicos corresponden a la lógica reconstruida y el técnico/instrumental a la lógica en uso (Cicourel, 1982).

5. Véanse Toulmin (2003) y Flyvbjerg (2001) para dos aproximaciones complementarias a las ciencias sociales como ciencia práctica.

CapÍtulo 2

para la toma de decisiones, los usos políticos de la ciencia, etc.)[6] (Gould, 2003; Toulmin, 2003).

Estos planos o niveles que aquí se presentan de modo separado, están, por el contrario, íntimamente interrelacionados; hasta tal punto, como decíamos, que la discusión sobre un instrumento retrotrae a los otros niveles (epistemológico y ontológico), como puede ocurrir, por ejemplo, con el empleo de los tests psicométricos en evaluación y en general los problemas derivados de la validación de los instrumentos y técnicas cuantitativas[7]. En este punto es importante reiterar que no existen planos ontológicos, metodológicos y epistemológicos que se revistan de una pseudoneutralidad científica y se desprendan de sus consecuencias éticas y políticas en la sociedad.

Fig. 2. Niveles de la racionalidad de la representación y su correlato con la dimensión ética política del conocimiento. Fuente: elaboración propia.

Una vez establecidos estos planos, para comprender la realidad es necesario precisar respecto de estos mismos planos y la realidad social, muy brevemente, una de las tendencias que han recorrido los campos de discusión académica en ciencias sociales. Por supuesto, nuestro tratamiento aquí no puede ser todo lo exhaustivo que debería y merece (dada la importancia que en algunos casos posee).

---

6. De alguna manera no trivial es esto mismo lo que intenta hacer el programa fuerte de filosofía de la ciencia, de la mano de Bloor (1991), que es a su vez criticado duramente por Sokal (2008).

7. Un trabajo ejemplar en este sentido es el de Gould (2003) sobre los inicios de la psicometría.

La importancia del plano ontológico

No puede albergarse ninguna duda del extraordinario impulso que desde mediados de los años ochenta ha gozado el aquí denominado plano ontológico$_2$. En cualquier ámbito que seleccionemos en educación y en cualquier disciplina de las ciencias sociales, encontraríamos una enorme pluralidad de perspectivas que intentan explicarlo y de propuestas de intervención que pretenderían cambiarlo y mejorarlo. La evaluación, el curriculum, la organización escolar, la innovación y la misma formación docente, por ejemplo, son campos intelectualmente complejos no sólo por su propio desarrollo teórico interno, sino por el influjo evidente de dichas perspectivas. Buena muestra de ello fue el trabajo de Greene (1994)[8], en el que se realiza una especie de recapitulación de las más importantes tendencias (feminismo, posestructuralismo, la recuperación del pragmatismo y el influjo de pensamiento habermasiano)[9] y su potencial para la investigación y el cambio educativo.

En estas nuevas tendencias, Greene (1994: 459) señalaba como elemento central

"... el esfuerzo para desarrollar prácticas sociales concretas en las que las escuelas se relacionen con expresiones de la cultura popular, las artes y los ámbitos de trabajo. Posmodernismo, posestructuralismo, hermenéutica, fenomenología, teoría crítica: las etiquetas no son lo más importante. Lo que importa es una afirmación de un mundo social que acepta la tensión y el conflicto. Lo que importa es la afirmación de la energía y la pasión por la reflexión en una renovada esperanza de acción común, de encuentros cara a cara entre amigos y desconocidos, luchando por el significado y la comprensión. Lo que importa es la búsqueda de nuevas vías de vida en común, de generación de más y más diálogos incisivos e inclusivos. Los obstáculos se encuentran en la anestesia y en la petrificación, en las totalidades vacías y en la negación de la vida".

No es, desde luego, un optimismo que deba ser descartado. Sin embargo, lo que Greene olvida, más preocupada como está por las implicaciones

---

8. Aunque la autora hace referencia expresa a la "epistemología", tal como hemos definido los distintos planos, está, sin embargo, haciendo referencia al plano ontológico$_2$.

9. Las referencias son aquí desde luego inabarcables, para alguien que no se dedique exclusivamente a estas cuestiones. Pueden, no obstante consultarse los siguientes: Rorty (1979); Roberts (1981); Bernstein (1983); Cherryholmes (1988, 1992, 1994); Maher y Rathbone (1989); Lather (1986a, 1986b); Benhabib y Cornell (1990); Noddings (1990); Ball (1993) y Varela y Álvarez Uría (1994). Véanse también los tres capítulos del *Handbook of research on curriculum*, dedicados a la investigación: Darling-Hammond y Snyder (1992); Lincoln (1992) y Walker (1992).

de dichas tendencias en el cambio social, es que de una u otra manera no sólo están poniendo en entredicho la "ansiedad cartesiana", por utilizar la expresión de Bernstein (1983), que ha determinado y dominado en gran medida los reparos presentados a estas corrientes por el positivismo contemporáneo, sino que, mucho más peliagudo, directa o indirectamente, se está apuntando a un plano superior de discusión. Me refiero al plano ontológico$_1$, que ha de ser situado en primera línea de discusión. En este plano, podemos encontrar dos enfoques: uno hace referencia al estatuto ontológico de los "objetos" estudiados en las distintas corrientes de investigación y otro, paralelamente, plantea el estatuto de dichos objetos en razón de posiciones ontológicas generales.

Ejemplos de la primera vía se encuentran en la defensa por Cziko (1989, 1992a, 1992b)[10] de la impredecibilidad y el indeterminismo de la conducta humana y sus consecuencias para la investigación educativa, en el *continuum* ontológico ofrecido por Tom (1985) y en el cuestionamiento de una teoría de la causalidad *lineal* (Prigogine y Stengers, 1990; House, Mathison y McTaggart, 1989; Angulo, 1991; Deutsch, 1997)[11].

Por ejemplo, Tom (1985) nos llama la atención sobre el hecho de que durante el siglo XX los fenómenos educativos han sido considerados tan "reales" como las "rocas y los "árboles"; sin embargo, las nuevas tendencias en investigación y los nuevos intereses del conocimiento (*plano práctico*), están introduciendo una imagen considerablemente distinta a esta imagen inicial; una imagen según la cual los fenómenos educativos son *construidos* activamente por los seres humanos participantes (al igual que otros fenómenos *conceptuales,* como indica Glasersfeld, 1995) (véase figura 3). Lo que nos lleva al problema de la causalidad. Si los fenómenos son construidos, las relaciones entre los mismos, en el mundo social, dependen de los sujetos (sus intencionalidades y sus acciones). Su comprensión y "explicación" no puede hacerse adoptando una teoría de la causalidad para la cual todos los fenómenos –en la naturaleza y en la sociedad– son *como si* fueran fenómenos naturales (i.e. no dependen de la acción o la intención de los sujetos para su ocurrencia), sino de otra forma de entender la *causalidad* que sí pueda dar cuenta de su "naturaleza" construida[12] (Angulo, 1991).

---

10. La réplica a las ideas de Cziko se encuentran en Amundson, Serlin y Lehrer (1992).

11. Aquí entraría la famosa y lamentablemente olvidada advertencia de Cronbach (1975, 1980, 1982) de que las generalizaciones decaen; y, desde luego, las prudentes recomendaciones de Campbell (1978, 1982).

12. Lincoln y Guba (1985) no son partidarios de mantener una teoría de la causalidad. En su lugar proponen el concepto de "modelado (influencia) mutuo y simultáneo" (p. 150). Véase Angulo (1991) y en el capítulo 22 de este libro, un replanteamiento de la causalidad en la investigación educativa.

Pero aquí todo depende de la posición ontológica que se sustente, lo que nos lleva al segundo grupo de desarrollos y al plano O_1.

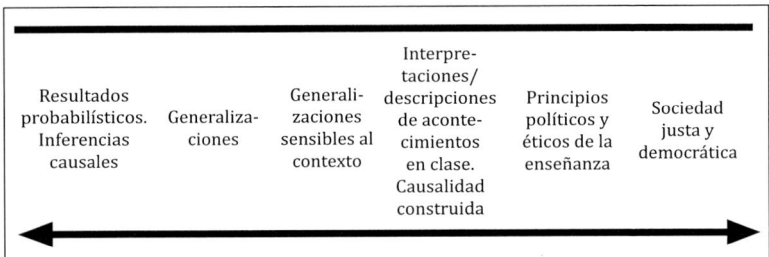

Fig. 3. Estatuto ontológico de los fenómenos educativos. Fuente: tomado y adaptado de Tom (1985: 11).

La segunda vía se encuentra en las polémicas cruzadas a propósito de la defensa de ciertas teorías generales que implican visiones ontológicas del mundo natural y social bastante divergentes. Aquí por ejemplo, sobresale el realismo de Bhaskar (1978) defendido directamente por House (1991), Outhwaite (1987) y Sayer (2000), e indirectamente por Liston (1990)[13].

No tenemos espacio para exponer *in extenso* la "nueva" concepción filosófica del realismo planteada por Bhaskar (1975) para la ciencia[14] y defendida por House (1991) para la investigación y evaluación educativa. No obstante, sí es posible comentar algunas de sus ideas clave; entre otras cosas, porque su ontología no excluye las posiciones más audaces en el plano O_2.

Para Bhaskar (1975) "las estructuras reales (del mundo) existen independientemente de y están a menudo en otro plano que los patrones actuales de los acontecimientos" (p. 13)[15]; es más, los acontecimientos no son el último foco del análisis científico, en tanto que su explicación requiere la comprensión de las "estructuras causales que los producen, y los acontecimientos son producidos por interacciones complejas de multitud de entidades causales subyacentes" (House, 1991: 4). Los dominios de la realidad son al menos tres: lo real, lo actual y lo empírico, que en sí mismos son distintos y que tienen relaciones diferentes con los elementos de la realidad: los mecanismos (causales), los acontecimientos y las experiencias (Bhaskar, 1978: 13).

---

13. Véase también Outhwaite (1987).

14. De todas maneras, cualquier tratamiento del realismo formulado por Bhaskar, ha de ser, necesariamente, contrabalanceado con el realismo tentativo (como lo denomina Quintanilla, 1994) de Putnam (1994).

15. Outhwhite señala que "el realismo es una ontología de sentido común..., pues toma con seriedad la existencia de cosas, estructuras y mecanismos revelados por la ciencia a diferentes niveles de la realidad" (1987: 19).

"La realidad, por lo tanto, está estratificada. Los acontecimientos son explicados por estructuras subyacentes, que pueden ser explicadas eventualmente por otras estructuras en niveles mucho más profundos. El proceso de descubrimiento científico es continuo" (House, 1991: 4).

El cuadro que presenta Bhaskar (1975) para aclarar esta relación es el siguiente:

	Dominio de lo real	Dominio de lo actual	Dominio de lo empírico
Mecanismos	X		
Acontecimientos	X	X	
Experiencias	X	X	X

Cuadro 1. Dominios y elementos del mundo. Fuente: tomado de Bhaskar (1975: 13).

Es decir, la investigación trata de dar cuenta de las estructuras[16] profundas que son *causales*[17]. Y aunque tanto éstas, como los acontecimientos y experiencias son reales, solamente las últimas, las experiencias, son empíricas y, por lo tanto, susceptibles de ser *medidas*. Los acontecimientos pueden ser percibidos, pero, al igual que las estructuras, no dependen del ser humano; existen sin su presencia y sin su capacidad de conocimiento; por lo tanto, se muestran independientes del sujeto conocedor, al igual que las estructuras causales. En el mejor de los casos la investigación científica puede reconocer ciertos mecanismos causales, pero en ningún caso, afirmar que son los últimos, o los fundamentos últimos de la constitución del mundo[18]. Los mecanismos que puedan ser detectados, son lo que para Bhaskar (1975: 16) representan los *objetos intransitivos* del conocimiento, aunque se manifiesten a través de sus *objetos transitivos*, que son sus causas materiales.

"El objetivo de la ciencia es la producción de conocimiento de los mecanismos de producción de fenómenos en la naturaleza que se combinan para generar el flujo actual de los fenómenos en el mundo. Dichos mecanismos, que son los objetos intransitivos de la indagación científica,

---

16. Esta idea acerca, pero sólo acerca, la concepción de Bhaskar a la Teoría de la Estructuración de Giddens (1984). Archer (1995) es un certero análisis sobre la diferencias y acercamientos de ambas posiciones ontológicas.

17. Bhaskar no se identifica con ninguna perspectiva sobre la causalidad. Se trata de analizar –como indica Outhwaite (1987: 21-22)– la causalidad en términos de la "naturaleza de las cosas y sus interacciones, sus poderes causales (y tendencias)".

18. Con lo que el realismo de Bhaskar se aleja del esencialismo. Véase Sayer (2000: 54 y ss).

soportan y actúan con independencia del ser humano. Los enunciados que describen sus operaciones, que pueden ser denominadas leyes, no son enunciados sobre la experiencia (enunciados empíricos, propiamente dichos) o enunciados sobre acontecimientos. Son la manera en que las cosas actúan en el mundo (es decir, las formas de actividad de las cosas del mundo) y que actuarían en el mundo sin el ser humano" (Bhaskar, 1875: 17).

Las teorías científicas (que estructuran nuestro conocimiento multicausal) se comportan como hipótesis de los mecanismos internos del mundo, que pueden ser confirmadas o falsificadas por ciertas experiencias de y sobre ciertos acontecimientos. Como afirman Bhaskar (1975: 45) y House (1991: 5) las teorías no se encuentran en relación de correspondencia con la realidad (empírica), ni suponen un espejo de la realidad (Rorty, 1979). El sistema del mundo es un sistema abierto y no cerrado como el concebido por el positivismo.

"La teoría intenta explicar los acontecimientos, y la explicación puede ser adecuada o inadecuada. La teoría tiene que conformarse a los estándares de adecuación establecidos en cada *disciplina sustantiva particular.* Por ello, el mundo es conocido sólo bajo descripciones particulares y es, en este limitado sentido, epistemológicamente relativo" (House, 1991: 5). (*El subrayado es nuestro*).

Pero lo importante aquí es, desde luego, que la explicación es, en principio, una explicación multicausal[19]. Pero nuestras explicaciones identifican causas (no lineales) entre las múltiples causas posibles; causas que no dependen de las regularidades empíricas, son *tendencias* en las que un "acontecimiento observable puede o no ser producido" y observado (medido) (House, 1991: 5).

¿Cómo se entiende, entonces, la ciencia social desde el realismo? House lo plantea no sin cierta ambigüedad:

"Las ciencias humanas son posibles, pero sus objetos –seres humanos, relaciones humanas y sociedades humanas– poseen características distintas que requieren una atención especial. Los humanos son intencionales y sociales, crean sociedades y relaciones sociales que se muestran radicalmente abiertas y conceptualmente dependientes. Es

---

19. Liston (1990) admite también explicaciones intencionales, en paralelo a lo que dicho autor denomina explicaciones funcionales (que emplea "mecanismos funcionales como elementos básicos de explicación"): "La diferencia entre una explicación funcional y una explicación intencional es esta: en la explicación funcional una característica institucional se dice que persiste porque produce efectos particulares, en razón de su tendencia disposicional; una explicación intencional directa del mismo acontecimiento afirmaría que las acciones de los actores sociales son directamente responsables de los hechos diposicionales y de los acontecimientos resultantes" (p. 94).

CAPÍTULO 2

decir, las relaciones humanas son dependientes de las ideas que los participantes tienen sobre ellas. La sociedad consiste en instituciones, estructuras, prácticas y convenciones que la gente reproduce y transforma. Las intenciones se desarrollan en los marcos de dichas estructuras, que son reales (y que a su vez), ejercen una fuerte influencia sobre las actividades humanas" (House, 1991: 6).

Pero esto no excluye que la ciencia social se centre en la "construcción" de leyes como tendencias. Lo que, al igual que en las ciencias físico-naturales, supone la explicitación y comprensión de entidades causales y de sus interacciones. Aunque, en buen realismo, el procedimiento sea indirecto. El reconocimiento, por ejemplo, de que un programa educativo no va a tener los mismos efectos en diferentes sitios y circunstancias, no impide a un realista esperar que las entidades transfactuales tengan una incidencia causal a través de los distintos ambientes, aunque puedan ser "amplificadas o canceladas por otros factores... El objetivo de la investigación es descubrir las entidades que tienden a producir efectos" (House, 1991: 8)[20].

Por añadidura, y como se señalaba antes, los criterios de la "explicación causal" dependen de las propias disciplinas (nivel ontológico O_2): "Cuando los investigadores inventan nuevas ideas, usando nuevas historias y metáforas quizás, crean nuevas explicaciones del mundo físico, pero no lo inventan, ya está ahí" (House, 1992: 18).

El terreno de las ciencias sociales es, ciertamente, un terreno resbaladizo. Por un lado, parece que existe un acercamiento a cierto convencionalismo (menos intenso en las ciencias físico-naturales que en las sociales) en la medida en que son las disciplinas las que conforman y formulan los criterios de aceptación de las leyes como tendencias. Por el otro, el mundo existe con independencia del ser humano, e incluso algunas "entidades sociales" como la sociedad misma; pero a su vez, otras (hechas por el ser humano) no entran dentro de esta existencia independiente y susceptible de tratamiento *realista*.

Sin embargo, el realismo no nos obliga a aceptar en las ciencias sociales una perspectiva absolutamente explicativa y legaliforme. Podemos, empleando los conceptos de "objetos o entidades" transitivas e intransitivas, llegar más allá de lo formulado por House. Como acabamos de indicar, House acepta –siguiendo a Bhaskar– que los seres humanos creamos estructuras sociales, es decir, construimos objetos culturales (ritos, normas) e institucionales. Su carácter fuertemente constructivo los aleja de la reificación, pero no necesariamente del realismo ontológico[21]. Los *objetos*

---

20. Las entidades transfactuales citadas no pueden ser otras que "mecanismos institucionales"... y las instituciones son producto humano.

21. Se cae en la "falacia de la reificación", cuando se asevera de modo absoluto que la sociedad puede "existir" con independencia de los seres humanos y que antecede a los sujetos mismos.

culturales e institucionales por ejemplo, son reales, aunque construidos, creados por los seres humanos. Son en este sentido objetos transitivos; sin embargo, su imbricación en nuestra vida social, su permanencia y evolución a lo largo de la historia, los convierte en objetos intransitivos, cuyas propiedades, mecanismos y estructura son accesibles a la indagación científica. Es así como el constructivismo no relativista puede ser comprendido *ontológicamente* como una forma de realismo (O_1) (Glasersfeld, 1995)[22]. De alguna manera, los estudios empíricos de Piaget y de Glasersfeld hacen referencia a acontecimientos reales en la interacción de los sujetos, en su aprendizaje y en su construcción del conocimiento. Sin esa referencia real, ¿cómo defender el mismo constructivismo? Otra cosa sería criticar su falta de sentido social y su fuerte individualismo, algo que la psicología de Vygotsky (Wertsch, 1988) y la psicología cultural (Cole, 1999) se han encargado de realizar[23].

Es probable, por lo tanto, que en las ciencias sociales poseamos más objetos *transitivos* que intransitivos[24]. Aunque ciertamente haya objetos con una fuerte intransitividad, como la Segunda Guerra Mundial, el Estado o la globalización, por poner tres ejemplos. Nosotros, los seres humanos, hemos generado, y sin nosotros no hubiera existido o emergido (Archer, 1995); y es por ello por lo que no son entidades intransitivas. Podemos analizarlas, comprender sus mecanismos, las estructuras que intervinieron y se crearon, formular teorías explicativas, comprender su significado. Son objetos reales, aunque gozan, por así decir, de una *doble transitividad*: por su generación y por nuestros intentos de explicación siempre transitorios. La aceptación de una ontología realista tiene además una enorme importancia cultural, social y política. Entidades reales, además de las nombradas, son la injusticia, el hambre, la opresión y una larga serie de circunstancias que nos degradan como seres humanos. Su constante permanencia las hace *quasi* intransitivas; pero, al fin y al cabo, hemos y somos nosotros –los seres humanos– quienes las creamos y las mantenemos. Y es justamente su transitividad lo que nos permitiría cambiarlas o, en términos políticos, erradicarlas. Las ciencias naturales no tienen esta *ventaja* con respecto a los fenómenos de los que se ocupan. Las ciencias sociales, pues, y por

---

22. Sería en el plano ontológico$_2$ como podemos criticarlo, es decir, como teoría del aprendizaje, o teoría social.

23. Véanse también los trabajos de Olssen (1996), Zevenbergen (1996) y Martínez-Delgado (2002).

24. Es siempre problemático establecer qué objetos sociales han sido o no construidos por los seres humanos. Este pequeño matiz es tan importante que pone de hecho en cuestión la "intransitividad" de los mecanismos sociales y, por extensión, la necesidad de "depender" de las explicaciones causales, a menos que, si la flecha llega a su objetivo, no comencemos a aceptar y a discutir sobre una especie de causalidad construida (Lincoln y Guba, 1985; Angulo, 1991).

CAPÍTULO 2

extensión, la educación se proyecta en la intervención, el cambio y la mejora de las condiciones de vida de los seres humanos (Flyvbjerg, 2001).

No quisiéramos terminar esta breve discusión sobre el realismo ontológico y su importancia en la investigación educativa, sin indicar el conjunto de asunciones que House (1992) identifica y que se derivan de sus planteamientos realistas (aunque van más allá de los mismos). Por sí solas, pueden conformar el panel más interesante de cuestiones polémicas a las que ha dado lugar este plano ontológico$_1$ del que hemos venimos tratando.

- El mundo real es complejo y estratificado de tal manera que siempre es concebible descubrir nuevas capas complejas de realidad para explicar otros niveles.
- La sociedad no existe fuera de las acciones individuales; es más, los actores sociales producen y reproducen estructuras sociales, consciente o inconscientemente, que, a su vez, influyen en sus acciones.
- La acción humana es intencional incluyendo la capacidad de regulación primaria y secundaria (regulación de la regulación: evaluación).
- No existen fundamentos no corregibles para la ciencia, tales como impresiones de los sentidos o hechos inmaculados. El conocimiento es social e histórico.
- La explicación científica es la explicación de cómo las estructuras causales de diferente tipo producen acontecimientos.
- La teoría de la causalidad basada en la asunción de regularidades invariantes es incorrecta.
- El conocimiento de la ciencia social depende de la comprensión del mundo social significativo de los participantes; el lenguaje ordinario interactúa fuertemente con el lenguaje de los científicos sociales.
- No existe una distinción rígida entre hecho y valor: las afirmaciones de valor pueden ser establecidas de modo similar a las afirmaciones causales.

Tabla 1. Supuestos sobre las ciencias sociales. Fuente: tomado y elaborado a partir de House (1992: 5-6).

El realismo ontológico esbozado en estas páginas da las bases para comprender la importancia y la necesidad del realismo crítico en las ciencias sociales propuesto y trabajado difusamente por Roy Bhaskar.

"Para el realismo crítico, al ser el mundo social él mismo un producto social, esta esencialmente sujeto a la posibilidad de ser transformado. Es, por lo tanto, intrínsecamente dinámico e irreductiblemente geohistórico, un proceso situado y distanciador" (Bhaskar, 2003).

Referencias

AA.VV. (1978). *Epistemología y educación.* Salamanca: Sígueme.

Amundson, R., Serlin, R. C. y Lehrer, R. (1992). On the threats that do not face educational research. *Educational Researcher, 21* (9), 19-24.

Anderson, P. (1998). *Los orígenes de la posmodernidad.* Barcelona: Alianza.

Angulo, J. F. (1990). Las posibilidades de la explicación interpretativa: un enfoque constitutivo. *Philosophica Malacitana, 3,* 25-44.

Angulo, J. F. (1991). ¿Es necesaria la explicación causal en la investigación social y educativa?. *EuroLiceo, 3*, 79-88.

Angulo, J.F. (2009). La voluntad de distracción: las competencias en la universidad. En J. Gimeno Sacristán, *Educar en competencias, ¿qué hay de nuevo?* (pp. 176-204). Madrid: Morata.

Archer, Margaret S. (1995). *Realist social theory: the morphogenetic approach.* Cambridge: Cambridge University Press.

Ayer, A.J. (1976). *Lenguaje, verdad y lógica.* Barcelona: Martínez Roca.

Ball, S. J. (Comp.) (1993). *Foucault y la educación. Disciplinas y saber.* Madrid: Morata.

Beck, U. (1997). ¿Qué es la globalización? *Falacias del globalismo, respuestas a la globalización.* Barcelona: Paidós. (Trad. Espa. 1998).

Benhabib, S. y Cornell, D. (Comp.) (1990). *Teoría feminista y teoría crítica. Ensayos sobre la política de género en las sociedades de capitalismo tardío.* Valencia: Edicions Alfons el Magnànim.

Berstein, R.J. (1983). *Beyond objectivism and relativism.* Oxford: Basil Blackwell.

Bhaskar, R. A. (1975). *A realist theory of science.* London: Verso.

Bhaskar, R. A. (1978). *The possibility of naturalism.* London: Routledge.

Bhaskar, R. A. (2003). Realismo crítico, relaciones sociales y defensa del socialismo. Disponible en: [http://old.sinpermiso. info/articulos/ficheros/3bhaskar.pdf y de http://www.vientosur.info/spip. php?article113].

Bloor, D. (1991). *Knowledge and social imagery.* Chicago: The University of Chicago Press.

Campbell, D. T. (1978). Qualitative knowing in action research. En M. Brenner *et al.* (Eds.) *The social context of method* (pp. 184-209). London: Croom Helm.

Campbell, D. T. (1982). Experiments as arguments. En E. R. House *et al.* (Eds.) *Evaluation series review annual*, Vol. 7 (pp. 117-128). London: Sage.

Carr, W. y Kemmis, S. (1986). *Becoming critical: Knowing through action research.* London: The Falmer Press.

Cicourel, A.V. (1982). Procedimientos interpretativos y reglas normativas en la negociación del estatus y rol. *Reis,* 73-104.

Cole, M. (1999). *Psicología cultural.* Madrid: Morata.

Cronbach, L. J. (1975) Más allá de las dos disciplinas de la psicología científica. En F. Alvira *et al.* (Comp.) *Los dos métodos de las ciencias sociales* (pp. 253-280). Madrid: Centro de Investigaciones Sociológicas.

Cronbach, L. J. (1980). Validity on parole: How can we go straight? *New Directions for Testing and Measurement, 5,* 99-108.

Cronbach, L. J. (1982). Prudent aspirations for social inquiry. En W. Kruska (Comp.) *The state of social sciences* (pp. 61-81). Chicago: University of Chicago Press.

Cziko, G. A. (1989). Unpredictability and indeterminism in human behavior: research and implications for educational research. *Educational Researcher, 18* (3), 17-25.

Cziko, G. A. (1992a). Purposeful behavior as the control of perception. Implications for educational research. *Educational Researcher, 21* (9), 10-18.

Cziko, G. A. (1992b). Perceptual control theory. One threat to educational research no (yet?) faced by Amundson, Serlin, and Lehrer. *Educational Researcher, 21* (9), 25-27.

Cherryholmes, C. H. (1988). *Power and criticism. Poststructural investigations in education.* New York: Teachers College, Columbia University.

Cherryholmes, C. H. (1992). Notes on pragmatism and scientific realism. *Educational Researcher, 21* (6), 13-17.

Cherryholmes, C. H. (1994). More notes on pragmatism. *Educational Researcher, 23* (1), 16-18.

Darling-Hammond, L. y Snyder, J. (1992). Curriculum studies and the traditions of inquiry: The scientific tradition. En P. W. Jackson (Comp.) *Handbook of research on curriculum* (pp. 41-78). New York: Macmillan.

Denzin, N. K. y Lincoln, Y. (2011). Introduction: The discipline and practice of qualitative research. En N. K. Denzin & Y. Lincoln (Eds.) *The Sage handbook of qualitative research.* London: Sage.

CAPÍTULO 2

Deutsch, D. (1997). *La estructura de la realidad*. Barcelona: Anagrama.

Feyerabend, P.K. (1973). *Tratado contra el Método*. Madrid: Tecnos.

Flyvbjerg, B. (2001). *Making social science matter. Why social inquiry mails and how it can succeed again*. Cambridge: Cambridge University Press.

Giddens, A. (1984). *Constitution of society: Outline of the theory of structuration*. Cambridge: Polity Press.

Gimeno Sacristán, J. y Pérez Gómez, A.I. (Comps.) (1983). *La enseñanza: su teoría y su práctica*. Madrid: Akal.

Glasersfeld, E. von (1995). *Radical construtivism. A way of knowing and learning*. London: The Falmer Press.

Gould, S. (2003). *La falsa medida del hombre*. Barcelona: Crítica.

Greene, M. (1994). Epistemology and educational research: The influence of recent approaches to knowledge. *Review of Research in Education, 20*, 423-464.

Guba, E.G. (1981). Criterios de credibilidad en la investigación naturalista. En J. Gimeno Sacristán y A. I. Pérez Gómez (Comps.) *La enseñanza: su teoría y su práctica* (pp. 148-165). Madrid: Akal.

Guba, E. G. y Lincoln, I. S. (1981). *Effective evaluation. Improving the usefulness of evalution results through responsive and naturalistic approaches*. San Francisco: Jossey-Bass Publish.

Habermas, J. (1968a). *Conocimiento e interés*. Madrid: Taurus, 1982.

Habermas, J. (1968b). *Ciencia y técnica como ideología*. Madrid: Tecnos, 1984.

Habermas, J. (1973). *Problemas de legitimación en el capitalismo tardío*. Buenos Aires: Amorrortu.

Harris, M. (1987). *El materialismo cultural*. Madrid: Alianza.

Harvey, D. (1989). *The condition of postmodernity. An enquiry into the origins of cultural change*. Cambridge, MA.: Blackwell.

Horkheimer, M. (1968). *Teoría crítica*. Buenos Aires: Amorrortu.

House, E. R. (1991). Realism in research. *Educational Researcher, 20* (6), 2-9, 25.

House, E. R. (1992). Response to "Notes on pragmatism and scientific realism". *Educational Researcher, 21* (6), 18-19.

House, E. R. (1994). Is John Dewey eternal? *Educational Researcher, 23* (1), 15-16.

House, E. R., Mathison, S. y McTaggart, R. (1989). Validity and teacher inference. *Educational Researcher, 18* (7), 11-15, 26.

Kuhn, T. S. (1962). *La estructura de las revoluciones científicas*. México: Fondo de Cultura Económica.

Lakatos, I. y Musgrave, A. (Comp.) (1975). *La crítica y el desarrollo del conocimiento*. Barcelona: Grijalbo.

Lather, P. (1986a). Issues of Validity in Openly Ideological Research. *Interchange, 17* (4), 63-84.

Lather, P. (1986b). Research as Praxis. *Harvard Educational Review, 56* (3), 257-277.

Lincoln, Y. S. (1992). Curriculum studies and the traditions of inquiry: The humanistic tradition. En P. W. Jackson (Comp.) *Handbook of curriculum research* (pp. 79-97). New York: MacMillan.

Lincoln, Y. y Guba, E. G. (1985). *Naturalistic Inquiry*. Beverly Hills: Sage.

Liston, D. P. (1990). *Capitalist schools. Explanations and ethics in radical studies of schooling*. London: Routledge.

Maher, F. A. y Rathbone, C. H. (1989). La formación del profesorado y la Teoría Feminista: algunas implicaciones prácticas. *Revista de Educación, 290*, 93-112.

Martínez Delgado, A. (2002). Radical constructivism: Between realism and solipsism. *Science Education, 86* (6), 840-855. Doi:10.1002/sce.10005

Mügüerza, J. (Comp.) (1981). *La concepción analítica de la filosofía*. Madrid: Alianza.

Noddings, N. (1990). Feminist critiques in the professions. *Review of Research in Education, 16*, 393-424.

Olssen, M. (1996). The Failings of Radical Constructivism: Anti-Realism and Individualism. *British Journal of Educational Studies, 44* (3), 275-295.

Outhwaite, W. (1987). *New pholosophies of social science.* London: MacMillan Education.

Parlett, M. y Hamilton, D. (1976). La evaluación como iluminación. En J. Gimeno Sacristán y A. I. Pérez Gómez (Comps.) *La enseñanza: su teoría y su práctica* (pp. 450-466). Madrid: Akal.

Pérez Gómez, A. I. (1978). *Las fronteras de la educación. Epistemología y ciencias de la educación.* Madrid: Zero/Zyx.

Popkewitz, T. S. (1981). *Paradigma e ideología en investigación educativa.* Madrid: Mondadori.

Popper, K. R. (1973). *La lógica de la investigación científica.* Madrid: Tecnos.

Prigogine, I. y Stengers, I. (1990). *La nueva alianza. Metamorfosis de la ciencia.* Madrid: Alianza.

Putnam, H. (1994). *Las mil caras del realismo.* Barcelona: Paidós.

Quintanilla, M. A. (1994). El realismo necesario. En H. Putnam, *Las mil caras del realismo* (pp. 17-37). Barcelona: Paidós.

Roberts, H. (Comp.) (1981). *Doing feminist research.* London: Routledge and Kegan Paul.

Rorty, R. (1979). *La filosofía y el espejo de la naturaleza.* Madrid: Cátedra.

Sayer, A. (2000). *Realism and social science.* London: Sage.

Sokal, A. (2008). *Más allá de las imposturas intelectuales. Ciencia, filosofía y cultura.* Barcelona: Paidós.

Tom, A. R. (1985). Inquiring into inquiry-oriented teacher education. *Journal of Teacher Education, 36* (5), 35-44.

Toulmin, S. (2003). *Regreso a la razón. El debate entre la racionalidad, la experiencia y la práctica racionales en el mundo contemporáneo.* Barcelona: Península.

Varela, J. y Álvarez Uría, F. (1994). *La crisis de los paradigmas sociológicos: el papel de la teoría de M. Foucault.* Valencia: Episteme.

Walker, D. F. (1992). Methodological issues in curriculum research. En P. W. Jackson (Comp.) *Handbook of curriculum research. A project of the american educational research asssciation* (pp. 98-118). New York: MacMillan.

Wertsch, J. V. (1988). *Vygotsky y la formación social de la mente.* Barcelona: Paidós.

Zevenbergen, R. (1996). Constructivism as a liberal bourgeois discourse. *Educational Studies in Mathematics, 31* (1-2), 95-113.

CAPÍTULO 3

Hacia una epistemología situada

Jorge Mario Flores Osorio

Cuando me dispongo a escribir en torno a la epistemología desde América Latina, vienen a mi memoria las propuestas teóricas (sociología crítica, pedagogía del oprimido, filosofía de la liberación, psicología de la liberación, entre otras) que surgieron a partir del acercamiento de sus creadores (Orlando Fals Borda, Paulo Freire, Ignacio Ellacuría, Enrique Dussel e Ignacio Martín-Baró) a la dinámica de exclusión-pauperización, generada por la presencia del capitalismo en su versión neoliberal. Dichas perspectivas emergieron como producto de una praxis que buscó transformar la dinámica estructural de la sociedad capitalista; es decir, que planteó mecanismos teórico-prácticos de compromiso para cambiar de raíz las estructuras sociales y realizar simultáneamente programas orientados a formar a los actores que habrían de construir la nueva estructura social. El trabajo hombro a hombro con los excluidos-pauperizados permitió que los intelectuales mencionados trazaran perspectivas teóricas, para comprender el impacto que el proyecto de industrialización teorizado e impulsado por la Comisión Económica para América Latina (en adelante CEPAL) y el ascenso al poder de los militares, tenían en la contradicción campo-ciudad y en las relaciones obrero-patronales del proyecto industrial capitalista, incluso, en la constitución de la persona como realidad histórica.

El compromiso de dichos intelectuales con los excluidos-pauperizados eventualmente los llevó a ser expulsados de sus países de origen; por ejemplo, los teóricos críticos de la teoría de la dependencia, que migraron a México y concluyeron su teoría en la Universidad Nacional Autónoma de México (UNAM) o el caso de los filósofos (Enrique Dussel, Horacio Cerruti) que desde la interpelación a la filosofía occidental, desarrollaron un marco latinoamericano al que denominaron como Filosofía de la Liberación (Dussel, 1977).

Hubo quienes trascendieron la opción de una praxis epistemológica y se internaron en los caminos de la lucha armada: tal es el caso de Camilo

Torres en Colombia y el poeta Otto René Castillo en Guatemala; otros como Ignacio Ellacuría e Ignacio Martín-Baró –que fueron asesinados por el ejército salvadoreño– contribuyeron al panorama de la filosofía y psicología en América Latina a partir de una praxis de liberación con las comunidades campesinas.

En consecuencia con el camino epistemológico trazado por los intelectuales mencionados, en el presente capítulo postulo una perspectiva epistemológica diferente a la eurocéntrica o estadounidense, analizo luego cómo los criterios de demarcación propuestos por filósofos de la ciencia anglosajones fundamentan las políticas financieras de investigación en América Latina y, finalmente, refiero lo que denomino como epistemología e investigación situada.

Epistemología

En el contexto latinoamericano la epistemología situada se desarrolla con la interpelación y replanteamiento del bagaje teórico (Martín-Baró, 2006) eurocéntrico y estadounidense, a partir de la vida de los sufrientes; dicha acción lleva implícita la necesidad de ver la realidad histórica (Ellacuría, 1985) desde horizontes contrahegemónicos y desde una praxis crítica con respecto a las variables ideológico-políticas de las teorías legitimadas en las instituciones universitarias y centros de investigación.

En el trayecto de interpelación asumo una epistemología que parte de un horizonte crítico a las dimensiones histórico-culturales del discurso, reflejado en las disciplinas y sintetizado en la teoría que se orienta a la comprensión-transformación de los problemas particulares del espacio latinoamericano; es decir, una teoría que tiene como referencia concreta la realidad histórica.

La epistemología situada ve las teorías desde un horizonte crítico, analiza sus fundamentos filosófico-científicos y culturales, así como el que corresponde a las disciplinas contrasta los conceptos, las categorías y los procesos de investigación, en razón de la problemática particular de la región latinoamericana, e intenta resignificar o crear nuevas teorías coherentes con la necesidad de trans-formar la realidad de exclusión-pauperización de grandes sectores de la población latinoamericana.

La epistemología que postulo supone las dimensiones espacio-temporales y culturales que dan sentido y significado a las teorías, además de considerar que en el camino de interpelación al pensamiento eurocéntrico o estadounidense, desde la realidad de los sufrientes, está presente la necesidad de crear teorías situadas en el contexto de exclusión-pauperización; teorías que permitan hacer inteligible la realidad real y que abran el camino de trans-formación de una sociedad centrada en los fines, a la cual no le importan los medios. La epistemología situada es un proceso que busca "... una ciencia/conocimiento (...) centrado en realidades, contextos y problemas propios, como los de los trópicos y subtrópicos" (Fals Borda, 2013: 97), búsqueda contraria a la idea del "método científico usual" encuadrado en la globalización que "no proporciona sino conocimientos aprovechables en el ámbito comercial" (Hinkelammert, 1998: 216).

Desde la epistemología situada se lee la historia de la ciencia y la filosofía desde el lado opuesto al pensamiento hegemónico; se evidencia que el conocimiento está referido a momentos específicos del desarrollo de la sociedad; se muestra que las teorías permiten inteligibilidad de momentos particulares de la realidad social y que la pretensión de universalidad es un grave error de los clasificadores o difusores de la ciencia, quienes se justifican en la necesidad de imponer formas de pensar el mundo pertenecientes a los conquistadores o colonizadores en cualquiera de sus expresiones.

Las teorías utilizadas en la práctica disciplinar se construyen por la necesidad de explicar problemas específicos y situados en un espacio sociocultural determinado, y su desarrollo está delimitado por objetos y campos de aplicación específicos; en ese sentido, las propuestas teóricas construidas para analizar la realidad social (positivismo, funcionalismo, marxismo, fenomenología, estructuralismo, utilitarismo y pragmatismo) son coherentes con la cultura europea y estadounidense, por lo que no pueden aplicarse mecánicamente a otro espacio cultural y menos al de los países periféricos. En consecuencia, no es posible estudiar todas las dimensiones culturales a partir del pensamiento moderno occidental, pues al hacerlo se contribuye "... a ocultar, negar, subordinar o extirpar toda experiencia o expresión cultural que no ha correspondido con ese deber ser que fundamenta a las ciencias sociales" (Lander, 2003; 25).

Teorías como el conductismo, el psicoanálisis, la psicología de la forma, la psicología cognitiva o la psicología y epistemología genéticas, además de surgir en contextos culturales diferentes, también se refieren a objetos e intencionalidades diferentes y sin duda sus referentes filosóficos y científicos son igualmente divergentes. Tal situación hace imposible su aplicación generalizada; sin embargo, en la formación profesional se presentan como aespaciales, atemporales y los conceptos, categorías y estrategias de intervención e investigación se abstraen de la teoría e indudablemente de su contexto para convertirlas en instrumentos neutrales de investigación.

La epistemología situada plantea que "la realidad latinoamericana en transformación merece ideas propias para explicarla y una metodología propia para describirla, lo cual nos lleva a poner, en principio, en cuarentena aquellos conceptos conocidos que hemos aprendido en textos y en aulas (...) no para eliminarlos sino para buscar su exacta validez en nuestro ambiente local" (Fals Borda, 1973: 79-80). En ese panorama, es importante continuar el camino de creación de una ciencia comprometida en la construcción de una sociedad simétrica; una ciencia que permita trascender el colonialismo intelectual de los académicos y restablecer la posibilidad creativa para conocer la realidad y abrir el espacio para recuperar la dignidad humana o, como la denomina Fals Borda (1973), una ciencia propia.

La epistemología situada no se orienta a rechazar el pensamiento desarrollado en otros contextos; nada más lo interpela, es una epistemología en la cual "la independencia intelectual de que aquí se habla significa, entre otras cosas, crear nuevas formas de trabajo y pensamiento, que sean a su vez aportes a la comunidad universal de los científicos" (Fals Borda, 1973: 81).

Hacer epistemología en el contexto latinoamericano implica asumir una postura crítica con relación a la racionalidad tecnológico-instrumental, legitimada en las instituciones de educación superior que reduce la investigación a la aplicación indiscriminada de instrumentos estandarizados, los que en su diseño, ya contienen el criterio que define el adentro y el afuera de una persona en la sociedad, aparte de ello, se magnifica y se da vida al método al margen de la problemática a investigar.

Criterios de demarcación

Los filósofos de la ciencia dedicaron su tiempo a delinear criterios para demarcar y legitimar esquemas de inclusión/exclusión, criterios que definirían el adentro y afuera de la cientificidad, propuestas que no tienen mucho que ver con lo que sucede en el campo de la ciencia; pero sí con el desarrollo de políticas institucionales centradas en la lógica de la justificación y al margen de la lógica de generación de conocimiento. Con relación al criterio verificacionista y para justificar el falsacionismo, Popper cuestiona la necesidad de un modelo que demarque la ciencia de la metafísica y señala que:

"Frente a estas estratagemas antimetafísicas –antimetafísicas en la intención, claro está– no considero que haya de ocuparme en derribar la metafísica, sino, en vez de semejante cosa, en formular una caracterización apropiada de la ciencia empírica, o en definir los conceptos de ciencia empírica y de metafísica, de tal manera que, ante un sistema dado de enunciados, seamos capaces de decir si es asunto o no de la ciencia empírica el estudio más de cerca" (1982: 37).

Como espacio de colonización, las políticas de investigación en América Latina se definen a partir de ciertos criterios de demarcación (inductivo, hipotédico deductivo, falsacionismo, programas de investigación) que justifican al margen de la ciencia lo que debe considerarse como científico; pero que, en realidad, tienen poco que ver con la producción de conocimiento. Dichos criterios, en conjunto con lo que se legitima como problemas de investigación, son delineados para la asignación de recursos, las prácticas de evaluación de la productividad, así como para incluir un artículo en las revistas incorporadas a determinados índices legitimados como científicos (Index Citation, entre otros) e indudablemente para definir quién está adentro y quién fuera de los privilegios que otorga la sumisión a dichas políticas.

Las políticas de asignación de recursos, centradas en los criterios de demarcación, cuyo centro de referencia es Estados Unidos y Europa, orillan a las instituciones gestoras y administradoras de la investigación, en los países periféricos, a considerar como impacto social los artículos publicados en sus índices y al número de veces que un autor es citado, sin importar las razones de la cita; dichos criterios justifican

"... un aparato científico construido para defender los intereses de la burguesía y ese aparato es el que domina hoy a nivel local y general en las naciones llamadas occidentales, el que condiciona, limita o reprime el crecimiento de otras construcciones científicas y técnicas..." (Fals Borda, 1992: 71).

Los principios de justificación cientificista suponen que el mundo debe mirarse desde la ciencia como opción racional. Heisemberg (1993) sostiene que de manera inevitable se debe mirar el mundo con los anteojos de la ciencia y supone que el objeto de la investigación es "... la naturaleza sometida a la interrogación de los hombres, con lo cual, también en este dominio, el hombre se encuentra enfrentado a sí mismo" (1993: 20); con tal afirmación queda marginada la posibilidad de hacer investigación social.

Bajo dichos criterios de demarcación, las instituciones eurocéntricas y estadounidenses imponen los criterios de cientificidad a los países periféricos y deciden la problemática que según ellos, se debe investigar en la periferia; lo que "... tiene claras consecuencias en el mantenimiento de *estatus quo* político y económico que se resuelve alrededor del sistema capitalista e industrial dominante" (Fals Borda, 1992: 69), situación que no cambia para el siglo XXI, salvo que ahora se impone un modelo capitalista de mercado.

Epistemología situada

Epistemológica e históricamente, la ciencia es un acto de subversión con respecto al modelo de ciencia vigente; en consecuencia, desde ningún ángulo puede considerarse a las teorías como universales, pues cada una de ellas explica problemas particulares, ubicados en espacios geográficos y culturales concretos. Es claro en la historia de la ciencia que la construcción o desarrollo de una teoría comienza analizando el bagaje teórico existente, el cual se contrasta con la realidad para saber si permite o no la inteligibilidad de las nuevas problemáticas desveladas.

La epistemología situada en Latinoamérica se desarrolla a partir de la pregunta que ya señalara Martín-Baró (2006) en el ámbito de la psicología, que refiere a saber si con el bagaje teórico a disposición de los investigadores, es posible contribuir de manera significativa a la comprensión de los problemas particulares de la realidad latinoamericana. La solución a tal pregunta lleva implícita la necesidad de interpelación al pensamiento eurocéntrico y estadounidense, impuesto en los países periféricos y legitimado en las instituciones de educación superior y centros de investigación.

La epistemología situada orienta su trabajo a la creación de nuevas categorías, a poner nombre a las cosas, lo que supone una ciencia comprometida con-los-otros excluidos-pauperizados, una ciencia que aspira al sueño como acto político (Freire, 2001: 65). En consecuencia, no se reduce a documentar acontecimientos de la realidad, sino que se constituye en una praxis que denuncia la intencionalidad de las instituciones neoliberales y anuncia el mundo por-venir; es un acto que no se afirma "... en la resignación, sino en la rebeldía ante las injusticias" (*ibíd.*, p. 91); dicha teoría sostiene que "el cambio del mundo supone la dialectización entre la denuncia de la situación deshumanizadora y el anuncio de su superación, en el fondo, nuestro sueño" (*íbid.*, *íd.*).

En ese horizonte, la epistemología que propongo se mueve entre la denuncia de la intencionalidad neoliberal y el anuncio de una sociedad por-venir; se trasciende la dinámica ideológico-política de las teorías que justifican a la sociedad neoliberal, a través de un proyecto teórico-epistemológico alterno y una praxis distinta a la eurocéntrica o estadounidense; en concreto, se transita por la necesidad de construir una nueva epistemología y una nueva teoría para los países periféricos.

Por lo enunciado con antelación, sostengo que la epistemología situada en América Latina se convierte en subversiva para el sistema social hegemónico, porque no se desarrolla al margen de la realidad de los excluidos-pauperizados, sino hombro a hombro con ellos, en un diálogo entre los saberes populares y los universitarios; por consiguiente, los intelectuales dejan su posición de espectadores para constituirse en actores comprometidos con los Otros. Es una epistemología justificada por investigadores "...decididos y sentipensantes..." (Fals Borda, 2013: 101), una epistemología vinculada a fondo con transformaciones fundamentales de la sociedad neoliberal.

En síntesis, la epistemología situada se orienta a comprender-transformar el presente de exclusión-pauperización, a partir de interpelar al pensamiento hegemónico delineando un proyecto coherente con la realidad de los países periféricos, perspectiva que implica superar los dualismos cientificistas (objeto-sujeto, cualitativo-cuantitativo, teoría-práctica, pensamiento-acción) y situarse en la utopía de liberación como acto "... de creación científica que satisface al mismo tiempo los requisitos del método y de la acumulación del conocimiento... teoría y práctica, idea y acción se verían así sintetizadas..." (Fals Borda, 1973: 46).

Referencias

Dussel, E. (1977). *Filosofía de la liberación.* Bogotá: Nueva América.

Ellacuría, I. (1985). *Función liberadora de la filosofía.* Estudios Centroamericanos, ECA. Disponible en: [http://biblio3.url. edu.gt/Revistas/ECA/vol40teoArc.pdf], consultada el 10 de junio de 2016.

Fals Borda, O. (1973). *Ciencia propia y colonialismo intelectual.* México: Nuestro Tiempo.

Fals Borda, O. (1992). La ciencia y el pueblo: nuevas reflexiones. En M. C. Salazar (Ed.) *La investigación-acción-participativa. Inicios y desarrollos* (pp. 65-84). Bogotá: Consejo de Educación de Adultos de América Latina/Universidad Nacional de Colombia.

Fals Borda, O. (2013). *Socialismo raizal y el ordenamiento territorial.* Bogotá: Ediciones Desde Abajo.

Freire, P. (2001). *Pedagogía de la indignación.* Madrid: Morata.

Heisemberg, W. (1993). La *imagen de la naturaleza en la física actual.* Madrid: Planeta Agostini.

Hinkelammert, F. (1998). *El grito del sujeto. Del teatro-mundo del evangelio de San Juan al perro-mundo de la globalización.* San José, Costa Rica: Editorial DEI.

Lander, E. (2003). Ciencias sociales: saberes coloniales y eurocéntricos. En E. Lander (Comp.) *La colonialidad del saber: eurocentrismo y ciencias sociales- Perspectivas Latinoamericanas* (pp. 11-40). Buenos Aires: Consejo Latinoamericano de Ciencias Sociales.

Martín-Baró I. (2006). Hacia una psicología de la liberación. *Psicología sin fronteras, Revista Electrónica de Intervención Psicosocial y Psicología Comunitaria, 1* (2), 7-14. Disponible en: [https://dialnet.unirioja. es/revista/11113/V/2], consultada el 10 de junio de 2016.

Popper, K. (1982). *La lógica de la investigación científica.* Madrid: Tecnos.

— SEGUNDA PARTE —

CAPÍTULO 4

El estudio de caso

Silvia Redon Pantoja y José Félix Angulo Rasco

Investigar con la metodología de estudios de caso implica, *a priori*, estar interesado en un caso, conocer por qué se elige este diseño y qué implicaciones metodológicas tiene. No obstante, Stake (2013) nos recuerda que al investigar con estudios de caso, más que elegir una metodología, elegimos un objeto de estudio que es el caso mismo. La clave está en el caso y no en la metodología. Simons (2011) a su vez refuerza esta idea afirmando que no es la metodología lo que define al estudio de caso, aunque ésta pueda configurar la forma de un determinado caso. Stake (1999) y Yin (1994) señalan que es posible realizar estudios de caso con metodologías tanto cualitativas como cuantitativas según sean los requerimientos de la problemática que se desea resolver, desde la perspectiva epistemológica en la que el investigador o investigadora se asiente. Así pues, podemos decir que el estudio de caso es un tipo de diseño de indagación de la realidad social que no se identifica únicamente o exclusivamente con un método en particular.

En el terreno pedagógico, el estudio de caso se convirtió en un diseño de investigación y evaluación frecuentemente utilizado en el currículo y en las instituciones escolares, incorporando una mirada epistemológica más hermenéutica y cualitativa con relación a su origen y uso por otras ciencias. Como bien señala Stake (1999), el estudio de caso como enfoque naturalista (Simons, 2011) permitió configurar un método que integrara diversidad de técnicas y fuentes, facilitando de este modo una mayor profundidad en la inmersión en el campo y por ende de los procesos analíticos, siempre anclados en el complejo contexto de las experiencias del mundo de la vida y la construcción de la realidad social (Schütz, 1932).

En este capítulo nos centraremos en el estudio de caso cualitativo, es decir, en la búsqueda de la comprensión del caso desde su particularidad y unicidad, lo que no excluye recoger información empleando diferentes técnicas (cuantitativas y cualitativas) con el propósito de comprender mejor y en profundidad el caso mismo (Simons, 2011; Stake, 1999; Adelman, Kemmis y Jenkins, 1980). En este sentido, Helen Simons –una de las más importantes especialistas– señala que un estudio de casos es "una investigación exhaustiva y desde múltiples perspectivas de la complejidad y unicidad de un determinado proyecto, política, institución, programa, o sistema en un contexto 'real'" (Simons, 2011: 42). Con ello pone el acento en el *caso* como un sistema único, cerrado, complejo y sistémico en su contexto *natural*. Walker (1983: 45) también enfatiza esta idea cuando afirma que el estudio de casos es "el examen de un ejemplo en acción". La indagación de unos "incidentes y hechos específicos y la recogida selectiva de información de carácter biográfico, de personalidad, intenciones y valores, (que) permite al que lo realiza, captar y reflejar los elementos de una situación que le dan significado". Y añade que existe en el estudio de casos "una cierta dedicación al conocimiento y descripción de lo idiosincrásico y específico como legítimo en sí mismo". Por lo tanto, la pregunta clave que todo investigador o investigadora tiene que formularse aquí y si opta por este enfoque es siempre la misma: ¿cuál es mi caso?

¿A qué llamamos "caso"?

Teniendo en cuenta lo que acabamos de señalar, hemos de hacer hincapié en que las dos cuestiones básicas son entender/definir qué es el caso y de qué trata (CARE/UEA, 1994; Stake, 1994, 1999). Existen cuatro formas de definir el caso Ragin (1992: 7):

1) Un caso puede ser encontrado o construido por la persona investigadora como una forma de organización que emerge de la investigación misma.

2) Un caso puede ser un objeto definido por fronteras preexistentes tales como una escuela, un aula o un programa.

3) Un caso puede ser derivado de los constructos teóricos, las ideas y los conceptos que emergen del estudio de instancias o acontecimientos similares.

4) Un caso puede ser una convención, predefinido por acuerdos y consensos sociales que señalan su importancia.

Por su parte Stake (1999) adopta otra orientación mucho más ilustrativa. Para este autor los casos pueden ser intrínsecos, instrumentales o colectivos:

1) Los casos *intrínsecos* son aquellos en los que el caso viene dado por el objeto, la problemática o el ámbito de indagación; como cuando un docente decide estudiar los problemas de relación que uno de sus estudiantes tiene con sus compañeros, o cuando se ha de evaluar un programa. Aquí el interés se centra exclusivamente en el caso a la mano,

o en el caso en sí mismo, en lo que podamos aprender de su análisis; sin que tenga que guardar relación alguna con otros casos o con otros problemas generales.

2) Los *instrumentales* se distinguen porque se definen en razón del interés por conocer y comprender un problema más amplio a través del conocimiento de un caso particular. El caso es la vía para la comprensión de algo que está más allá del caso mismo, para iluminar un problema o unas condiciones que afectan no sólo al caso seleccionado sino también a otros. Nos detenemos en el caso, lo seleccionamos, porque tiene algo que decirnos sobre la problemática que nos preocupa. Incluso siendo instrumental, el caso puede llevarnos a contrastar o elaborar teorías dentro del campo disciplinar desde el y en el que se investiga (Simons, 2011). Por ejemplo, el estudio de las dificultades que afronta el profesorado novato en su primer año de docencia, nos permite acceder a la problemática mucho más amplia de la socialización y la práctica de dicho grupo de docentes y con ello elaborar principios teóricos o simplemente conceptuales que nos ayuden a entender esta problemática.

3) Los *colectivos*, al igual que los anteriores poseen un cierto grado de instrumentalidad, con la diferencia de que en lugar de seleccionar un sólo caso, estudiamos y elegimos una colectividad de entre los posibles. Cada uno es el instrumento para aprender del problema que en conjunto representan. Según sea el problema de investigación y su alcance, el estudio de casos colectivo o múltiple (varios casos) ofrece un muy buen diseño instrumental de investigación. Dicho de otra manera, indagar con profundidad los contextos de diversos casos, conjugando los criterios de heterogeneidad frente a los de homogeneidad, puede devolvernos una amplia visión del acontecimiento social o educativo que se quiera investigar. Aquí los criterios de selección de los casos son, sin duda, variables claves para comprender aspectos más amplios de la realidad social y aportar conocimiento en el corpus disciplinar de la problemática investigada. Justificar los criterios de selección del caso o los casos, constituye un primer paso obligado que debe hacerse para asegurar la coherencia estructural interna entre el problema del estudio y el caso en sí mismo como eje articulador de este diseño.

Stake (2013) advierte que probablemente el interés intrínseco y el instrumental requieren el concurso de métodos y énfasis diferentes; de la misma manera que implican modos distintos de establecer el límite y la frontera del caso; es decir, de definirlo (CARE, 1994). De todas formas, ni siquiera en estudios de caso instrumentales estamos tratando con casos representativos o determinando una selección representativa de una población. Incluso cuando, por un interés instrumental, seleccionamos un caso o un conjunto de casos, el investigador está obligado a comprender el caso y cada caso en lo que tienen de único y particular.

La definición del caso

Para definir el caso parece necesario tener en cuenta ciertas cosas. En primer lugar, ha de tratarse de una especificidad, y no de una *función*. Un caso, pues, puede ser algo simple o complejo, un individuo o una institución. En cualquier ejemplo o caso posible lo que importa es su carácter único y específico y, desde luego, lo que podamos aprender de su indagación. Esto es particularmente relevante cuando tenemos que seleccionar un conjunto de casos o cuando tenemos que elegir uno entre los posibles. Ya que no se trata de buscar el caso representativo, hemos de estar atentos a lo que podemos aprender del estudio del caso concreto o del grupo de casos. El equilibrio y la variedad son importantes, pero la oportunidad para aprender resulta clave y esencial (Stake, 1994, 1999).

En segundo lugar, aunque el resultado se presente con la impronta y la textura de lo único, no podemos olvidar que el investigador/a, ha de identificar tanto lo común como lo particular del caso estudiado. Esto supone centrarse en ciertas cuestiones relacionadas con el caso y con cada caso: a) su naturaleza; b) su historia; c) el ambiente y ámbito físico; d) otros contextos relacionados o implicados con el caso, como el económico, el político, el legal y el estético; e) otros casos a través de los que el caso se diferencia y reconoce, y f) las personas que informan a través de las cuales el caso puede ser conocido e indagado (Stake, 1994).

En tercer lugar, la singularidad del caso no excluye su complejidad. Un caso puede constituirse por "subsecciones", grupos, acontecimientos, concatenación de dominios, etc. Un estudio de caso es también un examen holista de lo único, lo que significa *tener en cuenta las complejidades que lo determinan y definen* (Stake, 1999). "Un caso define una relación (o carencia de ella) entre partes de un sistema o totalidad" (CARE, 1994: 84).

En cuarto lugar, el caso representa los valores del investigador/a, sus ideas teóricas previas, sus particulares convicciones. La plasticidad metodológica y la diversidad intrínseca del estudio de caso, no pueden servir para ocultar las persuasiones particulares que cada investigador o investigadora posee. Esto no puede degenerar en una definición previa de lo que se quiera que un estudio de caso represente o parezca, para realizarlo a continuación. Por el contrario, hacer un estudio de caso implica reflexionar sobre lo que se está haciendo, "identificar la estructura analítica que se construye y descubrir y desarrollar la propia voz de quien investiga". "El hecho de que existan muchas definiciones del caso significa que existe, en efecto, sólo una: el estudio de caso es una lucha por alcanzar la madurez metodológica y personal" (CARE, 1994: 88).

En quinto lugar, no puede olvidarse que un estudio de caso es un terreno en el que un investigador o investigadora se relaciona y se encuentra con personas cuyas acciones y relaciones van a ser analizadas. En este sentido, un estudio de caso consiste (y define) un espacio social de relación de manera doble. Por un lado, porque un caso es siempre un contexto en el que ciertos sujetos o actores viven y se relacionan; por el otro, porque la comprensión de un caso único supone escuchar las historias, problemas, dudas e incertidumbres que la gente "inmersa" en el caso nos quiera contar. *Trabajar en un caso es entrar en la vida de otras personas con el sincero interés por aprender qué y por qué hacen o dejan de hacer ciertas cosas y qué piensan y cómo interpretan el mundo social en el que viven y se desenvuelven.*

La diversidad de técnicas y fuentes y la triangulación

El gran aporte que ofrece el diseño con estudio de casos se encuentra en que al plantearse como un estudio en profundidad exige y requiere la recogida de información de múltiples fuentes y técnicas que permitan cristalizar (Moral Santaella, 2006) el caso o los casos estudiados en su máxima comprensión y profundidad (Simons, 2011; Stake, 2013). Esto implica *bucear en el mundo de la vida para llegar a su fondo,* indagar en lo que no es evidente y en lo que puede estar oculto. En el estudio de casos podemos pues, servirnos de técnicas y estrategias cualitativas diversas como las entrevistas, los grupos focales, los datos visuales, la observación e incluso emplear una técnica cuantitativa como el cuestionario. Las fuentes de datos han de ser, a su vez, diversas; es decir, en los estudios de caso resulta esencial recoger información de diversos o múltiples actores que comparten o forman parte del caso a lo largo de una línea cronológica determinada. Otra manera de plantear esta cuestión es tener en cuenta que el caso (por muy simple o complejo que sea) puede ser contemplado desde diferentes "perspectivas": lo que los sujetos dicen individual y colectivamente; lo que hacen en diferentes momentos y lugares; lo que escriben; el camino recorrido y sus historias personales y/o colectivas; la institucionalidad y el territorio. Para desarrollar esta mirada poliédrica necesitaremos distintas estrategias metodológicas.

Esta virtud del estudio de casos, permite precisamente llevar a cabo una de las claves de validación más importantes en investigación cualitativa: la triangulación (Angulo 1990). Según la definición ya clásica de Denzin (1978), la triangulación es "la combinación de metodologías en el estudio del mismo fenómeno" (p. 291). Mucho más comprensiva resulta, no obstante, la idea que maneja Stake (1994): "la triangulación ha sido concebida como un proceso en el que desde múltiples perspectivas se clarifican los significados y se verifica la repetitividad de una observación y una interpretación. Pero reconociendo que ninguna observación o interpretación es perfectamente repetible, la triangulación sirve también para clarificar el significado identificando diferentes maneras a través de las cuales es percibido el fenómeno" (p. 241). De esta manera, la triangulación se nos muestra como un proceso múltiple con múltiples implicaciones. En términos sencillos, la triangulación nos da la posibilidad de contrastar en el mundo de la vida lo que los sujetos dicen, hacen, dejan por escrito, en diferentes momentos de sus itinerarios vitales y a través de diversas fuentes de datos.

Un investigador/a puede y *debe* contrastar sobre una misma información o acontecimiento la interpretación ofrecida por diferentes informantes o facilitada por diferentes fuentes (documentos y opiniones, por ejemplo). También es conveniente ayudarse por el "juicio crítico" o "examen" de sus compañeros, en lo que se denomina *triangulación entre investigadores* (Guba, 1981; Goezt y LeCompte, 1988). Cuando así ocurre, se pueden comprobar y asegurar intuiciones, y descargarse de dudas personales, ansiedades y estrés acumulado. En este sentido es imprescindible que se elabore "pistas de revisión", es decir, que se confeccione un "*case record*" (Stenhouse, 1978, 1987) de tal manera que toda la información del caso (con las debidas precauciones de anonimato y confidencialidad) pueda ser revisada por otros investigadores. Además, puede resultar muy ilustrativo comparar e integrar descripciones, conclusiones y posiciones teóricas de otros trabajos de campo y de otras investigaciones similares en las conclusiones, así como reconocer e interpretar las discrepancias. Esta triangulación asegura la comprensión más general y profunda de los fenómenos estudiados. Durante la investigación, es necesario contrastar los datos obtenidos a través de técnicas complementarias (observación participante *versus* entrevista etnográfica). También podría hacerse entre técnicas con diversa textura epistemológica (cuestionarios *versus* entrevistas etnográficas; observación participante *versus* observación estructurada, por ejemplo). También es necesario confrontar y comparar tanto los análisis que vayan elaborándose como el informe final con los *sujetos investigados*. Esta es, sin duda, una de las variantes más importantes de la triangulación, aunque sea de las menos empleadas. Es muy posible que aquí surjan conflictos y discrepancias, pero la información que dichas situaciones brinde es, en sí misma, de un alto valor *interpretativo*. Con esta triangulación, que para Guba (1981) va al corazón del criterio de credibilidad, se asume el principio de "humildad metodológica" en tres sentidos: el epistemológico, porque afirma que "no existe un acceso privilegiado a la realidad", de tal manera que se asume que el mundo social y educativo está configurado por múltiples puntos de vista, uno de los cuales, aunque ciertamente importante, es el del investigador; el técnico, en tanto que evita la imposición de preconcepciones extrañas, y la adaptación profunda del procedimiento de investigación mismo a las características y contingencias de la realidad estudiada; y, por último, el ideológico, pues como señala Lather (1986) es un paso necesario para que una investigación potencie y desarrolle el aprendizaje de los sujetos implicados sobre sus propias prácticas sin legitimar las usuales dependencias práctico/investigador experto (Angulo, 1992). Los estudios de casos se acercan al así denominado sexto y séptimo momento (Denzin, 2002; Vasilachis de Gialdino, 2006), sin que se puedan o deban confundir con él.

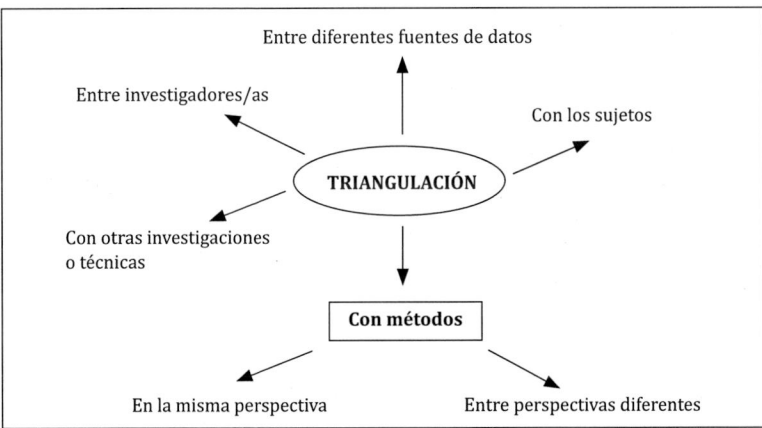

Fig. 1. Diversas formas de triangulación. Tomado de Angulo (1990).

Por último, quisiéramos señalar que si bien ha existido cierta tendencia en las metodologías de investigación cualitativas por identificar los estudios de caso con el estudio etnográfico, debido a la importancia que este diseño atribuye al investigador en su devenir nativo-extranjero (*emic-etic*) (Geertz, 1973: 52) y a la necesaria permanencia de éste en el campo (caso), los estudios de caso poseen un rasgo más acotado al objeto de estudio, aunque incorporen también como fuentes y técnicas relevantes de información, tanto el diario del investigador, las notas de campo y los registros de observación –todas ellas derivadas de la etnografía–. De alguna manera no trivial, investigar con estudios de caso no es lo mismo que hacer etnografía; aunque, como acabamos de indicar, compartan estrategias metodológicas[1].

La selección de los casos

Una vez delimitados el ámbito y la temática a investigar, el siguiente paso es establecer los parámetros contextuales de selección, claramente esenciales para la actividad investigadora. Pero la selección de los casos abriga varias cuestiones sumamente importantes que no podemos olvidar:

a) La selección del caso no pretende conseguir o mantener ningún tipo de representatividad con respecto a los casos posibles, o a la población de casos posibles. No constituye una *muestra* los casos que seleccionemos. Como claramente lo expone Stake (1994: 4) "la investigación de estudio de caso no es una investigación de muestras. No estudiamos un caso fundamentalmente para comprender otros casos. Nuestra primera obligación es comprender el caso concreto".

b) Sea cual sea el o los parámetros generales que apliquemos (algo que comentaremos a continuación), el fundamental ha sido claramente planteado por Stake: "el primer criterio debería ser maximizar lo que podemos aprender" (*ibíd., id.*). Esto no quiere decir otra cosa que lo más importante es elegir el caso que ofrezca las mejores y mayores oportunidades de aprendizaje, con el que podamos aprender en profundidad la problemática ("*issue*") seleccionada, o del que, simplemente, más podamos aprender y comprender (Stake, 2013).

Aceptadas estas premisas y consideraciones, podemos presentar un ejemplo. Imaginemos que estamos estudiando una actividad educativa como la evaluación del alumnado de Educación Básica. En este ejemplo, los parámetros generales –teniendo en cuenta la idea de que el marco

---

1. En Dobbert (1982), no se menciona ni una vez los estudios de caso y en LeCompte, Millroy y Preissle (1992) se hace de manera marginal.

institucional es para nosotros el centro escolar de primaria– podrían ser los siguientes:

- Ubicación del centro: desde centro urbano hasta centro rural. (La elección del caso estará íntimamente y coherentemente conectada con el problema de investigación).
- Contexto sociocultural y económico de la población que recibe: desde centros cuyas familias tienen un bajo nivel sociocultural y económico, hasta familias con un alto y considerable nivel. Estos contextos aluden a variables demográficas y socioeconómicas que colaboran en la configuración de hablas situadas con características propias según sean las estructuras de posiciones sociales –altamente segmentadas o más cohesionadas–.
- Carácter innovador o tradicional del centro: desde centros que se hayan distinguido en su historia reciente por su participación en reformas educativas o por su trabajo innovador, hasta centros que simplemente hayan desarrollado su trabajo sin grandes pretensiones de este tipo. (Hay que sopesar, en este punto, que tanto en una como en otra circunstancia, la vida institucional y cultural del centro puede estar mediatizada por las tensiones, lo que haría poco viable el estudio).
- La elección del caso será muy distinta si se trabaja con caso único o casos múltiples o colectivos. En la mayoría de las investigaciones con estudios de casos múltiples, se intenta reunir el mayor número de variables de hablas situadas, de forma que, sin ninguna pretensión de representatividad, se logre abarcar un marco social más amplio.
- Titularidad del centro: desde titularidad pública hasta privada pasando por las escuelas cooperativas y centros concertados.

Quisiéramos insistir que en muchas ocasiones estos parámetros se cruzan. Por ejemplo, no es impensable encontrar un centro cooperativo, urbano, con población de nivel sociocultural y económico bajo y con un fuerte carácter innovador.

De todas maneras, tampoco podemos ignorar una cuestión esencial: sea cual sea el caso que seleccionemos, en última instancia, lo importante es que consigamos acceso al mismo. Esto significa que no podemos obligar –continuando con el ejemplo– a ningún centro a que nos admitan en él y participe en el proceso. Dicho de otro modo, tenemos que optar por un centro que admita nuestra presencia y su participación voluntariamente. Con este punto entramos directamente en los problemas de la ética del caso, la que se aborda en el capítulo 23 de este libro.

La construcción del caso: temas *emic* y *etic*

Como cada contexto es único y el estudio de caso pretende justamente significar lo que es único y propio en cada caso, es muy posible que encontremos cosas excepcionales y acontecimientos que pertenecen a la singularidad de la realidad que se estudia (persona/grupos). Pero también los casos poseen situaciones y ámbitos comunes dentro de los cuales podremos encontrar su singularidad. Detectar inicialmente dichos ámbitos, situaciones y problemáticas es el segundo paso en lo que hemos denominado "construir el caso".

En la construcción del caso, la identificación de la o las cuestiones ("*issue*") objeto de estudio, es la preocupación fundamental que tenemos que resolver. Aquí no se trata tanto de establecer con claridad el problema general (que es, en definitiva, el objeto de la investigación), como de enunciar las cuestiones problemáticas que identifican dicho problema general.

"Los temas no son simples y claros, sino que tienen una intrincada relación con contextos políticos, sociales, históricos y sobre todo personales. Todos estos significados son importantes en el estudio de casos. Los temas nos llevan a observar, incluso a sonsacar, los problemas del caso, las actitudes conflictivas, la compleja historia de las preocupaciones humanas. Los temas nos ayudan a traspasar el momento presente, a ver las cosas desde una perspectiva más histórica, a reconocer los problemas implícitos en la interacción humana. Las preguntas temáticas o las afirmaciones temáticas constituyen una valiosa *estructura conceptual* para la organización del estudio de caso" (Stake, 1978: 26; la cursiva es añadida).

Tomando nuevamente el ejemplo de las prácticas de evaluación en Educación Básica, podríamos entresacar algunos ejemplos de cuestiones problemáticas, tales como:

- La administración define la calidad de la enseñanza como el logro de los objetivos de aprendizaje establecidos. ¿Utilizan los docentes el mismo significado de calidad de la enseñanza?
- ¿Están tan desinteresados los padres y las madres sobre la vida de sus hijos/hijas en la escuela (sus aprendizajes, sus logros, sus dificultades) o es simplemente un prejuicio debido a experiencias anteriores o a concepciones ideológicas y educativas de los docentes?
- ¿Cómo vive y siente el alumnado los controles periódicos que tienen que realizar? ¿Y las tareas para casa?
- ¿Es el alumno "X" un alumno "problemático" y del que "nunca podrá sacarse nada"? ¿Por qué han llegado los docentes a un diagnóstico de una manera tan rápida y unánime?

- Los documentos de la reforma educativa sobre evaluación plantean una serie de recomendaciones. ¿Cómo interpretan los docentes estas recomendaciones? ¿Cómo las llevan a cabo?

Las cuestiones problemáticas pueden ser muy concretas, o bien bastante globales. Con independencia de su dimensión y envergadura, ellas nos permiten organizar la investigación, las fuentes de información y las técnicas necesarias, por cuanto delimitan nuestro caso tanto temporal y espacial como conceptualmente. Junto a ello, y una vez establecidas, podemos llevar a cabo lo que Parlett y Hamilton (1972) denominaban "focalización progresiva", que no es otra cosa que centrar y reducir *progresivamente* la dimensión de la indagación a medida que vamos explorando el espacio que dichas cuestiones nos delimiten. De esta forma, hemos de considerar un aspecto esencial en el proceso de investigación: la evolución de los temas o *issues*.

La persona que investiga aporta desde el exterior una serie de temas que delimitan la temática de estudio; son los denominados temas *etic*[2]. Estos temas siempre son previos a la entrada al campo. Una vez que se produce la entrada y la persona empieza a tomar contacto con la realidad, los temas *etic* pasan a ser *emic*, en la medida que son delimitados y definidos por las personas que pertenecen al caso que se estudia. A diferencia de los temas *etic*, los temas *emic* surgen desde dentro. No obstante, hemos de enfatizar que el curso del estudio no se puede conocer de antemano. Al principio se empieza con una amplia base de datos, pero los investigadores reducen sistemáticamente la extensión de su investigación para dar una mayor atención a los resultados que surgen. Esta "focalización progresiva" permite dar el debido peso a fenómenos únicos e imprevistos. Reduce el problema de la sobrecarga de datos y previene la acumulación de grandes cantidades de material sin analizar" (Parlett y Hamilton, 1972: 458-459). En relación con la importancia del mapa al inicio de la indagación del caso, que requiere mucha información del mismo, Stake (1999) enfatiza la elaboración de múltiples preguntas estructuradas en diferentes temáticas.

A medida que nos vayamos integrando en la vida de las personas, colectivos o instituciones y conozcamos su ecología humana, iremos encontrando nuevos focos de indagación y nuevas fuentes para alimentar nuestra comprensión desde la dinámica cualitativa progresiva y emergente.

La duración del estudio del caso

La duración de un estudio de caso depende de algunos factores. Por ejemplo, del tiempo disponible por el investigador/a, del tiempo en el

---

2. Sobre *emic* y *etic*, véase Geertz (1973)

que se tarden en saturar las categorías, recogiendo datos redundantes, del tiempo que permitan los sujetos el acceso del investigador/a. No siempre podremos actuar en condiciones óptimas de tal manera que sea el investigador/a quien decida cuánto tiempo ha de permanecer en el campo; lo normal es que nos veamos constreñidos por plazos limitados de tiempo. Por ello, es conveniente acostumbrarse a realizar estudios de caso de corta duración. Esto quiere decir, por ejemplo, que el tiempo empleado no debería exceder en total de siete semanas. Este límite que puede variar de caso a caso, no impide que se pueda realizar una serie de entrevistas una vez concluido el período de estancia en el campo y tras un primer análisis de los datos recogidos. De todas maneras es enormemente importante aprender a entender cuándo conviene abandonar el campo o incluso abandonarlo momentáneamente para volver a él más tarde o para recabar otro tipo de información más concreta a través –como acabamos de indicar– de entrevistas.

Una de las ventajas de realizar estudios de caso condensados es que nos permiten abarcar un mayor muestrario de contextos (implicados o relacionados con nuestro objeto de indagación) con un mínimo costo en tiempo, recursos y personal. Por ello, no debe subestimarse la importancia de este tipo (temporal) de estudios de caso. En última instancia, la calidad de cada estudio depende del contexto elegido, las observaciones y entrevistas realizadas y el análisis que se lleve a cabo.

La importancia del estudio de caso para indagar en la experiencia de los sujetos

La necesidad por situar la experiencia[3] en contextos sociales como marcos de referencias de los significados que otorgan los informantes, permite en los estudios de caso "localizar" o "particularizar" esta trama colectiva desde un itinerario histórico y político del caso que no es una simple abstracción "general" de lo individual. La importancia de conjugar en el "mundo de la de la vida" las experiencias a través de lo que los suje-

---

3. En el siglo pasado, el abordaje de este concepto se mantenía capturado por el propósito de identificar aquello que, desde la perspectiva más clásica, aludía a un singular concreto, el cual al referir a una experiencia "individual" no podía extrapolarse de forma directa al terreno de lo colectivo, lo social o el ámbito comunicacional (relacional). Esta condición siempre atentó contra el estatuto teórico de la misma, cuestión superada por el giro lingüístico que abordó el concepto de experiencia como el producto de un sistema discursivo que fija y da lugar a la experiencia desde su posibilidad de sentido y significación (Jay, 2008). Jay opta por quedarse con la tensión y contradicción de dicho concepto definiendo la experiencia como: "el punto nodal entre la intersección entre el lenguaje público y la subjetividad privada, entre la dimensión compartida que se expresa a través de la cultura y lo inefable de la interioridad individual" (*ibíd.*, p. 22).

tos dicen (discursos), hacen (registros de observación) y documentan (la idea escrita, lo oficial, lo que desea trascender), permite conectar con una dimensión colectiva de la experiencia, sin generalizarla.

Nos recuerda Goffman (2006) que las experiencias que viven los sujetos en un mismo acontecimiento pueden ser muy diversas según las creencias, historias biográficas, motivaciones, roles, funciones, emociones que se despliegan y otorgan significados según los ejes por los cuales el sujeto está en ese contexto. Un contexto social y colectivo está a la vez situado en las coordenadas del "topos particular", la historia, lo político y lo cultural, en estos marcos de referencia específicos que se recuperan y cristalizan en los estudios de caso.

La experiencia de los sujetos como marcos de referencia de los significados que otorgan los informantes, se visibilizan con nitidez en los estudios de un caso, como una unidad particular que contiene el "todo-complejo", permitiendo una dialéctica entre contexto, de carácter más general, y sujeto, de la vida particular. El estudio de caso permite trazar de manera profunda y amplia, la complejidad de las particularidades y los determinantes de los contextos: historia, territorio y comunidad, en los que los actores se vinculan y desarrollan. La dimensión espacio-territorial en los estudios de caso, opera como una cartografía que organiza y estructura los flujos vitales de la experiencia. Los estudios de caso permiten captar estos lenguajes de circulación y construcción del habitar.

Si bien los estudios de caso concluyen con un informe acerca del caso, que recoge la historia del mismo, éste suele narrarse desde una perspectiva sincrónica descriptiva, que tiene por objetivo el relato del caso en sí mismo; sin embargo, es preciso tener en cuenta que la historia como construcción sociopolítica que se pretende configurar, corresponde a la interdependencia del sujeto con su colectivo (Elias, 1990), condición que otorga temporalidad a la experiencia.

La redacción y la elaboración del informe

En cuanto a la redacción de un informe de estudio de caso, existen tantos estilos como investigadores/as. No hay que temer, pues, al estilo propio y la implicación personal en la redacción del investigador/a; esto es absolutamente lógico, y podría decirse que imprescindible. ¿No es el estudio de caso una especie de viaje a una ecología social compleja? Pero el estilo personal no podrá ocultar o justificar un estudio de caso hecho con desgano y superficial. Como muestra, podemos presentar la organización del informe según Stake (1995: 107):

Primer esbozo	Quiero que mis lectores empiecen inmediatamente a desarrollar una experiencia indirecta, que se acostumbren al lugar, al tiempo.
Identificación del tema, propósito y método del estudio	Aunque a la mayor parte de mis lectores les preocupan poco mis métodos, quiero contarles sobre cómo surgió el caso y sobre los temas que, en mi opinión, nos ayudarán a comprenderlo.
Descripción narrativa extensiva para ampliar la definición del caso y de los contextos	Quiero presentar un conjunto relativamente incuestionable, una descripción que, sin prescindir por completo de una interpretación, no sea distinta de la que ellos harían si se encontraran en mi situación. Si tengo que presentar datos controvertidos, posiblemente los presentaré, si puedo, como opiniones de un testigo o como opiniones opuestas.
Desarrollo de los temas	En algún momento, quizá hacia la mitad, quiero desarrollar detenidamente unos cuantos temas clave, no con el propósito de generalizar más allá del caso, sino para entender su complejidad. Es en este punto en el que, a menudo, me referiré a otras investigaciones o a mi propia comprensión de otros casos.
Detalles descriptivos, documentos, citas, datos de la triangulación	Algunos temas requieren un análisis más profundo. Es el momento de los datos más reveladores que se hayan recogido. Indicaré no sólo lo que he hecho para confirmar las observaciones (mis triangulaciones), sino también lo que he hecho para desmentirlas.
Asertos	Mi intención es facilitar una información que permita a los lectores reconsiderar el conocimiento que tienen del caso, o incluso modificar las generalizaciones que existan sobre casos de esta índole. Sin embargo, después de haber presentado un conjunto de observaciones con una interpretación relativamente neutral, resumiré lo que me parece entender sobre el caso, y en qué medida mis generalizaciones sobre él han cambiado conceptualmente o en la confianza que me merecen.
Esbozo final	Me gusta acabar refiriéndome a mi experiencia, y recordar al lector que el informe no es más que el encuentro del autor con un caso complejo.

Cuadro 1. Organización del informe (tomado de Stake, 1995).

A la hora de redactar hemos de tener en cuenta dos cuestiones: Primero, nuestro informe ha de mostrar lo que hemos aprendido sobre el caso estudiado o dicho de otra manera, la profundidad de nuestro análisis y aprendizaje; segundo, nuestro informe es un documento que podrá ser leído por personas que nunca han estado donde hemos estado, personas a las que tenemos que mostrar tanto lo que hemos aprendido, como dónde lo hemos aprendido. En otras palabras: escribimos no para nosotros mismos sino para un público más amplio que el del equipo de la investigación. En este pequeño detalle se encuentra el meollo de lo que en investigación cualitativa (o interpretativa) se denomina generalización naturalista (Geertz, 1973: 23; Stake, 1978).

"Un investigador que intenta promover generalizaciones naturalistas hechas por el lector ('*reader-made*') pretende aportar información elaborada en la que aquél decide si o no el caso investigado es similar a (y por lo tanto puede ser instructivo sobre) el suyo. La prosecución de contextualidad no es sólo para una comprensión profunda, sino también para iluminar posibles relevancias en el mismo usuario" (Stake y Trumbull, 1982: 3).

También, y en relación con esta segunda cuestión y como apuntan Taylor y Bogdan (1986), los investigadores/as "debemos explicarles a los lectores el modo en que se recogieron e interpretaron los datos. Hay que proporcionarles información suficiente sobre la manera en que fue realizada la investigación para que ellos relativicen los hallazgos, es decir, para que los comprendan en su contexto" (p. 180).

Por otra parte, Taylor y Bogdan (ibíd., p. 183 y ss.) ofrecen una serie de sugerencias para la escritura del informe:

1. Antes de comenzar a redactar bosqueje sus ideas en el papel.
2. Decidir a qué público se quiere llegar y adaptar el estilo y el contenido a esa decisión.
3. Los lectores/as deben saber hacia dónde se apunta.
4. Ser conciso y directo.
5. Sustentar el escrito en ejemplos concretos.
6. Escriba algo.
7. Haga que colegas y amigos/as lean y comenten su escrito.

Como apuntábamos líneas arriba, no existe una única forma de redactar y presentar los informes de investigación.

Referencias

Adelman, C.; Kemmis, S. y Jenkins, D. (1980). Rethinking case study: Notes from the second Cambridge conference. En H. Simons, *Getting to know schools in a democracy. The politics and process of evaluation* (pp. 47-61). London: The Falmer Press.

Angulo Rasco, J. F. (1990). El problema de la credibilidad y el lugar de la triangulación en la investigación interpretativa: un análisis metodológico. En J. B. Martínez Rodríguez (Comp.), *Hacia un enfoque interpretativo de la enseñanza* (pp. 95-110). Granada: Servicio de Publicaciones de la Universidad de Granada.

Angulo, J.F. (1992). Objetividad y valoración en la investigación educativa. Hacia una orientación emancipadora. *Educación y Sociedad, 10*, 91-129.

Campbell, D.T. y Stanley, J.C. (1963). *Diseños experimentales y cuasi-experimentales en la investigación social*. Buenos Aires. Amorrortu.

CARE/UEA (1994). *Coming to terms with research. An introduction to the language for research degree students.* Norwich, UK: Centre for Applied Research in Education. University of East Anglia.

Denzin, N.K. (1978). *The research act: a thoretical introduction to sociological methods.* New York: McGraw-Hill.

Denzin, N. (2002). Social work in the seventh moment. *Qualitative Social Work, 1* (1), 25-38.

Dobbert, M. L. (1982). *Ethnographic research. Theory and application for modern schools and societies.* New York: Praeger.

Elias, N. (1990). *La sociedad de los individuos.* Barcelona: Península.

Fielding, N. G. (1999). The norm and the text: Denzin and Lincoln's handbooks of qualitative method. *The British Journal of Sociology, 50* (3), 525-534.

Geertz, C. (1973). *La interpretación de las culturas.* México: Gedisa.

Goffman, E. (2006). *Frame analysis. Los marcos de la experiencia.* Madrid: CIS.

Goetz, J.P. y LeCompte, M.D. (1988). *Etnografía y diseño cualitativo en investigación educativa.* Madrid: Morata.

Guba, E.G. (1981). Criterios de credibilidad en la investigación naturalista. En J. Gimeno Sacristán y A. I. Pérez Gómez (Comps.), *La enseñanza: su teoría y su práctica* (pp. 148-165). Madrid: Akal.

Hamilton, D. *et al.* (1977). *Beyond the numbers game. A reader in educational evaluation.* Berkeley, CA: McCutchan.

Hammersley, M. (1999). Not bricolage but boatbuilding. Exploring two metaphors for thinking about ethnography. *Journal of Contemporary Ethnography, 28* (5), 574-585.

Jay, M. (2008). *La crisis de la experiencia en la era subjetiva.* Santiago de Chile: Universidad Diego Portales.

Lather, P. (1983). Issues of validity in openly ideological research. *Interchange, 17* (4), 257-277.

LeCompte, M. D., Millroy, W. L. y Preissle, J. (Eds.) (1992). *The handbook of qualitative research in education.* San Diego, CA: Academic Press.

Moral Santaella, C. (2006). Criterios de validez en la investigación cualitativa actual. *Revista de Investigación Educativa, 24,* 147-164.

Parlett, M. y Hamilton, D. (1972). La evaluación como iluminación. En J. Gimeno Sacristán y A. I. Pérez Gómez (Comp.) (1983), *La enseñanza: su teoría y su práctica* (pp. 450-466). Madrid: Akal.

Ragin, C. (1992). Case of "What is a Case?". En C. Ragin y H. Becker, *What is a case: Exploring the foundations of social enquiry* (pp. 1-18). Cambridge: Cambridge University Press.

Schütz, A. (1932). *Fenomenología del mundo social.* Buenos Aires: Paidós.

Simons, H. (Ed.) (1980). *Towards a science of the singular. Essays about case study in educational research and evaluation.* Norwich: CARE/University of East Anglia.

Simons, H. (1987). *Getting to know schools in a democracy. The politics and process of evaluation.* London: The Falmer Press.

Simons, H. (2011). *El estudio de caso: teoría y práctica.* Madrid: Morata.

Stake, R.E. (1994). Case study. En N. K. Denzin & Y. S. Lincoln (Eds.), *Handbook of Qualitative Research* (pp. 236-247). London: Sage.

Stake, R. (1999). *Investigación con estudio de casos.* Madrid: Morata.

Stake, R. (2013). Estudios de casos cualitativos. En N. K. Denzin & Y. S. Lincoln (Coords.) *Las estrategias de investigación cualitativa* (pp. 154-197). Barcelona: Gedisa.

Stake, R. y Trumbull, D. J. (1982). Naturalistic generalizations. *Review Journal of Philosophy and Social Science, 7,* 1-12.

Stenhouse, L. (1978). Case study and case records: Toward a contemporary history of education. *British Educational Research Journal, 4* (2), 21-39.

Stenhouse, L. (1987). *La investigación como base de la enseñanza.* Madrid: Morata.

Taylor, S.J. y Bogdan, R. (1986). *Introducción a los métodos cualitativos de investigación.* Buenos Aires: Paidós.

Vasilachis de Gialdino, I. (2006). La investigación cualitativa. En I. Vasilachis de Gialdino (Coord.), *Estrategias de investigación cualitativa* (pp. 23-64). Barcelona: Gedisa.

Walker, R. (1983). La realización de estudios de casos en educación. Ética, teoría y procedimientos. En W. B. Dockrell y D. Hamilton (Comps.), *Nuevas reflexiones sobre la investigación educativa* (pp. 42-82). Madrid: Narcea.

Walker, R. (1989). *Métodos de investigación para el profesorado.* Madrid: Morata.

Yin, R.K. (1994). *Case study research: Design and methods.* Thousand Oaks, CA: Sage.

CAPÍTULO 5

Observar no es lo mismo que ver.
La observación etnográfica

José Félix Angulo Rasco y Juan Pablo Catalán

Hoy en día las ciencias sociales para poder alcanzar la validez y la rigurosidad de la investigación científica, han tenido que sistematizar sus procesos de recogida de información. En este sentido, la observación, reconocida comúnmente como la simple acción de mirar, ha tenido el desafío en los últimos años de sistematizar y objetivizar sus procedimientos, para replantearse como un método confiable, integrador y sistémico.

La observación como base de la investigación cualitativa, para comprender la realidad no sólo ha tenido que reformular sus procedimientos, sino también el tratamiento de la información y su posterior análisis, pues se encuentran intrínsecamente relacionados. La idea anterior implica que el observador ha tenido que ilustrar sus técnicas, metodologías y procedimientos frente a la observación.

¿A qué llamamos observación?

La observación alude en primera instancia a la vista en particular, a la acción cotidiana de observar. Sin embargo, no se remite simplemente al hecho de ver o mirar, sino que implica la utilización de todos nuestros sentidos.

Como técnica de investigación cualitativa es un método de recolección de información y "la descripción sistemática de eventos, comportamientos y artefactos en el escenario social elegido para ser estudiado" (Marshall y Rossman, 1989, citado en Kawulich, 2005: 2). Por lo tanto, esta técnica no se realiza arbitrariamente, sin objetivo ni meta clara, sino que debe ser deliberada, sistemática y específica a una pregunta (Evertson y Green, 1989). Pero es a partir de la definición de nuestro problema o tema a investigar que se determina "qué se observa, quién es observado, cómo se observa, cuándo se observa, dónde se observa, cuándo se registran las observaciones, qué observaciones se registran, cómo se analizan los datos procedentes de la observación o qué utilidad se da a los datos" (Rodríguez, Gil y García, 1996: 151), convirtiéndose en un proceso totalmente contextualizado y programado. La observación nos permite conocer y comprender nuestro objetivo o problema de investigación tal y como éste se evidencia, es decir, en el mismo contexto y tiempo en el que se desarrolla, constituyendo un método de estrecho acercamiento a la realidad. Sin embargo, como hemos señalado, no sólo se basa en lo que se mira, sino que es el "resultado codificado del acto de observar seguido del acto de interpretar" (De Ketele y Postic, 1992: 19) y "las observaciones facultan al observador a describir situaciones existentes usando los cinco sentidos, proporcionando una "fotografía escrita" de la situación en estudio" (Erlandson *et al.*, 1993, citado en Kawulich, 2005: 2). Es decir, intervienen las percepciones e interpretaciones del investigador/a que recoge la información, donde de un universo de cosas, acciones, conductas, espacios y situaciones sólo se pueden observar lo elegido o seleccionado, puesto que no todo lo que se puede llegar a ver.

Acotando la observación etnográfica

Como Evertson y Green (1989) señalan, las distintas modalidades de observación están comprendidas entre los extremos de un *continuum* que va de un enfoque exclusivo a otro inclusivo; la mayoría –por no decir la totalidad– de lo que ha llegado a ser parte de la tradición en la investigación en la enseñanza, lo constituyen técnicas de observación que se sitúan en el enfoque exclusivo de observación (Gage, 1978).

El extremo exclusivo representa modalidades de observación que minimizan el contexto, controlándolo. "Tienden a simplificar lo que se recoge como dato, a reducir el "ruido" en el sistema, de este modo se consideran tipos específicos de fenómenos o conductas. Los investigadores que aplican enfoques situados en este extremo del continuo (como sistemas categoriales, listas de comprobación, escalas de valoración) tienden a ocuparse en discernir leyes conductuales o información normativa" (Evertson y Green, 1989: 317).

Exclusivos
Desconteztualizados
Cuantitativos
Preespecificados

Inclusivos
Interactivos
Flexibles
Progresivos
Abiertos

Además, podemos destacar otras características que los define, como son las siguientes: a) trabajan con grandes muestras (o gran número de aulas); b) predefinen las categorías de observación; c) estandarizan las reglas de observación, que han de ser uniformemente cumplidas por cada observador; d) sólo es posible observar aquello que viene especificado por el instrumento, y e) generan datos cuantitativos susceptibles de tratamientos estadísticos, como el análisis factorial, el multivariante y el "cluster" (Evertson y Green, 1989; Croll, 1986).

Uno de los instrumentos de observación que mayor atención ha recogido es, sin duda, el elaborado por Flanders (1970); sin embargo, el número de instrumentos y su variedad resulta actualmente inabarcable, a menos que el investigador o investigadora esté especializado en su estudio y su aplicación (Evertson y Green, 1989). Una estructura categorial de observación menos conocida que la de Flanders (1970) es la empleada por Galton, Simon y Croll (1980) en el primer estudio observacional de larga duración llevado a cabo en el Reino Unido.

Aunque la selección de estos instrumentos sistemáticos y preespecificados de observación pueden depender de cuestiones como la problemática sobre la que se centra la investigación y los recursos humanos y técnicos de los que se disponga, es necesario tener muy presente que siempre conllevan un alto grado de descontextualización de los acontecimientos, de cuantificación y tratamiento estadístico de los datos que, al igual que con los cuestionarios, exigen un conocimiento avanzado en psicometría.

En el otro extremo del *continuum* se encuentran los *enfoques inclusivos*:

"A medida que el investigador se desplaza hacia el otro extremo del continuo, va considerando segmentos cada vez más amplios del contexto y mayor número de variables contextuales. En el extremo de los enfoques inclusivos no se hace ningún intento deliberado por excluir algún aspecto del contexto. Los investigadores procuran abarcar un amplio fragmento de la vida o la realidad cotidianas. Muchas veces tratan de tener en cuenta múltiples niveles del contexto" (Evertson y Green, 1989: 317).

Pero en este extremo nos encontramos con un planteamiento de la observación completamente contrapuesto al anterior, que puede ser resumido según las siguientes características: a) la persona que observa es el instrumento básico y fundamental para la recogida de información; b) la persona que observa mantiene algún tipo de relación e interacción social con los sujetos y el ambiente observado, y c) las categorías de observación no se encuentran prefijadas ni predefinidas, sino que se van elaborando a medida que se desarrolla el proceso de observación.

Efectivamente, con lo que aquí nos encontramos es con lo que se ha denominado *observación participante*; es decir, una estrategia de indagación a través de la cual el investigador o investigadora vive y se involucra en el ambiente cotidiano de los sujetos e informantes, recogiendo datos de un modo sistemático y no intrusivo (Taylor y Bogdan, 1986: 31). La observación participante es, como señalábamos al principio, una opción básica en todo trabajo de campo y, en general, en la investigación interpretativa. Pero para captar con mayor precisión de qué se trata, tenemos que añadir que la idea de "participación" no es absoluta y puede recoger diferentes grados de implicación por parte del observador u observadora.

GRADO DE IMPLICACIÓN	TIPO DE PARTICIPACIÓN
ALTA	Completa
	Activa
	Moderada
BAJA	Pasiva
No-implicación	No-participación

Cuadro 1. Grado de implicación/participación.
Fuente: tomado de Spradley (1980: 58)

Tipos de participación

Básicamente, podemos identificar cuatro tipos de participación: la participación pasiva, moderada, activa y completa:

a. La *participación pasiva* es aquella en la que la persona que investiga aunque está presente en la escena donde ocurre la acción, no interactúa o toma parte en ella. Dicha persona es una espectadora (p.e., la observación de una sala de juicios).

b. La *participación moderada* es aquella en la que se mantiene un equilibrio entre estar dentro y fuera de la situación, entre participar y observar (p.e., la observación de una sala de fiestas en la que sólo en ocasiones quien observa entra en la pista para bailar).

CAPÍTULO 5

c. La *participación activa* es aquella en la que la persona que investiga pretende hacer lo que otros hacen en la escena y el ambiente observado (p.e., participar en reuniones del centro escolar, interviniendo y comentando con los docentes ideas y puntos de discusión).

d. La *participación completa* tiene lugar cuando el investigador o investigadora se introduce completamente en el ambiente o cultura estudiada, llegando a ser un miembro más de la misma (p.e., trabajar como conductora de autobuses o como camarero).

Los tipos más frecuentes de participación en las investigaciones educativas se dan entre las tres primeras. Pero durante el proceso de investigación, ocurre frecuentemente que tenemos que pasar de una participación baja a otra alta; de la pasividad como observadores a una participación muy activa en el ambiente estudiado. En estas situaciones, más comunes de lo que podríamos imaginar, la decisión de adoptar un papel más activo del que hasta entonces se había mantenido depende del contexto concreto que se investigue y de nuestras relaciones con los sujetos observados. Aquí tampoco existen reglas fijas; cada investigador o investigadora ha de sopesar la situación puntualmente, considerando las implicaciones, prejuicios y oportunidades que un cambio en su papel conllevan no sólo para la calidad de la investigación en curso, sino para los propios sujetos con los que se relaciona.

El hecho de que la observación participante rechace la preespecificación de categorías, su cuantificación o la utilización de instrumentos-técnicos de observación, no quiere decir que la persona que observa entre en el ambiente a estudiar con los ojos cerrados. Siempre es necesario tener presente algunas cuestiones antes de comenzar las observaciones, así como elaborar un pequeño listado de puntos que puedan ayudar a organizar sus primeros días en el campo.

Por último, y como complemento de lo que acabamos de explicar, puede tenerse en cuenta también que las observaciones, además de distinguirse por el grado de participación de la persona que observa, se diferencian por su grado de formalidad/informalidad. Por ejemplo, la vida de una persona que investiga en un centro está plagada de momentos en los que se observa incidentalmente (es decir, de modo informal) los acontecimientos que ocurren (yendo de un lado a otro del centro, en los recreos, tomando un café con los docentes). A su vez, las observaciones formales se producen cuando, tras la necesaria negociación, la persona que investiga se introduce en las clases o en las reuniones entre docentes. Si la negociación general sirve para las observaciones informales (siempre que los docentes o los sujetos observados en casos particulares no planteen lo contrario), para las observaciones formales se requiere explícitamente la negociación puntual del acceso.

Fases del proceso de observación

Flick (2004) plantea siete fases en la observación, que deben realizarse de acuerdo a una planificación previa, siguiendo una línea de investigación que permitirá cumplir con el objetivo de la recopilación visual de la información desde la observación. Sin embargo, siempre existe el riesgo de que el observador se involucre más en profundidad en un determinado contexto transformándose en un miembro de él; para esto se debe recalcar el rol del observador como tal, para que pueda asumirlo sin salirse del límite de su participación, es decir, delimitar la acción del observador antes de entrar al campo de observación, de esta forma puede adoptar un rol que no sea notorio y que no modifique el campo y sus miembros. Las fases son las siguientes:

a. *Seleccionar entorno*: detallar en qué contexto se llevará a cabo la observación. Para esto se debe conocer qué tipo de investigación se va a realizar, el dónde y cuándo se observarán los procesos y qué personas serán interesantes para observar.

b. *Definir lo que se quiere documentar*: esto se debe realizar antes de cada observación y para cada caso a registrar, a partir de preguntas que surjan desde la problemática, del marco referencial, u otros.

c. *Formación del observador*: la formación del observador corresponde a la estandarización del conocimiento previo a favor de realizar una observación más objetiva en el campo. Cuando se trata de un equipo en este punto puede ser recomendable emplear un *protocolo de observación*[1], adoptados por todos.

d. *Observación descriptiva*: presenta una imagen inicial del campo de carácter general y sin mayor detalle.

e. *Observación focalizada*: se realiza a partir de la pregunta de investigación y busca responderla. Debe centrarse en aspectos que son relevantes para la investigación y que han sido definidos antes.

f. *Observación selectiva*: se registran sólo los aspectos centrales y esenciales para la investigación, se deben destacar deliberadamente los datos útiles y descartar los que no sean necesarios.

g. *Saturación teórica*: hace referencia al punto donde realizar más observación no aporta ningún conocimiento adicional, por lo tanto, ya se deberían haber respondido los principales interrogantes de la investigación realizada (Glaser y Strauss, 1967).

---

1. Un protocolo de observación es un documento que ofrece indicaciones sobre un proceso de observación. Puede indicar los ámbitos que observar, la población o sujetos, el tiempo de observación etc. Puede resultar de enorme utilidad cuando se trata de un equipo de investigación.

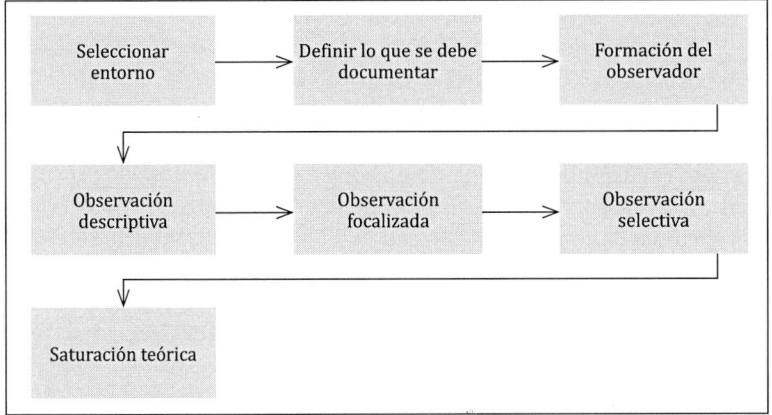

Fig. 5. Fases de la observación. Tomada de Flick (2004: 151).

Cuestiones para la preparación y la realización de observaciones

Entre las diversas cuestiones que siempre hay que tener en cuenta, quisiéramos destacar las siguientes:

1) Negociar el acceso al campo y los límites del mismo; explicando el sentido de la observación y el papel que ocupa en la investigación.
2) Establecer y mantener una buena relación con los distintos informantes y sujetos observados.
3) Seleccionar con cuidado los primeros escenarios que serán observados.
4) Solicitar permiso siempre que se emplee algún dispositivo de audio y video para grabar imágenes (especialmente si lo que se va a grabar con una cámara de video es un aula, el investigador está obligado a informar a los padres y las madres del alumnado y recibir su aceptación).
5) Registrar las observaciones en el cuaderno de observación y transcribirlas (si es posible el mismo día) en el diario de campo (por ejemplo, utilizando un procesador de texto).
6) Procurar exhaustividad y densidad en las descripciones de los ambientes y las personas participantes.
7) Anotar en el diario del investigador/investigadora los cambios en el grado de implicación (si los hubiera), las razones y las consecuencias observadas.
8) Incluir algún plano o dibujo que represente el ambiente físico observado.
9) Conforme avance la investigación, las observaciones, al igual que las entrevistas, pueden focalizarse (es decir, centrarse en determinados ambientes, personas o acciones), siempre dependiendo de las necesidades del proyecto de investigación y de los datos analizados hasta ese momento.

Como acabamos de señalar, conviene tener presente algunas cosas que pueden ayudarnos a organizar las observaciones. Spradley (1980, 81 y ss.) utiliza una matriz descriptiva de cuestiones, formada por los siguientes elementos: espacio, objetos, acciones, relaciones, acontecimientos, tiempo, actores, objetivos y sentimientos. La combinación en una tabla de doble entrada (matriz) de estos elementos nos permite plantear una serie de cuestiones que podemos tener en cuenta cuando estemos observando. Como por ejemplo, la combinación de actividad y espacio plantea la siguiente pregunta: ¿de qué manera las actividades se organizan y organizan el espacio de interacción?

Goetz y LeCompte (1988) ofrecen algunas sugerencias para llevar a cabo la observación:

- ¿Quiénes están en el grupo o en la escena? ¿Cuáles son sus características más relevantes?
- ¿Qué está sucediendo aquí? ¿Qué hacen los individuos del grupo o de la escena y qué se dicen entre sí?
- ¿Qué comportamientos son repetitivos, y cuáles anómalos o extraños? ¿En qué actividades están implicados? ¿Qué recursos emplean en dichas actividades?
- ¿Cómo se comportan entre ellos/as? ¿Cuál es la naturaleza de la participación y de la interacción? ¿Cómo se relacionan y vinculan los individuos? ¿Qué status y papeles aparecen en la interacción? ¿Quién toma las decisiones?
- ¿Cuál es el contenido de sus conversaciones? ¿Qué temas son comunes, y cuáles poco frecuentes? ¿De qué hablan?
- ¿Dónde está situado el grupo o la escena? ¿Qué entorno físico forma la interacción? ¿Cómo se asigna y emplea el espacio? ¿Qué se consume y qué se produce?
- ¿Cuándo se reúnen e interactúan en grupo? ¿Con qué frecuencia se producen las reuniones y cuándo se prolongan? ¿En qué modo el grupo conceptualiza, emplea y distribuye el tiempo?
- ¿Qué reglas, normas o costumbres rigen la organización social? ¿Cómo se relacionan los distintos grupos?
- ¿Por qué funciona el grupo como lo hace? ¿Qué significados atribuyen los participantes a su conducta? (Goetz y LeCompte, 1988: 128-129)[2].

---

2. El manual de Spradley (1980), es sumamente recomendable. Véanse también los capítulos dedicados a la observación en Burgess (1984); Goetz y LeCompte (1988) y Hopkins (1989), y el trabajo actualizado de Adler y Adler (1994).

Instrumentos que se utilizan en la observación

Son diversos los instrumentos que se utilizan para facilitar la recolección de información mientras se observa, entre ellos se encuentran los siguientes (Taylor y Bogdan, 1986; Heyns y Zander, 1972):

a. *Diario de campo*: es un cuaderno de anotaciones donde se escribe lo que se observa. Se recomienda tener más de un cuaderno, atendiendo a un número que responda a sus diversos usos en el trabajo de campo.
b. *Registro sonoro*: implica no solo la grabación de la voz humana sino también los sonidos, música, etc.
d. *Fotografía*: se recomienda que las fotografías sean tomadas en forma natural, lo que equivale a descartar poses. La técnica implica, a su vez, el registro pormenorizado de las fotos en fichas y en el diario de campo.
e. *Cine y video*: lo mismo que las fotografías, se registrarán los acontecimientos de la forma más natural posible. Pero también cabe organizar el espacio físico de grabación/filmación principalmente cuando hay testimonios. Ello puede estar sujeto a la decisión de lo que quiere la comunidad o cómo quiere ser retratado el entrevistado.

En este capítulo vamos a detenernos, por su importancia, en el diario de campo.

El diario de campo

Inevitablemente, realizar una investigación cualitativa supone también abrir un *diario de campo* (Velasco Maillo y Díaz de Rada, 1997: 96 y ss). El diario es el principal instrumento de registro del proceso y procedimiento de investigación, en el que desde los primeros momentos del estudio, incluso antes de entrar propiamente en el campo, se inscriben las acciones del investigador/a. Dada la vulnerabilidad y fragilidad de nuestra memoria en el tiempo (como artefacto de almacenaje de información), el diario se convierte en *la memoria de la persona investigadora*. Es cierto que el diario no puede contenerlo todo ni puede mostrar todo cuanto experimenta el investigador (ve, escucha, siente, toca) pero es la fuente y el espacio donde permanecen *con vida* datos, sentimientos y experiencias.

El diario es la expresión diacrónica del curso de la investigación que muestra no sólo datos formales y precisos de la realidad concreta sino también preocupaciones, decisiones, fracasos, sensaciones, valoraciones de la persona que investiga y del propio proceso desarrollado; recoge al propio investigador/a y capta la investigación en situación. El diario de campo, como recoge Spradley (1980: 71) "contendrá un registro de experiencias, ideas, miedos, errores, confusiones, soluciones, que surjan durante el trabajo de campo. El diario constituye la cara personal de ese trabajo, incluye las reacciones hacia los informantes, así como los afectos que uno siente que le profesan los otros".

El contenido y su organización no responden a fórmulas fijas y compartidas por todos los diarios de campo que podamos considerar; dependen del "gusto" de cada investigador/a. No obstante, es posible configurar categorías de temas que orientan la información que se registra en el diario, además de todo cuanto nos dice Spradley (1980). Tales ámbitos son: a) registro diario de actividades; b) formulación de proyectos/objetivos inmediatos; c) comentarios al desarrollo de la investigación; d) registro de observaciones (acontecimientos, sucesos, espacios, etc.); e) registro de entrevistas; f) registro de conversaciones; g) comentarios a lecturas; h) hipótesis e interpretaciones durante la investigación; i) evaluación (del proceso, de la información, etc).

Por otra parte, existen una serie de reglas que se recomiendan seguir si se desea que el diario cumpla su función; son las siguientes:

A. Antes de cada entrada en el campo, en el diario se han de especificar los siguientes datos: a) fecha; b) objetivos/propósitos/proyectos; c) duración.

- Fecha: Martes, 14 de septiembre de 2016
- Objetivos: Aclarar la cuestión de las cuotas de material. Revisar el proyecto de centro. Fijar posible entrevista con el director.
- Duración: desde las 9.10 hasta las 13.45h.

Especificar la fecha es fundamental para diferenciar los registros realizados en cada sesión en el campo, para tener conciencia de la temporalidad de los hechos y para llevar el cómputo de estancias en el campo (recomendamos un mínimo de veinte); los objetivos que nos proponemos en cada sesión deben ser concretados para no perdernos ni vagabundear sin rumbo. Ello no quiere decir que no estemos abiertos a otras cuestiones no previstas de antemano, sino que centremos nuestro trabajo en cada sesión.

Para determinar los nuevos proyectos o propósitos que responden a dudas, interrogantes y nuevas líneas de indagación se precisa de la lectura y análisis de lo registrado en días anteriores. También es necesario reconocer la duración, para saber no sólo cuánto tiempo hemos estado en el campo sino también, y sobre todo, para saber en qué momentos hemos estado. Además es importante indicar el día de la semana.

B. Mientras que el diario de campo aguarda en la mesa de trabajo, el *cuaderno de campo* es el que se enfrenta a la realidad. Debido a las exigencias, situaciones y rapidez de los hechos, es imposible hacer *in situ* una redacción exhaustiva y detallada de todo; en el campo se toman anotaciones concretas, referentes claves que nos van a permitir reconstruir el discurso y la realidad. Por ello, y aquí una de las reglas principales, el diario tiene que escribirse **a diario**. Como se ha dicho antes, la memoria guarda la información pero ésta, a medida que transcurre el tiempo, va perdiendo frescura y, sobre todo, va "a adaptándose progresivamente a nuestras categorías previas, y en consecuencia mayor será la incidencia de nuestras visiones particulares en la captación de las informaciones" (Velasco y Díaz de Rada, 1997: 99-100). Por tanto, el paso del cuaderno al diario debe hacerse cuanto antes y a diario.

C. Es importante distinguir en el diario y cuaderno, quién ha dicho qué y quién ha hecho qué. Se ha de señalar con claridad qué textos pertenecen a los informantes y qué textos pertenecen a la persona que investiga. Para evitar equívocos, se entrecomillan las frases literales de las personas participantes. Cuando se registra una conducta realizada en el campo, ésta se registra como un texto de la persona que investiga.

Conclusión

Para sintetizar, la observación implica la compenetración del investigador en una variedad de actividades durante un extenso periodo de tiempo que le permita observar a los actores en sus vidas diarias y participar en sus actividades para facilitar una mejor comprensión de esos comportamientos y actividades. El proceso de llevar a cabo este tipo de trabajo de campo implica ganar acceso en la comunidad, seleccionando agentes claves, participando en tantas actividades como sea permitido por los miembros de la comunidad, aclarando los propios hallazgos a través de revisiones de los miembros y conversaciones informales, y manteniendo notas de campo organizadas y estructuradas para facilitar el desarrollo de una narrativa.

Referencias

Adler, P.A. y Adler, P. (1994). Observational techniques. En N. K. Denzin & Y. S. Lincoln (Eds.), *Handbook of Qualitative Research* (pp. 377-392). London: Sage.

Burgess, R.G. (1984). *In the field. An introduction to field research.* London: Allen & Unwin.

Croll, P. (1986). *La observación sistemática en el aula.* Madrid: La Muralla.

De Ketele J.M. y Postic, M. (1992). *Observar las situaciones educativas.* París: Narcea.

Delgado, J. M. y Gutiérrez, J. (1994). *Métodos y técnicas de investigación en ciencias sociales.* Madrid: Síntesis.

Evertson, C.M. y Green J.L. (1989). La observación como indagación y método. En M. C. Wittrock (Ed.), *La investigación de la enseñanza, Vol. II. Métodos cualitativos y de observación* (pp. 303-421). Barcelona: Paidós/MEC.

Fabric, M. (s.f). *Las técnicas de investigación: la observación.* Disponible en: [http://www.fhumyar.unr.edu.ar/escuelas/3/materiales%20de%20catedras/trabajo%20 de%20campo/solefabri1.htm], consultado el 9 de mayo de 2015.

Flanders, N.A. (1970). *Análisis de la interacción didáctica*. Salamanca: Sígueme.

Flick, U. (2004). *Introducción a la investigación cualitativa*. Madrid: Morata.

Gage, N.L. (1978).*The scientific basis of the art of teaching*. New York: Teachers College Press.

Galindo Cáceres J. (1998). *Técnicas de investigación: en sociedad, cultura y comunicación*. México: Pearson.

Galton, M., Simon, B. y Croll, P. (1980). *Inside the primary classroom*. London: Routledge and Kegan Paul.

Glaser, B. y A. Strauss (1967). *The discovery of grounded theory: Strategies for qualitative research*. New York: Aldine Publishing Company.

Goetz, J.P. y LeCompte, M.D. (1988). *Etnografía y diseño cualitativo en investigación educativa*. Madrid: Morata.

Heyns, R. y Zander, A.F. (1972). Observación de la conducta de grupo. En L. Festiger y D. Katz (Eds.), *Los métodos de investigación en las ciencias sociales*. Buenos Aires: Paidós.

Hopkins, D. (1989). *Investigación en el aula. Guía del profesor*. Barcelona: PPU.

Kawulich, B. (2005). *La observación participante como método de recolección de datos*. ForumQualitativeSozialforschung/Forum: Qualitative Social. Disponible en: [file:///C:/Users/luz/Desktop/ Downloads/466-1483-1-PB.pdf], consultado el 9 de mayo de 2015.

Luhmann, N. (1997). *Observaciones de la modernidad*. Barcelona: Paidós Ibérica.

Postic, M. (1978). *Observación y formación de los profesores*. Madrid: Morata.

Rodríguez, G., Gil, J. y García, E. (1996). *Metodología de la investigación cualitativa*. Archidona: Aljibe.

Sánchez Parga, J. (1989). *La observación, la memoria y la palabra en investigación social*. Quito: Editorial Centro Andino de Acción Popular.

Sierra Bravo, R. (1995). *Técnicas de investigación social: teoría y ejercicios*. Madrid: Paraninfo.

Spradley, J.P. (1980). *Participant observation*. New York: Holt, Rinehart and Winston.

Taylor S.J. y Bogdan, R. (1986). *Introducción a los métodos cualitativos de investigación: la búsqueda de significados*. Barcelona: Paidós.

Velasco, H. y Díaz de Rada, A. (1997). *La lógica de la investigación etnográfica*. Valladolild: Trotta.

CAPÍTULO 5

CAPÍTULO 6

La imagen fotográfica en la investigación cualitativa

José Félix Angulo Rasco

> *"A diferencia de otras imágenes visuales, la fotografía no es una imitación o una interpretación de su tema, sino una verdadera huella de éste. Ninguna pintura o dibujo, por muy naturalista que sea, pertenece a su tema de la manera en que lo hace la fotografía" (Berger, 2001: 56)*

> *"Las imágenes que perduran, perduran sólo como testimonio del arte de quien las pintó. En la fotografía, en cambio nos sale al encuentro algo nuevo y especial ... queda algo que no se agota en el testimonio del arte del fotógrafo..., algo que se resiste a ser silenciado..., sin querer entrar nunca en el 'arte' del todo" (Walter Benjamin, 2004, Pequeña historia de la fotografía).*

Introducción

Estamos tan acostumbrados que no nos llama la atención que en muchos acontecimientos ordinarios y extraordinarios de nuestra vida la gente haga fotos, ya sea con sus cámaras o con sus teléfonos móviles. Parece que nada se escapa, que no hay acontecimiento que no sea susceptible de quedar registrado, con las nuevas tecnologías puestas al servicio de cualquier usuario. La densidad icónica en la que el ser humano se ha desarrollado de forma creciente durante los últimos cuatro siglos, se ha incrementado de manera exponencial desde que la "mecánica fotográfica" –tal como la llamaba Walter Benjamín– se ha transformado en digital.

La fotografía como arte permanece en el fotorreportaje, en la moda y en algunos retratos; también el oficio de fotografiar, renovado tecnológicamente, se mantiene en ese mar de cámaras y móviles que se lanzan con verdadera pasión a capturar los acontecimientos sociales en bodas, bautizos, eventos deportivos y otras celebraciones, e incluso desgracias.

Fotografía y sociedad

Pero ¿por qué es tan importante la imagen fotográfica? No es necesario remontarnos al papel clave que las imágenes han jugado en la evolución humana (en sus religiones y sus representaciones más esenciales); basta con que tengamos en cuenta que la imagen fotográfica, ese arte tecnológico, introdujo desde su invención a finales del siglo XIX un fuerte sentido realista y documental. Las fotos de Bateson y Mead de la sociedad balinesa son un típico ejemplo de ello (Sullivan, 1999). Otros autores en los albores mismos de su descubrimiento, documentaron parcelas ocultas o marginadas de la sociedad en la que vivían, con una fuerza *evidencial* desconocida hasta entonces. Estoy pensando en Tina Modotti (1896/1942) y sus fotografías sobre la revolución mexicana; en Dorotea Lange (1895/1965) y su crónica de la transhumancia de familias empobrecidas de granjeros norteamericanos y, desde luego, en Lewis W. Hines (1874/1940) y sus excelentes reportajes gráficos sobre el trabajo infantil y la llegada de la inmigración a Estados Unidos. Todos ellos nos ofrecieron y documentaron territorios de nuestra propia sociedad urbana, fabril, revolucionaria, pobre, desplazada, desamparada, acosada y maltratada por el capitalismo salvaje de principios del siglo XX. Y el valor de documento fotográfico, de "verosimilitud incuestionable e ineludible", fue justamente clave para promover el cambio político. Por ejemplo, las imágenes de Hines sobre el trabajo de menores en las fábricas algodoneras de California, sirvió para aprobar legislación contra el trabajo y explotación de menores.

Pero más allá de ello, Hines nos mostró con toda su crudeza, no exenta de arte, el trabajo infantil en la Norteamérica capitalista que se presentaba a ojos de los inmigrantes europeos y asiáticos, como la tierra promisoria, el nuevo paraíso.

Este equilibrio entre documento-contenido y arte, es quizás uno de los temas claves de la fotografía como estrategia de investigación cualitativa. En 1980 Roland Barthes (1982) publica un excelente libro sobre la foto-

Imagen 1. Niña manejando el telar. (Lewis W. Hines. Algodoneras en California. 1908: http://www.historyplace.com/unitedstates/childlabor/)

Capítulo 6

Imagen 2. Niña entre los telares (Lewis W Hines. Algodoneras en California. 1908:http://www. historyplace.com/ unitedstates/ childlabor/)

grafía titulado *La cámara lúcida* (La Chambre Claire)[1]; en él, entre otras cosas, identifica dos elementos que determinan su interés particular por las imágenes fotográficas. Uno es el *studium*, término que aplicado a la fotografía señala el contenido de la misma, su objeto.

"Por medio de *studium* me intereso por muchas fotografías, ya sea porque las recibo como testimonios políticos, ya sea porque las saboreo como cuadros históricos (...), pues culturalmente (...) como participo de los rostros, de los aspectos, de los gestos, de los decorados, de las acciones" (p. 58).

En las imágenes de Hines, el *studium* es ese contenido que podemos apreciar: la niña entre los telares, en posición firme, como si estuviera acostumbrada no sólo a trabajar, sino a recibir órdenes precisas que requieren inmediato cumplimiento (véase imagen nº 2).

Pero Barthes añade un segundo elemento que denomina *punctum*. Según Barthes, el *punctum* es un pinchazo, un pequeño corte, una casualidad: "El *puctum* de una foto es ese azar que en ella me despunta (pero que también me lastima, me punza)" (1982: 65).

Dicho de otra manera: si el *studium* tiene que ver con el contenido, el *punctum* lo tiene con lo que nos retiene de la imagen, con ese elemento propio por el que nos atrae, por el que la distinguimos y la señalamos como *arte*, como excepcional. El *punctum* va más allá del efecto de verosimilitud,

---

1. Entiéndase que el título es intencionado. Representa lo contrario de la Cámara Obscura: el dispositivo renacentista, ancestro de la fotografía, que Leonardo da Vinci en el siglo XV y que Johannes Vermeer en el XVII, aplicaron a la práctica del dibujo y la pintura. Véase por ejemplo Bozal (2002).

conecta la imagen con nuestra subjetividad, con nuestra emoción y quizás con nuestro dolor o alegría.

Como *studium*, el poder documentalista de la fotografía nos ofrece información *directa* de ceremonias, escenas cotidianas, tatuajes, máscaras, agrupamientos, formas de vida, etc., que de otra manera hubiera sido bastante complejo de captar. La cámara (al contrario que la pintura o el dibujo, mucho más determinados por la subjetividad estética del artista) confirmaba la existencia de ciertas cosas, incluso de la propia existencia de culturas exóticas (Naranjo, 2006). Este fuerte sentido de *narración realista de la cámara* aún permanece en el fotoperiodismo y como elemento básico de documentación en general.

Puede que en nuestro trabajo de campo tomemos algunas imágenes fotográficas con un fuerte *punctum*; pero como investigadoras, no podemos centrarnos en él. El *punctum*, lo emocional, no es nuestro objetivo prioritario. Hemos de admitir que incluso no podremos mantener un cierto equilibrio entre ambos y debamos aceptar que fundamentalmente nuestras imágenes están para documentar, para hablar a su manera de los espacios, las relaciones y las acciones que investigamos. Definitivamente el contenido, el *studium* debe predominar en nuestros registros fotográficos. De eso trata la etnografía visual.

Etnografía visual

Aunque existen enfoques diversos sobre la etnografía visual y el empleo de imágenes (fotográficas) en la investigación (Pink, 2001; Banks, 2008), lo importante, como indica Prosser (2007) es que un proceso de investigación versátil se ha de llevar a cabo "con suficiente flexibilidad para aplicar y utilizar sus habilidades en un amplio espectro de cuestiones y posiciones analíticas y metodológicas" (p. 2). En este sentido, dicho autor enfatiza que lo importante es combinar diversos enfoques, desde la creación hasta la utilización de imágenes creadas por otros; una combinación, como luego veremos, que dependerá tanto del contexto de investigación mismo como del *objetivo* de investigación. Prosser (2007: 3-4) sugiere, apoyándose de lo anterior, cuatro aspectos básicos de la indagación visual:

* Datos encontrados. Son imágenes creadas en el pasado, como fotografías costumbristas, o productos de la cultura visual actual: álbumes familiares de fotos, álbumes escolares, etc.

* Datos creados por la investigadora. El trabajo típico de una antropóloga, etnógrafa o investigadora visual estriba en crear (tomar fotografías) imágenes del contexto indagado. La creación de datos visuales entronca, en cierto sentido no trivial, con la fotografía como documentación social.

CAPÍTULO 6

- Datos creados por el informante. En este caso, son los informantes quienes elaboran las imágenes de un modo específico para la investigación. Se trata de una estrategia de colaboración y participación de los mismos sujetos implicados en el contexto objeto de investigación.
- Representaciones. Prosser (2007) entiende por representaciones las formas en las que las investigadoras *representan* –gráficamente– datos, interpretaciones y hallazgos; pero también puede entenderse por tal las representaciones que los informantes emplean para comprender su propia realidad, sus circunstancias o ciertos acontecimientos de la misma a través de gráficas, graffitis, dibujos o "mapas conceptuales".

Todas estas fuentes o enfoques diversos en el empleo de la imagen fotográfica en la investigación cualitativa son claves en la mayoría de los procesos de indagación. Probablemente, la combinación de algunos de ellos representa una de las tácticas más efectivas para el conocimiento en profundidad del mundo social y educativo.

Foto-elicitación

La foto-elicitación (Harper, 2002) es el proceso por el cual la investigadora recoge información a través del diálogo sobre material fotográfico. Dicho material suelen ser imágenes que han elaborado los sujetos implicados y participantes en la acción; pero también se pueden emplear imágenes que la propia investigadora ha realizado. En ambos casos –y éste es el carácter diferencial de la foto-elicitación– se trata de dialogar sobre y con las imágenes rememorando lo que ellas muestran, enlazando con recuerdos, experiencias (pasadas o presentes), sensaciones y emociones[2].

Según Harper, las fotografías que pueden usarse en un proceso de este tipo, se pueden agrupar en un continuo de la siguiente manera:

a. En un extremo están las fotos que pueden considerarse más "objetivas", inventarios visuales de objetos, gente y artefactos.
b. En un lugar intermedio están las imágenes que proceden o son parte de colectivos o instituciones. Por ejemplo, fotos de lugares de trabajo, de escuelas, hospitales. Son imágenes que conectan al individuo con experiencias contextuales pasadas o presentes.
c. En el otro extremo estarían las imágenes que muestran dimensiones íntimas de la experiencia personal de los sujetos informantes. Por ejemplo, fotos del grupo de amigas, de la habitación propia, de los lugares que marcan su vida cotidiana e incluso del propio cuerpo o partes de él.

---

2. La foto elicitación se basa en la simple idea de insertar fotografías en la entrevista de investigación (Harper, 2002: 13).

Respetando esta clasificación, lo importante de la foto-elicitación es que las imágenes han de "representar" algo con sentido para los informantes. En muchos casos, hablar con imágenes como mediación es la única manera de entrar en la experiencia íntima y personal; un ámbito que por la mera utilización de la entrevista etnográfica estaría cerrado (cuando no vedado) a nuestra indagación. La fotografía así usada "actúa como un médium de comunicación entre investigadora y participante" (Clark-Ibáñez, 2004: 1512); lo que la convierte en una poderosa estrategia en la investigación con niños y niñas[3].

Foto-voz

La foto voz es una estrategia en la etnografía visual en la que a través de la realización y utilización de fotografías los sujetos informantes pueden expresar sus ideas, concepciones, pensamientos, relaciones e interacciones. Se trata, en definitiva, de una estrategia de participación activa de los sujetos implicados en la investigación en la obtención de información visual. Según Carolina Wang (1999), la foto-voz tiene, entre otros, dos objetivos básicos, que merecen ser resaltados: 1) registrar y reflejar las preocupaciones personales de los sujetos; 2) promover el diálogo crítico y el conocimiento a través de la discusión grupal de fotografías.

En términos genéricos, la foto-voz se apoya en la idea de que las imágenes pueden enseñar e ilustrar más allá de la expresión verbal de los sujetos y, por eso mismo, pueden servir para apoyar no sólo la indagación sobre cuestiones sociales y educativas, sino también promover y enfatizar la acción individual y comunitaria de los grupos sociales e individuos implicados.

Una correcta utilización de esta estrategia de indagación implica tener en cuenta una serie de recomendaciones (Wang, 1999):

- *Selección de participantes*. Es muy importante seleccionar a los sujetos de manera que estén representados diferentes sensibilidades o puntos de vista sobre un acontecimiento o una institución.
- *Explicar cuidadosamente el uso de la cámara*, evitando complicaciones técnicas.
- *Explicar detalladamente el proceso de indagación*, informando sobre el uso de las fotografías generadas como elementos de discusión colectiva posterior.
- *Negociar y obtener el consentimiento* para la realización de las fotografías.
- *Sugerir temas posibles*, permitiendo que los sujetos participantes puedan libre y creativamente prestar atención y registrar otros que bajo su punto de vista son tan o más importantes que los iniciales.

---

3.   Véase el trabajo de Jeffrey Samuels sobre la cultura monástica en Sri Lanka (Samuels, 2004).

- *Crear y habilitar un espacio* para compartir las imágenes.
- *Establecer un proceso para hablar, dialogar y analizar* las imágenes producidas.

Algunas ideas para el uso de imágenes por docentes y alumnado

- Tomar fotos de la clase periódicamente, para poder identificar cambios en los patrones de flujo de movimiento y en la organización.
- Usar las fotos como un diario. Tomar fotografías periódicamente del centro y utilizarlas como estímulo para escribir sobre la práctica o el mismo centro.
- Utilizar fotografías para documentar el desarrollo de un proyecto o una lección.
- Solicitar que los estudiantes fotografíen sus lugares favoritos y menos favoritos en la escuela, como elemento esencial para un debate.
- Solicitar que el alumnado fotografíe su barrio, escenas de su familia, los lugares que frecuenta el fin de semana, como elementos de debate y aprendizaje posterior.
- Utilizar fotografías para documentar acontecimientos en el barrio, en el pueblo o en la vida cotidiana del alumnado (fiestas populares, cambios climáticos, nuevas construcciones, etc.) (tomado de Walker, 2007: 6).

Fotografiar a menores

Una de las situaciones fotográficas más comprometidas es la de fotografiar a menores en la escuela. En este caso es necesario tener en cuenta las siguientes recomendaciones:

1. Solicitar el premiso de los padres/madres o tutores antes de efectuar las fotografías.
2. Evitar fotografiar los rostros de los menores, o en todo caso, evitar publicar fotos en las que aparezcan los rostros de los mismos, especialmente en primeros planos o retratos fotográficos.
3. Tener en cuenta que lo importante es registrar la acción y la interacción de los sujetos; no se trata de hacer un fotorreportaje.

Ejemplo de uso de las imágenes

Secuencia de interacción

En un centro rural de primaria de Andalucía (España) durante el proceso de investigación sobre la utilización de las nuevas tecnologías se descubrió la presencia de un viejo principio pedagógico que ha regido el funcionamiento de dichas escuelas: los mayores y los que saben enseñan a los menores; es decir, no es sólo el docente quien enseña, el propio alumnado asume tareas de enseñanza en relación con sus compañeros y compañeras de menor edad. En las escuelas rurales los docentes comienzan una cadena pedagógica que va mucho más de ellos y ellas y en la que se implica el alumnado. La fotografía nos ayudó a detectar no sólo este proceso sino también que la relación "pedagógica" entre el alumnado está determinada por el género, tal como indican las fotografías siguientes.

Imagen 3. Secuencia primera. La maestra enseña el uso de las TIC.

Imagen 4. Secuencia segunda: el alumno que ha aprendido enseña a otro alumno.

Imagen 5. Secuencia tercera: o enseña a otra alumna.

CAPÍTULO 6

Referencias

Banks, M. (2010). *Los datos visuales en investigación cualitativa.* Madrid: Morata.

Benjamin, W. (2004). *Sobre la fotografía.* Valencia: Pre-Textos.

Berger, J. (2001). *Mirar.* Barcelona: Gustavo Gili.

Bozal, V. (2002). *Johannes Vermeer de Delft.* Madrid: TF Editores.

Clark-Ibáñez, M. (2004). Framing the social world with photo-elicitation interviews. *American Behavioral Scientist, 47* (12), 1507-1527.

Collier, J. Jr. y Collier, M. (1986). *Visual anthropology. Photography as a research method.* Alburquerque: University of New Mexico Press.

Harper, D. (2002). Talking about pictures: A case for photo elicitation. *Visual Studies, 7* (1), 13-26.

Naranjo, J. (Ed.) (2006). *Fotografía, antropología y colonialismo* (1845-2006). Barcelona: Gustavo Gili.

Pink, S. (2001). *Doing visual ethnography.* London: Sage.

Prosser, J. (1998). *Image-based research. A sourcebook for qualitative researchers.* London: Routledge-Falmer Press.

Prosser, J. (2007). Introducing visual methods: A roadmap. En J. Prosser (Ed.), *Introducing visual methods: A roadmap* (pp. 1-6).ESRC Research Development Initiative. Building capacity in visual methods. University of Leeds-June 2007. Paper.

Samuels, J. (2004). Breaking the ethnographer's frames. Reflections on the use of photo elicitation in understanding Sri Lankan monastic culture. *American Behavioral Scientist, 47* (12), 1528-1550.

Sullivan, G. (1999). *Margaret Mead, Gregory Bateson and Highland Bali. Fieldwork photografs of Bayung Gedé, 1936-1939.* Chicago: The University of Chicago Press.

Walker, R. (2007). Using images in action research. En J. Prosser (Ed.), *Introducing visual methods: A roadmap* (pp. 1-8). ESRC Research Development Initiative. Building capacity in visual methods. University of Leeds-June 2007. Paper.

Wang, C. C. (1999). Photovoice: A participatory action research stragteghy applied to women's health. *Journal of Women's Health, 3* (2), 185-192.

CAPÍTULO 7

La entrevista etnográfica

Natalia Vallejos y José Félix Angulo Rasco

Introducción

Con antecedentes que la remontan y vinculan a diversos dispositivos de producción de información verbal, la entrevista en profundidad es definida por Alonso como un

> "proceso comunicativo por el cual un investigador extrae una información de una persona –el informante– (...) que se halla contenida en la biografía de ese interlocutor; entendiendo aquí biografía como el conjunto de las representaciones asociadas a los acontecimientos vividos por el entrevistado. Esto implica que la información ha sido experimentada y absorbida por el entrevistado y que será proporcionada con una orientación e interpretación significativas de la experiencia del entrevistado. Orientación, deformación o interpretación que muchas veces resulta más interesante informativamente que la propia exposición cronológica o sistemática de acontecimientos más o menos factuales" (2003: 1).

Si bien no constituye una conversación espontánea y natural, parte de la bibliografía señala la importancia de que así sea percibida por el entrevistado/a (Taylor y Bogdan, 1987; Valles, 1996; Alonso, 2013; Ruiz, 2007), pues –de alguna manera– ello contribuye a restarle formalismo y permite que "(...) la gente comience a hablar sobre sus perspectivas y experiencias, sin reestructurar la conversación ni definir lo que aquélla debe decir" (Taylor y Bogdan, 1987: 115). El propósito fundamental en la aplicación de la técnica es

> "(...) dar curso a las maneras de pensar y sentir de los sujetos entrevistados, incluyendo todos los aspectos de su profundidad asociados a sus valoraciones, motivaciones, deseos, creencias y esquemas de interpretación que los propios sujetos bajo estudio portan y actualizan durante la situación de la entrevista" (Canales, 2006: 220).

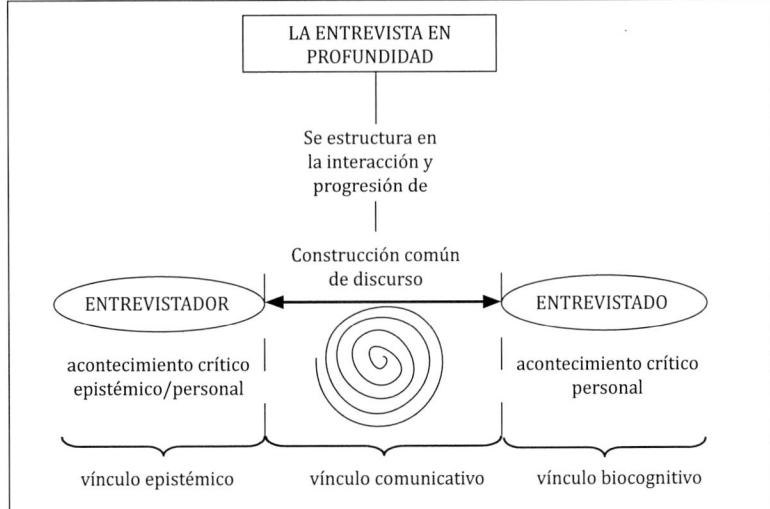

Fig. 6. Características de la entrevista en profundidad

A continuación abordaremos los rasgos fundamentales de esta técnica a partir de las cualidades distintivas que el investigador debe poseer y aplicar para su desarrollo; los rasgos centrales que sobresalen en la interacción dialógica entablada con su interlocutor, así como algunos atributos que distinguen a quien participa –en calidad de entrevistado– en la construcción conjunta de una narración conversacional.

La entrevista como vínculo

La relación que se establece entre el sujeto que investiga y el sujeto de estudio durante la entrevista en profundidad, tiene como propósito central "comprender las perspectivas que tienen los informantes respecto de sus vidas, experiencias o situaciones, tal como las expresan en sus propias palabras" (Taylor y Bogdan, 1987: 101). Ahora bien, la extracción de información que realiza el investigador/a respecto de su informante no debe comprenderse como si los datos preexistieran al diálogo, al encuentro o interacción que se crea entre ambos (Cohen, Manion y Morrison, 2007; Gil, 1996; Alonso, 2013).

Gil (1996) enfatiza que "al recoger los datos, el investigador/a no toma directamente las realidades que se presentan, sino que se da un proceso de percepción de las mismas identificando los elementos que las componen y, frecuentemente, enunciando proposiciones narrativas que tratan de describirlas" (p. 1). Bajo tal consideración, al investigador le cabe un papel trascendental en la co-construcción del discurso que emerge durante la entrevista, subrayando entonces el carácter intersubjetivo de la misma (más que subjetivo), pues lo que en ella acontece –tal como sugiere la traducción del concepto desde el idioma inglés– es un "intercambio de miradas" (*inter-views*) y de diálogos construidos entre quienes participan (Cohen, Manion y Morrison, 2007). En dicho papel o función, el investigador como "intruso en el campo" (Alonso, 2013: 8) tiene la responsabilidad de guiar la entrevista bajo una estructura clara en cuanto a objetivos y tópicos a abordar, pero laxa si de orden y preguntas preestablecidas se trata: "las preguntas, su secuencia y fraseología no se trabajan de antemano" (Alonso, 2003: 8; Woods, 1986); por el contrario, en ese diálogo en el que se ha de transformar la entrevista en profundidad, las cuestiones son formuladas por el investigador en la medida en la que el contenido, forma y situación en que se desenvuelve el diálogo las hace relevantes y pertinentes.

Se trata de que, durante la entrevista, la persona entrevistada produzca información sobre todos los temas que nos interesan, pero no se trata de ir inquiriendo sobre cada uno de los temas en un orden prefijado, sino de crear una relación dinámica en la que, por su propia lógica comunicativa, se vayan generando los temas de acuerdo con el tipo de sujeto que entrevistamos (Alonso, 2013: 17).

La inexistencia de una secuencia de preguntas preestablecidas tiene, asimismo, una fundamentación epistémica: la construcción de conocimiento a partir de la realidad intersubjetiva que nace de la "ignorancia" de quien (investigador/a) sabe que desconoce los significados que los sujetos asignan sus actos (Alonso, 2003; Ruiz, 2007).

Bajo las consideraciones aludidas resulta sustancial que el investigador/a posea y despliegue habilidades comunicacionales que permitan que el *rapport* establecido con su interlocutor/a se mantenga y/o fortalezca, que el contenido de la entrevista (la información que se transmite) sea entendido por el entrevistado y, a la vez, que él o ella pueda comprender lo que éste le comunica. No obstante, para alcanzar un nivel profundo en la conversación (aquél al que aspira toda entrevista en profundidad), es necesario que el investigador/a se preocupe –además– de "los niveles relacionales que determinan el sentido del discurso" (Alonso, 2013: 13). Ello supone que debe prestar atención a ciertos elementos que tienden a fortalecer el desarrollo de una comunicación eficaz, desde la importancia que ha de otorgársele a "cómo" comunicarse y "cuándo" hacerlo de manera conveniente y provechosa, para que el clima o relación interpersonal que sostiene con su interlocutor favorezca el curso de la entrevista. En este punto se incluyen, de igual forma, una serie de actitudes y comportamientos personales que favorecen el establecimiento de un ambiente de confianza y la posibilidad de conectarse con los sentimientos, motivaciones e ideas de quien pone en común y deja aflorar al espacio compartido su mundo íntimo.

Una entrevista en profundidad bien llevada no se remite –nunca– a un simple intercambio de preguntas y respuestas entre ambos participantes. Para que la interacción verbal fluya es menester la construcción de un vínculo comunicativo. Según Woods (1986), para que el diálogo comience y se desarrolle, es de vital importancia la existencia de un sentimiento de confianza y de relación entre ambos interlocutores; confianza y relación que sólo puede alcanzarse en la medida en que el investigador logre que el sujeto entrevistado no se sienta *interrogado,* sino cómodo, sin presiones y libre para hablar sin ser juzgado. En síntesis, es necesario desarrollar empatía con el entrevistado a través de: "gestos de asentimiento, sacudidas de cabeza, sonrisas, expresiones físicas de asombro, muecas, gruñidos de estimulación o de conocimiento, expresiones interjectivas" (Woods, 1986: 92; Alonso, 2003; Ruiz, 2007). Utilizar estos recursos para mantener la dinámica en una entrevista cuyo sentido está en "invitar al entrevistado a la confidencia" (Alonso, 2003: 17), demanda que el investigador/a entienda –además– que en la entrevista en profundidad se ha de situar "en el lugar del entrevistado" y "maneje la situación sensitiva y profesionalmente" (Cohen, Manion y Morrison, 2007: 362). Por el contrario, en una situación de entrevista estructurada (y mucho más si se tratase de una encuesta o un cuestionario) es el investigador/a quien "define la situación, el tópico, la introducción, dirige el curso de la entrevista y la cierra" (Kvale citado en Cohen, Manion y Morrison, 2007: 362; Alonso, 2003), lo que genera una insuperable asimetría entre los dos interlocutores.

Por otra parte, "el despliegue de las dimensiones profundas (motivacionales e interpretativas)" (Canales, 2006: 236) del entrevistado/a, necesita que el tiempo de la entrevista en profundidad sea flexible; asumiendo que la comprensión de la misma no se consigue de manera inmediata, sino de forma "gradual, sucesiva y contingente (dialógica)" (Canales, 2006: 222). Por ello, el vínculo comunicativo no consiste únicamente en dar pie y conducir un encuentro verbal, sino fundamentalmente en tener acceso a las "claves simbólicas" (Canales, 2006: 222) que permitan al investigador/a comprender los significados, valoraciones y representaciones que revela el sujeto entrevistado.

La interacción verbal que estructura el vínculo comunicativo se inicia desde el investigador/a. Es él quien debe invitar a su interlocutor al habla, procurando no monopolizar la narración o discurso. Precisamente una de las características distintivas de la entrevista en profundidad es la escasa intrusión del investigador en un diálogo cuyo ritmo "(...) es 'controlado' en función de las respuestas del entrevistado" (Ruiz, 2007: 170). Una vez entablada, la narración conversacional adquiere la forma de un círculo concéntrico (Alonso, 2003; Ruiz, 2007), articulándose a partir de los intentos del investigador por estimular el habla desde preguntas generales y temáticas amplias que, lentamente, avanzan hacia la búsqueda "más por significados que por hechos, por sentimientos que por conocimientos, por interpretaciones que por descripciones" (Ruiz, 2007: 172). La circularidad de este proceso emana, además, de las secuencias comunicativas que –desde la posición de cada sujeto– retroalimentan la narración y contribuyen a la co-construcción comunicativa.

Tipos de entrevistas

Un modo sencillo y eficaz de clasificar las entrevistas es a través de su grado de estructuración, según los siguientes tipos:

- *Entrevistas no-estructuradas (o en profundidad)*: son entrevistas típicas de los estudios etnográficos de campo y de los estudios de caso, en las que no se establece previamente un catálogo de instrucciones o preguntas concretas. A lo sumo la persona que investiga está interesada en conocer lo que opina y piensa el informante que vive cotidianamente en un contexto. Las preguntas concretas, así como el desarrollo de la entrevista se va construyendo a medida que transcurre la entrevista misma. En todo caso, son las respuestas del informante las que delimitan la orientación a seguir por la persona que entrevista. La entrevista etnográfica también puede ser denominada "en profundidad" cuando se establecen "reiterados encuentros cara a cara entre la persona investigadora y los/las informantes, encuentros dirigidos hacia la comprensión de las perspectivas que tienen los informantes respecto de sus vidas, experiencias o situaciones, tal como las expresan con sus propias palabras. Las entrevistas en profundidad siguen el modelo de una conversación entre iguales, y no de un intercambio formal de preguntas y respuestas. Lejos de asemejarse a un robot recolector de datos, el propio investigador es el instrumento de la investigación, y no lo es un protocolo o formulario de entrevista" (Taylor y Bogdan, 1986: 101).

- Entrevistas semiestructuradas: son muy semejantes a las anteriores, pero con la diferencia de que la persona que entrevista planifica el tipo de ámbitos sobre los que versarán las cuestiones y las preguntas. A diferencia de las muy estructuradas, este tipo de entrevistas no supone especificación verbal o escrita del tipo de preguntas que se formularán, ni, necesariamente, del orden de formulación.

- Entrevistas altamente estructuradas: en este tipo de entrevistas la persona que investiga especifica tanto las cuestiones, como el orden e incluso el tipo de respuestas posibles o admisibles. Cuando estas tres especificaciones se cumplen nos encontramos con encuestas (especificación verbal: el sujeto responde verbalmente) o con cuestionarios (especificación escrita: el sujeto responde por escrito).

¿A quién entrevistar?

Esta pregunta tiene una respuesta directa: a quien se deje y permita ser entrevistado/a. Lo que significa que no podemos obligar a nadie a ello. Pero con esto parece que no decimos más que lo obvio y consabido. Los sujetos de entrevista son tan variados como variados los sujetos que participan en el contexto de nuestra indagación; sin embargo, tendremos que seleccionar a algunos sujetos de entre todos los posibles. Para ello, los únicos criterios uniformes y, podría decirse que obligatorios, son dos: entrevistar a un miembro de cada uno de los grupos implicados y entrevistar a aquel sujeto que quiera, solicite o pida ser entrevistado. Aceptados estos criterios, los restantes para realizar una selección coherente con la temática de indagación que estemos estudiando dependerán justamente del contexto mismo y de sus particularidades e *individualidad*. Además recordemos que informalmente vamos a "entrevistar" a mucha más gente de la que en un principio pudiéramos creer, lo que complementa con creces la selección que realicemos. Pero recordemos dos cosas a la hora de decidir las entrevistas: una tiene que ver con nuestra capacidad logística en tanto que cuanta más información tengamos mayor es el tiempo que tenemos que emplear para analizarla; segundo: en ocasiones la información puede ser redundante con respecto a la proporcionada previamente en otras entrevistas. Si así fuera podríamos evitar hacer más entrevistas, siempre y cuando no detectemos que no ser sujeto de entrevista plantea problemas de trato desigual entre los implicados.

El proceso y contenido de la entrevista

Según Canales (2006) las preguntas que se formulan durante la entrevista emergen desde dos procesos. El primero corresponde a los propósitos y objetivos de la investigación que permiten dar forma a un guión de ideas o materias a abordar en el transcurso de aquélla. El segundo está en relación con el proceso de interacción que tiene lugar durante el encuentro, a partir del cual pueden levantarse interrogantes o temas pertinentes que ofrecen "información valiosa para nuestra investigación pero que no había sido identificada ni instalada como tema a consultar" (p. 244). Para Ruiz (2007), el "proceso técnico" a través del cual se desarrolla esta interacción verbal se desenvuelve en torno a lo que denomina estrategia **lanzadera-relanzamiento-control** caracterizada por:

- Lanzadera: formulación inicial de preguntas abiertas, de carácter superficial y general para iniciar y orientar el diálogo.
- Embudo: a partir de ese estímulo la entrevista habrá de transitar "de lo más amplio a lo más pequeño, de lo más superficial a lo más profundo,

de lo más impersonal a lo más personalizado, de lo más informativo a lo más interpretativo y de datos a interpretaciones de los mismos", estrechando cada vez más el círculo conversacional (Ruiz, 2007: 182).

- Bola de nieve: implica que la interacción conversacional se enriquece y circula a partir de los antecedentes anteriores.
- Calendario biográfico: el discurso se construye cronológicamente o de manera evolutiva.
- Cada vez que sea necesario, mediante la técnica de la lanzadera, el investigador inicia un nuevo tema o replantea uno anterior para precisar aspectos poco claros o –a su juicio– no concluidos apropiadamente.
- Relanzamiento: en el caso de que la conversación se bloquee, puede desplegar algunos mecanismos para que ésta retome su curso.
- Control: supone velar y garantizar que los antecedentes brindados por el entrevistado gozan de validez.

El contenido de una entrevista en profundidad depende tanto del objeto de indagación como de la situación social o vínculo que se establezca entre la persona que entrevista y la que informa (entrevistado o entrevistada). No obstante, puede resultar útil señalar algunas tipologías de cuestiones que, tomadas en conjunto, representan con bastante precisión el abanico de posibilidades que se nos ofrecen. Las que presentamos son ofrecidas por Spradley (1979: 223) y Patton (1980: 207 y ss):

a) Descriptivas: son las más fáciles y comunes en las entrevistas; con ellas se trata tanto de reconocer el lenguaje del informante como de conocer la forma particular con la que describe un acontecimiento, sus decisiones, su trabajo. Como submodalidades se encuentran: preguntas de *gran recorrido* y preguntas de *pequeño recorrido* (típicas, específicas), preguntas *ejemplo*, preguntas *sobre la experiencia* y preguntas de *lenguaje nativo*.

b) Estructurales: permiten identificar la manera en la que los informantes han organizado y estructurado su conocimiento. Las submodalidades son: preguntas estructurales de verificación, preguntas *sobre términos incluidos*, preguntas *de esquemas de sustitución* y preguntas de *tarjeta de identificación*.

c) De contraste: permiten conocer qué quiere decir el informante cuando emplea diversos términos durante sus explicaciones o respuestas. Se distingue los siguiente subtipos: preguntas de *contraste de verificación*, preguntas de *contraste dirigidas*, preguntas de *contraste diádicas*, preguntas de *contraste triádica*, preguntas de *contraste de verificación de grupos*, preguntas de *clasificación*.

d) De opinión/valoración: permiten comprender qué opinan y cómo valoran los informantes acontecimientos, sucesos, acciones y decisiones, propias o ajenas.

e) De sentimientos: con las que se anima al informante a expresar sus emociones y sus sentimientos sobre la experiencia vivida.

f) Demográficas o de identificación: con este tipo de preguntas es posible identificar las características personales, sociales y profesionales de la persona entrevistada.

A este conjunto de preguntas se le pueden añadir otras más concretas (Woods, 1986; Schatzman y Strauss, 1973):

- Aquellas que apuntan al control de aparentes contradicciones, exageraciones o incoherencias.
- Las que buscan opiniones o solicitan una aclaración.
- Aquellas que requieren explicaciones o alternativas.
- Las que establecen una comparación.
- Preguntas que apuntan a inquirir la lógica de un argumento o a cubrir vacíos en la información entregada por el entrevistado.
- Aquellas que manifiestan incredulidad y asombro.
- Las que buscan abarcar más información.
- Preguntas para resumir y confirmar.
- Preguntas hipotéticas para estimular la especulación en torno a situaciones posibles o alternativas.
- Aquellas tipo "abogado del diablo" para develar aquello que pudiese ser un tema impugnable para el entrevistado.
- Preguntas para formular las cosas en otras palabras o verificar las interpretaciones entregadas por el sujeto.

Algunas recomendaciones y orientaciones básicas sobre el proceso de la entrevista

Aunque en última instancia quien entrevista (en su soledad compartida frente la persona entrevistada) será quien tenga que tomar las decisiones puntuales y sobre la marcha, parece necesario ofrecer algunas recomendaciones y orientaciones básicas. No se trata, en absoluto, de un listado de pasos que han de ser seguidos estrictamente en una entrevista, sino sugerencias que pueden llegar a ser de utilidad.

PRIMERO: en las entrevistas, las personas entrevistadas son mucho más importantes que la información proporcionada, y el/la entrevistado/a debe percibirlo así. Para ello se recomienda encarecidamente que los/as entrevistadores/as tengan muy presente las siguientes orientaciones:

a) Es absolutamente esencial que la persona entrevistada se sienta tan tranquila como sea posible y que no perciba prisas en el/la entrevistador/a por formular preguntas.

b) Resulta muy importante elegir un lugar en el que las distorsiones y distracciones sean las menos posibles. Por ejemplo, puede utilizarse un aula del centro si se realizan fuera del horario lectivo. No es aconsejable un bar o un ambiente muy concurrido; además de las distracciones lógicas en dichos ambientes, se producen "distorsiones" sonoras que pueden llegar a hacer inaudible la entrevista grabada, lo que impide o deteriora su transcripción.

c) La actitud en una entrevista debe ser, fundamentalmente, de escucha; y esto significa algo más que "oír". La persona entrevistada tiene que percibir nuestro interés por la información que nos proporcione y por la persona misma que la proporciona.

d) Antes de concertar la entrevista (fecha y hora) la persona entrevistada tiene que conocer si sus respuestas van a ser grabadas.

e) Si no acepta que la entrevista sea grabada debe tenerse en cuenta lo siguiente:
- Anotar las respuestas detalladamente y conforme las va enunciando en un cuaderno de entrevista, empleando en ello cuanto tiempo fuera necesario.
- Transcribir con posterioridad la entrevista y solicitar de la persona entrevistada que lea y verifique (valide) las respuestas registradas; comentando con la persona que entrevista cuantos cambios y añadidos que quiera realizar.

SEGUNDO: Antes de comenzar o negociar cualquier entrevista, la persona que entrevista debe hacer ver al sujeto entrevistado lo siguiente:

a) Que la entrevista es una pieza de un proceso de indagación más amplio.

b) Que las respuestas de la entrevista (es decir, la información que se proporcione) son absolutamente confidenciales. Esto quiere decir que el nombre de la persona entrevistada no figurará en ningún archivo, ni será registrado bajo ningún concepto, y que no se proporcionará información individual, sino la información colectiva derivada de la interpretación, en el informe, de todas las entrevistas.

c) Que las entrevistas no se realizan para juzgar sino para conocer las ideas, problemas, opiniones y prácticas de la persona entrevistada. Por lo tanto, la información que proporcione no le perjudicará en ningún sentido.

TERCERO: Durante la entrevista no se debe bajo ningún concepto entrar en discusiones con la persona que entrevista. Hacerlo así puede ser percibido como una clara intención de valorar o enjuiciar sus ideas o sus prácticas, impidiendo que continúe expresándose libre y claramente. De todas formas, podrían introducirse explicaciones alternativas a la información ofrecida, como una vía para recabar más información sobre el tema o punto tratado en ese momento.

CUARTO: La persona que entrevista puede animar a la persona entrevistada a continuar hablando si se produce un silencio prolongado o quiere incidir en una información determinada. Para ello pueden emplearse pequeños recursos como los siguientes: un movimiento de cabeza o un "eso es muy interesante" o repetir la última frase, con una ligera entonación interrogativa.

QUINTO: la persona que entrevista no puede dar por supuesto que el significado de las palabras que la persona entrevistada utiliza sea el mismo que nosotros/as le asignaríamos. Resulta necesario asegurarse, hasta donde sea posible, cuál es el significado que se emplea al utilizar un concepto o una expresión. Para ello se puede preguntar directamente por el significado implícito (preguntas "de contraste", véase *supra*): "El ambiente del colegio es realmente malo...", o "Cuando dices que es malo, ¿a qué te refieres?; o bien: ¿Quieres decir que hay grupos con intereses contrapuestos, o que cada profesor va a su aire, o que tenéis problemas con los alumnos o con los padres...?".

SEXTO: en el caso de que el tema suscite resistencias o se perciba que la persona entrevistada se siente incómoda, se recomienda plantear las cuestiones en términos genéricos e impersonales: "¿Por qué crees que al profesorado no le gusta asistir a las reuniones?", "A veces se tiene la impresión de que a los profesores no les gusta participar en las reuniones".

SÉPTIMO: especialmente para las primeras entrevistas en un proyecto de investigación, puede resultar conveniente señalar los ámbitos sobre los que se desea preguntar.

***

En conclusión, la entrevista en profundidad pone en marcha en el entrevistado una especie de vínculo biocognitivo, que podemos entender como el proceso mediante el cual el sujeto recupera y expresa sus esquemas de pensamiento, creencias, opiniones y sentimientos sobre un tópico en un contexto narrativo y de diálogo (Fraser, 1993). Proceso que puede, incluso, transformarse en un "acontecimiento crítico personal" (Woods, 1986), en la medida en que la apertura que genera la interacción comunicativa permita al entrevistado volver a mirarse, detenerse y redescubrirse desde la interpelación del "otro". Al mismo tiempo, la construcción común de un discurso puede transformarse en un "acontecimiento crítico epistémico/personal" para el investigador o la investigadora, toda vez que el habla del entrevistado/a devela una historia/contexto/circunstancias distintas, y una comprensión de la realidad diversa que invita –a quien investiga– a acercarse hacia nuevas formas de conocer y comprender el mundo de lo social que le rodea.

Capítulo 7

Entrevista/tarea

Un tipo particular de entrevista en profundidad es la entrevista-tarea. Esta modalidad deriva del pensamiento en voz alta desarrollados en los inicios de la investigación psicológica del procesamiento de información (van Someren, Bardnard y Sandberg, 1994), para conocer el entramado mental de, por ejemplo, la solución de problemas. "El pensamiento en voz alta puede ser usado para investigar diferencias en las habilidades entre los sujetos en la solución de problemas, diferencias entre las dificultades de las tareas, los efectos de la enseñanza y otros factores que afectan a la solución de problemas... El objetivo es explicar casi cada paso llevado a cabo por el solucionador de problemas" (p. 9). El pensamiento en voz alta se ha empleado también como estrategia en investigación cualitativa (Ericsson y Simon, 1980; Charters, 2003), con el mismo sentido que en psicología cognitiva. El sujeto habla en voz alta a medida que completa la tarea. Como señalan Olson, Duffi y Mack (1984), pensar en voz alta es una de las técnicas más efectivas para comprender los procesos de pensamiento de alto nivel.

Sin embargo, en tanto técnica de investigación cualitativa nos importa no sólo el pensamiento verbalizado del sujeto, sino –y éste es un punto clave– el proceso de *entrevistas* que el investigador o investigadora va articulando sobre y en relación con la tarea que ha desarrollado o está ejecutando el sujeto entrevistado/a. Dicho de otra manera, el valor de esta técnica se encuentra no sólo en lo que el sujeto dice-piensa sobre lo que hace, sino en el diálogo que el investigador/a establece. Un caso especialmente interesante se encuentra en los estudios desarrollados por Gauntlett (2007) sobre creatividad. Gaunlett (2007) ha diseñado una serie de estudios en los que más allá de la entrevista tradicional o el grupo focal, se pide a los sujetos que hagan o creen algo –tareas- a través de la realización de un video, dibujos, collages o el empleo de fichas Lego. Una vez realizada, se entrevista a los sujetos para que expliquen no sólo lo *creado* sino el significado de dicha creación. Este proceso de hacer algo, nos ofrece a través de la entrevista sobre la tarea realizada (el acto creativo) los significados de los sujetos, sus formas de vida y su interpretación del mundo social al que se encuentran conectados.

Referencias

Alonso, L. (2013). Sujeto y discurso: el lugar de la entrevista abierta en las prácticas de la sociología cualitativa. Disponible en: [https://psicologiaysociologia.files.wordpress.com/2013/03/alonso-cap-2-sujeto-y-discurso-el-lugar-de-la-entrevista-abierta.pdf].

Canales, M. (2006). *Metodologías de investigación social. Introducción a los oficios.* Santiago: LOM.

Charters, E. (2003). The use of think-aloud methods in qualitative research. An introduction to think-aloud methods. *Brock Education Journal, 12* (2), 68-82.

Cohen, L., Manion, L. y Morrison, K. (2007). *Research methods in education.* Oxon: Routledge.

Ericsson, K. A. y Simon, H. A. (1980). Verbal reports as data. *Psychological Review, 87* (3), 215-251.

Fraser, R. (1993). La historia oral como historia desde abajo. *AYER, 12,* 79-92.

Gauntlett, D. (2007) *Creative explorations: New approaches to identities and audiences.* London: Routledge.

Gil, F. (1996). Análisis de datos cualitativos. En G. Rodríguez; J. Gil y E. García, *Metodología de la investigación cualitativa.* Archidona, España: Aljibe. Disponible en: [https://docs.google.com/document/d/1vGTBk6NDhzwoKEmGMjtIx3jwZejy5Y2GoOi-W1Nxy08/edit?hl=es&pli=1].

Goetz, J.P y LeCompte, M.D. (1988). *Etnografía y diseño cualitativo en investigación educativa.* Madrid: Morata.

Olson, G. J., Duffy, S.A. y Mack, R. L. (1984). Thinking-out-loud as a method for studying real time comprehension processes. En D.E.

Kieras y M.A. Just (Eds.), *New methods in reading comprehension research* (pp. 253-286). Hillsdale, NJ: Erlbaum.

Patton, M. (1990). *Qualitative evaluation and research methods* (pp. 169-186). Beverly Hills, CA: Sage.

Ruiz O, J. (2007). *Metodología de la investigación cualitativa.* Bilbao: Universidad de Deusto.

Schatzman, L. y Strauss, A. (1973). *Field research: Strategies for a natural sociology.* Englewood Cliffs, NJ: Prentice-Hall.

Spradley, J.P. (1979) *The ethnographic interview.* New York: Holt, Rinehart and Winston.

Taylor, S. y Bogdan, R. (1987). *Introducción a los métodos cualitativos de investigación: la búsqueda de significados.* Barcelona: Paidós.

Valles, M. (1996). *Técnicas cualitativas de investigación social: reflexión metodológica y práctica profesional.* Madrid: Síntesis Sociológica.

Van Someren, M. W., Barnad, Y. F. y Sandberg, J. A. C. (1994). *The thinking aloud methods. A practical guide to modeling cognitive process.* London: Academic Press.

Woods, P. (1986). *La escuela por dentro. La etnografía en la investigación educativa.* Madrid: Paidós.

CAPÍTULO 7

CAPÍTULO 8

El grupo de discusión y el grupo focal

Silvia Redon Pantoja

Investigar la realidad social a partir del discurso que emerge de un colectivo en una dinámica de conversación grupal, nos conecta con una técnica y objetivo de gran valor para las ciencias sociales y especialmente para la educación. Reunir a unos determinados sujetos en una dinámica grupal para que discutan, suele recibir la denominación de grupo de discusión y/o grupo focal. Pero las características del grupo que se constituya y los alcances en la discusión que circule y se produzca, marcará la distinción entre grupo de discusión y grupo focal (Delgado y Gutiérrez, 1994; Gutiérrez Jesús, 2010; Kamberelis y Dimitriadis, 2013,;Canales, 2006; Barbour, 2013; Ibáñez, 1986). Existen "formas de grupo" o entrevistas a colectividades identificadas como entrevistas de grupo, que son técnicas distintas al grupo de discusión y que suelen prestarse a confusión. La opción metodológica por realizar entrevistas grupales, grupos focales, grupos de discusión u otras formas de grupos, dependerá del objetivo que se desprenda de la problemática de investigación y la opción metodológica por la que se opte para recoger la información coherente con dicha problemática.

Otro elemento que distingue las diferentes acepciones que se utilizan para indagar en la realidad social desde los colectivos, está ligada a la disciplina de la cual emergen; unas sociales, otras del área específicas de la salud, de la economía y el mercado, terapéuticas, políticas o pedagógicas según sea el objetivo de la problemática cualitativa. ¿Pero qué es un grupo de discusión? ¿Qué distinciones existen entre un habla colectiva generada por un grupo de discusión y un grupo focal? ¿Qué diferencia radical existe en la información recogida por una entrevista grupal o una conversación dentro del grupo? ¿A qué se alude con el concepto híbrido: entrevista de grupo de discusión? ¿Qué distinciones existen entre los grupos focales como comunidades dialógicas para la trasformación social, desde enfoques comunitarios y participativos? ¿Qué son los grupos focales terapéuticos en la investigación social? ¿Qué importancia tienen estas técnicas para la metodología de la investigación en educación? En este capítulo nos centraremos y explicaremos el grupo focal y el grupo de discusión como técnica y práctica de la investigación social, haciendo las distinciones correspondientes entre uno y otro. Mencionaremos otras denominaciones y posibilidades en la utilización de "formas de grupo" que indistintamente algunos autores denominan "grupos focales". Kamberelis y Dimitriadis (2015: 497) hablan de "… grupos focales dialógicos como práctica de la pedagogía crítica, grupos focales como práctica política y grupos focales como práctica de investigación", pero que en este capítulo no los identificaremos como grupos de discusión, aunque sí como formas de grupo relevantes en las múltiples posibilidades que nos ofrece la investigación cualitativa asentada en una epistemología naturalista, fenomenológica, hermenéutica y crítica.

Comenzando con las distinciones: aclaraciones previas

La primera distinción necesaria por aclarar se vincula con los grupos focales dialógicos como práctica de la pedagogía crítica y los grupos focales como práctica política a los que aluden Kamberelis y Dimitriadis (2015). Los autores apuntan a rescatar la importancia que ha tenido para la investigación cualitativa y la ciencia social, los movimientos feministas, de género, de emancipación social inspirados en Paulo Freire y las múltiples modalidades pedagógicas críticas que se asientan en formas de grupo, de las que no podemos desconocer su enorme aporte a la justicia social. Es importante añadir en este punto de reflexión ética vinculado a los grupos de discusión, que la ciencia no tiene valor en sí misma, sino desde su *telos*[1], aquello en virtud de lo cual se hace algo, su sentido y objetivo; sin duda el sentido de la ciencia debe ser el fin que subyace a nuestra especie, a lo que nos hace humanos: la comunidad y, de paso, pensar y amar sabiamente. Desde Aristóteles (Libro II en la ética Nicómano) el ser humano busca la felicidad, lo que va de la mano de una mayor justicia social. Por ello la relevancia de estas formas de grupo utilizadas en diversas modalidades de investigación-acción, dialógicas, participativas, comunitarias, que provocan un impacto en la justicia social, ameritan una denominación propia. Su importancia como formas de grupo en la transformación social y, por lo tanto, política, necesitan ser tratadas metodológica, epistemológica y ontológicamente con carácter propio y no ser subsumidas bajo la denominación de 'grupos focales' o 'grupos de discusión'; denominaciones

---

1   Del griego τέλος: "fin", "objetivo" o "propósito".

que poseen un origen, una historia y marcos particulares respecto a la recreación social del discurso.

La forma de grupo como investigación social del discurso, que construye un grupo para producir un habla común, denominado grupo focal y/o grupo de discusión, es la técnica que desarrollaremos en este apartado. Denominaré "forma de grupo" a las distintas prácticas que el grupo podría asumir en su realización y denominaré grupo focal y/o grupo de discusión a las técnicas cuyo objetivo es planificar la reunión de un colectivo para que se constituya como grupo y que, una vez constituido, produzca un habla común por sobre y desde las individualidades (Canales, 2006). Esta diversidad de fines y objetivos en la realización de grupos como prácticas en la investigación social, nos conecta con la construcción social del discurso, muy distintas según sean sus fines. Demos algunos ejemplos.

Si la realización de una forma de grupo tiene como fin la reivindicación política de un grupo desfavorecido, los supuestos ontológicos que están en la base de la relación sujeto/objeto, no se constituyen desde la representación del "objeto"; es decir, el fin de la técnica NO es únicamente la comprensión por parte de un investigador a través del análisis del discurso social, sino que la finalidad del grupo se vincula a una acción y, por ende, su objetivo estará orientado a la trasformación de la realidad sociopersonal. En este ejemplo de reivindicación política y social, se comprenden formas de grupo vinculadas con el desarrollo de comunidades participativas emancipadoras, enfoques feministas y la pedagogía crítica (Freire, 1968, 1985; Villasante, 2012; Fals Borda, 2008) que utilizaron la fuerza de la colectividad en las formas de grupos comunitarios, dialógicos y colaborativos como vía de toma de conciencia y emancipación, como potencia para la acción social y política.

A partir de la teoría de la acción comunicativa desarrollada por Habermas (1987) y la pedagogía crítica (Kincheloe, 2008; Giroux, 2008; Apple, Au y Gandin 2009) surgen otras modalidades de trabajo investigativo, denominadas "comunidades de aprendizaje" (Ferrada y Flecha, 2008) como formas de grupo para lograr objetivos que han sido construidos por los propios sujetos *investigados* que conforman dicha comunidad-grupo. Priman en estas formas de grupo *los intereses de los propios sujetos que conforman el grupo* y su actuación protagónica en la construcción de conocimientos concretados en formas de transformación social, movidos por necesidades o convicciones, ideales o principios éticos-políticos. En todos estos ejemplos los supuestos ontológicos no se escinden entre sujeto y objeto, no suponen una relación entre sujeto y objeto hermenéutica de representación de la realidad, pues se funden en uno: son sujetos y objetos a la vez, sin distinguir además sujeto investigado de sujeto investigador. Tampoco el nivel epistemológico o metodológico, en estas modalidades se vincula, como único y gran objetivo, a comprender e interpretar una realidad social más amplia desde la trama normativa u horizonte ideológico que se teje en la recreación de un discurso social; sino al cambio social y político.

Otra categoría relevante de exponer para explicar las distinciones entre las diferentes "formas de grupo" se vinculan con la disciplina que les subyace. En medicina se utilizan formas de grupo para recoger información específica con relación a su especialidad de salud (farmacología, comportamientos y características de una patología; cuestiones de salud pública, etc.), por tanto, no operan como grupos que discuten entre ellos para construir un discurso social, sino que están focalizados a la recogida colectiva de información. En todos estos casos, estamos ante la forma de grupo como entrevista, lo que dista radicalmente de una conversación grupal. En la entrevista grupal, el discurso lleva la direccionalidad del entrevistador que mediante una conversación (más abierta en temáticas discursivas o más estructurada en base a temas y preguntas específicas) que sigue un itinerario entre uno que pregunta (entrevistador) y varios que responden (entrevistados), generándose un ir y venir discursivo que no es circular ni mucho menos una entrevista aplicada desde el interior del colectivo, sino que su dirección es siempre hacia el exterior.

La utilización de una "forma de grupo" denominada grupo focal o grupo de discusión para comprender la realidad social desde unos sujetos epistémicos que otorgan información desde una dinámica conversacional colectiva para que otro sujeto (el investigador) la analice, dista mucho de lo que es una entrevista grupal o grupos de aprendizaje, de emancipación o transformación social. El objetivo del grupo focal o del grupo de discusión se encuentra en comprender la trama del discurso social que se articula a partir de hablas individuales que se configuran desde las intersubjetividades, como consensos de un habla común homogénea, a partir de la heterogeneidad de las individualidades.

Algo de historia

En su itinerario histórico se distinguen distintos nichos disciplinares, como la psicoterapia, los estudios de mercado y la sociología. En el campo de las ciencias sociales, las teorizaciones respecto al concepto de grupo se remontan al 1900 con Charles Horton Cooley (1902) y su clasificación de grupos primarios, secundarios y terciarios como pilares básicos para comprender el fenómeno de la estructura social o grupos de pertenencia o no pertenencia. En 1944 se crea el término "dinámica de grupos" por K. Lewin (Gómez, R. 1997) que las escuelas de la psicología humanística utilizaron en gran medida para desarrollar la psicoterapia a través de la utilización de grupos de encuentro terapéuticos. El grupo terapéutico de Bion (1972) en el contexto de la Segunda Guerra Mundial y el psicodrama de Jacob Levy Moreno, que utilizan las dinámicas de grupos para reunir psicoanálisis y relato verbal desde la dramatización en el juego de roles, se suman a esta proliferación de la utilización de la "forma grupo" y la comunicación en psicoterapia (Canales y Peinado 1994; Gómez, 1997; Barbour, 2006; Kamberelis y Dimitriadis, 2015; Callejos, 2001; Valles, 1997). Existe consenso en diversos autores (Valles, Canales, Peinado, Krueger y Kamberelis y Dimitriadis) en identificar el período histórico de la Segunda Guerra Mundial como el emerger y proliferación de la utilización de entrevistas grupales para fomentar la moral militar, entre otros (Krueger, 1995: 25). Es preciso mencionar también que la Psicología Humanista y la Gestalt, desarrollaron abundante teorización en el trabajo con dinámicas de grupos de encuentro, terapias grupales y facilitación en los procesos de actualización personal que se desarrollaron principalmente en Esalem, California, con Fritz Perls, Williams Schutz, entre otros (Redon, 2003). Es preciso señalar que la publicación de Robert Merton, Marjorie Kiske y Patricia Kendall de *The Focused Interview* en 1956 sentó las bases de esta técnica para indagar en las percepciones, gustos y preferencias de determinadas poblaciones con relación al consumo y al mercado. Por último, tras su utilización en la mercadotecnia, esta técnica se asentó en la ciencia sociológica, iniciándose en la persona de Jesús Ibáñez (Ibañez, 1986) quien realiza un profundo y contundente trabajo desde un análisis social y psicoanalítico para producir conocimiento desde la discusión grupal en la investigación social.

Stewart y Shamdasani (1990) y Morgan (1998) señalan que existen también otras formas de recoger información orientada a la obtención de información cualitativa de un colectivo y advierten que 'hay circunstancias y preguntas de investigación para las cuales otras técnicas de grupo distintas a los grupos focalizados pueden ser más apropiadas'. Se refieren, concretamente, a la técnica del grupo nominal, la Técnica Delphi, la tormenta de ideas (o *brainstorming*) y los grupos de discusión sin moderador (*leaderless discusion groups*) (Valles, 1997: 287). El grupo nominal consiste en entrevistas individuales rotativas que son devueltas al colectivo de sujetos entrevistados sin que exista interacción presencial entre ellos. La devolución supone una revisión por parte de los entrevistados de una recopilación colectiva realizada por el investigador, de ahí el nombre de nominal (Valles, 1997, 290). La Técnica Delphi sería una derivación de la técnica nominal en la que la característica de los integrantes es el hecho de ser *expertos* en la temática a investigar; suele aplicarse a través de cuestionarios por correos en el intento por localizar a los expertos más variados en la materia (Valles, 1997, 287). El *brainstorming* o tormenta de ideas, consiste en una entrevista grupal que pone su acento en la creatividad intersubjetiva que surja de un grupo o colectivo.

La entrevista grupal

Al inicio de esta reflexión sobre los grupos de discusión señalé que reunir a unos determinados sujetos en una dinámica grupal para que discutan, suele recibir la denominación de grupo de discusión y/o grupo focal. Pero las características del grupo que se constituya y los alcances en la discusión que circule y se produzca, harán la distinción entre uno y otro. La distinción radical y contundente entre grupos focales y/o de discusión con la técnica de la entrevista grupal, radica en la producción del habla que se construye en el grupo. En la entrevista grupal, no se produce un habla común ni menos se constituye el grupo como una unidad autónoma e independiente del coordinador de tal manera que sea capaz de levantar un discurso social sobre o desde las hablas individuales.

El discurso se construye colectivamente desde un habla individual que va y viene desde y hacia el exterior. El discurso no es circular.

Fig. 1. Representación de entrevista grupal. Elaboración propia.

Es preciso destacar que la entrevista grupal tiene por objetivo indagar en los discursos colectivos enfatizando el concepto de 'entrevista', esto quiere decir que hay un sujeto que pregunta y otros u otras que responden. El habla va y viene desde el colectivo al entrevistador. Muchas veces la entrevista grupal es el inicio de un grupo de discusión o focal, que puede demorar un tiempo en constituirse como grupo y discutir de forma autónoma. A veces sucede que, aunque el objetivo del investigador/a sea realizar un grupo de discusión, al no configurarse **como grupo** que construye un discurso colectivo autónomo, la técnica termina operando en todas sus fases como una entrevista grupal. La mayoría de los grupos de discusión y/o focales comienzan como si se fuera a realizar una entrevista grupal, pero ello debería ser sólo al inicio; i.e. una dinámica discursiva que sólo

CAPÍTULO 8

se utiliza al comienzo, para que olvidando que hay un moderador, el grupo pueda discutir sobre los temas consignados en la invitación o el protocolo, y la discusión colectiva opere como una entrevista auto-aplicada (Ibáñez, 1986; Canales, 2006; Krueger, 1991).

La diferencia sustantiva entre una entrevista grupal y un grupo focal y/o de discusión se vincula a su producto. En la entrevista grupal, prima el investigador y la recogida de información de un discurso colectivo que va y viene –tal como lo muestra la figura n° 1– entre el colectivo y el entrevistador. Una entrevista grupal no construye necesariamente un discurso social autónomo.

El grupo de discusión y el grupo focal

Grupo de discusión

La literatura sobre los grupos de discusión es extensa y variada, reflejando de alguna manera que la práctica es más veloz en sus hallazgos y complejidades que el conjunto de teorías que las explican (Callejo, 2000). La definición que nos ha parecido más completa es la de Ibáñez:

"un grupo de discusión es un dispositivo analizador cuyo proceso de producción es la puesta de colisión de los diferentes discursos y cuyo producto es la puesta de manifiesto de los efectos de la colisión (discusión) en los discursos personales (convencimiento: convencido es el que ha sido vencido por el grupo) y en los discursos grupales (consenso)" (Ibáñez, 1994a: 58; Cit por Callejo 2000: 26).

Esta técnica, que consiste en una discusión semi-estructurada de un tema dado a un grupo homogéneo compuesto por entre seis a diez individuos, implica que el debate no está sujeto a un control tan rígido como en las entrevistas que se apoyan en un protocolo temático o se valen en el itinerario discursivo de un cuestionario. Tampoco se trata de una conversación sin objetivos claros o no estructurada totalmente, a los grupos focalizados y/o de discusión se les suele considerar como una técnica específica dentro de la categoría más amplia de entrevistas grupales. Cuestión que confunde, pues aunque se matizan entre ellas, no son lo mismo y apuntan a tramas discursivas con distintos horizontes críticos que supone distintos objetivos en la información que se recoge a través del colectivo.

Con la elección de esta técnica se ha pretendido obtener información con respecto percepciones mediatas de la experiencia, para profundizar en los lenguajes, sentidos y significados desde una dinámica discursiva colectiva en la construcción y re-construcción de los mensajes en su comportamiento-social.

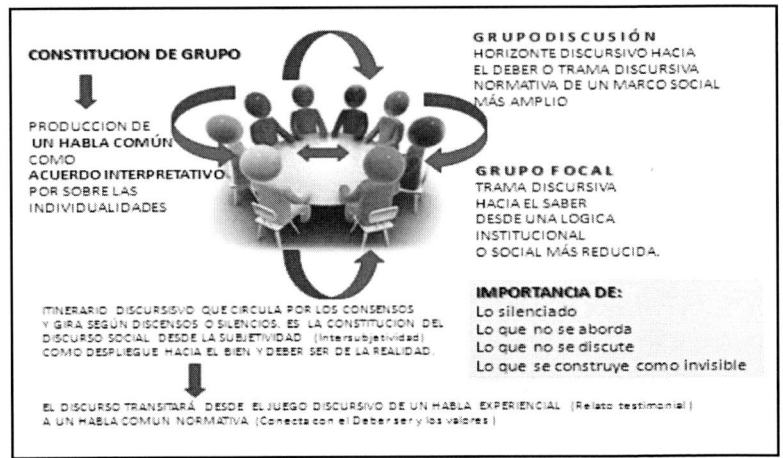

Fig. 2. Constitución del grupo de discusión y grupo focal. Elaboración propia.

Tal como lo señala Canales (2006), "el investigador provoca la discusión con temas abiertos y pertinentes a la conversación del propio grupo, entregando la dirección del habla a los propios participantes. La conversación del grupo de discusión se dirige desde dentro. El núcleo de la técnica es posibilitar esto: que la palabra circule de sujeto a sujeto, entre ellos, como una entrevista interna y autoaplicada." (p 273).

Selección de los informantes

Una de las tareas que requieren mayor dedicación de tiempo y trabajo y, por tanto, más desafiante para realizar con éxito un grupo de discusión, es la selección de los informantes, la cual ha de ser un trabajo riguroso, sustantivo y fundamental porque el objetivo de un grupo de discusión es recrear en una simulación en pequeño lo que la sociedad está pensado, valorando, sintiendo respecto a un objeto o realidad en particular, que conecta justamente con el problema de investigación. Por ello, los informantes que forman parte de los posibles seleccionados para participar en el grupo de discusión deben poseer ciertos requisitos que operen como variables de validez y rigor y que también, a su vez, actúen como elementos condicionantes del éxito por recrear una trama discursiva social que remita al horizonte ideológico de una sociedad más amplia. ¿Cómo lograr este objetivo?

Muestra razonada, de representación estructural y por saturación

La forma de seleccionar a los informantes responde a dos principios que otorgan rigor y validez por una parte y permiten complementariedad por la otra. En la investigación cualitativa casi todo emerge del discurso, la conversación y el habla, ya sea individual, colectiva, narrada, oral o escrita, mediata o inmediata; el investigador está ante el mundo simbólico que construyen los sujetos. Por ello, seleccionar a los informantes es tarea necesaria, prioritaria, fundamental para dar seriedad, calidad o validez a la investigación cualitativa. Porque dependiendo del habla situada que se seleccione en términos de interacción simbólica así serán los correlatos interpretativos que emerjan. En el grupo focal o de discusión es mucho más decisiva la selección de los informantes porque dependiendo del colectivo que se conforme, así serán las tramas discursivas sociales que el grupo genere. En este marco se explican las muestras estructurales y los criterios por saturación como procesos de selección.

Muestras estructurales

En las muestras estructurales existen dos procedimientos metodológicos para la selección de los informantes. Una primera opción se encuentra, ayudándonos de la estadística, en seleccionar al azar y aleatoriamente los sujetos (unidades que representan variables estadísticas poblacionales) que formarán parte del grupo de discusión; esta selección-muestra se supone representativa de la sociedad universo en la que se desea indagar. Una segunda posibilidad, más cualitativa, supone seleccionar a los informantes a través de muestras por criterios o razonada, en las que se genera una estructura de variables o categorías para seleccionar el habla situada representativa desde individuales hacia la construcción del discurso social. Canales define muestra estructural como

"... aquélla que intenta representar una red de relaciones, de modo que cada participante puede entenderse como una posición en una estructura. La muestra así tiene la misma forma que su colectivo representado. Puede contrastarse con la muestra estadística, donde el conjunto (población) y los elementos (individuos) se definen por dimensiones variabilizadas y medidas por unidades numéricas. Cada individuo es equivalente a todos los demás, reducido a su modalidad abstracta de 'unidad' de cuenta. En el caso de la muestra cualitativa, cada participante es distinto a los otros, y representa una perspectiva diferenciada, componente de la perspectiva común que el grupo reúne" (Canales, 2006: 282).

La muestra estructural por criterios suele ser la más utilizada en la práctica de los grupos de discusión en educación, pero en las ciencias sociales en general, en estudios de mercadotecnia, de salud y en problemáticas de mayor alcance social se suele utilizarse la muestra estructural estadística.

Criterios por saturación

La selección de los informantes que participarán en el grupo de discusión por estos criterios puede identificarse por agotamiento de información nueva (Canales, 2006). Ello implica que al utilizar como técnica de recogida de información los grupos de discusión, cuando menos se deben realizar dos grupos, para corroborar el principio de saturación. Si las líneas discursivas entre los dos grupos no presentan equivalencia, se tendría que realizar un tercer grupo. Esto quiere decir que el principio de saturación es quien realmente cierra la muestra y el proceso de realización del grupo de discusión.

Los criterios de heterogeneidad versus homogeneidad en la muestra estructural razonada

Esta condición necesaria en la selección de los informantes por considerar diversidad y similitudes en sus hablas situadas, tiene por objetivo la mayor o menor apertura de la trama discursiva del habla común, la densidad o profundidad que se articula y la extensión o los alcances en la circulación del discurso colectivo que se construye en el grupo de la discusión. Un grupo muy heterogéneo implicará un grupo de gran diversidad de hablas, lo que supondrá asegurar la representación de un marco mayor de perspectivas. El investigador debe velar para que esta heterogeneidad no imposibilite –por no encontrar consensos o puntos de encuentro– la producción de un habla común y pueda tejerse la trama común discursiva. Un grupo heterogéneo será complejo y denso en su producción de habla común al contemplar una mayor consideración de estructuras de significación, pero corre el riesgo de no consensuar las cadenas de significación para hilar el discurso común, pudiendo disgregarse en un discurso sin direccionalidad alguna. El criterio de homogeneidad permite construir un habla común más factible y proclive al consenso y direccionalidad. Esto provoca un reconocimiento de grupo y una trama discursiva más plana y consensual. La homogeneidad y/o la heterogeneidad permitirán que la muestra sea o bien más abierta o bien más cerrada en el discurso que produzca. "La muestra se construye así como una lente que observa las redes sociales e intenta reproducirlas. Según la apertura o cierre de la lente resultará una muestra que representará a una red más o menos específica o concreta, o más o menos abstracta y general." (Canales 2006, pág 284)

Así como hemos señalado que la selección y determinación de la muestra estructural o razonada es el primer paso en la planificación de grupos focales o grupos de discusión, también es preciso tener en cuenta algunas consideraciones técnicas previas a la realización del grupo, para el logro exitoso de la constitución del mismo y la producción de un discurso social:

1. La formalidad y protocolos de invitación son estrategias muy necesarias y relevantes. Enviar una carta formal de invitación para la participación en el grupo de discusión, dejando muy claro y de forma explícita la temática y los objetivos, son tareas prioritarias. Se debe aclarar de forma nítida que la invitación consiste en un trabajo (remunerado) que supone hablar en grupo, respecto del tema que los reúne. Una carta explicativa y detallada que además incorpore los consentimientos y/o asentimientos éticos que protejan al participante en su identidad e involucre la confidencialidad y anonimato en la participación del informante. Esto permite que el sujeto se sienta seguro y conozca de antemano lo que se espera que él o ella hablen en el grupo. Es importante corroborar la invitación formal (vía electrónico, por ejemplo) entre una y dos semanas después por vía telefónica. También resulta necesario considerar un número ligeramente superior de participantes ante la posible deserción de algunos de los invitados (diez-doce). Lo ideal es quedarse con un grupo de entre siete y nueve personas.

2. Características personales discursivas democráticas y colaborativas al momento de la conversación grupal. Un sujeto que no habla y no conecta con el discurso colectivo no colabora con el habla común y debe estar bajo la mirada del moderador. Asimismo, el moderador debe atender y controlar de forma estratégica al sujeto que impone, atropella, hace callar y se violenta descalificando el habla de otros interlocutores. Estas características personales son difíciles de pesquisar de forma previa, pues en la selección de la muestra razonada y/o estadística, sólo son posibles de identificar variables o perfiles que obedezcan a características generales de género, demográficas, culturales, académicas, laborales; por tanto, a la hora de la realización habrá que estar muy atento a quién asume *in situ* el rol del experto, el dominante, el tímido o el charlatán, tal como lo señala Krueger (1988).

3. El grupo de discusión debe asegurar que los sujetos estén en simetría de poder de habla. Se debe velar para que las diferencias (criterio de heterogeneidad) jerárquicas o posiciones sociales, económicas, culturales, de género, culturales, cognitivas, edades y vinculares permitan la igualdad de habla entre los participantes. Esta condición (libertad de enunciación y contenidos en el habla) es la que exige que los sujetos de un grupo de discusión no se hayan conocido previamente y no avizoren posibilidades de vinculación o interacción futura. Ello podría suponer que el habla individual que se pone en circulación hacia la construcción del habla común se vea afectada por motivos vinculantes

experienciales o proyectivos, omitiendo, parcelando o intencionando su discurso desde intereses personales ajenos del discurso colectivo.

El momento de la reunión del grupo

Es importante señalar que en el momento de la reunión, el investigador previamente ha indagado, recorrido y visitado los diferentes espacios para la realización del grupo focal y/o de discusión y ha escogido el espacio (el lugar) que de mejor manera pueda asegurar acogimiento, temperatura grata, libre de contaminación acústica y libre de interrupciones. Resulta también clave considerar un espacio de comida y/o refrigerio que sirva entre otras cosas para romper el hielo del desconocimiento inicial entre los participantes y generar un clima de confianza, permitiendo un tiempo grato de espera durante la llegada normalmente intermitente de los participantes. Estas condiciones propician un clima de cuidado socioafectivo y de detalles personales, necesarios para que los participantes se sientan acogidos, respetados, valorados y cuidados, plataforma básica para la distensión que posibilite el habla. Asimismo, previamente el investigador/a habrá instalado las grabadoras (siempre, como mínimo, dos) y comprobado que funcionan correctamente; idealmente podrá haber instalado una cámara de vídeo en un lugar que no sea percibida como invasiva en el dialogo comunitario. A cada persona, además, se le habrá asignado una tarjeta con su pseudónimo o nombre de fantasía para identificarse y organizarse en los turnos de habla. En esta etapa de inicio se suelen entregar los asentimientos informados[2] para que cada participante los firme; además de reiterar la voluntariedad y libertad de participación, confidencialidad, anonimato y protección al participante, se volverá a recordar los objetivos y temáticas del proyecto en general y de la realización del grupo de discusión en particular.

La convocatoria habitualmente suele ser de entre seis y diez personas. Aunque también con cinco personas se puede realizar un grupo de discusión. En el caso que llegasen los diez convocados, siendo éste el número máximo de participantes, también es posible su realización; aunque seguramente el número no permitirá que todos hablen con simetría de frecuencias y turnos de habla requeridos. En un grupo que discute, lo importante es el grupo y el habla común que produce. El éxito no radica en el número necesariamente; ésta es una variable importante a considerar, pero no la más importante para su éxito. Reitero, el éxito de un grupo de discusión es la constitución del grupo y el habla común que produzca.

---

2   En la tercera parte de este libro, en el capítulo de ética en la investigación cualitativa se abordan las formas de realizar asentimientos, consentimientos y contratos éticos.

Opcionalmente Krueger (1991) propone dos investigadores en el momento de la reunión. Uno que actuaría como moderador y el otro como observador, registrando los lenguajes corporales, sociogramas y el itinerario del discurso, respecto a sus virajes y su comportamiento colectivo. Esta alternativa suele ser de gran ayuda, siempre y cuando no afecte a la conversación del grupo y a su autonomía como aspectos prioritarios. Habitualmente tener un vídeo que no entorpezca o inhiba la conversación grupal, reemplaza a este segundo investigador que propone Krueger.

La característica propia del grupo focal

> *El grupo de discusión es especialmente apto para el análisis de los discursos sociales en su alcance "durkheimiano" –y por extensión "psicoanalítico"– mientras que el grupo focal lo es en su sentido weberiano; que el primero sirve para investigar el sentido de "las palabras", y en ellas encontrar la conciencia del sujeto y su relación con la ideología de su grupo, y el segundo para investigar los relatos de las acciones, y en ellos encontrar "la experiencia" típica.* (Canales, 2006: 267)

El grupo focal comparte casi todas las características del grupo discusión en su metodología y objetivo (constitución de un grupo y producción de un discurso colectivo o habla común), lo que cambia es su alcance y su transferibilidad o generalización. En el grupo de discusión se desea comprender una dimensión de la sociedad desde el horizonte ideológico al que le subyace una trama normativa, el deber ser. En el grupo focal, los sujetos suelen compartir o son parte de una realidad institucional (escuela, trabajo) y el horizonte discursivo conecta con el conocimiento (saber en vez de deber) o las experiencias de la plataforma común compartida con respecto a un tema específico. En el grupo focal no se trabaja con estadística para la selección de los informantes, su alcance no es la sociedad en general sino una institucionalidad en particular. La trama discursiva suele circular por las percepciones, conocimientos, sentidos, visiones que tienen los sujetos sobre la problemática en particular por la cual han sido convocados. Por ello el grupo focal comparte con el grupo de discusión gran parte de sus explicaciones, pero el grupo focal está pensado para comprender una realidad social más micro y, por tanto, los sujetos que interactúan en la conversación podrían conocerse, cumpliendo con los criterios de selección de heterogeneidad versus homogeneidad y las condiciones de simetrías en el poder de enunciación y de habla, para que no exista anulación de la misma. Todo lo demás respecto del habla común que se produce en tramas discursivas más densas, pero menos extensas o viceversa y la importancia de que el grupo opere desde el interior como entrevista autoaplicada es común a la forma de operar de los grupos de discusión.

Las analíticas

Una vez que tenemos las transcripciones, nos encontramos con el texto; texto que nos conecta con sentidos y significados del discurso. Pero no nos dedicaremos a exponer lo que implica el análisis de los discursos; sólo quisiera cerrar este capítulo recordando que El grupo focal y el grupo de discusión tejen un discurso colectivo, unos enfocados al saber (grupo focal) y el otro dirigido al deber (el grupo de discusión desentraña la trama normativa que subyace al horizonte ideológico). Las analíticas del grupo de discusión siguen el itinerario del análisis del discurso en general con los diferentes énfasis según sea la opción del investigador y la problemática del estudio, análisis de contenidos más estructurales o más lingüístico, con énfasis en las ciencias del discurso o en la búsqueda de sentido social que subyace al mismo, desde dimensiones críticas, hermenéuticas y semánticas, etc. El texto, es texto que arropa sentidos y significados; sin embargo, lo que se agrega y varía de una entrevista individual por ejemplo, (algo particularmente relevante en el grupo de discusión) son las analíticas del itinerario del discurso colectivo, sus consensos, sus quiebres, sus virajes, sus silencios, lo que en el grupo no se aborda, no se conversa, no se discute, lo que emerge y se corta quedando truncado, lo que se exacerba, en lo que todos opinan y hablan, se interrumpen en sus turnos de habla o por el contrario, lo que sólo unos pocos comparten. Lo que se reitera y vuelve a emerger como línea discursiva consensuada desde otros matices, etc. Esta aproximación analítica intersubjetiva marca la diferencia en el texto que produce un grupo y el texto que produce un individuo en una entrevista. Cómo circula el discurso, cómo comienza y cómo se agota o se cierra, qué conectores consensuales son más potentes e integran mayor número de sujetos, qué ejes temáticos provocan más líneas discursivas tejiendo una trama más explícita, qué densidad hay en lo implícito, qué profundidad existe en lo ausente y, por tanto, más denso y más complejo. Todos estos procesos analíticos en el primer paso permitirán la dialéctica que articula el ir y venir entre la materialidad del discurso colectivo producido conectado a subjetividades de habla individuales que han sido capaces de articular un habla común y se conectarán posteriormente a la doble hermenéutica en la danza que hace el discurso con la interpretación del investigador y las teorías que proceden del marco teórico.

Referencias

Apple, M. Au, W. y Gandin, L. A. (2009). *The Routledge International Handbook of Critical Education*. London: Routledge.

Aristóteles (1931). *Ética a Nicómaco*. Madrid: Centro de Estudios Constitucionales.

Barbour, R. (2013). *Los grupos de discusión en investigación cualitativa*. Madrid: Morata.

Bion, W. R. (1972). *Experiencias en grupos*. Buenos Aires: Paidós.

Canales, M. (2006). *Metodología de investigación social*. Santiago de Chile: Editorial LOM.

Canales, M. y Binimelis, A. (1994). El grupo de discusión. *Revista de Sociología*, 9. DOI: 10.5354/0719-529X.1994.27647.

Canales, M. y Peinado, A. (1994). El grupo de discusión. En J. M. Delgado y J. Gutiérrez (Comp.) *Metodologías cualitativas de investigación social* (pp. 287-358). Madrid: Síntesis.

Callejo, J. (2001). *El grupo de discusión: introducción a una práctica de investigación*. Barcelona: Planeta.

Callejo, J. (2002). *Observación, entrevista y grupo de discusión: el silencio de tres prácticas de investigación. Revista Española de Salud Pública*, *76* (5), septiembre-octubre. Ministerio de Sanidad, Servicios Sociales e Igualdad. Madrid, España.

Delgado, J. M. y Gutiérrez, J. (Comp.) (1994). *Metodologías cualitativas de investigación social* (pp. 287-358). Madrid: Síntesis.

Fals Borda, O. (2008). *El socialismo raizal y la Gran Colombia bolivariana. Investigación acción participativa*. Caracas: Fundación Editorial El Perro y la Rana.

Ferrada, D. y Flecha, R. (2008). El modelo dialógico de la pedagogía: un aporte desde las experiencias de comunidades de aprendizaje. *Revista Estudios Pedagógicos*, *XXXIV* (1), 41-61.

Freire, P. (1968). *Investigación y metodología de la investigación del tema generado*. Santiago. Marzo de 1968.

Freire, P. (1985). *La pedagogía del oprimido*. Montevideo, Tierra nueva. México, siglo XXI editores.

Foulkes, S.H. (1981). *Psicoterapia grupoanalítica*. Barcelona: Gedisa.

Giroux, H. (2008). Democracia, educación y política en la pedagogía crítica. En P. MacLaren y J. Kincheloe (Eds.) *Pedagogía crítica. ¿De qué hablamos? ¿Dónde estamos?* Barcelona: Graó.

Gómez Esteban, R. (1997). Una perspectiva histórica de la psicoterapia de grupo. En E. Gamo Medina y R. Gómez Esteban, *Grupos terapéuticos y asistencia pública*. Madrid: AEN.

Gutiérrez, J. (2011). Grupo de discusión: ¿prolongación, variación o ruptura con el focus group? *Cinta de Moebio. Revista de Epistemología de Ciencias Sociales*, 41: 105-122. Recuperado de: [www.moebio.uchile.cl/41/ gutierrez.html].

Habermas, J. (1987). *Teoría de la acción comunicativa*. Madrid: Taurus.

Horton Cooleym, C. (1902). *Human Nature and the social order*. New York. Charles Scribners' sons. Recuperado de: [https://archive.org/stream/humannaturesocia00cooluoft#page/n11/mode/2up].

Ibáñez, J. (1986). *Más allá de la sociología. El grupo de discusión: Técnica y crítica*. Segunda edición corregida a la primera del año 1979. Madrid: Siglo XXI.

Kamberelis, G. y Dimitriadis, G. (2015). Grupos focales. En N. Denzin & Y. Lincoln, *Manual de investigación cualitativa*, Volumen 4 "Métodos de recolección y análisis de datos". Barcelona: Gedisa.

Kincheloe, J. (2008). La pedagogía crítica en el siglo XXI: evolucionar para sobrevivir. En P. MacLaren y J. Kincheloe (Eds.) *Pedagogía crítica. ¿De qué hablamos? ¿Dónde estamos?* Barcelona: Graó.

Krueger, R. A. (1991). *El grupo de discusión*. Madrid: Pirámide.

Krueger, R. A. (1988). *Focus groups: A practical guide for applied research*. Newbury Park, CA: Sage Publications.

Krueger, R. A. y Casey, M. A. (2000). *Focus group, a practical guide for applied research*. London: Sage Publications.

Lewin, K. (1980). *La dinámica de los grupos*. Buenos Aires: Nueva Visión.

Merton, R. K. y Kendall, P. L. (1946). The focused interview. *The American Journal of Sociology*, *51* (6), 541-557.

Moreno, J.L. (1966). *Psicoterapia de grupo y psicodrama*. México: Fondo de Cultura Económica.

Morgan, D. (1998). *The Focus Group Guide Book*. Thousand Oaks, CA: Sage Publications.

Pichón Riviere, E. (1975). *El proceso grupal, del psicoanálisis a la psicología social*. Buenos Aires: Nueva Visión.

Redon, S. (2000). *Evaluación de talleres de desarrollo personal en el proceso educativo formal de alumnos de la educación superior*. Tesis de Postgrado Carrera: Maestría en Educación. Universidad Católica de Salta-Argentina. Disponible en: [http://bibliotecas.ucasal.edu.ar].

Stewart, D. y Shamdasani, P. (1990). *Focus groups: Theory and practice*. Thousand Oaks, CA: Sage Publications.

Valles, M. (1997). *Técnicas cualitativas de investigación social*. Madrid: Síntesis.

Villasante, T. R. (2012). Nuevas metodologías participativas en acción. En T. R. Villasante et al. (Comps.) *Construyendo democracias y metodologías participativas desde el sur* (pp. 259-276). Santiago de Chile: LOM ediciones.

CAPÍTULO 9

Investigación narrativa en educación. Aspectos metodológicos en la práctica

*María Jesús Márquez García, Daniela Padua Arcos
y María Esther Prados Megías*

Introducción

Nos proponemos en este capítulo dialogar acerca de la experiencia que estamos viviendo como investigadoras y docentes en torno a la narrativa, tanto en la investigación como en su utilización en la formación inicial del profesorado, haciendo patente lo que ha supuesto para nosotras desarrollar nuestra trayectoria profesional desde el pensamiento narrativo. La reflexión sobre nuestros primeros trabajos de investigación utilizando la metodología narrativa significa un punto de arranque para avanzar en el reto de ir orientando a las y los estudiantes de doctorado en esta metodología, así como para incorporar el uso de narrativas de aula en los procesos formativos de estudiantes de maestría y otras titulaciones y para ir implicándolos en este campo de estudio y en la comprensión de procesos más amplios de formación. Durante este tiempo hemos ido creando conocimiento y "un modo de hacer" en interacción e intercambio con las y los participantes de las investigaciones, dialogando, cuestionado, debatiendo, no sólo con los actores sino también con los grupos de investigadoras/es que trabajan con narrativa. Construyendo un saber horizontal, práctico, relacional, emocional y sociopolítico.

A lo largo de nuestra trayectoria investigadora hemos venido desarrollando investigaciones con distintos enfoques, estudios de caso, etnografía, investigación-acción..., enfoques en los que la narrativa la utilizábamos para la elaboración de un informe de investigación comprensible para todas las audiencias y participantes de la investigación. Estos enfoques tenían una mayor consolidación en el campo de la investigación cualitativa, lo que nos permitía movernos en terreno conocido y nos proporcionaba una mayor seguridad; pero en ellos la narrativa era un aporte secundario.

Nos alejamos de esta manera de comprender la narrativa como subsidiaria y como aportación secundaria, para hablar de la investigación narrativa como metodología, como un "modo de hacer", de pensar la investigación, al sujeto y a las historias que cuenta (Dotta y Lopes, 2013). Chase (2015) considera a la investigación narrativa como un tipo particular de investigación cualitativa, "caracterizada por una amalgama de enfoques analíticos interdisciplinarios, diversas perspectivas disciplinarias y métodos tanto tradicionales como innovadores, todos girando en torno a detalles biográficos tal como los narran quienes los viven" (p. 59). La narrativa nos invita a recobrar el sujeto en la investigación, el tiempo de relación y la reflexión en un compromiso con la persona, con el modo de relacionarnos, con el cuidado en el proceso, recuperando "el sujeto" como investigador o investigadora y como participante.

El giro hacia la investigación narrativa

Como afirman algunas autoras (Dotta y Lopes, 2013; Chase, 2015), en la actualidad el uso de la investigación narrativa está aumentando en ciencias sociales como lo muestra la aparición de un mayor número de artículos publicados en revistas de investigación y la existencia de una publicación periódica interdisciplinaria, *Narrative Inquiry,* en la que actualmente se publican trabajos desde este enfoque. Pero el uso de narrativa en investigación, en términos de "historia de vida", se inicia en la primera mitad del siglo XX, cuando los antropólogos y sociólogos promovieron el uso de historias de vida en sus trabajos[1], como recogen Denzin (1970), Bertaux (1988), Becker (1996) y Plummer (2005). Sin embargo, en las décadas de los cuarenta y cincuenta, la utilización de la metodología cualitativa en general y de historias de vida en particular, se vio relegada debido a que los sociólogos se interesaron por el método positivista, la realización de trabajos por encuestas y el uso de estadísticas. La década de los sesenta y setenta supuso un renacer del uso de las historias de vida en investigación impulsada por los movimientos de liberación de Estados Unidos y por la segunda ola del movimiento feminista. Sobre todo, los estudios feministas pusieron de relieve la importancia de las historias de vida en el estudio de aspectos como la etnia, la nacionalidad, la clase social, la orientación sexual, etc. (Geiger, 1986).

Así para poder precisar algunas claves del denominado *giro narrativo,* es necesario retroceder a la década de los setenta. En dicha época surge la necesidad de recuperar la identidad y la subjetividad en la investigación como un compromiso político y de justicia social. Fundamentalmente los artífices de este giro epistemológico son los estudios feministas y culturales, que al poner en cuestión los planteamientos positivistas hicieron tamba-

---

1.   Particularmente los sociólogos de la Escuela de Chicago que recopilaron historias de vida en 1920 y 1930.

lear las columnas de los fundamentos científicos, es decir, rompieron la tradicional división entre ciencia y política (Harding, 1996). Las feministas académicas buscaban en sus investigaciones hacer ciencia no dominadora, lo que llevó a cuestionar valores claves como el conocimiento, la objetividad, la relación sujeto/objeto y la naturaleza del sujeto cognoscente.

Recuperar la perspectiva subjetiva en la investigación supone alejarse del "investigador" como un sujeto abstracto, descontextualizado y con la visión de ojo divino que lo ve todo desde una posición de privilegio, para concebirlo como una persona, con una historia y subjetividad determinada, que también se pone en juego en la investigación. La aportaciones de Bruner (1988, 1997) contribuyeron a fundamentar una nueva ontología, es decir, una forma de construir la realidad desde el ser, en la que la subjetividad y la narratividad son condición necesaria para el conocimiento social. Por su parte, el filósofo y antropólogo Ricoeur (1995) ha defendido que la experiencia personal es comunicada como un relato y una particular reconstrucción de la experiencia en la que la reflexión investigador/a investigado/a, da significado a lo vivido.

Como resumen de lo que venimos hablando, Clandinin (2007) sintetiza las claves del denominado *giro narrativo* en cuatro grandes desafíos:

a) A las personas, que hasta ahora se consideraban como objetos/sujetos de investigación, se las conceptualiza como individuos biográficos con capacidad de acción y activos constructores de conocimiento y visiones sobre el mundo. El relato se convierte en una producción conjunta entre el narrador (individuo biográfico) y el oyente (investigador/a), siendo necesaria una profunda revisión de esta relación para aclarar las reconocidas interinfluencias en la investigación. Los investigadores narrativos se consideran a sí mismos narradores porque desarrollan interpretaciones y encuentran formas de presentar y publicar sus ideas sobre las narrativas que estudian (Denzin y Lincoln, 2005).

b) Hasta la década de los setenta, la mayoría de las investigaciones se fundamentaban en una epistemología positivista y objetivista, en la que primaba el valor de los números en los estudios científicos de los problemas sociales. El giro narrativo y las epistemologías construccionistas desafían la rigidez de esta perspectiva, y ponen en entredicho su capacidad para explicar y comprender los problemas sociales. Al desprenderse de la cuantificación y considerar las palabras de la persona como datos de investigación, surgen un sinfín de desafíos metodológicos y éticos en la investigación narrativa: cómo obtenerla, interpretarla, ordenarla, analizarla y divulgarla.

c) En este giro hacia la narrativa, otra de las claves es la necesidad de que los y las investigadores/as desarrollen una cierta dosis de humildad, ya que no se pretende encontrar patrones y explicaciones generales y generalizables, sino comprensiones y explicaciones particulares que ayuden a desentrañar las complejidades de los fenómenos sociales. Conviene recordar que las narrativas, además de describir lo que sucedió o ha sucedido, también expresan emociones, pensamientos e interpretaciones, poniendo el énfasis en la singularidad de cada acción o suceso humano en lugar de en sus propiedades comunes (Bruner, 1987).

d) Por último, señalar las aportaciones que desde las ciencias del aprendizaje, la neurociencia y los estudios sobre el nuevo inconsciente (Mlodinow, cit. en Hernández, 2013) inciden en el giro hacia la narrativa. Estas ciencias mantienen que los seres humanos adquirimos (aprendemos) muchas formas de pensar y actuar de manera inconsciente, por ello, es necesario indagar –como investigadores– sobre lo que nos ha influido en nuestra forma de pensar y actuar y ponernos en distintas posiciones ante los temas y problemas que queremos investigar. Esta actitud requiere un gran desafío, porque el investigador/a tiene que vaciar su *backpack*[2] y esto puede llevar a situaciones difíciles de abordar.

Aproximación al debate terminológico

En inglés existen dos términos diferentes, *story* (relato) e *history*, (historia). Basándose en estos términos, Denzin (1970) propone una distinción entre *life-story* (relato de vida) y *life-history* (historia de vida): con el primero designa la historia de una vida tal como la cuenta la persona que la ha vivido; el segundo, historia de vida, hace referencia a los estudios sobre una persona determinada, incluyendo no sólo su propio relato de vida, sino también otros documentos o informaciones adicionales que permitan una reconstrucción biográfica lo más exhaustiva posible. Para Goodson (1996), tiene gran relevancia la diferenciación entre "relato de vida" (*life-story*) e "historia de vida" (*life-history*); para este autor la *life-story* individualiza y personaliza, mientras que la *life-history* contextualiza y politiza, siendo la primera una narrativa de las acciones y la segunda una genealogía del contexto. En las *life-stories* el objetivo es mostrar el testimonio subjetivo de una persona y se han de registrar tanto los acontecimientos como las valoraciones que dicha persona hace sobre su propia existencia; en tanto que las *life-histories* son relatos triangulados, siendo uno de los vértices la historia narrada, complementada con testimonios de otras personas del contexto y fuentes documentales. En este último caso el investigador/investigadora no se limita a ser un mero transmisor de una historia narrada sino que construye una historia, con la narración individual, los registros, las entrevistas, fotos,

---

2.   Mochila. (Nota de los Editores).

etc., convirtiéndose en el inductor/inductora de la narración, su transcriptor y también el encargado de "retocar" el texto (Pujadas, 1992).

En el contexto de habla hispana utilizamos el término *autobiografía* para significar la identidad entre el narrador y el autor; la característica propia de la autobiografía es ser una construcción y configuración de la propia identidad más que un relato fiel de la propia vida, que siempre está en proyecto de llegar a ser. Por otro lado, la biografía es una construcción de la trayectoria vital de una persona a partir de diversos datos narrativos y no narrativos, diferenciando el narrador y el personaje central de la historia. Por su parte, Lejeune (1991) afirma que "el relato autobiográfico exige que coincidan la identidad del autor, la del narrador y la del personaje, frente a la biografía que son identidades diferentes" (p. 48). En la actualidad encontramos una situación terminológica polivalente en el campo de la investigación narrativa en la que *historia de vida* es la terminología más usada para describir una narrativa biográfica que abarca toda una vida, o su mayor parte, y que puede ser oral o escrita y *relatos de vida* se utiliza para presentar una parte de la biografía de una persona en palabras de la propia persona. Sin embargo, para algunos autores ambos términos son intercambiables.

Para finalizar añadiremos que en las distintas investigaciones narrativas que venimos realizando en el ámbito de la educación a lo largo de la última década y en los diversos encuentros realizados con investigadoras e investigadores[3], manejamos una terminología tan variada como: relatos autobiográficos, autobiografías, relatos biográfico, biografías, relato de vida y experiencia, autoetnografías, narrativas biográficas visuales, historia de vida profesional, historia de vida; terminología que no nos aleja sino que nos une en similitudes conceptuales y metodológicas. El nexo en esta amalgama terminológica es el enfoque narrativo de nuestras investigaciones, que incluye las peculiaridades disciplinares de la psicología, la sociología, la etnografía y la pedagogía y en particular un posicionamiento ontológico (*del ser*) y epistemológico (*del conocimiento*) compartido (Sancho, 2013). La preocupación no es tanto cómo llamarla sino cuáles son los fundamentos epistemológicos e ideológicos, el conocimiento generado y el proceso democrático que construimos en nuestras investigaciones con los/las participantes y con la comunidad científica.

Aspectos metodológicos de la investigación narrativa

Como plantea Kushner (2002) "... la metodología la debe construir el individuo movido por su propia biografía y las condiciones en las que

---

3. Especialmente en los cinco encuentros celebrados titulados "Jornadas de Historia de Vida en Educación".

investiga...", (y) se puede derivar de los valores del investigador/a y de su experiencia" (p. 93). Esta construcción metodológica del investigador/a es necesario que sea relatada y compartida como una parte nuclear del proceso de indagación, relación e interpretación, para poder pensar la investigación narrativa en educación desde una perspectiva democrática y dialógica que, como propone Arévalo (2010), suponga preguntarnos "desde dónde emprendo la investigación, es decir, quién soy al investigar, cómo me relaciono con aquello que deseo indagar, y qué licencias me doy al hacerlo, tanto los compromisos como los abandonos que decido" (p. 193). Ambos autores consideran que la metodología de investigación no es un "*a priori*", que pueda ser definida y planificada de antemano, sino que se irá conformando en función de las decisiones que sobre los instrumentos, herramientas, recursos y técnicas vaya tomando el investigador/ investigadora en el proceso de la investigación, teniendo que ser contada y compartida como parte del recorrido metodológico. Hablamos de una metodología como resultado, *a posteriori*, que posibilita la realización de una investigación narrativa en educación como proceso. En este sentido y siguiendo a Chase (2015), una de las premisas más importantes en la investigación narrativa es la de fomentar más conversaciones entre investigadores narrativos que representen intereses teóricos y metodológicos diferentes para afrontar las distintas problemáticas, ya que "ningún proyecto teórico o empírico puede abarcarlo todo" (p. 94 y 95).

Cada investigación y cada proceso vivido constituye una experiencia particular y genuina, genera la necesidad de compartir el relato propio con otros y otras investigadores/as para abordar desde el intercambio preocupaciones, situaciones del proceso, sentimientos, reflexiones y recordar y afianzar los principios compartidos en este enfoque. La investigación narrativa en educación la entendemos como un modo de pensamiento, de relación e interpretación que nos sitúa en una epistemología compartida que sobrepasa la línea entre lo personal, lo investigador y lo profesional como docente. La construcción de la identidad docente, la relación pedagógica, el alumnado, la experiencia educativa y de aprendizaje, la inclusión, la construcción de una comunidad educativa y la participación, son ámbitos importantes en la investigación narrativa para contribuir al cambio educativo; sin embargo, en los últimos trabajos realizados, se van sumando otros aspectos desde los que mirar la escuela y la sociedad, como por ejemplo, relatos que han permanecido silenciados o se pierden en la generalización de otros modos de investigar y que sólo la investigación narrativa puede rescatar sin el peso de la muestra, la representatividad y la generalización. La investigación narrativa en educación plantea repensar el mundo para transformarlo comprendiéndolo desde lo personal.

Las experiencias particulares de los sujetos o las *pequeñas historias* como las llama Berry (2008), "contarán historias de lucha, de exclusión, de marginación, de abusos, de falta de acción, y de otras injusticias sociales que contrastan con los poderes discursivos y muchas veces invisibles de las grandes narrativas" (p. 117). Es decir, las pequeñas historias están siempre conectadas con las grandes narrativas y representan un desafío para el pensamiento hegemónico, reclamando romper estructuras opresivas o de poder. El debate sobre las tensiones que plantean los relatos, pone sobre la mesa un análisis más profundo de lo social sin dejar pasar lo particular. Por ejemplo, ante la tendencia neoliberal y tecnocrática excluyente, es necesario que se reflejen en los relatos de docentes aquellas prácticas de inclusión y de justicia social que realizan en sus experiencias cotidianas, en sus aulas y en la escuela. La investigación narrativa en general, y particularmente cuando enfoca al ámbito educativo, se plantea como un proceso colectivo en continuo debate epistemológico, ontológico, metodológico y político, que no deja fuera el diálogo social y horizontal entre investigadores/as noveles y otros/otras con mayor experiencia[4].

Conle (2003) explica que

... la investigación narrativa, a diferencia de la investigación en la acción, no parte de una situación problemática. Ni se emprende con una intención pragmática, o por la necesidad de resolver una dificultad (...) No es por tanto investigar porque algo va mal, sino investigar porque entramos mejor (con más hondura y matices, o a lo mejor con más dudas y menos certezas) en el sentido de lo que vivimos. Y es el propio proceso de indagar el que va desplegando e identificando el foco de la investigación (p. 191).

Cuando hacemos investigación narrativa, con historias de vida o relatos de vida, la mirada es devuelta al investigador/a; el análisis es un rizoma sin extremos, que no solo nos hace interpretar al *otro*, sino que somos también mirados/as por el *otro*; entonces la reflexión se hace conjunta y el análisis es un proceso de co-construcción intersubjetivo entre el sujeto investigador/a y el sujeto participante.

Relación, experiencia investigadora y transformación

En este apartado metodológico no podemos dejar fuera de nuestra reflexión la importancia que adquiere en investigación narrativa, la relación entre las personas participantes y el investigador o la investigadora.

---

4. Desde el año 2010 varios grupos de investigación consolidados de distintas universidades (Barcelona, Málaga, San Sebastián y Oporto) venimos organizado encuentros de diálogo y debate sobre las investigación con historias de vida en educación. Estas reuniones cuentan con la presencia de investigadores/as de otras universidades del ámbito nacional e internacional; en ellas avanzamos sobre cuestiones epistemológicas, éticas, metodológicas, políticas y sociales.

Se trata de una relación cara a cara, igualitaria y horizontal, orientada a la transformación. En este sentido, no significa mejorar y transformar al *otro*, sino también transformarnos nosotras mismas (Márquez, Prados y Padua, 2015). El punto de partida en este enfoque es la tradición crítica de investigación en ciencias sociales y los propósitos de justicia social, democracia y emancipación que la sustentan. En este enfoque podemos saber qué pasa, o qué está pasando, pero no siempre saber qué hacer para solucionar algunas de las problemáticas personales y culturales con las que nos encontramos; sin embargo, este enfoque nos permite dialogar sobre ello e incluir un argumento contrahegemónico que viene de la vida, de las experiencias y de los sentimientos de las personas. Como dice Conle (2000),

Es la propia narración la que se convierte en el desencadenante investigador: es el propio relatar el modo de buscar. O ampliando esta idea, la visión de la investigación de la experiencia es intentar entender cuál es la experiencia, cuál su sentido y, por tanto, cómo contarla para crearla y mostrarla, qué la constituye en su ser desentrañada (pp. 49-63).

Un aspecto importante de transformación que se vive en la investigación narrativa es la *resonancia*. No siempre la investigación con historias de vida tiene un impacto de transformación macro, en ocasiones se difunde en las personas, las instituciones y la sociedad por caminos insospechados. En los relatos y narrativas, los lectores/as, los investigadores/ras, podemos encontrar términos sobre los que también nos gustaría expresarnos, palabras que nos facilitan o ponen sentido a lo que nos ocurre o pensamos o nos ayudan a reconocer lo que nos ocurre. Como dice Rivas (2007):

... es difícil sustraerse a los efectos de una investigación que genera relación con los sujetos desde una cierta intimidad, desde la posibilidad de acceder a su mundo personal y a su propia historia. Cada sujeto con el que he trabajado, al que he entrevistado o con el que he construido un texto, ha dejado un surco en mi propia experiencia. (...) Lo que pienso, digo y construyo tiene que ver con la mirada que cada uno de ellos me ha ofrecido (p. 141).

La *resonancia* es el modo en el que nos pensamos a través de los demás cuando leemos, oímos, vemos y sentimos sus palabras, sus textos, sus imágenes, etc. Como cualquiera de los enfoques interpretativos, el enfoque biográfico-narrativo no lo pensamos en términos de generalización, no hablamos de generalización, más bien nos situamos en la posibilidad de la resonancia, es decir, que al hilo de un testimonio, una evidencia, una interpretación de la experiencia humana puede *resonarnos* personal y colectivamente para transformar las prácticas y los contextos desde los sujetos.

Al compartir los relatos con las distintas audiencias, los investigadores/as que trabajamos con historias y relatos de vida, vivimos procesos de transformación y cuestionamiento con los que no contábamos a la hora de planificar y diseñar el itinerario metodológico, y que quedan especificados en la escritura del informe y en el relato interpretativo. Cada vez más investigadores añaden reflexiones acerca de *cómo* se han transformado después de una experiencia conjunta de construcción de significados con historias que ponen de relieve las injusticias o la vulnerabilidad humana, o simplemente cuestiones que les hacen replantarse sus significados iniciales y se sienten diferentes a cuando iniciaron la investigación.

La ética de la investigación narrativa: más allá de la confidencialidad, el cuidado

Otro aspecto importante para la investigadora o investigador narrativo es la ética. Cuando hablamos de ética en la investigación con relatos de vida nos estamos refiriendo a la ética contingente que surge de los modelos feministas y que a diferencia de la ética universalista incluye "el respeto a los otros, pero también saber escuchar y compartir, así como la generosidad, la cautela y la humildad" (Denzin, 2008: 189).

Desde la experiencia personal que relata el o la participante en la investigación, se llega a los contextos sociales en los que esta experiencia se define por relaciones sociales basadas en el cuidado, el respeto y el amor, en todo el proceso de investigación. Es decir, desde los encuentros, entrevistas y conversaciones hasta la relación con el análisis, la interpretación, la escritura y representaciones de informes de investigación, la investigadora o el investigador forma parte del grupo, está dentro, no fuera; situada/o en una ética local, feminista y comunitaria, que respeta y protege los derechos, los intereses y las sensibilidades de los participantes en la investigación. Nos referimos a una ética compartida por todas y todos (participantes e investigador/a), dialogada y comunitaria, una ética del cuidado y de la responsabilidad, en la que las personas participantes son tratadas con dignidad y respeto por encima de los intereses de la investigación o meramente institucionales. El proceso de investigación narrativa, tal y como plantea Correa (1999), significa un contrato de confianza y una complicidad que permite dar valor al hecho de hablar a alguien de sí mismo. Implica establecer una base de igualdad y una comunicación no sólo metodológica sino *humanamente significativa* basada en la ética de valorar a la persona.

No es un guión para tener información…, es generar un espacio de encuentro

El desafío que nos plantea la investigación narrativa, en palabras de Hernández (2013: 19), "es descolonizar la relación en la investigación social".

Hablamos de construir un espacio común para producir encuentros entre sujetos, intercambio de información y pensarnos como investigadores/as. No se trata de un encuentro "colonizador" en donde el investigador marca líneas y espacios y está sólo atento a la recogida de información para confirmar las categorías preestablecidas. En investigación biográfica-narrativa, la entrevista, la conversación, el diálogo, el relato escrito, el intercambio en espacios virtuales, etc., va posicionándonos epistemológicamente, pues, como nos recuerda Kushner (2009), la no neutralidad en investigación nos invita a tomar posición ante cuestiones de justicia, ética y política; implica tomar partido en la entrevista pero en un espacio en el que damos autoridad al *otro*. Este autor nos sitúa en un significado de "sujeto investigador" tanto como "sujeto investigado". Un sujeto investigador con perspectiva y con una posición de contingencias e incertidumbres que también implica lo ético (Márquez y Prados, 2012).

No hay nada prescriptivo para el investigador o investigadora más allá del modo de pensar la conversación y cómo aproximarse al sujeto o los sujetos desde la subjetividad, la ética y la negociación, sin olvidar que es un espacio común. De un modo u otro, como investigadores/as llevamos ciertas predisposiciones y propósitos que orientan nuestra posición en la entrevista o conversación, es decir, no es una improvisación abierta sin estructura, sin embargo, cerrar demasiado las entrevistas o el relato biográfico, y ordenarlas en forma de preguntas, puede alejarnos de la narrativa y acercarnos a posiciones *colonizadoras*. La diversidad de modos en los espacios de encuentro es un valor.

Entendemos la investigación narrativa como una interacción entre subjetividades, un cruce de narrativas en el que la epistemología se entrelaza con el concepto de democracia y ética en la investigación, como cuestiones indisolubles e indivisibles a lo largo de todo el proceso (Rivas, 2009).

Del análisis a la co-construcción de otro relato, un espacio en común y para el común

El momento del análisis de notas, relatos, entrevistas, fotografías, videos y conversaciones online, o en cualquier otra forma y medio por los que podemos ir construyendo e intercambiando narrativas, sigue siendo un espacio de encuentro. Nos aproximamos a la *Grounded Theory* cuando nos referimos a la importancia de la mirada inductiva, haciendo emerger del relato nuevas sugerencias para conocer la historia, pero no sólo el conocimiento teórico es necesario, sino "la agudeza sobre cómo diseñar una investigación en los sistemas e instituciones en que la actividad humana es estudiada" (Hernández, 2013: 18). Hablamos de un proceso de análisis que implica un proceso interactivo en el que los conceptos y los temas para la comprensión emergen de la información.

CAPÍTULO 9

Como apuntan Waller y Simmons (2009), el análisis de los datos implica escuchar una y otra vez las entrevistas, o leer y releer los relatos escritos, las notas de campo y observar las imágenes hasta conseguir claridad. Así, se identifican temáticas y experiencias claves en la narrativa usando la "perspectiva de ojo de buitre" (p. 61): a) primero presentamos los hallazgos en primer plano, acercando el foco, evitando interpretar en exceso los relatos y haciendo hincapié en el contexto general. En este momento nos quedamos cerca de la versión personal de las participantes, buscando destacar los detalles de cada persona, lo que la caracteriza e identifica sus problemas y cómo y con qué argumentos explican sus experiencias; b) en segundo lugar ampliamos la vista panorámica del ojo de buitre con una mirada al contexto social, en un texto más teorizado. A este proceso Goodson y Sikes (2001) lo llaman transformar un relato de vida en una historia de vida contextualizada. Esta perspectiva de análisis es una forma de acercar "el zoom sobre las vidas individuales mientras tenemos una panorámica del contexto social, político e institucional más amplio" (Waller y Simmons, 2009: 70).

Teniendo en cuenta que no existe un único modelo para el análisis y la interpretación de la información, proponemos como ejemplo tres momentos en el análisis y creación del relato interpretativo (Márquez, 2013):

- La primera parte del análisis lo constituye la búsqueda y discusión de temáticas que emergen de la información recogida que como platea Van Manen (2003) "son como nudos o entramados de nuestras experiencias y en torno a ello se van hilando ciertas experiencias vividas como un todo significativo" (p. 108).
- En un segundo momento, creamos el borrador de relato que será dialogado con los/las participantes para hacer una construcción conjunta. En este relato pasamos de las temáticas a las categorías de análisis; éstas englobarán las temáticas con el propósito de darle significado y organización a la información, sin perder de vista el sentido narrativo, holístico y sutil de la historia.
- El tercer momento es el de la construcción del relato narrativo que engloba y da sentido histórico-contextual a los microrrelatos, no es lineal y pone de manifiesto el contenido y el proceso investigador. Decimos que no es lineal porque una narración lineal no puede llegar a mostrar la complejidad de la experiencia investigadora vivida, los contextos de la investigación ni a las y los participantes. Este relato nos lleva a cuestiones que orientan la interpretación, suscitan más preguntas que respuestas, hace que nos introduzcamos en el mundo de la investigación y de las y los participantes, promoviendo interés, cuestionamientos y curiosidad en un contexto narrativamente rico.

Durante el proceso de construcción del relato narrativo-interpretativo podemos hablar de un proceso de co-construcción junto a los y las participantes; las interpretaciones son compartidas, la ética y la credibilidad convergen en un texto público a múltiples voces, en el que también dialogamos con la teoría para dar fundamento a las interpretaciones y que pueda ser discutido por la comunidad científica así como en el ámbito social.

Dos experiencias concretas

a) *La investigación narrativa del profesorado, procesos de cambio educativo y la construcción de la identidad docente*

A través del proceso narrativo, los/as docentes pueden reconocer las dinámicas con las que han construido y generado sus conocimientos profesionales, cómo han ido afrontando su vida profesional cotidiana, los modos de interacción con los distintos contextos, etc. Son diversos y variados los focos que pueden darse en este proceso, en cualquier caso, responden a los intereses generados por los propios participantes.

La investigación narrativa con historias de vida del profesorado, metodológicamente supone generar estrategias deliberativas y dialógicas para la interpretación de las narraciones de forma compartida, siendo discutidas con el/la docente o bien en el seno de un grupo. De este modo, las diversas teorías de la realidad que representan las narraciones, son puestas en evidencia colectivamente y, a su vez, ponen en evidencia las propias teorías de todas las personas implicadas en el proceso de interpretación. Podemos decir que de alguna manera, las narraciones interpelan a los distintos interlocutores enfrentándoles con sus propios procesos de vida.

Desde la perspectiva crítica, el relato de la propia historia profesional puede proporcionar las condiciones necesarias para establecer nuevos procesos de actuación profesional, fruto de la toma de conciencia de los modelos que se han ido conformando a lo largo de su experiencia profesional. Por ejemplo: a) Conocer y ser consciente de los argumentos teórico-prácticos que sustentan su práctica educativa; b) analizar las claves y los referentes que han moldeado su pensamiento y su práctica; c) reorientar la actuación profesional y personal de los distintos sujetos apoyándose en una propuesta de trabajo.

Los momentos y fases metodológicas que se siguen en la investigación narrativa de la identidad del docente podrían resumirse del siguiente modo:

- En un primer momento se elaboran los textos narrativos y/o biográficos. Pueden ser escritos por los propios sujetos o producidos en un proceso de entrevistas. En este caso es importante que el texto definitivo sea producto de una elaboración compartida entre el sujeto y el agente externo, a partir de las transcripciones de las entrevistas.

- Estos textos son analizados conjuntamente por todos los implicados mediante reuniones de trabajo sistemáticas y organizadas.
- Reflexión global sobre los textos producidos y temas generales de interés.
- Categorización de las narraciones en un sistema común: primero se extrae el conjunto de temas presentes en las distintas narraciones; se elabora un listado único; se extraen las categorías de análisis en las que se sintetiza el listado anterior.
- Desglose de las distintas narraciones de acuerdo al sistema de categorías emergente: se extraen las evidencias de cada narración que corresponden a cada una de estas categorías.
- Recogida de información suplementaria: registros etnográficos, diarios, ensayos, documentos, etc. y categorización de la misma.
- Análisis e interpretación compartida de las distintas categorías a partir de las evidencias.
- Elaboración de un plan de acción resultante de este análisis para la transformación de la realidad educativa.

b) *El uso de la investigación narrativa en la formación inicial del profesorado. Desarrollo de un currículum narrativo*

La perspectiva narrativa autobiográfica en la formación inicial del profesorado nos permite conectar lo individual con lo social, implicando al sujeto discente en su propio proceso de aprender desde la crítica y el compromiso educativo. De la misma manera, nos permite reflexionar acerca de lo aprendido durante la etapa escolar y explicitar paulatinamente el contenido de las representaciones y las actitudes de la persona en relación con la docencia, aclarando que las biografías representan la evocación de experiencias escolares pasadas en el momento presente. Esta forma de aprendizaje ayuda a los futuros profesionales de la educación a construir una nueva visión de la escuela desde el conocimiento que han adquirido en los años de escolarización, dándose cuenta de que los principios y modos de aprendizaje aprendidos durante sus etapas escolares previas moldean su pensamiento, siendo necesaria la ruptura epistemológica con los marcos conceptuales que tienen preconcebidos, para trabajar hacia una formación crítica, que les prepare para transformar su acción profesional en las escuelas.

Los momentos y fases metodológicas pueden resumirse de la siguiente manera:

- Al inicio de la asignatura se le propone al alumnado que elabore su relato de forma procesual, individual y colectiva. En nuestro trabajo, las biografías del alumnado muestran experiencias complejas, diversas y con multitud de matices, que representan trayectorias diferentes, así como perfiles con características propias si los comparamos con trayectorias de otro alumnado de otros grados. Si bien la experiencia vivida en la escuela es semejante para todos los sujetos, el modo en el que se posiciona cada uno en su relato es bien diferente (Braddock, 1999).

- El sentido de proceso de este trabajo es que el alumnado vaya comprendiendo los elementos ideológicos que se ponen en juego en la realidad; que comprendan que la interpretación que ellos y ellas hacen del hecho educativo no es simplemente producto de un discurso intelectual y académico, sino fruto de las propias tradiciones culturales y de sus marcos de comprensión.

- Una vez realizados los relatos, voluntariamente y con la autorización de los autores, se comparten en el aula, con lo que se generan procesos reflexivos acerca de cómo han aprendido, qué se enseña en la escuela y para qué, cuál podría ser el currículo en la formación inicial y cómo desde el aula universitaria se va construyendo un currículo *in situ* de las asignaturas.

La aportaciones de Conle (2003) con relación al "currículum narrativo", apoya la practicidad para desarrollar el currículo desde las narrativas escolares con los/las estudiantes en las aulas universitarias, y de esta forma, crear puentes entre sus relatos y la literatura científica, en la medida en que la indagación toca temas íntimamente conectados con la propia vida. "El currículum narrativo destaca la importancia del momento, la experiencia del momento y lo que sucede en el encuentro como plataforma para reconstruir la identidad profesional y docente" (*ibíd.*, 2014: 51). De este modo se significa la experiencia como construcción de conocimiento, elemento para que el alumnado se proyecte como ser que produce historia y cultura. Hablar de construcción de conocimiento, requiere tener claro qué queremos y cómo queremos proyectarnos como docentes e investigadores/as, lo cual implica una decisión política, social y también emocional.

Referencias

Arévalo. A. (2010). La experiencia de sí como investigadora. En J. Contreras y N. Pérez de Lara, *Investigar la experiencia educativa* (pp. 188-198). Madrid: Morata.

Becker, H. S. (1996). The epistemology of qualitative research. En R. Jessor, A. Colby, y R. Schweder (Eds.), *Ethnography and human development: Context and human developement* (pp. 53-71). Chicago: University of Chicago Press.

Berry, K. S. (2008). Lugares (o no) de la pedagogía crítica. En P. McLaren y J.L. Kincheloe (eds.) *Pedagogía crítica. De qué hablamos, dónde estamos* (pp. 117-140). Barcelona: Grao.

Bertaux, D. (1988). El enfoque biográfico: su validez metodológica, sus potencialidades. *Cuadernos de Ciencias Sociales: Historia oral e historia de vida, 18*, 55-80.

Braddock, C.J. (1999). *Las voces del cuerpo. Respiración, sonido y movimiento en el proceso terapéutico.* Bilbao: Desclée.

CAPÍTULO 9

Bruner, J. (1987). Life as narrative. *Social Research*, *54* (1), 11-32.

Bruner, J. (1988). *Desarrollo cognitivo y educación*. Madrid: Morata.

Bruner, J. (1997). *La educación puerta de la cultura*. Madrid: Visor Dis.

Clandinin, J. (2007). *Handbook of narrative inquiry: Mapping a methodology*. London: Sage.

Conle, C. (2000). Narrative inquiry: Research tool and medium for professional development. *European Journal of Teacher Education*, *23* (1), 49-63.

Conle, C. (2003). An anatomy of narrative curricula. *Educational Researcher*, *32* (3), 3-15.

Conle, C. (2014). Anatomía del currículum narrativo. En J. I. Rivas Flores, A. E. Leite Méndez y M. E. Prados Megías (coord.) (coords.), *Profesorado, escuela y diversidad. La realidad educativa desde una mirada narrativa* (pp. 27-57). Málaga: Aljibe.

Correa, R. (1999). La aproximación biográfica como opción epistemológica, ética y metodológica. *Proposiciones*, 29. Santiago de Chile: SUR.

Chase, S. (2015). Investigación narrativa. Multiplicidad de enfoques, perspectivas y voces. En N. Denzin & Y. Licoln (coords.) *IV Manual de Investigación narrativa. Métodos de recolección y análisis de datos*. Barcelona: Gedisa.

Denzin, N. K. (1970). *The research act*. Chicago: Aldine Publishing.

Denzin, N. K. (2008). La política y la ética de la representación pedagógica: Hacia una pedagogía de la esperanza. En P. McLaren y J. L. Kincheloe (eds.), *Pedagogía crítica. De qué hablamos, dónde estamos* (pp. 181-200). Barcelona: Graó.

Denzin, N.K. y Lincoln, Y.S. (2012). Introducción: la investigación cualitativa como disciplina y como práctica. En N.K. Denzin & Y.S. Lincoln (coords.) *Manual de investigación cualitativa. El campo de la investigación cualitativa* (pp. 43-102). Buenos Aires: Gedisa.

Denzin, N. K. y Lincoln, Y. S. (2005). *The Sage Handbook of Qualitative Research*. Third Edition. Thousand Oaks: Sage.

Dotta, L.T. y Lopes, A. (2013). Investigaçao narrativa, formacçao inicial de professores e autonomia dos estudantes: unna reviçao de literatura Narrative. *Revista Educación y Futuro*, *29*, 129-155.

Fernandez-Balboa, J.M. y Prados Megías, E. (2012). The conscious system for the movement technique: an ontological and holistic alternative for (Spanish) physical education in troubled times. *Sport, Education and Society*, 1-18.

Geiger, S.N.G. (1986). Women's life histories: method and content. *Singns: Journal of Women in Culture and Society*, *11*, 334-351.

Goodson, I. F. (ed.) (2004). *Historias de vida del profesorado*. Barcelona: Octaedro.

Goodson, I. F. y Sikes, P. (eds.) (2001). *Life history research in educational setting: learning from lives*. Buckingham: Open University Press.

Harding, S. (1996). *Ciencia y feminismo*. Madrid: Morata.

Hernández, F. (2013). Poner en cuestión el significado de "generar conocimiento" en la investigación educativa de carácter biográfico. En A. Lopes *et al.* (Coords.), *Historias de vida em educaçao. A construçao do conhecimiento a partir de historias de vida*. UB diposit digital http://diposit.ub.edu/dspace/handle/2445/47252.

Hernández, F.; Sancho, J.M. y Rivas, J.I. (2013). *Histórias de vida em educação: A construção do conhecimento a partir de histórias de vida*. Barcelona: Universitat de Barcelona. Dipòsit Digital. http://hdl.handle.net/2445/47252.

Keleman, S. (1999). *Anatomía emocional. La estructura de la experiencia somática*. Bilbao: Desclée.

Kushner, S (2002). *Personalizar la evaluación*. Madrid: Morata.

Kushner, S. (2009). Prólogo: Recuperar lo personal. En J. I. Rivas y D. Herrera (coord.), *Voz y educación. La narrativa como enfoque de interpretación de la realidad* (pp. 9-15). Barcelona: Octaedro.

Lejeune, P. (1991). El pacto autobiográfico. *Anthropos*, *29*, 47-61.

Márquez García, M. J. (2013). El relato de la investigación y el relato interpretativo desde un punto de vista crítico. En A. Lopes *et al.* (coords.), *Historias de vida em educaçao. A construçao do conhecimiento a partir de historias de vida*. UB diposit digital http://hld.handle.net/2445/47252.

Márquez García, M. J. y Padua Arcos, D. (2011). La autoevaluación en la formación de maestras y maestros. Narrativa, experiencia y reflexión de un aula universitaria. En A. Sicilia (coord.) *La evaluación y calificación en la Universidad*. Barcelona: Hipatia.

Márquez García, M. J.; Prados Megías, M. E. y Padua Arcos, D. (2011). El espacio de la entrevista. En J.I. Rivas, F. Hernandez; J. Sancho y C. Núñez, *Historias de vida en educación. Sujeto, diálogo y experiencia*. Universidad de Barcelona: REUNI+D. Red Universitaria de investigación e innovación educativa.

Márquez García, M. J.; Prados Megías, M. E. y Padua Arcos, D. (2013). El uso de la biografía en el aula universitaria. Tres experiencias en diálogo. En A. Lopes, F. Hernandez, J. Sancho y J.I. Rivas (coords.), *Historias de vida em educaçao. A contruçao do conhecimento a partir de histórias de vida*. Barcelona: Creative Commons. Deposìt digital: http://hdl.handle.net/2445/47252.

Márquez García, M. J.; Prados Megías, M. E. y Padua Arcos, D. (2014). Relatos escolares y construcción del currículum en la formación inicial del profesorado. Bioeducamos. *Revista Tendencias Pedagógicas*. Monográfico Las Historia de Vida, *24*, 113-132

Márquez García, M. J.; Prados Megías, M. E. y Padua Arcos, D. (Coords.) (2015). Historias de vida en educación. Voces silenciadas. Disponible en: [http://repositorio.ual.es/jspui/handle/10835/3766].

Plummer, K. (2005). *Documents of life. An invitation to a critical humanism*. London: Sage.

Prados Megías, M. E y Márquez García, M.J. (2012). El espacio de la entrevista. En J. I. Rivas et al. (Coords.), *Historias de vida en educación. Sujeto, diálogo y experiencia*. Disposit UB http://hld.handle.net/2445/32345.

Pujadas Muñoz, J. (1992). *El método biográfico. El uso de historias de vida en ciencias sociales*. Madrid: Ediciones del Centro de Investigaciones Sociológicas.

Ricoeur, P. (1995). *Tiempo y narración 1. Configuración del tiempo en el relato histórico*. México: Siglo XXI.

Rivas, I. (2009). Narración, conocimiento y realidad. Un cambio de argumento en la investigación educativa. En J. I. Rivas y Herrera, D. (eds.) *Voz y educación. La narrativa como enfoque de interpretación de la realidad* (pp. 17-36). Barcelona: Octaedro.

Rivas, J. I. (2007). Vida, experiencia y educación: la biografía como estrategia de conocimiento. En I. Sverdlick (comp.), *La investigación educativa. Una herramienta de conocimiento y de acción* (pp. 111-145). Buenos Aires: Novedades Educativas.

Rivas, J. I. (2013). La investigación biográfica y narrativa. Disponible en: [http://www.juntadeandalucia.es/averroes/impe/web/contenido?pag=/contenidos/B/InnovacionEInvestigacion/InvestigacionEducativa/MaterialesInvestigacionEducativa/Seccion/InvestigarEnEducacion/T207Biografias], consultado el 11 de octubre de 2013.

Sancho, J.M. (2013). Fossos e nexos entre a investigação biográfica e a investigação com histórias de vida. En A. Lopes *et al.* (coords.), *Historias de vida em educaçao. A construçao do conhnecimiento a partir de historias de vida*. UB diposit digital http://hld.handle.net/2445/47252.

Touraine, A. (2010). *El mundo de las mujeres*. Barcelona: Paidós.

Van Manen, M. (2003). *Investigación educativa y experiencia vivida*. Barcelona: Idea Books.

Waller, R y Simmons, J (2009). Vidas a través de la lente de un ojo de buitre: interpretando cuentos de aprendices. En J. I. Rivas y D. Herrera (coord.). *Voz y educación. La narrativa como enfoque de interpretación de la realidad* (pp. 55-74). Barcelona: Coordinadores.

CAPÍTULO 9

CAPÍTULO 10

El uso de las metáforas en la investigación

Rosa Vázquez Recio

El atrevimiento de la narración como expresión de mundos posibles

L a palabra, fenómeno simple y complejo al mismo tiempo, nos remite directamente a la inmensidad de la condición humana y de su existencia en un mundo plagado de reglas y condicionantes de diversa índole. La palabra, el símbolo y la representación del mundo exterior no permanecen en un estado de pura correlación con este; sus significados se pueden ver –y de hecho así ocurre– mutados, alterados o marcados por el sentido que el sujeto vierte cuando da cuenta de quién es, de lo que piensa, siente y hace (o deja de hacer, pensar y sentir). El sujeto es palabra, discurso, narración; es portador de su propia historia y narrador de la misma, en silencio y soledad, o en comunión con otros. Sartre (1983: 53) decía que "el hombre es siempre un narrador de historias; vive rodeado de sus historias y de las ajenas, ve a través de ellas todo lo que le sucede, y trata de vivir como si la contara". Y ello es así porque el ser humano vive narrando, bien desde la ficción o bien desde la conciencia y la convicción de las prácticas discursivas que lo definen como actor en el gran escenario del mundo y de la vida. Pero este vivir narrando no se agota en el acto de contar, sino que el sujeto se hace, se busca y se recrea a sí mismo mediante la narración. Bien lo expresa Lledó (1994: 235) cuando dice que "somos no solo lo que hacemos, sino originariamente lo que decimos".

El sujeto necesita narrar para dar cuenta de su existencia, de su ser y de su devenir a través de actos de significación, que no dejan de ser actos de imaginación[1] (Bruner, 1988, 1995) en cuanto que lo narrado (lo imaginado) se muestra como una realización entre las diversas posibilidades imaginadas en su pensamiento (Schütz, 1962). De este modo, las narracio-

---

1. Siguiendo el planteamiento de Bruner, para Camargo Uribe y Hederich Martínez (2010: 337) "las narraciones están a medio camino entre lo real y lo imaginario. Lo suficientemente reales como para permitir alguna forma de identificación y lo suficientemente imaginarias como para no resultar amenazantes".

nes se presentan como "actividades simbólicas empleadas por los seres humanos para construir y dar sentido no solo al mundo, sino también a ellos mismos" (Bruner, 1995: 20); actividades que consiguen darle sentido lógico y significado a la experiencia propia y a la realidad, y a través de ellas –actividades simbólicas o narraciones– es posible "comprender las maneras en que los seres humanos construyen sus mundos" (Bruner, 1988: 55). Esta consideración de no hablar de un único mundo propiedad del sujeto, que va más allá de ser imagen y semejanza de un mundo exterior, nos permite conocer la versatilidad de la condición humana. Las distintas maneras de hacer mundos nos avisa de "la engañosa apariencia de 'lo dado', [d]el poder creativo del entendimiento o [de] la variedad de los símbolos y su función conformadora" (Goodman, 1990: 17). La construcción de esos mundos posibles –mundos narrativos– engloban en sí mismos las distintas versiones y esferas de la experiencia del sujeto creador y recreador de lo real. No obstante, estos mundos –o cada una de las representaciones posibles– "son también una perspectiva altamente selectiva desde la cual contemplamos el mundo que nos rodea" (Gudmundsdottir, 1998: 59).

Desde este dar cuenta de la experiencia, del yo y de la realidad, la narración conserva en sí misma un orden propio que define la territorialidad de la construcción de significación que arroja el sujeto. En este sentido, "el acto de narrar desencadena por sí mismo una actividad organizadora y ordenadora que ejerce su fuerza esquematizadora sobre la misma realidad a la cual se refiere (Begué, 2003: 69). Asimismo, la función simbólica de la narración permite relacionar a este con el orden sociocultural, político y ético para reconocerse en ese orden, aceptarlo o rechazarlo, y proyectarse hacia el mundo de la vida cotidiana dejando traslucir el papel social que le toca o le ha tocado asumir o representar, como dirían Goffman (1997) y MacIntyre (1987). Las construcciones narrativas no solo ayudan a comprender la realidad de formas distintas, sino también de comunicarlas a los demás (Gudmundsdottir, 1998). De este modo, el sujeto, mediante la narrativa, cumple con su necesidad de comunicar, ya que aquella se le muestra como una forma de aproximación a la realidad y a los otros. El gesto de comunicar convierte la construcción narrativa en un elemento de cohesión social y cultural en tanto que pasa a ser conocimiento compartido. E incluso, como señala Mèlich (1994), el Otro como extraño pasa a ser el Otro como cómplice para el Yo, cuando entre ambos se generan las claves de acción que definen el juego social que solo les pertenece y comprenden ellos.

Indudablemente, el despliegue narrativo, armónicamente articulado en función de las autorreferencias del sujeto, es una forma de conocimiento tan valiosa y válida como lo puede ser el conocimiento lógico-científico. No se trata de sustituir ni de comparar, sino de reconocer las virtudes que encierra la narración como conocimiento constituido desde unas premisas que le otorgan temporalidad, credibilidad y conciencia desde el yo y en interacción con los otros. En este escenario, por tanto, el pensamiento narrativo permite dar corporeidad a la experiencia de sí y en relación con la de los demás, mostrando con ello "las intenciones y acciones humanas y de las vicisitudes y consecuencias que marcan su transcurso" (Bruner, 1988: 25). Esta modalidad de pensamiento se realiza "desde la perspectiva de la vida de alguien y dentro del contexto de las emociones de alguien" (McEwan y Egan, 1998: 10). De ahí que para Ricoeur (1995: 146) "la narración en cuanto construcción (...) es mímesis de las acciones humanas (...), puesto que la narración se origina en la vida y vuelve a ella". Y en este transitar de la narración por la vida necesita de la memoria para movilizar el pensamiento, los deseos, las frustraciones, las emociones, los sentimientos, las acciones, etc. Gracias a la narrativa, "la vida de la memoria" (Lledó, 2013: 11) se alarga, porque el sujeto crea y recrea sus narraciones, ajustándose a las nuevas situaciones, nuevas personas, nuevos hechos y nuevas acciones, sin que esto suponga partir de la nada.

En todo cuanto venimos planteando, es preciso considerar varias cuestiones importantes. Así, y en primer lugar, hay un elemento referencial permanente e insustituible que es el propio sujeto creador del conocimiento narrativo. Toda narrativa está ligada férreamente a la voluntad, la conciencia y la intencionalidad del sujeto artífice de la construcción narrativa; no hay narración si no hay sujeto actante. "Nosotros construimos y reconstruimos continuamente un Yo, según lo requieran las situaciones que encontramos, con la guía de nuestros recuerdos del pasado y de nuestras experiencias y miedos para el futuro" (Bruner, 2002: 93). Desde esta mirada, el conocimiento narrado es un conocimiento situado con el que no se pretende acceder a "lo real", sino hablar de la experiencia y de la realidad sociocultural evidenciando el marco ideológico desde el que el sujeto parte para su construcción; subjetividad y contexto sociocultural convergen en el conocimiento narrativo situado y posicionado políticamente, como diría Haraway (1995). "El conocimiento está mediado por los sujetos que lo producen, por lo tanto, no hay neutralidad ni en la forma de conocer ni en el conocimiento que se produce" (Montenegro Martínez y Pujol Tarrés, 2003: 297). Tal conocimiento, que se fragua de las visiones y las inquietudes personales, sociales, políticas, ideológicas y éticas, tiene legitimidad suficiente para ser tomado en consideración muy seriamente (esto es lo que hace el método narrativo que abordaremos después). En segundo lugar, no es difícil deducir, considerando lo argumentado hasta el momento, que a las construcciones narrativas que hablan de la propia experiencia del *yo* no les son ajenas e indiferentes las experiencias de los otros, ni estos como sujetos en sí, portadores de una identidad narrativa propia. Tanto uno como otros les une un contexto definido a partir de unos referentes socioculturales compartidos. En este sentido, no es posible admitir una visión solipsista para estas construcciones. "Los términos y las formas por medio de las que conseguimos la comprensión del mundo y de nosotros mismos son artefactos sociales, productos de intercambios situados histórica y culturalmente y que se dan entre personas" (Gergen, 1996: 73).

Por otra parte, en estas construcciones entran en juego, como se ha mencionado, la memoria y el recuerdo, herramientas imprescindibles para la narrativa. Memoria y recuerdo que no quedan circunscritas al sujeto creador y recreador de narraciones, sino también a los otros, resaltando así su carácter social (Middleton y Edwards, 1992). Consecuentemente, en el conocimiento narrativo confluyen memoria y recuerdo individuales y colectivos. Ya Ricoeur (1998) resalta lo difícil y complicado que resulta no admitir y recurrir a esta dimensión colectiva en el proceso de construcción de la narrativa, porque "el primer hecho, el más importante, consiste en que uno no recuerda solo, sino con ayuda de los recuerdos de otro. Además, nuestros presuntos recuerdos muy a menudo se han tomado prestados de los relatos contados por otro. Por último, uno de los aspectos principales quizá consista en que nuestros recuerdos se encuentran inscritos en relatos colectivos" (p. 17). Con la narración se busca la *constitución de lo ausente* para hacerlo presente (Duch, 2002) en un proceso de reconstrucción pensada, no solo desde el sí mismo sino también desde el nosotros.

La narrativa tiene la auténtica misión de expresar las experiencias de otro tiempo y del presente, los pensamientos, los afectos y las emociones, configurando una amalgama flexible que modula el acto de reflexionar sobre la misma (narración). Es algo que debemos, en gran parte y según Lledó (2013), a la cultura griega.

Y la *narración* se hizo *método* y habitó entre nosotros

Tras la exposición de lo que significa y representa la narrativa, la desconfianza hacia esta tiene que pasar a ser ya un hecho prístino. Tomar el conocimiento narrativo como fenómeno de interés para comprender el devenir del ser humano, su intrahistoria y su interhistoria, se lo debemos a los cambios que se han producido en el ámbito de las ciencias sociales, gracias al papel desempeñado por la investigación cualitativa y la escritura dialógica en el marco extenso de la concepción interpretativa. El imperio de las investigaciones amparadas en el positivismo se ha debilitado de manera patente desde que las críticas a la ciencia y al modelo de investigación tradicionales y los estudios feministas (Biglia y Bonet-Martí, 2009) irrumpen con fuerza en la década de los años sesenta y, sobre todo, a comienzos de los setenta (Schöngut Grollmus y Pujol Tarrés, 2015). Los tres sueños racionales que trajo consigo las ciencias exactas, "un método universal, una lengua perfecta y un sistema unitario de la naturaleza" (Toulmin, 2003: 109), se desmoronan cuando empieza a ganar terreno la idea de que el conocimiento no es independiente del contexto social, cultural, económico, ideológico del que forma parte. Además, el viraje potente que experimenta la manera de concebir al sujeto incide también de forma directa: este deja de ser "una abstracción con facultades universales e incontaminadas de razonamiento y sensación" (Guzmán Cáceres y Pérez Mayo, 2005: 112), para tener un nuevo valor en tanto que es histórico y culturalmente situado, guiado por criterios éticos y políticos. El sujeto pasa a tener un control sobre la realidad, activando su capacidad para reflexionar sobre sus propias prácticas discursivas contextualizadas, así como para modificar estas a través de sus propias acciones. Lógicamente, el contexto en el que este se encarna también cambia en su consideración, tomando esos mismos elementos descriptores que redefinen su estado canónico acerca de la manera de entender la realidad, el sujeto y el conocimiento. Ontológicamente, la realidad deja de ser preexistente y objetiva para constituirse en realidades subjetivas construidas por los sujetos –actores sociales como dirían Lincoln y Guba (1985)–; realidades que remiten a mundos posibles.

Este giro discursivo y epistemológico ha requerido de un cambio en las metodologías de investigación que transversalmente están ligadas a las descripciones guiadas interpretativamente –narrativas– mediantes las claves con las que el sujeto traduce la realidad. Ya Blumer (1982) decía, con relación al proceso de interpretación, que

"tiene dos pasos distintos. Primero, el actor se indica a sí mismo las cosas respecto de las cuales está actuando; tiene que señalarse a sí mismo las cosas que tienen significado. En segundo lugar, en virtud de este proceso de comunicación consigo mismo, la interpretación se convierte en una cuestión de manipular significados. El actor selecciona, controla, suspende, reagrupa y transforma los significados a la luz de la situación en la que está ubicado y de la dirección de su acción" (1982: 11).

El resultado de estas prácticas narrativas son las narraciones que han sido fraguadas por el sujeto en su intento de comprenderse, de comprender a los otros y de comprender el mundo externo. Las narrativas no son simples estrategias de comunicación, sino también, y sobre todo, prácticas culturales y políticas que establecen un orden moral. Por eso, la comprensión de las narraciones de los sujetos solo puede hacerse desde el contexto de la acción narrativa y desde los parámetros de atribución de significados desde los que los agentes sociales piensan, sienten y actúan. El método que puede dar cuenta y responder a estas nuevas exigencias para la comprensión de la condición humana y de la realidad social es el método narrativo, siendo esta su preocupación. Ricoeur (1999) decía que entre el sujeto y el mundo están los textos, esto es, las narraciones que cristalizan la identidad narrativa que define al sujeto, a la experiencia de este en su interacción con los otros y con la realidad sociocultural. La investigación narrativa, mediante su proceder, se interesa, en último término, por lo que aporta la propia narrativa, esto es, la experiencia del sujeto que revela explosivamente y desde su complejidad la condición humana que lo define y define a los otros con quienes mantiene un vínculo intersubjetivo; una experiencia que se teje en el mundo de la vida cotidiana en un tiempo sociohistórico y con una incidencia ético-política.

Por otra parte, este método tiene un valor añadido: cuando investigamos a los sujetos también lo hacemos simultáneamente sobre los diferentes contextos de los que son partícipes –actores– directos, dado que estos nacen, se hacen y mueren en contextos específicos construidos sociohistóricamente. Por tanto, no es la supremacía del yo ni tampoco es el yo aislado el que interesa (porque difícilmente podría ser comprendido); es esa conjunción, al mismo tiempo armónica y dialéctica entre el sujeto, los otros y los contextos, el centro de atención del método narrativo. Para cumplir con su cometido, no solo tiene que prestar atención a las construcciones y prácticas narrativas como fuente de conocimiento subjetivo e intersubjetivo, sino que tiene que asumir un tipo de análisis acorde con tales pretensiones; se trata de un análisis narrativo que exige a la persona investigadora un compromiso con una forma de entender la interpretación, que viene a ser aquella referida a "una situación reflexiva que implica críticamente al propio investigador, tanto en las teorías y los métodos que utiliza como en las observaciones efectivas que realiza" (Alonso, 1998: 224). Pero no es solo un cambio de mirada de la persona que investiga con respecto a la interpretación requerida, sino también en cuanto a su relación con los sujetos de los que quiere alcanzar un nivel de comprensión potente. La frontera que separa a ambos –persona que investiga y sujeto implicado en la investigación– ya no es tan nítida. La jerarquía desaparece para ser reemplazada por el reconocimiento de la capacidad del sujeto para hablar de sí mismo y por sí mismo en un marco de compromiso ético y político, y de responsabilidad compartida. En este sentido, se empieza a defender una narrativa como construcción compartida que define una polifonía propia y singular (Biglia y Bonet-Marí, 2009; Schöngut Grollmus y Pujal i Llombart, 2014; Schöngut Grollmus y Pujol Tarrés, 2015).

El método narrativo ofrece, pues, una perspectiva de análisis que, ligada a unas claves de interpretación con las que traducir las narrativas construidas por los sujetos, alcance un conocimiento situado que hable de la experiencia subjetiva y de su identidad narrativa –la hermenéutica de sí de la que habla Ricoeur (Nájera, 2006). Por tanto, a este método le interesa comprender el modo en el que las personas se definen, se simbolizan mediante el verbo y construyen la visión de su historia que se halla tejida por factores de diversa naturaleza (sociales, familiares, personales, profesionales, etc.), y encarnada en un contexto histórico y cultural que la dota de temporalidad. Asimismo, el método narrativo permite "la revalorización del actor social (individual o colectivo) no reducido a la condición de dato o variable, sino convertido en sujeto de configuración compleja, en protagonista del acercamiento que desde las ciencias sociales quiere hacerse de la realidad social" (Pujadas, 2004: 225). Por tanto, estamos ante una forma de comprender la realidad que se nos presenta como una guía para actuar desde el compromiso político, dejando fuera la colonización de quien es investigado. Ya no existe el subalterno que habla cuando la persona investigadora pregunta por él, por su experiencia, por su vida. Se trata de una forma de investigar que mira desde el deseo sincero de acceder a la subjetividad narrativa fraguada en el tiempo, para terminar siendo la narrativa emergente el espacio de encuentro entre subjetividades (Schöngut Grollmus y Pujal i Llombart, 2014: 91) que dotan de corporeidad a la experiencia recreada por estas. La investigación narrativa tiene consolidado su campo, como lo evidencia la literatura existente (Clandinin y Connelly, 2000; Rodriguez, 2002; Czarniawska, 2004; Jones, 2004; Pujadas, 2004; Phillion, He y Connelly, 2005; Bolívar y Domingo, 2006; Bryce Merrill, 2007; Coulter y Smith, 2009; Rivas Flores y Herrera Pastor, 2010; Hernández Hernández, Sancho Gil y Rivas Flores, 2011; Rivas Flores, Hernández Hernández, Sancho Gil y Núñez, 2012; Capella, 2013; Schöngut Grollmus y Pujal i Llombart, 2014; Schöngut Grollmus y Pujol Tarrés, 2015). "Este modelo de investigación lucha por convertirse en un enfoque específico, con su propia credibilidad y legitimidad para construir conocimiento, desde un punto de vista que pretende ser más natural, accesible y democrático, estableciendo otro modelo de relación entre sujetos e investigador" (Rivas Flores, 2010: 20).

No desconfiemos de las metáforas: ellas hablan, ellas callan

Hasta el momento hemos dado cuenta tanto de la narrativa como del método que le es propio a esta para comprenderla interpretativamente. La narrativas que ofrecen los sujetos se construyen, en tanto que textos, con un lenguaje que se nos antoja como instrumento social e ideológico que va más allá de lo puramente convencional. Con ello queremos decir que la narrativa no se fundamenta exclusivamente en el lenguaje literal, sino que su potencial expresivo se nutre de un lenguaje que no entiende de demarcaciones entre lo que se considera literal y metafórico. Ya Nietzsche (2000a, 2000b) afirmaba que era imposible establecer una frontera clara, sencillamente porque el lenguaje es, en su esencia, metafórico, es decir, todo lenguaje lo es.

La narrativa podemos entenderla como la traducción en una potente metáfora de la propia experiencia, del yo y de su relación con los otros en un contexto sociohistórico. Estos componentes de los que habla la narrativa no dejan de ser lo que son, pero en su intento de dar cuenta de lo que son, el pensamiento exteriorizado y compartido silencia lo que tenía voz en la mismidad para revestirse con aquellas palabras que mejor pueden dar razón de tales componentes, dando como resultado metáforas. Por tanto, no es solo que la narrativa haga uso de metáforas para externalizar el pensamiento, sino que las narraciones pueden ser consideradas en sí mismas expresiones metafóricas, en la medida en que ellas constituyen la construcción acometida por el sujeto para dar cuenta de una experiencia vivida y de una realidad según su manera de pensar, sentir y hacer. Porque, "¿qué pensar: si lo que podemos percibir de nuestro sí mismo es nuestra propia metáfora?" (Bateson, 1993: 298). Esas narraciones, en cuanto que manifestaciones no paradigmáticas, vienen a ser la expresión más pura, genuina y plena del mundo interior del sujeto que se proyecta hacia el mundo exterior, con y para los otros. Una expresión que resulta ser el sedimento interpretativo de la realidad y de la experiencia. En este sentido, no puede hablarse de mimesis entre narración y realidad circundante, por cuanto que la narración, como relato metafórico, es la versión que el sujeto alcanza a ofrecer desde sus claves de significación y de interpretación; la narración no deja de ser una representación construida desde la subjetivación para llegar a ser un relato intersubjetivo. De ningún modo la narrativa puede ser tildada de ficción o falsedad, en la medida que con ella no se pretende refutar hipótesis, ni demostrar la veracidad de una suposición ni establecer un patrón o referencias empíricas verificables. "Descubrirnos como hacedores de metáforas conduce a la conciencia de la desnudez inicial y fundamental, y con ello tal vez a la angustia y al desamparo o, en el mejor de los casos, a la conciencia del juego (Maillard, 1990: 118).

Por otra parte, y siguiendo a Lizcano (2006: 61), podemos decir que es en el imaginario donde emerge la narrativa –y la metáfora– en tanto que representación o mundo posible que se da a conocer. "El imaginario en que cada uno habitamos, el imaginario que nos habita, nos obstruye así ciertas percepciones, nos hurta ciertos caminos, pero también pone gratuitamente a nuestra disposición toda su potencia, todos los modos de poder ser de los que él está preñado" (*ibíd.*, p. 43). La metáfora se encarga, precisamente, de visibilizar ese imaginario a modo de narrativa, a sabiendas de que se trata de un procedimiento discursivo de encubrimiento o de no mostrar de manera directa lo que se piensa o se quiere decir (Vázquez Recio, 2007); la metáfora se mueve en los márgenes del régimen de *decibilidad* del discurso (Imbert, 1994), y consecuentemente, la narrativa también se comporta de tal modo.

El sujeto hacedor de narrativa no se bastará con recurrir a las metáforas convencionales (Bustos Guadaño, 2000) o lexicalizadas (Greimas y Courtés, 1982), sino también y sobre todo, creará metáforas para poder hablar de su experiencia, de los otros y de la realidad; serán metáforas de invención, metáforas creativas (Lakoff y Johnson, 1998) o metáforas vivas (Ricoeur, 2001), y estas segundas, en cuanto metáforas originales, son especialmente interesantes dada su vinculación genuina con el sujeto creador; es la impronta más pura de su manera de construir una narrativa para hablar de sí mismo y de la realidad. Aunque pueden que estén sujetas a un mayor grado de cuestionabilidad debido a su menor grado de lexicalización[2], no por ello dejan de tener valor y legitimidad en sí mismas para erigirse como conocimiento.

La presencia de la metáfora en la narrativa busca, por qué no reconocerlo, persuadir para poder compartir y recrear aquella entre subjetividades, y en este sentido, estaría cumpliendo con las funciones del lenguaje, *docere, placere* y *movere* (Le Guern, 1985). Pero el potencial que encierra la metáfora no se agota en esta noción clásica, sino que constituye, cual narrativa, un discurso que contiene la visión –preñada de significados y fundamentada en marcos ideológicos– que el sujeto tiene de la realidad de la que participa y de sí mismo, fraguada y encarnada en un contexto sociocultural y político. En este sentido, la metáfora no es solo *episteme*, sino instrumento simbólico que demarca la continuidad o discontinuidad entre las subjetividades implicadas en la comprensión interpretativa de la narrativa dada. No es solo la metáfora conceptual (Lakoff y Johnson, 1998) lo que interesa al método narrativo en cuanto base para la argumentación (Santibáñez, 2009; Bustos Guadaño, 2014), sino la metáfora política y ética que tiene legitimidad en sí misma en el imaginario ideológico desde el que se funciona en el orden social. Así, la metáfora se presenta como "un instrumento que permite y ayuda a silenciar u ocultar las creencias, las ideas, las intenciones, las visiones y las valoraciones mediante el ornamento de términos que, al mismo tiempo que persuaden, logran desplazar o despistar el centro de atención de las cuestiones claves e importantes del discurso"

---

2.   En el análisis de las metáforas se ha de tener en cuenta el grado de convencionalidad o de lexicalización. Este grado señala la fijación de los elementos semánticos en el sistema conceptual institucionalizado. Así, cuanto mayor sea el grado de fijación, mayor será su lexicalización o convencionalidad, y, por el contrario, cuanto menor sea el anclaje de esos elementos, menor será su lexicalización o convencionalidad (mayor grado de creatividad u originalidad) (Vázquez Recio, 2010).

(Vázquez Recio, 2010). Por tanto, la narrativa portadora de metáforas tiene la capacidad de controlar las situaciones sociales, los intercambios comunicativos y las relaciones de poder. Como bien argumenta Lizcano (1999), la metáfora es un excelente analizador social.

El método narrativo en su tarea de análisis debe ir más allá del lenguaje literal para descubrir la carga social, política e ideológica de las construcciones narrativas. Desde estas consideraciones, las metáforas se convierten en objeto de estudio para el método narrativo, al mismo tiempo que se constituye como instrumento de análisis (Vázquez Recio, 2010) tremendamente valioso para la comprensión de la condición humana y la realidad social. En palabras de Bruner (2000: 168), "vivimos la mayor parte de nuestras vidas en un mundo construido según las normas y los mecanismos de la narración".

Referencias bibliográficas

Alonso, L.E. (1998). La mirada cualitativa en sociología. Madrid: Fundamentos.

Bateson, G. (1993). Una sagrada unidad. Pasos ulteriores hacia una ecología de la mente. Barcelona: Gedisa.

Begué, M. (2003). Paul Ricoeur: la poética del sí mismo. Buenos Aires: Biblos.

Biglia, B. y Bonet-Marí, J. (2009). La construcción de narrativas como método de investigación psicosocial. Prácticas de escritura compartida. FQS, 1 (1/8). Recuperado de: [http://www.qualitative-research.net/index.php/fqs/article/viewFile/1225/2666].

Blumer, H. (1982). El interaccionismo simbólico: perspectiva y método. Barcelona: Hora.

Bolívar, A. y Domingo, J. (2006). La investigación biográfica y narrativa en Iberoamérica: Campos de desarrollo y estado actual. FQS, 7 (4), Art. 12. Recuperado de: [http://www.qualitative-research.net/index.php/fqs/article/view/161/357].

Bruner, J. (1988). Realidad mental y mundos posibles. Los actos de imaginación que dan sentido a la experiencia. Barcelona: Gedisa.

Bruner, J. (1995). Actos de significado. Más allá de la revolución cognitiva. Madrid: Alianza.

Bruner, J. (2000). La educación, puerta de la cultura. Madrid: Visor.

Bruner, J. (2002). La fábrica de historias. Derecho, literatura y vida. Buenos Aires: Fondo de Cultura Económica.

Bryce Merrill, J. (2007). Stories of narrative: On social scientific uses of narrative in multiple disciplines. Colorado Research in Linguistics, 20. Recuperado de: [http://www.colorado.edu/ling/CRIL/Volume20_Issue1/paper_MERRILL.pdf].

Bustos Guadaño, E. (2000). La metáfora: ensayos transdisciplinares. Buenos Aires: Fondo de Cultura Económica.

Bustos Guadaño, E. (2014). Metáfora y argumentación. Teoría y práctica. Madrid: Cátedra.

Camargo Uribe, A. y Hederich Martínez, Ch. (2010). Jerome Bruner: Dos Teorías Cognitivas, dos Formas de Significar, dos Enfoques para la Enseñanza de las Ciencia. Psicogente, 13 (24), 329-346. Recuperado de: [http://publicaciones.unisimonbolivar.edu.co/rdigital/psicogente/index.php/psicogente/article/viewFile/237/226].

Capella, C. (2013). Una propuesta para el estudio de la identidad con aportes del análisis narrativo. Psicoperspectivas, 13 (2), 117-128.

Clandinin, J. y Connelly, M. (2000). Narrative inquiry: Experience and story in qualitative research. San Francisco, CA: Jossey-Bass.

Coulter, C. A. y Smith, M. L. (2009). Discurse on narrative research. The construction zone: Literary elements in narrative research. *Educational Research, 38* (8), 577-590.

Czarniawska, B. (2004). *Narratives in social science research. Introducing qualitative methods.* London: Sage.

Duch, Ll. (2002). *Antropología de la vida cotidiana.* Barcelona: Herder.

Gergen, K. (1996). *Realidades y relaciones: Aproximaciones a la construcción social.* Barcelona: Paidós.

Goffman, E. (1997). *La representación de la persona en la vida cotidiana.* [1981]. Buenos Aires: Amorrortu.

Goodman, N. (1990). *Maneras de hacer mundos.* Madrid: Visor.

Greimas, A. y Courtés, J. (1982). *Semiótica. Diccionario razonado de la teoría del lenguaje.* Madrid: Gredos.

Gudmundsdottir, S. (1998). La naturaleza narrativa del saber pedagógico sobre los contenidos. En H. McEwan y K. Egan (Comps.), *La narrativa en la enseñanza, el aprendizaje y la investigación* (pp. 52-71). Buenos Aires: Amorrortu.

Guzmán Cáceres, M. y Pérez Mayo, A. (2005). Las epistemologías feministas y la teoría de género. Cuestionando su carga ideológica y política versus resolución de problemas concretos de la investigación científica. *Cinta moebio, 22,* 112-126. Recuperado de: [http://www.revistas.uchile.cl/index.php/CDM/article/viewFile/26089/27394].

Haraway, D. (1995). *Ciencia, cyborgs y mujeres. La reinvención de la naturaleza.* Madrid: Cátedra.

Hernández Hernández, F.; Sancho Gil, J. M. y Rivas Flores, J.I. (Coords.) (2011). *Historias de vida en educación: biografías en contexto.* Barcelona: Universitat de Barcelona.

Imbert, G. (1994). Por una socio-semiótica de los discursos sociales. Acercamiento figurativo al discurso político. En M. García Ferrando; J. Ibáñez y F. Alvira (Comps.), *El análisis de la realidad social. Métodos, técnicas de investigación* (pp. 493-520). Madrid: Alianza Universidad.

Jones, K. (2004). Mission drift in qualitative research, or moving toward a systematic review of qualitative studies, moving back to a more systematic narrative review. *The Qualitative Report, 9* (1), 95-112. Disponible en: [http://www.nova.edu/ssss/QR/QR9-1/jones.pdf].

Lakoff, G. y Johnson, M. (1998). *Metáforas de la vida cotidiana.* Madrid: Cátedra.

Le Guern, M. (1985). *La metáfora y la metonimia.* Madrid: Cátedra.

Lincoln, Y. y Guba, E. G. (1985). *Naturalistic inquiry.* Beverly Hills: Sage.

Lizcano, E. (1999). La metáfora como analizador social. *EMPIRIA. Revista de Metodología de Ciencias Sociales, 2,* 29-60.

Lizcano, E. (2006). *Metáforas que nos piensan. Sobre ciencia, democracia y otras poderosas ficciones.* Madrid: Ediciones Bajo Cero/ Traficante de Sueños.

Lledó, E. (2013). *Los libros y la libertad.* Barcelona: RBA.

Lledó, E.(1994). *Memoria de la ética.* Madrid: Taurus.

MacIntyre, A. (1987). *Tras la virtud.* [1984]. Barcelona: Crítica.

Maillard, Ch. (1990). *La creación por la metáfora. Introducción a la razón poética.* Barcelona: Anthropos.

McEwan, H. y Egan, K. (Comps.) (1998). *La narrativa en la enseñanza, el aprendizaje y la investigación.* Buenos Aires: Amorrortu.

Mèlich, J. (1994). *Del extraño al cómplice. La educación en la vida cotidiana.* Barcelona: Anthropos.

Middleton, D. y Edwards D. (1992). *Memoria compartida. La naturaleza social del recuerdo y del olvido.* Barcelona: Paidós.

Montenegro Martínez, M. y Pujol Tarrés, J. (2003). Conocimiento situado: un Forcejeo entre el relativismo construccionista y la necesidad de fundamentar la acción. *Revista Interamericana de Psicología/ Interamerican Journal of Psychology, 37* (2), 295-307. Recuperado de: [http://www.psicorip.org/Resumos/PerP/RIP/RIP036a0/RIP03722.pdf].

Nájera, E. (2006). La hermenéutica del sí de Paul Ricoeur. Entre Descartes y Nietzsche. *Quaderns de filosofia i ciència, 36,* 73-83.

Nietzsche, Fr. (2000a). *Escritos sobre retórica*. Madrid: Trotta.

Nietzsche, Fr. (2000b). *El libro del filósofo*. Madrid: Taurus.

Phillion, J.; He, M.F. y Connelly, F. M. (Eds.) (2005). *Narrative & Experience in Multicultural Education*. London: Sage.

Pujadas, J. J. (Ed.) (2004). *Etnografía*. Barcelona: Editorial UOC.

Ricoeur, P. (1998). *La lectura del tiempo pasado: memoria y olvido*. Madrid: Arrecife.

Ricoeur, P. (1999). *Historia y narratividad*. Barcelona: Paidós.

Ricoeur, P. (2001). *La metáfora viva*. Madrid: Trotta.

Rivas Flores, J. I., Hernández, F., Sancho, J. M., y Núñez, C. (Coords.) (2012). *Historias de vida en educación: sujeto, diálogo, experiencia*. Barcelona: Dipòsit Digital UB. Recuperado de: [http://hdl.handle.net/2445/32345].

Rivas Flores, J.I. (2010). Narración, conocimiento y realidad. Un cambio de argumento en la investigación educativa. En J.I. Rivas Flores y D. Herrera Pastor (Coords.), *Voz y educación. La narrativa como enfoque de interpretación de la realidad* (pp. 17-36). Barcelona: Octaedro.

Rivas Flores, J.I. y Herrera Pastor, D. (Coords.). (2010). *Voz y educación. La narrativa como enfoque de interpretación de la realidad*. Barcelona: Octaedro.

Rodriguez, A. (2002). Redefining our understanding of narrative. *The Qualitative Report*, *7* (1). Recuperado de: [http://www.nova.edu/ssss/QR/QR7-1/rodriguez.html].

Santibáñez, C. (2009). Metáforas y argumentación: lugar y función de las metáforas conceptuales en la actividad argumentativa. *Revista Signos*, *42* (70), 245-269.

Sartre, J. P. (1983). *La nausea*. Barcelona: Seix-Barral.

Schöngut Grollmus, N. y Pujal i Llombart, M. (2014). Narratividad e intertextualidad como herramientas para el ejercicio de la reflexividad en la investigación feminista: el caso del dolor y el género. *Athenea Digital*, *14* (4), 89-112.

Schöngut Grollmus, N. y Pujol Tarrés, J. (2015). Relatos metodológicos: difractando experiencias narrativas de investigación. *FQS* *16* (2), Art. 24. Recuperado de: [file:///C:/Users/usuario/Downloads/2207-9561-1-PB%20(1).pdf].

Schütz, A. (1962). *El problema de la realidad social*. Compilación a cargo de Maurice Natanson. Buenos Aires: Amorrortu.

Toulmin, St. (2003). *Regreso a la razón. El debate entre la racionalidad y la experiencia y la práctica personales en el mundo contemporáneo*. Barcelona: Península/HCS.

Vázquez Recio, R. (2007). Las metáforas: Una vía posible para comprender y explicar las organizaciones escolares y la dirección de centros. *REICE*, *5* (3), 137-151. Recuperado de: [http://www.rinace.net/arts/vol5num3/art14.pdf].

Vázquez Recio, R. (2010). Las metáforas: Objeto e instrumento de estudio. Aportaciones a la investigación educativa. *FQS*, *11* (1). Art. 6. Recuperado de: [http://www.qualitative-research.net/index.php/fqs/article/view/1204/2889].

CAPÍTULO 11

Investigación-acción

Natalia Vallejos

Fundamentos epistemológicos de la investigación-acción

La investigación-acción constituye uno de los enfoques existentes dentro del paradigma interpretativo-constructivista-naturalista a partir del cual abordar una problemática de la acción. No obstante, su utilización implica un giro epistemológico a la tradicional forma de emprender un proceso investigativo, pues este último se ha desarrollado –desde la instauración y protagonismo del paradigma positivista como referente– bajo una lógica lineal (proceso-producto)[1], esto es: definición del problema, revisión de literatura, formulación de hipótesis, diseño, muestreo, recogida de datos y análisis, elaboración de resultados y revisión de hipótesis. La construcción de conocimiento (eje fundamental de toda investigación) se despliega a partir de la concepción de la realidad entendida como objetiva, observable, absoluta y fragmentable; susceptible de ser cuestionada a partir de interrogantes que emergen desde la misma teoría, y explicada y medida a partir de instrumentos que tienden a codificar los hechos, y buscar o producir resultados que puedan generalizarse y tener validez como "conocimiento universal", sin –necesariamente– alcanzar una aplicación y/o conexión con la práctica (Latorre, 2003). Bajo el paradigma señalado, la investigación en educación (sobre la enseñanza, el curriculum y la evaluación) es conducida por sujetos sin vinculación directa con el mundo de las prácticas y espacios escolares (investigadores universitarios), se ha concentrado en el estudio de fenómenos observables y eventualmente reproducibles en diversos contextos, cuyos resultados –se espera– debieran ser replicados o acogidos por los docentes en las escuelas. Por ello se sostiene que bajo este tipo de investigación, la actividad que cumplen los profesores es homologada a la de un "técnico", cuya función es esencial y, fundamentalmente, "ejecutar los resultados de los estudios realizados por otros" (Cochran-Smith y Lytle, 2002: 29-30; Kemmis y McTaggart,

---

1. Véanse sobre ello Pérez Gómez (1983) y Angulo (1999).

1998). Dado que bajo la cultura del positivismo el conocimiento que ha de ser transmitido es un "conjunto de reglas y procedimientos" o "verdades incuestionables", objetivadas, ahistóricas y limitadas (Grundy, 1991: 57-58; Angulo, 1989, 1991)[2], el papel de los docentes queda relegado al de operarios dependientes de los tecnólogos y de la clientela de padres y público en general, ante la cual deben justificar su trabajo. Su función se limita a acoger las ideas y objetivos definidos por teóricos (científicos y académicos) provenientes de diversas disciplinas (sociología, psicología, economía, filosofía) que proponen contenidos para un proyecto curricular cuya articulación, finalmente, es organizada y secuenciada por especialistas en currículum, a quienes les corresponde la labor de diseñar las actividades que guiarán las experiencias de enseñanza y aprendizaje y los métodos de evaluación; todo ello –por último– se transformará en materiales que utilizarán los profesores y alumnos. Por tanto, el *docente-técnico* aplica en su práctica cotidiana los planes y saberes teóricos de "otros" (Grundy, 1991; Latorre, 2003).

La investigación-acción en educación, en cambio, ofrece una alternativa de explicación comprensiva acerca de la realidad y, además, una propuesta de transformación y mejoramiento de aquélla, que va más allá de las respuestas brindadas por el positivismo que –pese a los siglos de dominación como paradigma imperante en el campo de las ciencias sociales[3]– no logra develar el mundo de lo social desde su complejidad, diversidad, incertidumbre, inestabilidad y subjetividad; en síntesis, desde la experiencia y voz de los propios sujetos/objetos investigados (Gimeno Sacristán y Pérez Gómez, 1992)[4].

Ahora bien, no obstante las críticas formuladas a la investigación generada desde el paradigma positivista, las que formula al paradigma interpretativo son también importantes, pues si bien dicha perspectiva aborda el mundo de la educación desde su especificidad, complejidad e intersubjetividad, adolece –finalmente– de las mismas faltas que la primera. Éstas son: silenciar las voces del sujeto implicado en la investigación, invisibilizar los asuntos o temáticas que éste se cuestiona a sí mismo y

---

2. De acuerdo con Angulo Rasco y Blanco (1994), el enfoque tecnológico del curriculum implica un "tratamiento altamente formalizado y mecanicista que subyace a la comprensión causal científico-positivista de la realidad socioeducativa" (p. 91); véase Gimeno Sacristán y Pérez Gómez (1992).

3. Véase Conde, F., cit. en Delgado y Gutiérrez (1994).

4. Cohen, Manion y Morrison (2007) afirman que la investigación-acción "tiende a evitar el paradigma de investigación que aísla y controla variables" (p. 299).

desestimar los esquemas interpretativos que aquél utiliza para comprender y mejorar sus prácticas pedagógicas (Cochran-Smith y Lytle, 2002)[5]. Frente a un lenguaje que mira, explica y justifica la educación a partir de la eficiencia y productividad de sus resultados, expresados numéricamente, dejando en segundo plano los procesos que condujeron a dichos resultados y a los sujetos que los vivenciaron; y frente a investigaciones interpretativas que, aunque detallan y describen el mundo de las escuelas y aulas desde los significados de los sujetos investigados, terminan por invisibilizar a estos últimos en la tarea de construir conocimiento, la investigación-acción educativa construye conocimiento a partir de un proceso dialógico entre la teoría y la práctica, desde la inmersión en la práctica de la realidad y los sujetos que se desea investigar y que, a su vez, desean investigarla (docentes-investigadores). La enseñanza deja de ser concebida como "una actividad lineal donde las conductas del profesorado son consideradas causas y el aprendizaje del alumnado, efectos" (Latorre, 2003: 9). Por el contrario, aquélla se transforma en investigación conducida por profesionales que reflexionan colaborativamente desde su propia práctica pedagógica. Es decir, en relación con discursos y lineamientos educativos estandarizados y centralizados que levantan propuestas de acción (enmarcadas en métodos de investigación deductivos) generalizadoras y descontextualizadas de realidades locales, la investigación-acción genera construcción común, contextualizada y significativa de conocimiento profesional práctico (Elliott, 1990). El conocimiento que se construye emana de la reflexión compartida de la comunidad educativa y puede servir –tal como sostiene Kemmis (1993)–:

(...) para reforzar los valores comunitarios, puede hacer que aquellos que están implicados en el trabajo crítico compartan más valores y creencias y amplíen sus relaciones mientras comparten sus reflexiones y trabajan conjuntamente en actividades comunes, y actúen en común según formas que sirvan a los intereses comunes (p. 25).

En ese sentido, parte de la fuerza de este enfoque subyace precisamente en la sinergia que genera el trabajo comunitario y colaborativo a partir de las propias experiencias y acciones emprendidas por sujetos comprometidos con el cambio y la mejora educativa de sus propios contextos.

---

5.   Ambas autoras advierten que tanto la investigación desarrollada bajo el paradigma positivista o cualitativo sobre la enseñanza "constriñen y al mismo tiempo vuelven invisibles los roles del profesorado en los procesos de producción de conocimiento pedagógico sobre la enseñanza y el aprendizaje en las aulas" (Cochran-Smith y Lytle, 2002: 31).

Fundamentos históricos e hitos en la investigación-acción

La investigación-acción surge en Estados Unidos en la década de los años cuarenta gracias a la labor del psicólogo social Kurt Lewin, quien en un afán por incorporar teoría y práctica en el proceso investigativo, con miras a "integrar la experimentación científica con la acción social", busca obtener "mejores resultados y efectivizar los cambios deseados", involucrando a los sujetos de estudio en la investigación (Sagastizabal y Perlo, 2006: 72)[6].

Para Lewin, la investigación-acción era "una forma de indagación experimental –compuesta por ciclos repetidos de análisis, reconocimiento, reconceptualización del problema, planificación, puesta en práctica de la acción social y evaluación en cuanto a efectividad de la acción–, basada en el estudio de grupos que experimentaban problemas" (McKernan, 2008: 29 y 37; Pérez Serrano, 1994). El ciclo de investigación-acción comienza con una idea general asociada a un tema de interés o un problema difícil de resolver, que tras un reconocimiento (esto es, una descripción minuciosa de los hechos) genera una plan general o global. Se ejecuta el primer paso de acción y se evalúa su resultado; se revisa el plan general y se implementa el segundo paso de acción y así sucesivamente los posteriores (Latorre, 2003; McKernan, 2008).

Según Kemmis y McTaggart, dos son los aspectos que destacan en la propuesta lewiniana: el compromiso con la mejora y la decisión de grupo:

> "Aquellas personas que están afectadas por los cambios planificados tienen una responsabilidad primaria en cuanto a decidir acerca de la orientación de una acción críticamente informada que parece susceptible de conducir a una mejora y en cuanto a valorar los resultados de las estrategias sometidas a prueba práctica" (Lewin, citado en Kemmis y McTaggart, 1988: 11).

Elliott (1990), por su parte, resalta la idea de Lewin de que la investigación acción no constituye una actividad reflexiva desarrollada de manera individual[7]; el compromiso del grupo o comunidad hacia la modificación de

---

6. Los contextos de aplicación del enfoque eran diversos, pero ligados a la experimentación comunitaria en Estados Unidos durante la posguerra. McKernan (2008) sostiene que Lewin no fue el primero en utilizar la investigación-acción ni en escribir sobre ella; existen antecedentes de su utilización en proyectos de reforma social antes de que Lewin la conceptualizara. No obstante lo anterior, el autor reconoce que el aporte del psicólogo estadounidense fue "construir una teoría elaborada e hizo que fuera un estudio 'respetable' para los científicos sociales" (p. 28). Sobre los aportes filosófico-históricos a este enfoque, véase McKernan (2008: 28-31).

7. "Aquellas actividades en las que un individuo pasa por ciclos de planificación, acción, observación y reflexión no pueden ser consideradas como investigación-acción. Caer en el

sus circunstancias es sustancial, así como también lo es el considerar que práctica e investigación no constituyen actividades separadas sino que están íntimamente vinculadas y son susceptibles de fortalecerse mutuamente.

"La expresión 'investigación-acción' (...) Es una práctica reflexiva social en la que no hay distinción entre la práctica sobre la que se investiga y el proceso de investigar sobre ella. Las prácticas sociales se consideran como 'actos de investigación', como 'teorías-en-la-acción' o 'pruebas hipotéticas', que han de evaluarse en relación con su potencial para llevar a cabo cambios apropiados" (Elliott, 1990: 95).

Al esquema de Lewin se lo ha clasificado como modalidad o tipología de *investigación-acción técnica*, pues su énfasis se encuentra en la eficacia o en los resultados del proceso de investigación[8]:

"Lewin creía que la ciencia social podía alcanzar leyes generales de la vida social. Sin embargo, el conocimiento de las leyes era insuficiente para la acción; sólo por medio de experimentos de campo podían los individuos alcanzar el conocimiento práctico situacional para llevar a cabo mejoras sociales" (McKernan, 2008: 38).

En los años cincuenta la propuesta de Lewin se debilita y –según Contreras (2011)– su influjo en el mundo educativo fue escaso. A ello habría contribuido el protagonismo del paradigma positivista y la crítica que defiende la necesaria separación entre teoría y práctica, y la creación de laboratorios de expertos de investigación y desarrollo educativo a cargo de investigadores desvinculados de los profesionales prácticos.

No será sino hasta la década de los años setenta cuando se alce nuevamente –en Gran Bretaña y en el ámbito educativo– de la mano de L. Stenhouse y el *movimiento de profesores investigadores* que sostiene y desarrolla la reforma curricular iniciada en ese país, a través del Huma-

---

individualismo equivale a destruir la dinámica crítica del grupo y a correr el riesgo de ser víctima de la falacia liberal según la cual todas las prácticas educativas y los valores que estas pretenden transmitir son igualmente defendibles" (McTaggart y Garbutcheon-Singh, citados en Kemmis y McTaggart, 1988: 21). McKernan (2008) afirma que las dimensiones colaborativa, dinámica y el constituir un proceso en ciclos progresivos de acción son cualidades que si bien han sido relevadas por la investigación-acción crítica, provienen o fueron utilizadas originalmente por los investigadores sociales de inspiración positivista.

8. López Górriz (1991) califica que la tipología de Lewin se inscribe en una perspectiva integracionista de investigación-acción, puesto que el proceso investigativo que desarrolla el psicólogo social procede en conformidad a las indicaciones del poder político (en el caso del estudio encargado por el gobierno de EE.UU para modificar los hábitos alimenticios de la población estadounidense durante la segunda guerra mundial), o –en su defecto– de la institución que le encomiende la labor investigativa. Sobre los modelos de investigación-acción señalados en este trabajo y sus representaciones o esquemas, véanse Latorre (2003) y McKernan (2008).

nities Curriculum Project (1967-1972) y el Ford Teaching Project (1973-1975) dirigido por J. Elliott y Clem Adelman (Elliott, 2005; Torres, 1994; Sagastizábal y Perlo, 2006).

La propuesta de Stenhouse (1991) subraya la labor del profesor como sujeto que mejora la calidad de la enseñanza a través de la investigación y reflexión en torno a su propia práctica pedagógica en el aula. Haciendo uso de la teoría o conocimiento que las distintas disciplinas vinculadas a la educación le ofrecen, el docente debe ser capaz de analizar los contenidos y metodologías que resultan pertinentes en la práctica de su enseñanza; sólo así la investigación educativa adquiere valor y el curriculum le capacita entonces "para probar ideas en la práctica, gracias más a su propio discurso personal que al de otros" (Gimeno Sacristán, 1991: 17). La práctica docente, no obstante, no debe ser entendida como un ejercicio carente de planificación ni tampoco como "(...) la manifestación de la espontaneidad o de la improvisación, sino que implica una concepción del currículum que, como tal, invita al profesor a probar ideas y alternativas" (ibíd., p. 17).

Para Elliott (2005), la idea del "profesor-investigador" enunciada por Stenhouse no puede calificarse de investigación-acción, puesto que el cambio pedagógico se inicia desde la reflexión y comprensión desarrollada por el docente frente a una problemática en vez de comenzar desde la acción: "El profesor emprende una investigación sobre un problema práctico, cambiando sobre esa base algún aspecto de su práctica docente. El desarrollo de la comprensión precede a la decisión de cambiar las estrategias docentes" (Elliott, 2005: 37). En su opinión, la idea de investigación-acción educativa se correspondería más bien con una lógica en la que el cambio precediera a la reflexión: "El profesor modifica algún aspecto de su práctica docente como respuesta a algún problema práctico revisando después su eficacia para resolverlo" (ibíd., p. 37). Su propuesta se sintetiza en la siguiente definición de investigación-acción:

"Estudio de una situación social para tratar de mejorar la calidad de la acción de la misma. Su objetivo consiste en proporcionar elementos que sirvan para facilitar el juicio práctico en situaciones concretas y la validez de las teorías e hipótesis que genera no depende tanto de pruebas 'científicas' de verdad, sino de su utilidad para ayudar a las personas a actuar de modo más inteligente y acertado" (Elliott, 2005: 88).

El modelo de investigación-acción de Elliott (2005) comienza con la identificación de la idea general que corresponde a la situación que se desea cambiar o mejorar. A continuación viene el reconocimiento, que corresponde a una descripción pormenorizada de la naturaleza de la situación que pretende modificarse; el objetivo de ello es "explicar los hechos y analizar críticamente el contexto en el que surgen" (ibíd., p. 93). Luego se avanza a la elaboración del plan general de acción, en donde se expone tanto la idea general (revisada y corregida), como los factores que buscan mejorarse y las acciones que se desarrollarán para modificar la situación. Asimismo, en este apartado conviene mencionar las negociaciones que deban emprenderse con otros involucrados antes de llevar a cabo el plan de acción, y el marco ético acordado con las personas comprometidas en la investigación. Por último, se avanza hacia la implementación de los pasos o cursos de acción acordados previamente, se supervisa su implementación y los efectos que genere; se explican los fallos en la implementación, se revisa la idea general, se corrige el plan y se avanza hacia un nuevo ciclo en el proceso investigativo[9].

Ahora bien, de acuerdo a Contreras (2011), resulta significativo poner de relieve la obra de ambos autores, por dos razones. En primer lugar, porque la investigación-acción deja de ser concebida como una técnica de investigación de utilidad para generar cambios sociales y educativos, constituyéndose –tal como se ha señalado– en un enfoque de investigación que releva el significado que poseen en la práctica las ideas educativas. En este sentido, curriculum, enseñanza (entendida como práctica pedagógica) e investigación no conforman entidades separadas sino íntimamente conectadas:

"La pedagogía adopta la forma de un proceso experimental de investigación curricular. De ahí el carácter fundamental de la idea de los profesores en cuanto investigadores desde el punto de vista de Stenhouse sobre el desarrollo del curriculum. Afirmaba que no podía producirse desarrollo del curriculum sin desarrollo del profesor, lo que significaba desarrollo de las capacidades reflexivas de los docentes" (Elliott, 2005: 30).

En segundo lugar, destaca que las propuestas de Stenhouse y Elliott son relevantes pues enfatizan el componente ético/moral de toda actividad de enseñanza-investigación, que ha de estar orientada hacia la búsqueda de la congruencia entre fines éticos y práctica educativa. Al respecto Elliott afirma: "La investigación-acción educativa es una forma de deliberación práctica acerca de la calidad ética de lo que el profesor proporciona para el aprendizaje más que su productividad técnica" (Elliott, 1990: 72)[10]. En conformidad con lo establecido, McKernan (2008) considera que tanto el modelo de Stenhouse como el de Elliott se inscriben dentro de la *investigación-acción práctico-deliberativa*, pues el objetivo es resolver

---

9. Para mayor información, véanse Elliott (1990, 2005) y McKernan (2008).

10. Latorre (2003) sostiene que dentro de esta tipología de la investigación-acción, a diferencia de la modalidad técnica, el profesor posee el protagonismo a la hora de identificar, seleccionar e investigar un problema. Sus capacidades de reflexión y comprensión sólo son potenciadas y/o asistidas por un facilitador o investigador externo.

problemas que emergen de la práctica docente a partir de la comunicación, negociación y deliberación reflexiva.

Paralelamente a la labor de Stenhouse y Elliott en Gran Bretaña, durante los años setenta, en Estados Unidos la investigación-acción es redescubierta con el nombre de *investigación y desarrollo interactivos*[11]. Aun cuando continúa con el modo positivista que la investigación-acción revestía en sus orígenes, se caracteriza por aplicar una perspectiva colaborativa o interactiva "de equipos de desarrollo y de equipos de diseminación que incluyen a participantes de organizaciones internas y externas" en el estudio de la enseñanza, la escolarización y el cambio en las escuelas, entre otros (McKernan, 2008: 32). En ese sentido, pone de relieve la importancia que posee dicho enfoque de investigación en el desarrollo profesional de los docentes.

En la década de los años ochenta y en Australia, el desarrollo de la investigación-acción se asocia a la importancia que adquiere la revisión y desarrollo de los currículos escolares, junto con el interés por parte del profesorado por explorar nuevos modos de desarrollar y comprender su práctica pedagógica (Kemmis y McTaggart, 1988).

En este país destacan las propuestas de S. Kemmis y W. Carr, quienes enfatizan una *perspectiva crítica dentro de la investigación-acción*. Esta perspectiva se nutre de los aportes de la teoría crítica en filosofía y ciencias sociales inspirada por Habermas, la Escuela de Frankfurt, la pedagogía de la liberación de Paulo Freire y concepciones marxistas (McKernan, 2008). Para Contreras (2011), la reconceptualización de la investigación-acción formulada por ambos autores ofrece –de alguna manera– una solución o propuesta frente a las dificultades detectadas en la investigación-acción práctico-deliberativa. ¿Qué ocurre si los docentes no pueden generar cambios en la escuela y en su propia práctica sobre problemas que vislumbran como necesarios y susceptibles de mejora/modificación?; más aún, ¿qué ocurre si los docentes ni siquiera perciben o son conscientes de que dichos problemas existen en el interior de su comunidad educativa e influyen sobre su desarrollo profesional (en otras palabras, aceptar lo que no es normal como si lo fuera)? Y –por último–, ¿qué ocurre si ni siquiera perciben que la naturalización de ciertas prácticas o usos no sólo obedece a presiones de la institución escolar a la que pertenecen, sino a la esfera social y cultural en su conjunto que configura determinadas pautas de pensamiento y actuación? (Contreras, 2011). A partir de los interrogantes antes enunciados, puede comprenderse que para Kemmis la dimensión crítica de la investigación-acción supone que los cambios en la práctica educativa son insuficientes para mejorar la educación si no se acompañan –además– de: un cambio en el lenguaje que se utiliza para "describir,

---

11. Sobre las causas de dicho resurgimiento, véase Pérez Serrano (1994: 149-150).

explicar y justificar" la educación; un cambio en las actividades educativas y administrativas que las regulan; y un cambio en las "pautas de relaciones sociales que constituyen la educación"; en síntesis, un cambio social y cultural que permita –por ende– modelar "nuevas relaciones sociales entre enseñantes, estudiantes, padres y administradores de escuela" (Kemmis y McTaggart, 1998: 45).

Según Sagastizabal y Perlo (2006) la diferencia entre los lineamientos del movimiento del profesor investigador y los de Carr y Kemmis se sitúan en que el primero establece un "predominio de la perspectiva interpretativa dentro de un contexto socioinstitucional, mientras que Carr y Kemmis "(...) acentúan las situaciones del macrocontexto socioeconómico" (p. 73)[12]. Por su parte, Elliott (1990) advierte que el movimiento del profesor investigador realza el carácter diagnóstico de la investigación-acción:

"(...) Su propósito consiste en profundizar la comprensión del profesor (diagnóstico) de su problema. Por tanto, adopta una postura exploratoria frente a cualesquiera definiciones iniciales de su propia situación que el profesor pueda mantener. (...) La investigación-acción adopta una postura teórica según la cual la acción emprendida para cambiar la situación se suspende temporalmente hasta conseguir una comprensión más profunda del problema práctico en cuestión" (pp. 24-25).

En cambio, Carr y Kemmis subrayan una dimensión crítica y emancipatoria, donde la acción –además– es acompañada por la interpretación y la explicación de las relaciones sociales (McKernan, 2008):

"Es una forma de indagación introspectiva colectiva emprendida por participantes en situaciones sociales con objeto de mejorar la racionalidad y la justicia de sus prácticas sociales o educativas, así como su comprensión de esas prácticas y de las situaciones en que tienen lugar" (Kemmis y McTaggart, 1998: 9).

López Górriz (1991) enfatiza que en este tipo de investigación la acción transformadora resulta trascendente, ya que el objetivo fundamental es "la transformación radical de las estructuras personales, sociales y políticas de la sociedad de clase" (p. 133)[13].

---

12. No obstante, ambas autoras indican que las distinciones entre las propuestas de Stenhouse, Carr y Kemmis resultan más notorias desde la teoría que desde la dimensión práctica, pues en este ámbito pareciera que las diferencias y distancias entre ambas resultan más bien borrosas.

13. En consonancia con una perspectiva que la autora denomina transformadora, López Górriz (1991) propone la siguiente definición de investigación-acción: "un proceso que se manifiesta a través de situaciones problemáticas vitales, que sus agentes desean conocer y resolver, sometiéndose a un proceso de toma de conciencia de sus condiciones existenciales, sociales, históricas, biográficas, profesionales, que les permiten transcen-

El modelo de investigación-acción de Kemmis (basado en la propuesta de Lewin) está conformado por ciclos de planificación, acción, observación y reflexión que se suceden progresivamente. Cada uno de ellos se asocia a una intención retrospectiva o prospectiva para resolver los problemas que ocurren en la práctica escolar. Es así como la planificación es prospectiva para la acción; la actuación es retrospectiva, pues ha sido guiada por la planificación; la observación es prospectiva para la reflexión y esta última es retrospectiva sobre la observación (Latorre, 2003).

Características de la investigación-acción

Las principales cualidades que los autores especializados adscriben a este enfoque investigativo son las siguientes:

* *Diálogo constante entre teoría y práctica*: Como una manera de retroalimentarse y potenciarse mutuamente. No obstante, la teoría que dialoga con la práctica es esencialmente aquella que emana del *conocimiento práctico educativo*, sin perjuicio de lo cual, los profesores pueden servirse también de aquellas teorías que provienen de la "academia" para orientar sus decisiones educativas. Recogiendo las ideas de Schön sobre el conocimiento-en-acción, Elliott (2005) sostiene que

"El conocimiento profesional consiste en teorías prácticas o en marcos conceptuales –categorizaciones de problemas prácticos, sus explicaciones y soluciones– que subyacen a las prácticas profesionales. Estas teorías prácticas, a menudo incorporadas de forma tácita en la práctica y no aplicadas conscientemente, no consisten en principios causales generales de los que se deriven reglas técnicas de acción acerca de medios y fines, ni están condicionadas por el interés por conseguir el control técnico, sino por el de llevar a cabo una forma de práctica coherente con los valores profesionales, desde el punto de vista ético (p. 93).

La discusión en torno al estatuto científico del conocimiento generado por los docentes resulta de gran trascendencia, pues tal como sostienen Cochran-Smith y Lytle (2002),

"Si entendemos que las teorías docentes son series de esquemas conceptuales fundamentadas en su propia práctica, entonces podemos deducir que los profesores investigadores son a la vez usuarios y

---

derse a los conocimientos socioestructurales que los limitan a través de su comprensión, conocimiento y compromiso consigo mismo, lo que les permite ir viviendo al mismo tiempo un proceso de transformación de actitudes, sensaciones y entendimientos, que en interacción dialéctica con la realidad van incidiendo en ella cambiándola, al mismo tiempo que ésta incide en ellos transformándolos" (p.135).

Capítulo 11

generadores de esa teoría. Si en cambio limitamos la noción de teoría a las definiciones tradicionalmente universitarias, la investigación conducida por los profesores puede ser percibida como ateórica, y de ahí por tanto constreñir el valor de la creación de conocimiento pedagógico que aportan" (p. 44).

Ahora bien, desde la investigación-acción es el conocimiento educativo el que posee mayor pertinencia, pues conecta y se levanta desde las necesidades/intereses/problemas de los sujetos involucrados diariamente en el quehacer educativo. Para Latorre (2003) el enfoque de la investigación-acción potencia el triángulo conformado por investigación, acción y formación profesional del docente.

- *Relevar el papel de los docentes en particular y de la comunidad educativa en general en tanto investigadores y generadores de conocimiento educativo*: en estrecha relación con el punto anterior, la investigación-acción acentúa la importancia que poseen los conocimientos y valores sobre la educación que han emanado de procesos reflexivos compartidos por los docentes en torno a la práctica educativa. Bajo ese entendido, se muestra el carácter situacional, dinámico, práctico, dialógico e implícito de los saberes y teorías que se activan y manifiestan al enfrentar el quehacer diario en el aula (Cohen, Manion y Morrison, 2007; Latorre, 2003).
- *La práctica constituye el eje central*: ella es "objeto de reflexión, de construcción y de transformación" (Latorre, 2003: 15; McKernan, 2008). De hecho, Cohen, Manion y Morrison (2007) sostienen que el foco de la investigación acción se sitúa en solucionar "los problemas que conciernen inmediatamente a los prácticos", además de "expandir el conocimiento científico" (p. 299).
- *Deliberativa*: los resultados de un proceso de investigación-acción no se encuentran predeterminados ni pueden ser previstos claramente, ya que "están abiertos a la creación individual y colectiva" (Pérez Gómez, 1990: 18).
- *Colaborativa*: el conocimiento práctico se construye y reconstruye a partir del diálogo reflexivo permanente que desarrolla un equipo de participantes-investigadores de manera colaborativa (Cohen, Manion y Morrison, 2007; McKernan, 2008; Pérez Gómez, 1990). La escuela y el aula figuran entonces como espacios donde se construye y reconstruye el currículum, complejos, confusos, abiertos, dinámicos e inestables, en los cuales los docentes o la comunidad educativa –en general– tienen el derecho y el deber de participar en la mejora de la educación desde la reforma de su propia institución y práctica profesional (Latorre, 2003)[14].

---

14. La bibliografía destaca la cualidad de colaboración de la investigación-acción y señala que su fundamento recae en la consideración de que los profesores pueden cambiar

- *Simétrica*: el diálogo, la reflexión y, en general, el proceso de investigación es desarrollado por sujetos iguales entre sí respecto del planteamiento y la discusión de ideas (comunidad de discurso). La responsabilidad en el desarrollo de la investigación-acción es colegiada (Elliott, 1993).

- *Democrática*: las interpretaciones y explicaciones acerca de un fenómeno estudiado que formulan los propios participantes del proceso investigativo son esenciales a la hora de validar los relatos desde los cuales se construye la investigación-acción; de allí que se considere "el diálogo libre de trabas" como herramienta esencial (Elliott, 1990: 26).

- *Naturalista*: ello supone que se interpreta "lo que ocurre" desde el punto de vista de quienes actúan e interactúan en la situación problema (Elliott, 1990: 25; McKernan, 2008). Bajo esa concepción, se sostiene que la investigación-acción recurre frecuentemente al estudio de caso para explicar y narrar lo que acontece (Cohen, Manion y Morrison, 2007; McKernan, 2008).

- *Ofrece explicaciones comprensivas de los fenómenos estudiados*; es decir, los sitúa en un contexto específico y desde allí considera todos los elementos que influyen y/o intervienen en su desarrollo o manifestación (Elliott, 1990; Cohen, Manion y Morrison, 2007).

- *Reflexiva y autorreflexiva*: respecto de la situación investigada, el papel de los participantes en ella y el desarrollo del proceso de investigación-acción (Elliott, 1990). La reflexión es una cuestión trascendental que si bien se manifiesta durante toda la investigación, resulta clave practicarla –por lo menos de manera detenida e intencionada– al final de cada ciclo investigativo, para evaluar y juzgar críticamente los avances/retrocesos evidenciados (McKernan, 2008).

- *Formativa*: "la definición del problema como los objetivos de la metodología pueden modificarse durante el proceso de investigación-acción" (Cohen, Manion y Morrison, 2007: 299; McKernan, 2008). Además, en la búsqueda y definición de una solución a los problemas prácticos, la estructura del proceso en espiral o cíclica permite desarrollar constantemente una retroalimentación que no sólo proviene de los datos recolectados, sino también de la reflexión desarrollada por el equipo de profesionales. La mejora (entendida como crecimiento y transformación de la realidad personal, social y profesional), desde una perspectiva formativa, se entiende entonces como una búsqueda constante y no una meta final (Cohen, Manion y Morrison, 2007). En

---

sus comportamientos y actitudes con mayor probabilidad cuando se hayan envueltos en una investigación que ha sido desarrollada por ellos mismos. De igual forma, se cree que aquellos que experimentan los problemas son quienes están mejor preparados para identificarlos, analizarlos, investigarlos y decidir respecto de cómo solucionarlos (McKernan, 2008; Oja y Smulyan, citados en Cohen, Manion y Morrison, 2007).

CAPÍTULO 11

ese sentido, la calidad del proceso se juzga sistemáticamente y no única o exclusivamente cuando el problema práctico es solucionado.

- *Marco ético:* construido de común acuerdo entre los participantes de un proceso investigativo, debe guiar la recogida de datos y su utilización, garantizando libertad en el flujo de información entre los miembros del equipo investigativo, así como confidencialidad y control respecto al acceso y divulgación de los datos recabados (Cohen, Manion y Morrison, 2007; Elliott, 1990, 2005).

- *Metodología ecléctica:* de acuerdo con Elliott (1990; 2005) la entrevista y la observación participante son las herramientas metodológicas más importantes que pueden utilizarse bajo este enfoque, pues ambas permiten ahondar en los significados que los profesionales participantes le adjudican a su actuar y a la realidad que se desea mejorar. No obstante lo anterior, el mismo autor y en particular McKernan (2008) destacan en sus publicaciones una amplia variedad de métodos y técnicas de investigación que van más allá de las observacionales y narrativas, señalando este último que "no existe un método individual preferido; en realidad, es deseable la 'triangulación' de métodos, perspectivas y teorías" (*ibíd.*, p. 53). De hecho, McKernan plantea –incluso– la posibilidad de que el proceso investigativo requiera la necesidad de "diseñar nuevos instrumentos y técnicas" para recopilar datos (p. 53).

Reflexiones finales

"Según Myers, 'decir al profesorado que deberían realizar investigaciones ... es la peor forma de empezar'. Para animar al profesorado a que investigue, primero tenemos que plantear algún tipo de incentivos, la creación y el mantenimiento de redes, la reforma de las estructuras excesivamente rígidas en los centros y la jerarquización de las relaciones que aún dominan en muchas escuelas (Cochran-Smith y Lytle, 2002: 50).

La cita anterior es utilizada para dar comienzo a este apartado final, en el cual nos interesa mencionar algunos factores que la bibliografía especializada ha identificado como elementos o estructuras adversas para desarrollar investigación-acción. No es pretensión de este trabajo analizar pormenorizadamente cada uno de ellos ni identificar la red de elementos o variables que se articulan para darles vida y potencia. Claramente algunos de estos elementos podrán asociarse a situaciones de índole más bien estructural –de lenta y compleja solución– frente a otros que aparentemente podrían resolverse de manera más simple. Lo que nos interesa poner de relieve es que si bien es valioso identificar las limitaciones que pesan sobre la investigación-acción, la importancia y desarrollo que ésta adquiera como enfoque investigativo no puede generarse desde una lógica centralizadora y uniformadora ni mucho menos desde una concepción investigativa encauzada bajo el paradigma positivista. Es decir, si la investigación-acción o investigación desde la enseñanza pone de relieve la particularidad de los contextos desde los cuales se despliega la enseñanza y el aprendizaje en las escuelas o en otros ámbitos sociales, como espacios sustanciales a la hora de construir conocimiento pedagógico y social, resulta estéril –por una parte– generalizar los elementos que atentan contra su desarrollo sin ahondar en la realidad de cada comunidad educativa y social. Podrá aludirse a la "falta de tiempo, falta de recursos, aspectos organizativos de la escuela y faltas de destrezas de investigación" (McKernan, 2008: 64)[15]; a las amenazas externas e internas que minan las posibilidades de conformar comunidades investigativas (Kemmis, 1993); o al modelo de racionalidad técnica que niega el conocimiento intuitivo y pragmático del docente (Elliott, 1990), entre otros[16]. Lo cierto es que cada escuela y cada ámbito social, por extensión, es una realidad única cuyas necesidades/fortalezas/debilidades (o en este caso, limitantes) no pueden ser analizadas –tal como mencionamos al comenzar este artículo– desde miradas descontextualizadas de la realidad local, atrapadas por esquemas técnicos que hoy se imponen y se validan a sí mismos como referentes. Analizar los limitantes que obstaculizan el desarrollo de la investigación-acción escolar es precisamente tarea sustancial de este modelo de investigación, al poner en el centro de acción a los docentes en comunidad reflexionando sobre su práctica educativa, generando nuevos canales para comprenderla y –al mismo tiempo– investigando bajo parámetros, lenguajes e instrumentos que dan cuenta de la construcción de un conocimiento científico propio.

Referencias

Angulo, J. F. (1989). La estructura y los intereses de la tecnología de la educación. Un análisis crítico. *Revista de Educación, 289*, 175-214.

Angulo, J. F. (1990). Investigación-acción y curriculum: una nueva perspectiva en la investigación educativa. *Investigación en la Escuela, 11*, 39-49.

Angulo, J. F. (1991). Racionalidad tecnológica y tecnocracia. Un análisis crítico. En AA.VV.,

Sociedad cultura y educación. Homenaje a Carlos Lerena Alerón (pp. 315-342). Madrid: Universidad Complutense de Madrid.

Angulo Rasco, J. F. (1999). Investigación sobre la enseñanza y el conocimiento docente. En J. F. Angulo, J. Barquín y A. I. Pérez Gómez (Comps.) *Desarrollo profesional del docente: política, investigación y práctica* (pp. 261-319). Madrid: Akal.

---

15. La cita corresponde a los resultados de una encuesta internacional sobre las limitaciones de la investigación-acción en entornos educativos entre cuarenta directores de proyecto de EE.UU, Reino Unido e Irlanda.

16. Véase, al respecto, Imbernón (1994: 140).

Angulo, J. F. y Blanco, N. (1994). *Teoría y desarrollo del currículum*. Málaga: Aljibe.

Cochran-Smith, M. y Lytle, S. (2002). *Dentro/fuera. Enseñantes que investigan*. Madrid: Akal.

Cohen, L., Manion, L. y Morrison, K. (2007). *Research methods in education*. Oxon: Routledge.

Delgado, J. y Gutiérrez, J. (1994). *Métodos y técnicas cualitativas de investigación en ciencias sociales*. Madrid: Síntesis.

Contreras, J. (23 de enero de 2011). Investigación acción 2011. [Blog]. Recuperado de: [http://investigacionaccion2011.blogspot.com/2011/01/que-es-jose-contreras.html]

Elliott, J. (1990). *La investigación-acción en educación*. Madrid: Morata.

Elliott, J. (2005). *El cambio educativo desde la investigación-acción*. Madrid: Morata.

Gimeno Sacristán, J. (1991). Prólogo. En L. Stenhouse, *Investigación y desarrollo del currículum*. Madrid: Morata.

Gimeno Sacristán, J. y Pérez-Gómez, A. (1992). *Comprender y transformar la enseñanza*. Madrid: Morata.

Grundy, S. (1991). *Producto o praxis del currículum*. Madrid: Morata.

Imbernón, F. (1994). *La formación y desarrollo profesional del profesorado. Hacia una nueva cultura profesional*. Barcelona: Graó.

Kemmis, S. (1993). La formación del profesor y la creación y extensión de comunidades críticas de profesores. *Investigación en la Escuela, 19*, 15-38.

Kemmis, S. y McTaggart, R. (1988). *Cómo planificar la investigación-acción*. Barcelona: Laertes.

Latorre, A. (2003). *La investigación-acción*. Barcelona: Graó.

López Górriz, I. (1991). Exigencias educativas del modelo de investigación-acción. *ENSEÑANZA, 8*, 131-144.

McKernan, J. (2008). *Investigación-acción y currículum*. Madrid: Morata.

Pérez Gómez, A. I. (1983). Paradigmas contemporáneos de investigación didáctica. En J. Gimeno Sacristán y A. I. Pérez Gómez (Comps.), *La enseñanza: su teoría y su práctica* (pp. 95-138). Madrid: Akal.

Pérez Gómez, A. I. (1990). Introducción. En J. Elliott, *La investigación-acción en educación*. Madrid: Morata.

Pérez Serrano, G. (1994). *Investigación cualitativa. Retos e interrogantes. Vol. I Métodos*. Madrid: La Muralla.

Sagastizábal, M. y Perlo, C. (2006). *La investigación-acción como estrategia de cambio en las organizaciones*. Buenos Aires: Stella.

Stenhouse, L. (1991). *Investigación y desarrollo del currículum*. Madrid: Morata.

Torres, J. (1994). *Globalización e interdisciplinariedad: el currículum Iitegrado*. Madrid: Morata.

CAPÍTULO 12

La investigación participativa dialógica

Donatila Ferrada

El paradigma participativo y la investigación dialógica-*kishu kimkelay ta che*

La investigación dialógica-*kishu kimkelay ta che*, se configura como una forma de construir conocimiento colectivo desde la constitución de comunidades de investigación, las que deciden en conjunto qué, para qué y cómo investigar, rompiendo de esta forma la jerarquía epistémica tradicional en donde son los investigadores quienes ostentan el patrimonio de tomar todas estas decisiones, mientras que los investigados configuran la fuente de información. Por el contrario, la constitución voluntaria de una comunidad de investigación permite establecer una relación igualitaria entre sujetos que ponen en discusión argumentos susceptibles de críticas desde ámbitos en que cada uno es experto, unos desde las disciplinas científicas, y los otros desde las propias experiencias vividas en sus territorios, culturas y lenguas. Vinculando de esta forma el saber proveniente de la ciencia, con el saber experiencial que portan los sujetos en sus comunidades liberados ambos de estatus previos y dispuestos a negociar nuevos significados entre todos los agentes participantes, regulándose por medio de pretensiones de validez, y movilizándose para iniciar procesos de transformación en sus propias comunidades.

Esta forma de construcción colectiva/comunitaria de conocimiento fue desarrollándose paulatinamente desde las propias necesidades y reflexiones de las comunidades investigativas de las cuales venimos formando parte desde comienzo de 2005, en la región del Biobío y más recientemente en la región de la Araucanía (zonas del centro sur de Chile), a través del *Grupo de Investigación e Intervención para la Promoción de la Igualdad Educativa Enlazador de Mundos*[1], conformado por agentes sociales y educativos que

---

1. Grupo constituido por una diversidad de agentes con múltiples niveles de formación académica, entre ellos, madres, abuelos, profesorado, alumnado de escuelas de enseñanza básica, media y universitaria, profesorado universitario, investigadores, miembros de comunidades indígenas, etc., que se movilizan para superar situaciones educativas en contextos de pobreza en sectores urbano-marginales y rurales con y sin población

sin más pretensión que dar cuenta de una elaboración de conocimiento resultado de las voces y acciones de los participantes que demandan reconocimiento de territorialidad, diversidad cultural y lingüística en dicha construcción, persiguen transformar las problemáticas que les aquejan desde la creación de soluciones colaborativas. Más tarde, la idea configura sentido en los aportes desde la literatura especializada ubicando la nueva construcción en el nuevo paradigma de investigación participativo, de acuerdo con Guba y Lincoln (2012) a partir del trabajo de Heron y Reason (1997). Así también, la literatura nos reportó la existencia de otros grupos en distintas partes del mundo con inquietudes y prácticas investigativas similares a las nuestras, entre éstas, el enfoque *Kaupapa Maori* en Nueva Zelanda (Bishop, 2012), la teoría crítica de la raza en Estados Unidos (Ladsons-Billings y Donnor, 2012), la teoría *queer* en Inglaterra (Plummer, 2012) y la investigación-acción participativa en Australia (Kemmis y McTaggart, 2013).

El paradigma participativo (Guba y Lincoln, 2012: 45-46) se organiza en torno a una ontología que comprende la realidad como resultado de la participación de los sujetos, quienes interactúan desde sus propias (inter) subjetividades con una realidad objetiva, de esta forma la realidad es una co-creación entre la mente de los sujetos y el universo dado[2]. Asimismo, la epistemología obedece a una (inter)subjetividad crítica en la transacción participativa con el universo dado, en relación con el conocimiento experiencial, proposicional y práctico, cuyos hallazgos son creados conjuntamente entre todos los participantes. En términos metodológicos, se organiza el trabajo de creación de conocimiento desde la participación política, activa y colaborativa, en que el uso del lenguaje en el contexto experiencial compartido adquiere particular relevancia, de esta forma, el conocimiento queda situado en las comunidades participantes de la investigación y adquiere la dimensión de conocimiento vivo.

Estos antecedentes ontológicos, epistemológicos y metodológicos que caracterizan el paradigma participativo encuentran plena relación con la investigación dialógica-*kishu kimkelay ta che*, denominación que

---

indígena. Sus inicios se encuentran en la ciudad de Concepción, pero en la actualidad el grupo tiene organización nacional desde Santiago (Región Metropolitana) a Puerto Montt (Región de los Lagos).

2. "(…) La comprensión de la riqueza de los mundos mental, social, psicológico y lingüístico que los individuos y los grupos sociales crean y recrean y cocrean de modo constante da lugar (…) a campos infinitamente fértiles de indagación (…) Quienes conocen no se representan como separados de alguna realidad objetiva (…) todo acuerdo respecto de qué es el conocimiento válido surge de la relación existente entre los miembros de alguna comunidad con intereses en común. Los acuerdos acerca de la verdad pueden ser el tema de las negociaciones de la comunidad respecto de qué se aceptará como verdad (…) Este concepto comunicativo y pragmático de la validez nunca es fijo e invariable. En cambio, es creado mediante una narrativa de la comunidad, y está sujeto a las condiciones temporales e históricas que dan origen a la comunidad" (Guba y Lincoln, 2012: 56-57).

le pertenece al pueblo mapuche –y que significa que *ninguna persona conoce y aprende por sí misma*– y representa el carácter colectivo que se encuentra en la base de todo conocimiento (Catriquir, 2014), y que por lo mismo, ello nunca es un acto de creación personal, sino resultado de un colectivo portador de saber social y cultural en permanente dinamismo, en que dicha resignificación lleva consigo procesos intersubjetivos dados entre toda la comunidad que participa. De esta forma, *kishu kimkelay ta che* encuentra correspondencia con el concepto de intersubjetividad[3], como proceso central que usan los sujetos toda vez que se comunican entre ellos, con intención de alcanzar un entendimiento, a base de argumentaciones siempre susceptibles de críticas, cuyos insumos interpretativos provienen del mundo de la vida del que forman parte (Habermas, 1987), como también desde la base del proceso de liberación de la conciencia producido por la acción dialógica[4], proceso que es constitutivamente colectivo, pues implica que "nadie libera a nadie, ni nadie se libera solo, sólo es posible liberarse con otro"; es decir, la liberación siempre es comunitaria, no existen los unos sin los otros, sino ambos en permanente interacción (Freire, 1970).

Otro aspecto crucial de esta forma de construcción de conocimiento que coincide con el paradigma participativo, tiene que ver con los criterios que se usan para juzgar la realidad que se persigue conocer colectivamente:

"(...) los criterios para juzgar la realidad (...) derivan del consenso comunitario respecto de qué es real, qué es útil y qué tiene significado (en especial significado para la acción para seguir avanzando (...) las actividades de creación de significados pueden cambiarse cuando se encuentra que están incompletas, son defectuosas (por ejemplo, discriminatorias, opresivas o no liberatorias) o están deformadas (creadas a partir de datos que se pueden demostrar que son falsos)" (Guba y Lincoln, 2012: 42).

Este sentido que adquieren los criterios para juzgar la realidad en el paradigma participativo, se corresponde con lo que en la investigación dialógica-*kishu kimkelay ta che* se denomina criterios de praxis, los cuales están a cargo de todos los integrantes de la comunidad de investigación, y que consideran al menos los siguientes: 1) aseguramiento de que el eje temático se levanta desde y con la comunidad de investigación en base a acuerdos libres de coerciones y en función de superar alguna problemática;

---

3. "(...) La estructura de la intersubjetividad lingüística, que fija los roles comunicativos de hablante, de interpelado y de persona que asiste sin participar, obliga a los participantes, para poder entenderse entre sí, a actuar bajo la suposición de que cada uno de ellos es capaz de razón de sus actos" (Habermas, 1999: 144).

4. "(...) siendo la acción liberadora dialógica en sí, el diálogo no puede ser un *a posteriori* suyo, sino desarrollarse en forma paralela, sin embargo y dado que los hombres estarán siempre liberándose, el diálogo se transforma en un elemento permanente de la acción liberadora" (Freire, 1970).

2) establecimiento de criterios de pretensiones de validez entre todos los participantes desde los cuales garantizar la superación de las pretensiones de poder; y 3) compromiso entre todos por avanzar en los procesos de transformación que se han definido como esenciales (Ferrada, *et al.*, 2014). De esta forma, es la comunidad de investigación la que identifica las problemáticas y la que va encontrando las soluciones a las mismas, por consiguiente, la creación de los significados queda depositada en todos los participantes y son éstos, al mismo tiempo, los portadores de ese conocimiento vivo, que antes de formar parte o no de un documento escrito, forma parte del saber comunitario que le pertenece a cada uno de ellos.

La investigación dialógica-*kishu kimkelay ta che*

De acuerdo con Ferrada et al. (2014), la organización de la investigación dialógica-*kishu kimkelay ta che* se desarrolla a partir de una articulación simultánea entre un plano epistemológico y una coordinación de la praxis investigativa, todo lo cual es llevado a cabo por una comunidad de investigación. El plano epistemológico se configura en torno a cuatro principios orientadores: 1) la diversidad histórico situacional, que debe incluir la diversidad de culturas, territorios y lenguas, situando históricamente el saber de todos los participantes; 2) la reciprocidad gnoseológica que debe darse en los procesos de producir el conocimiento, darlo a conocer y aprenderlo entre todos los participantes, como procesos simultáneos e interrelacionados; 3) el pensamiento epistémico que debe proponerse nombrar aquello que no ha sido nombrado, a aquello que aún es preteórico; y 4) la racionalidad comunicativa que se configura como un mecanismo coordinador dirigido a alcanzar el entendimiento cuando un grupo se propone romper las pretensiones de poder, de tal forma de pasar a pretensiones de validez libres de imposiciones.

Por su parte, el segundo plano, la coordinación de la praxis investigativa, se encarga de poner en práctica estos principios epistemológicos desde un ciclo que comprende las siguientes fases: 1) construcción colectiva de una problematización situada que emerge desde las propias preocupaciones, demandas, urgencias y dificultades en que se encuentra la comunidad de investigación; 2) elección de los procedimientos de construcción de conocimiento colectivo que se configuran en la forma de sistematizar los diversos procesos de diálogo y acción que los participantes llevan adelante en la búsqueda de solución a la problemática. A la fecha se han documentado siete procedimientos de construcción de conocimiento colectivo, a saber: conversación dialógica, diálogo colectivo, percepción dialógica, interpretación de discurso dialógico, preguntas dialógicas, contenidos dialógicos y acciones dialógicas; 3) aplicación de dos formas de tratamiento de construcción del conocimiento. En primer lugar, determinar el carácter comunicativo (desde la identificación de actos de habla constatativos, regulativos y expresivos (Habermas, 1999) de los acuerdos alcanzados al interior de la comunidad de participantes; segundo, categorizar el conocimiento producido desde tres posibilidades: como transformador, es decir, cuando contribuye a superar la problemática, como conservador, es decir, cuando reproduce algo que ya existía pero que vale conservarlo como tal, o como exclusor, es decir, cuando el conocimiento construido impide o no ayuda a la superación de la problemática situada; 4) finalmente, a partir de la fase anterior, y desde el conocimiento categorizado como exclusor, se *reorienta la praxis investigativa*, generando con ello un nuevo ciclo, a fin de transformar aquello que no ha sido modificado y constituyéndolo en eje de la nueva problematización situada. De esta forma, el proceso investigativo es un *continuum* cuyo carácter se asienta precisamente en la dificultad de construir conocimiento que pueda ser categorizado sólo como transformador o como conservador. Es más, la experiencia ha venido demostrando que siempre, a pesar de todos los resguardos a través de los criterios de praxis para juzgar la realidad, se produce conocimiento que se categoriza como exclusor, el cual no es visto como un fracaso sino como el punto de partida para la siguiente investigación, y configurándose como el insumo principal para la comunidad de investigación desde el cual reiniciar el ciclo investigativo.

Cabe destacar que todo el proceso investigativo que desarrolla la comunidad de investigación incluye en cada una de las fases el uso de los *criterios de praxis para juzgar la realidad* ya anunciados previamente, es decir, estos criterios no son aplicados sólo en el proceso o a posteriori de la recogida de la información como ocurre en otras formas de investigar, sino desde el momento previo a definir la problemática hasta la reorientación misma de la investigación. De la misma forma, la apertura de un nuevo ciclo, siempre abierta a sumar nuevos integrantes, permite la ampliación de la comunidad investigativa, y con ello, la ampliación de los procesos transformadores, y el surgimiento de nuevos ejes problemáticos.

Una representación del ciclo de investigación dialógica-*kishu kimkelay ta che*, es la siguiente:

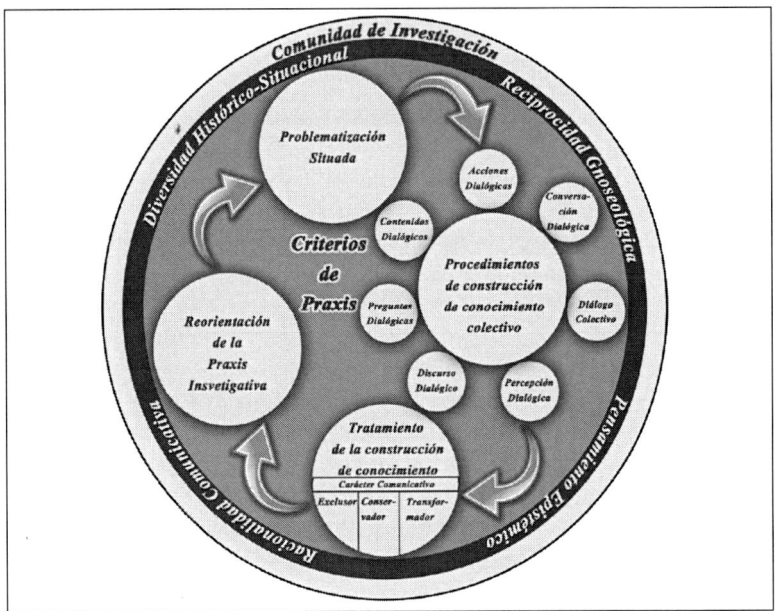

Comunidad de Investigación
Diversidad Histórico-Situacional
Reciprocidad Gnoseológica
Racionalidad Comunicativa
Pensamiento Epistémico

Problematización
Situada

Acciones
Dialógicas

Conversación
Dialógica

Criterios
de
Praxis

Contenidos
Dialógicos

Preguntas
Dialógicas

Procedimientos
de construcción
de conocimiento
colectivo

Diálogo
Colectivo

Reorientación
de la
Praxis
Insvetigativa

Discurso
Dialógico

Percepción
Dialógica

Tratamiento
de la construcción
de conocimiento
Carácter Comunicativo

| Excluso | Conser- | Transfor- |
| | vador | mador |

Fig. 8. Ciclo de investigación dialógica-*kishu kimkelay ta che*. Fuente: imagen extraída desde Ferrada *et al.* (2014: 45).

El modo de hacer investigación dialógica-*kishu kimkelay ta che*

La comunidad de investigación. Articulación epistemológica-praxis investigativa

Es requisito fundamental en la investigación dialógica-*kishu kimkelay ta che*, constituirse como comunidad de investigación, cuidando ser grupos heterogéneos, al menos, en cuanto a niveles de escolarización, de género y de edad. Estos grupos de personas que comparten el interés por iniciar un proceso investigativo de carácter transformador deben organizarse como un colectivo dispuesto a dialogar sobre las problemáticas que les preocupan, y en base a ello decidir cuál o cuáles resultan más urgentes de abordar. Esta cuestión exige un debate argumentado en prácticas, en reflexiones, en experiencias, en literatura, etc., de parte de cada participante, según sea su fortaleza personal, todo lo cual debe conducirlos a una toma de decisión y acción colectiva sobre qué, por qué, para qué y cómo investigar, considerando que dicho debate se encuentra situado territorial, cultural y lingüísticamente en la propia comunidad.

Tal como se afirmara previamente, es esta comunidad de investigación la que articula los principios epistemológicos de diversidad histórica situacional, reciprocidad gnoseológica, pensamiento epistémico y racionalidad comunicativa, con la coordinación de la praxis investigativa que involucra todo el proceso investigativo desde la problematización situada hasta la reorientación de la investigación. Según la experiencia que viene desarrollando el Grupo Enlazador de Mundos hasta la fecha, en este tipo de investigación no existen los principios epistemológicos separados de la coordinación de la praxis investigativa ni viceversa, pues se comprende la realidad como una integración simultánea entre la teoría y la acción, donde no existen límites ni separación entre la una y la otra, por consiguiente, toda vez que los miembros de una comunidad de investigación inician su participación lo hacen desde ambos ámbitos. Esto quiere decir que todo el proceso investigativo requiere de profundos procesos de praxis que involucran constantes reflexiones sobre la práctica, y constantes prácticas orientadas por las reflexiones.

Desde este contexto, entonces, el principio de diversidad histórica situacional se configura como un insumo basal que reporta los conocimientos de los participantes, en tanto legados culturales vivos (en forma latente o dinámica) pertenecientes a determinados territorios, portadores de culturas y lenguas. Desde allí, se inician los diálogos entre los miembros de la comunidad de investigación que permiten abordar las problemáticas que los afectan y desde las cuales se sitúa las posibles transformaciones que ellos mismos decidan emprender. De la misma forma, este principio reporta la base interpretativa desde la cual se sostienen las argumentaciones y las acciones que los sujetos van aportando en todo el proceso investigativo (desde la problemática situada hasta la reorientación de la praxis investigativa), rompiendo con ello la base interpretativa exclusiva que proviene del saber científico de la ciencia clásica.

Por su parte, el principio de reciprocidad gnoseológica, cuyo eje central consiste en la comprensión de la simultaneidad de los procesos de conocer (en tanto conocimiento nuevo), enseñar (en tanto conocimiento que debe ser transmitido, legado, enseñado a otros) y aprender (en tanto conocimiento que debe ser aprehendido, apropiado, internalizado, significado por alguien), todos los cuales en el contexto de la comunidad de investigación se producen al mismo tiempo, pues son ellos mismos quienes van produciendo el conocimiento, lo van enseñando y lo van aprendiendo. De esta forma, resulta posible sostener que los procesos de transformación que se vayan proponiendo pueden efectivamente ir siendo alcanzados, ya que quedan formando parte del proceso mismo de dicha creación y arraigados en los propios sujetos como conocimiento vivo, y no como un conocimiento nuevo producido por unos, luego transmitido a otros para que sean estos últimos quienes inicien la transformación. Esta simultaneidad gnoseológica solo puede ser alcanzada porque los miembros de la comunidad de investigación forman parte de todo el proceso investigativo (desde la problemática situada hasta la reorientación de la praxis investigativa), de no ser así, el conocimiento nuevo se configura como un saber separado de los sujetos y de sus acciones.

Por otro lado, el pensamiento epistémico, en tanto configuración de una forma de pensar que escapa del pensamiento teórico que ofrece modelos para problematizar la realidad e interpretarla, atrapando de esta forma a los sujetos en marcos referenciales que le impiden preguntar aquello que no haya sido preguntado ya, es decir, sin que la realidad quede encerrada en un conjunto de atributos ya descritos por otros autores, sino por el contrario, pensar epistémicamente implica nombrar aquello que no haya sido nombrado (Zemelman, 2005). Así, la configuración de la comunidad de investigación compuesta por diversidad de agentes sociales portadores de múltiples niveles de escolarización, permite alcanzar el pensamiento epistémico, toda vez que aquellos, en tanto más alejados de los modelos teóricos explicativos de la realidad, son capaces de generar preguntas aún no pensadas por aquellos que ya portan un/os modelo/s desde los cuales preguntarse y desde los cuales elaborarse las respuestas. Son los primeros (aunque no los únicos), quienes ofrecen más probabilidades de generar pensamiento epistémico tanto para problematizar la realidad como para interpretarla y proponer transformaciones originales.

Finalmente, la racionalidad comunicativa, cuyo mecanismo de coordinación de la acción social que la orienta es el entendimiento entre sujetos capaces de comunicarse y de actuar, que regulan sus intervenciones sobre la base de argumentaciones siempre susceptibles de crítica por un mejor argumento, implica la generación de acuerdos intersubjetivos desde pretensiones de validez (Habermas, 1999). De esta forma, la racionalidad comunicativa se configura en eje central para coordinar todo el quehacer de la comunidad de investigación, pues le va otorgando criterios que les permiten ir explicitando las pretensiones de validez desde las cuales pueden regular sus intervenciones y acciones en función del respeto igualitario con el otro, y al mismo tiempo ir desenmascarando las pretensiones de poder que pudieren ir emergiendo en un momento o en otro. Este principio resulta crucial en todo el proceso investigativo (desde la problemática situada hasta la reorientación de la praxis investigativa). Para ello, se rigen por criterios de praxis previamente establecidos por ellos mismos, y que requieren ser regulados por argumentación, siempre susceptible de crítica por otro argumento, es decir, libre de imposiciones arbitrarias de unos frente a otros.

El desarrollo de la investigación dialógica-*kishu kimkelay ta che*. Un ejemplo concreto

A fin de ejemplificar el modo de hacer investigación, se presenta una situación real en actual proceso de desarrollo (año 1 de 3), en el ámbito temático específico de la educación, sin por ello circunscribirlo sólo a ésta; por el contrario, este tipo de investigación puede ser aplicado a cualquier otro ámbito de las ciencias sociales.

Tal como afirmamos más arriba, la primera tarea es la constitución de la comunidad de investigación, cuya característica básica es que se encuentra siempre situada en algún lugar, en alguna/s cultura/s, etc. En el caso que nos ocupa, se sitúa en una escuela secundaria pública ubicada en un contexto de alta pobreza en una zona urbano-marginal de una gran ciudad, con diversidad cultural entre el alumnado que asiste a ella, profesorado con y sin compromiso con los escolares con dificultades de diverso orden, directivos preocupados de conseguir mejoras en resultados académicos, familiares preocupados por el aumento de violencia entre grupos de escolares y otros totalmente indiferentes a ella. En este escenario, se han reunido para tratar estas preocupaciones, sumando a dicha reunión a una investigadora de una universidad local. En dicha reunión, mientras unos desean trabajar para transformar esa realidad que los apremia, otros continúan indiferentes. La propuesta es constituirse como una comunidad de investigación inicial que incluya a todos aquellos que coinciden en la necesidad de transformar, con el férreo compromiso de ir sumando a otros que inicialmente se muestren indiferentes frente al tema, pues la magnitud de la transformación dependerá de amplitud de la participación.

El escenario previo permitió constituir una comunidad de investigación con un total de cincuenta y cuatro miembros, inicialmente con doce familiares de los estudiantes, ocho profesores del establecimiento educacional, treinta estudiantes de la comunidad educativa, dos directivos y dos investigadoras. Esta comunidad de investigación inicia su trabajo con fuertes discrepancias en torno a la problemática situada de violencia y bajos resultados académicos, sobre todo en la forma de explicar y abordar dicha problemática. Por ejemplo, mientras unos creen que los conflictos nacen al interior de la institución, otros creen que son trasladados desde fuera de ella, pero existe un punto en común entre todos (comunidad de investigación): están dispuestos a movilizarse para transformar esa realidad. Para ello, se decidió traducir esta problemática en preguntas de investigación, siendo estas las iniciales: ¿cuál es el origen de la violencia y los bajos resultados de aprendizajes?, ¿cómo transformar esta realidad de fragmentación social y exclusión educativa en una comunidad que se desenvuelva en armonía y a favor de mejorar los resultados de aprendizaje? Para este propósito la comunidad de investigación estableció un plazo de tres años.

Sobre la base del acuerdo anterior, esta comunidad de investigación estableció los criterios de praxis para juzgar cada uno de los eventos que se llevarán adelante, en el desarrollo de la investigación, siendo éstos los siguientes: 1) todos tendrán las mismas posibilidades de decidir y actuar al interior de la comunidad; 2) todas las posibilidades de decidir y actuar deberán ser argumentadas desde sus propios saberes, en colectivo e independiente de la escolarización de cada uno, pero éstos deben ser siempre susceptibles de ser criticados y enriquecidos por un mejor argumento; y 3) se comprometen a estar en permanentes procesos reflexivos para mejorar, si es necesario, estos criterios.

Una vez establecidos estos criterios, se eligieron los procedimientos de construcción de conocimiento colectivo, seleccionando a las *preguntas dialógicas* como primer procedimiento (año 1 de trabajo) entendidas como aquellas preguntas de determinadas temáticas, que se acuerda someter a pronunciamiento/juicio a todos quienes deseen participar, incluidos personas que no formen parte de la comunidad de investigación pero que manifiestan interés por colaborar en esta fase, al interior de la institución educativa. Este procedimiento es elaborado por la totalidad de los participantes, es decir, tanto la construcción de las preguntas como de las respuestas son tareas colectivas y no distinguen sujetos investigadores de sujetos investigados. Inicialmente, esta comunidad de investigación elabora un conjunto de preguntas dialógicas vinculadas con cada una de las cuestiones planteadas, que a juicio de sus miembros reportarán datos fundamentales desde los cuales fijar las nuevas acciones a emprender. De esta forma, se sistematizan las preguntas dialógicas en un formato escrito y se socializan para ser respondidas por todos los miembros de la comunidad de investigación, y por aquellos que deseen sumarse, que para el caso desde el cual ejemplificamos, fueron ciento quince personas más. Luego, este conjunto de datos son procesados (grabados, transcritos) y compartidos por todos los participantes, con la finalidad de mejorarlos, modificarlos o agregar nueva información que no fue considerada en la primera recogida. Para ello fue el *diálogo colectivo*, elegido como segundo procedimiento de construcción de conocimiento colectivo, entendido como una interpretación colectiva sobre un tema común de estudio, considerando todos los argumentos de la comunidad de investigación.

Pero entre un procedimiento y otro, a todos los datos transcritos se les realiza el doble tratamiento de la construcción del conocimiento: el primero consiste en determinar si esta construcción de conocimiento fue efectivamente comunicativa, es decir, libre de pretensiones de poder; para ello, se desarrolla una primera praxis dedicada precisamente a determinar la presencia o ausencia de racionalidad comunicativa en todo el proceso previo, por medio de la identificación de actos de habla (constatativos, regulativos, expresivos) usados por los participantes en sus argumentaciones y la simultaneidad de ellos o no. Si las argumentaciones usaron en forma simultánea los tres tipos de habla, se concluye la presencia de racionalidad comunicativa, si no lo hicieron, se concluye su ausencia. En este último caso, dado que las personas que emitieron estos argumentos forman parte de esta praxis, se retoma el diálogo en el colectivo, a fin de complementar la argumentación, modificarla o mantenerla. Una vez concluido este proceso, se pasa a la segunda praxis del tratamiento del conocimiento producido, a saber, su categorización, que distingue el carácter transformador de conservador y de exclusor del conocimiento producido. Con estos resultados, se identifica lo ya transformado, lo que se requiere mantener como tal, y aquello que se requiere transformar. Estos tratamientos aplicados a los datos se realizan cada vez que se usa un procedimiento de construcción de conocimiento colectivo. Con estos resultados, y a partir de aquellos categorizados como exclusores, se produce la reorientación de la praxis investigativa y se inicia el siguiente ciclo de investigación, manteniendo de esta forma el *continuum* de este tipo de investigación.

Una representación gráfica de la ejemplificación de la investigación dialógica-*kishu kimkelay ta che*, es la siguiente:

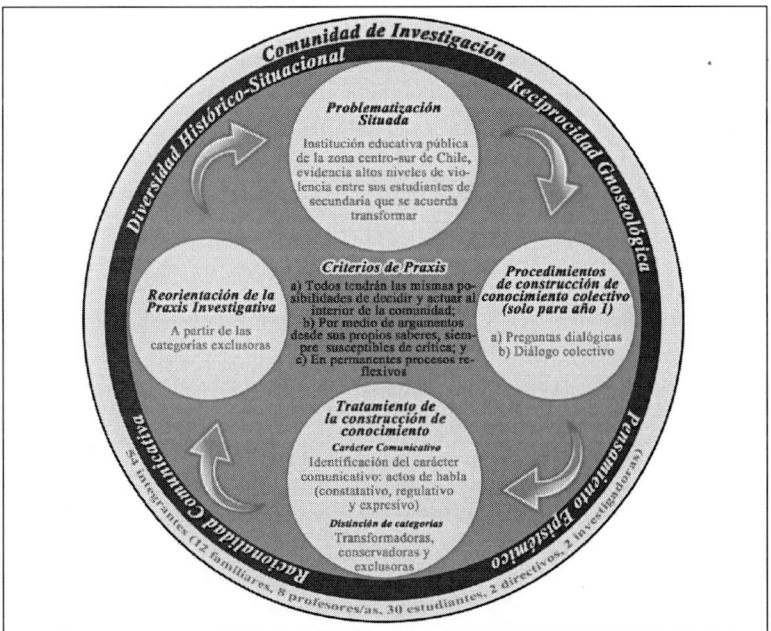

Fig. 9. Ejemplificación de la investigación dialógica-*kishu kimkelay ta che*. Fuente: elaboración propia.

Reflexiones finales

La investigación dialógica-*kishu kimkelay ta che*, cuyo origen se encuentra en el llamado "sur" del mundo y que aún se encuentra en pleno desarrollo, reconoce la dificultad que tiene validarse en los espacios académicos como una forma legítima de producir conocimiento, sobre todo porque sus creadores no pertenecen a los espacios de poder establecidos por la ciencia tradicional. Sin embargo, este modo de hacer investigación más que perseguir reconocimiento en tales espacios institucionalizados pretende hacerse parte de la explicitación del conocimiento vivo que portan los sujetos y sus comunidades y sus diversas formas de avanzar en sus propias problemáticas mediante intenciones y acciones transformadoras de sus realidades que les apremian.

En este momento histórico en el que nos encontramos, cabe reflexionar sobre nuestras propias posibilidades desde nuestros propios contextos, sobre todo cuando la mayoría de la ciencia social tradicional ha pretendido unificar y universalizar el modo de hacer investigación, trasladando modelos teóricos explicativos de una realidad social "desarrollada" que circunscriben el qué investigar y su consecuente respuesta anticipada a este cuestionamiento, al mismo tiempo que se emula con la ciencia de la naturaleza para responder el cómo investigar, cuestiones que han traído consigo escasas coincidencias con los conocimientos que circulan y se entrecruzan al interior de las diversas culturas y lenguas presentes en el "sur" del mundo. Desde estas ideas cabe preguntarse: ¿por qué todas las formas legitimadas de investigar siempre provienen desde otras latitudes? Y por consiguiente: ¿por qué no asumir como colectivos autónomos y construir nuestras propias formas de hacer investigación desde nuestros territorios, culturas, lenguas que consideren nuestras formas de ser y estar en el mundo?

Referencias

Bishop, R. (2012). Hacia una investigación libre de la dominación neocolonial. El enfoque kaupapa maorí en la creación de conocimiento. En N. Denzin & Y. Lincoln (Eds.) *Manual de investigación cualitativa. Vol. I, El campo de investigación cualitativa* (pp. 231-282). Barcelona: Gedisa.

Catriquir, D. (2007). Mapunzugun: Una contribución al reposicionamiento de la denominación de la lengua y la sociedad mapunche. En T. Durán, D. Catriquir y A. Hernández (Comps.), *Patrimonio cultural mapunche, V. I* (pp. 35-51). Universidad Católica de Temuco.

Ferrada, D., Villena, A. y Turra, O. (2015). *Transformar la formación. Las voces del profesorado*. Santiago: RIL Editores.

Ferrada, D., Villena, A., Catriquir, D., Del Pozo, G., Turra, O., Schilling, C. y Del Pino, M. (2014). Investigación dialógica-*kishu kimkelay ta che* en educación. *Revista REXE, 26*, 33-50.

Freire, P. (1970). *Pedagogía del oprimido*. Montevideo, Tierra Nueva.

Guba, E. y Lincoln, Y. (2012). Controversias paradigmáticas, contradicciones y confluencias emergentes. En N. Denzin & Y. Lincoln, *Manual de metodología cualitativa. Vol. II, Paradigmas y perspectivas en disputa.* Barcelona: Gedisa.

Habermas, J. (1987) *La teoría de la Acción Comunicativa.* Madrid: Taurus.

Habermas, J. (1999). *La teoría de la acción comunicativa. Tomo I y II.* [1981] Madrid: Taurus.

Heron, J. y Reason, P. (1997). A participatory inquiry paradigm. *Qualitative Inquiry, 3,* 274-294.

Kemmis, S. y McTaggart, R. (2013). La investigación-acción participativa. La acción comunicativa y la esfera pública. En N. K. Denzin & Y. S. Lincoln (Coords.) *Las Estrategias de investigación cualitativa* (pp. 361-439). Barcelona: Gedisa.

Ladson-Billings, G. y Donnor, J. J. (2012). El papel activista moral de los estudiosos de la crítica de la raza. En N. Denzin & Y. Lincoln (Eds.), *Paradigmas y perspectivas en disputa. Manual de investigación cualitativa, Vol. II* (pp. 199-240). Barcelona: Gedisa.

Plummer, K. (2012). El humanismo crítico y la teoría *queer.* En N. Denzin & Y. Lincoln (Eds.), *Manual de metodología cualitativa. Vol. II, Paradigmas y perspectivas en disputa* (pp. 341-374). Barcelona: Gedisa.

Zemelman, H. (2001). *Pensar teórico y pensar epistémico. Los retos de las ciencias sociales latinoamericanas.* Mexico: IPECAL.

Zemelman, H. (2005). *Voluntad de conocer: el sujeto y su pensamiento en el paradigma crítico.* México: Anthropos.

CAPÍTULO 13

La autoetnografía crítica

Gresilda A. Tilley-Lubbs

Introducción

Este texto tiene tres propósitos. El primero es explicar y desarrollar una metodología que surgió orgánicamente de mi propio trabajo tanto en el campo de la autoetnografía como en el de la pedagogía crítica. El segundo es el de ofrecer algunas sugerencias sobre la implementación de la metodología para los investigadores e investigadoras que quisieran incluirla en su propio trabajo. El tercero se encuentra en aportar algunos ejemplos de mi propio trabajo para ilustrar lo que sugiero. Al emplear la perspectiva de la autoetnografía para escribir de, e investigar sobre sucesos liminales en mi propia vida, me di cuenta de que usaba la pedagogía crítica para analizar e interpretar mi propia historia dentro del contexto sociocultural en el que vivía. Después de haber combinado estas dos perspectivas en varios textos y varias presentaciones públicas, se me ocurrió que necesitaba desarrollar y explicar lo que hacía, dándole el nombre de *autoetnografía crítica*. Consecuentemente, después de exponer varios talleres y hablar con lectores de mi artículo sobre la autoetnografía crítica, me di cuenta de la necesidad de presentar la metodología en una forma que pudiera ser útil para los investigadores que se interesaran en problematizar su propio poder y privilegio en hacer investigaciones en comunidades marginadas y/o vulnerables. El ensayo que sigue es el resultado de esos esfuerzos por entender y articular el trabajo que ya venía yo haciendo hace tiempo y para hacer unas sugerencias que pudieran guiar a otros investigadores que quisieran emplear esta metodología. Empiezo con una explicación breve de las dos perspectivas: la autoetnografía y la pedagogía crítica. Sigo con unas narrativas sobre mi propio trabajo que me permiten ilustrar cómo he combinado estas dos perspectivas. Por último, concluyo con unos pasos y sugerencias para investigar utilizando la metodología de la autoetnografía crítica. Siguiendo el espíritu de la autoetnografía, escribo en primera persona del singular, ubicándome dentro de la metodología misma.

La autoetnografía crítica

La autoetnografía crítica combina la etnografía, la autobiografía y la pedagogía crítica para formar una metodología que permita examinarme como investigadora cualitativa que trabaja en comunidades vulnerables y marginadas. Como miembro de la cultura dominante, es imprescindible que en cada nueva investigación llegue a entender mis propias perspectivas y que se las comunique a quienes participen en el estudio y/o lean el trabajo. Puedo escribir una autoetnografía que solamente investiga un suceso en mi vida, o la puedo incluir integrada con una etnografía que investiga el mismo fenómeno que ocurre dentro del contexto de un grupo. En cualquier caso, me presento como participante en el estudio para que la mirada de la investigadora se internalice e investigue a mi *Self* (Yo) igual que a los otros. Es decir, con la autoetnografía, como investigadora, me ubico dentro del estudio, sea de una manera separada o combinada (Blanco, 2012). La reflexividad y la introspección intensas, integradas con la perspectiva de la pedagogía crítica, me ayudan a entender algunas de las complejidades culturales que me han formado como investigadora y pedagoga. Puedo investigar mi propio poder y privilegio al lado de la falta del poder y privilegio que suelen ocurrir en comunidades marginadas. Sin esta mirada honesta para adentro, es imposible dejar mis propias perspectivas para escuchar profunda y auténticamente lo que me digan los otros participantes, y poder así interpretar sus palabras según sus propias perspectivas y no las mías. Me permite dejar el círculo del Yo (*Self*) para interpretar con más claridad las perspectivas de los otros participantes en el estudio. Nunca es posible dejar mis propias perspectivas completamente, pero al menos, este tipo de reflexión e introspección me hacen más consciente de la disparidad posible entre nuestras perspectivas socioculturales.

Puesto que no creo que sea posible funcionar sin predisposiciones de pensamiento y creencia, ni mantener una posición completamente objetiva para recontar los hechos, como es el propósito de la autobiografía (Blanco, 2012), le hago saber al lector explícitamente que interpreto los hechos según mi propia perspectiva. Expongo abiertamente mi presencia en el estudio, sin tratar de disfrazarla bajo el pretexto de la objetividad. De esta manera cualquier lector puede formar sus propias ideas, sabiendo que soy participante en el estudio y que mi interpretación refleja mi selección de los datos a incluir y cómo presentarlos. Con esta metodología, como investigadora, y miembro de la cultura y la clase dominantes, puedo entender el peligro de ser o, en algunos casos, actuar como opresora. Esta toma de conciencia puede incidir en mi posicionamiento en el momento de realizar investigaciones en comunidades que no se consideren parte de la cultura dominante.

Otras investigadoras han desarrollado la autoetnografía crítica para conectar "la narrativa personal a la crítica cultural" (Ellis y Bochner, 2014: 10) o para conectar la autoetnografía y la interseccionalidad (Boylorn y Orbe, 2014). Robin Boylorn combina los fenómenos culturales y sociales para hacer comentarios sobre las experiencias personales desde "una posicionalidad de raza, clase, género, sexo, identificando las distinciones entre los lentes de ella para ver el mundo y los [lentes] de otros" (Boylorn y Orbe, 2014: 13), usando posiciones críticas para teorizar sobre las experiencias vividas contextualizadas en las interseccionalidades.

En contraste, yo combino la autoetnografía y la pedagogía crítica también para examinar las interseccionalidades, pero en vez de posicionarme como miembro de una comunidad marginada, vulnerable y oprimida, reconozco el poder y el privilegio insidiosos y penetrantes que poseo a causa de mi raza, estado socioeconómico, religión, educación formal, más las otras perspectivas culturales que me han formado, sin importar que sufro marginalización a veces a causa de mi género y edad. Como Boylorn y Orbe (2014), reconozco mi subjetividad y posicionalidad, pero a la vez, reconozco la posibilidad de posicionarme como opresora al trabajar en una comunidad vulnerable. Aunque durante mi niñez, mi padre era minero de carbón y durante mi juventud, carpintero, lo que me ubica en la clase obrera, en este momento gozo de una vida cómoda, bastante diferente de la vida que llevaba antes y, de cierto modo, lucho contra la idea de que entiendo las vidas de las personas con quienes colaboro en las investigaciones simplemente por haber sido miembro de otra clase socioeconómica hacía muchos años. Finalmente, Boylorn y Orbe (2014) se posicionan dentro de la disciplina académica de las comunicaciones, y yo me posiciono en la disciplina del curriculum, lo cual nos da enfoques distintos en nuestro trabajo. En otras palabras, mientras nuestras conceptualizaciones de la autoetnografía crítica comparten ciertas características, se diferencian en otras.

Cuando empecé a combinar la autoetnografía y la pedagogía crítica, lo hice sin saber que inventaba una metodología innovadora. Es decir, sabía que usaba la autoetnografía como metodología y la pedagogía crítica como marco teórico, pero no se me había ocurrido que esta combinación fuera una metodología única. Ya había leído bastante sobre la autoetnografía y la pedagogía crítica y cuando empecé a escribir mi texto, era natural que hiciera referencia a las dos para establecer mi metodología.

La autoetnografía

La autoetnografía tiene sus raíces en las investigaciones cualitativas, específicamente en la rama de la etnografía. Como cualquier investigación cualitativa, parte de la premisa epistemológica de que la realidad y las ciencias son interpretadas por seres humanos. Se concentra en explicar algún fenómeno y sus interacciones aparte de números y estadísticas, con el énfasis en la cualidad en vez de la cantidad de los datos. Le provee al lector la cara humana del fenómeno y no solamente la estadística del fenómeno. Se usan los métodos que se utilizan en la etnografía para recolectar los datos; es decir, las observaciones, la participación y las entrevistas, pero en vez de concentrarse en otras personas, se concentra en una investigación de sí mismo. La autoetnografía también combina la etnografía con la autobiografía, "escribiendo de lo personal y su relación con lo cultural" (Boylorn y Orbe, 2014: 37). Con la autoetnografía, incluyo los datos que surgen de mi propia reflexividad e introspección como investigadora. Puedo escribir una narrativa personal sobre alguna circunstancia o algún evento en mi propia vida, o puedo combinar esta narrativa personal con una etnografía, en la cual examino cómo me doy sentido a la situación al mismo tiempo que trato de entenderla desde la perspectiva del individuo o grupo con quien(es) colaboro. "La investigación, la escritura, la narración y el método conectan lo autobiográfico y lo personal con lo cultural, lo social y lo político," destacando "la acción, la emoción, la materialización, el autoconocimiento y la introspección (Ellis, 2004: xix). Además este método es una "autonarrativa que analiza la ubicación del *Self* con otros en un contexto social, político, económico y cultural" (Spry, 2001: 710). Este análisis requiere que también critique mi propia ubicación social, política y socioeconómica en el mundo (Jones, 2005). La autoetnografía permite la intersección del arte con la ciencia (Ellis, 2004), puesto que se usan formas literarias, como la narrativa, la poesía y el drama para presentar lo que aprendí como investigadora por involucrarme en la reflexividad y la introspección profundas. Se pueden usar otras formas literarias o artísticas, como la narrativa multivocal, obras de arte, vídeo, fragmentos de películas, música, fotos, etc. (Ellis, 2004). Es como dice Stacy Holman Jones (2005):

"[La autoetnografía] es un género borroso ... una respuesta a la llamada... es crear una escena, contar una historia, tejer intrincadas conexiones entre la vida y el arte ... producir un texto presente ... negarse a la categorización ... creer que las palabras son importantes y escribir en dirección al momento en que el sentido de crear textos autoetnográficos sea cambiar el mundo" (2005, citado por Denzin, 2013: 208).

De esta manera puedo utilizar la escritura como método de investigación (Richardson, 2000) para ayudarme a entender las razones socioculturales que permiten explicar la situación que examino. Con la autoetnografía, puedo interpretar la narrativa según mi perspectiva, sin el pretexto de haberme eliminado como participante en el estudio. Con la autoetnografía soy actor y participante en el estudio y en mi otro papel de autora, escribo para "entender el significado de lo que piens[o], sient[o] y hag[o] (Ellis y

Bochner, 2004: 68 en Blanco, 2012: 172) y "el significado o el sentido que le otorg[o] a [mi] experiencia" (Tarrés, 2001), lo cual me deja profundizar lo que descubro por la reflexión e introspección.

La pedagogía crítica

La pedagogía crítica provee el marco teórico que me ayuda en mis esfuerzos de navegar contra la marea de las influencias socioculturales, socioeconómicas, sociohistóricas y sociopolíticas que me han formado y que me han llevado a desempeñar e interpretar la vida tal como lo hago. Como todo el mundo, tengo origen y vida en un contexto temporal y espacial, que influye en la manera en que construyo la naturaleza del mundo (Kincheloe, 2005); es decir, mi raza, etnicidad, clase socioeconómica, religión, género, etc. han formado mi manera de pensar y de vivir. Claro que los años han cambiado mi manera de pensar y actuar, pero todavía ocurre en algunas situaciones que mis reacciones reflejan creencias ya olvidadas y escondidas de mi pasado cultural. En otras palabras, examino algún fenómeno de investigación y reflexivamente interrogo mis propias relaciones con el fenómeno, enfocándome en mi propio poder y privilegio con los del grupo que investigo. Por lo tanto, mientras investigo esos contextos sociales, políticos y económicos que han formado mi perspectiva, puedo reconocerme como opresora potencial, una revelación importante que puede influirme como investigadora, especialmente en comunidades vulnerables.

Mientras Freire (1970) desarrolló el concepto de que los oprimidos necesitan llegar a una concientización de las causas de su opresión, en este ensayo propongo que como investigadores es imprescindible que reconozcamos nuestras propias perspectivas culturales, que pueden estar influidas por las normas de la cultura dominante, y sobre las cuales posiblemente no seamos conscientes de su potencial de participar en la opresión. Tal concientización de mi papel como opresora tiene resonancia con la propuesta de Freire (2005) de que los maestros se eduquen como trabajadores culturales, pero aquí, mi sugerencia es que pensemos en los investigadores del mismo modo—como trabajadores culturales que tienen que incluir las voces de los que muchas veces no se oyen o, aún peor, que se ignoran.

Para conducir las investigaciones que navegan contra la marea de las normas culturales que crean opresión, es necesario reconocer a la gente con quien conducimos las investigaciones no como sujetos ni informantes, ni solamente como participantes, sino como nuestras y nuestros colaboradores en la investigación. Esta epistemología abre la oportunidad de participar en la investigación emancipatoria (Street, 2003) en la que hacemos las investigaciones como participante *con* otros participantes en vez de *para* o *sobre* ellos. Nos da una ética contrahegemónica y contrainstitucionalizada que no agudiza las desigualdades y que permite la documentación y denuncia de las injusticias con las mismas palabras de los participantes. De esta manera, la investigación sirve para problematizar la representación de los Otros, y para crear un puente entre los excluidos y los incluidos al mismo tiempo que borra la separación entre sujeto y objeto (Street, 2003). También, al conducir las investigaciones colaborativas, se abre un espacio para el diálogo no jerárquico (Freire, 1970). Freire habló del diálogo como un encuentro que permite que los participantes nombren el mundo para poder cambiar el mundo. El diálogo abre un espacio para analizar la opresión. Si el diálogo no es jerárquico, todos los participantes, incluyendo a la investigadora, pueden llegar a un estado de conciencia crítica, es decir de concientización, sobre las injusticias sociales, políticas y económicas. Estos diálogos proveen la oportunidad de compartir ideas, entendimientos y preocupaciones de una manera auténtica, para aprender las unas de las otras. Esta metodología colaborativa lucha contra las investigaciones basadas en la jerarquía del conocimiento colonial, donde "la experta" analiza a un individuo o grupo de afuera, no como miembro del grupo (Denzin y Lincoln, 2005). Según Norman Denzin (2006: 422), "la etnografía no es una práctica inocente". Lo que comunicamos y escribimos demuestra cómo desarrollamos o *performativizamos*[1] la vida, contextualizado en nuestra práctica de conducir las investigaciones. Con el diálogo no jerárquico, el conocimiento se construye de una manera orgánica, sin el pretexto de pericia u objetividad por parte de una persona, es decir, la investigadora. Intenta crear la democratización en relación con la representación de la cultura compartiendo experiencias personales (Neumann, 1996). La investigadora se mueve de la posición de controlar el estudio por sí misma a la de servir de facilitadora para coordinar el diálogo y guiar a los otros participantes a interpretar los datos que surjan del diálogo.

La cristalización para interpretar datos

Las perspectivas que salen de este tipo de diálogo invitan el uso de la cristalización (Richardson y St. Pierre, 2005) para interpretarlas. En las investigaciones tradicionales, se usa la triangulación de los hallazgos por haber empleado varios métodos de recolectar datos, como las observaciones, las entrevistas, los documentos, etc., para validar la Verdad. Con la autoetnografía crítica, no existe la idea de la Verdad. Para interpretar los datos, Laurel Richardson y Elizabeth St. Pierre usan la metáfora del cristal,

---

1. Neologismo que deriva de *performance*, que puede traducirse como actuación o actuación de un artista. Véase por ejemplo: Denzin (2003). (Nota de los editores).

que combina la simetría y la substancia, explicando el cristal como "un prisma que refleja las externalidades y las refractan de adentro, creando diferentes colores, patrones y despliegues que se emanan en diferentes direcciones" (2005: 963). Para extender esta metáfora, sugiero que el diálogo no jerárquico crea el efecto de un prisma. Las palabras de todos los participantes pasan por el prisma, para ser reflejadas y refraccionadas. Si pensamos en las palabras de cada quien como un color, o aún varios colores, podemos pensar en lo que pasa dentro del prisma del diálogo, de la reflexión y la refracción que construyen la concientización por parte de todos los participantes, incluyendo a la investigadora. Se crea una emanación auténtica, nueva y poderosa.

La autoetnografía crítica como metodología

La investigadora que decide experimentar con la autoetnografía crítica tiene que considerar varios aspectos de la investigación, si es la única metodología que se emplea o si va acompañada por la etnografía. Primero, es necesario estar dispuesta a ponerse en una posición vulnerable, tanto como investigadora y también como persona. Segundo, es necesario tener la valentía de interrogarse y encontrar aspectos menos nobles y favorables sobre su manera de navegar la vida. Y tercero, tiene que estar dispuesta a interrogar honestamente sus acciones y sus palabras para descubrir inclinaciones o perjuicios que llevaban años escondidos o ignorados, acciones y palabras que pueden entristecerla cuando emergen a la luz.

Las perspectivas socioculturales

Para conducir investigaciones usando la autoetnografía crítica, la investigadora necesita entender su formación y sus perspectivas socioculturales. Para llegar a una comprensión profunda y auténtica de la postura que tiene, y también la que lleva dentro, tal vez escondida y/u olvidada, es imprescindible interrogar las raíces de las creencias y las acciones. Aunque la investigadora sea una persona que ahora se comporta de una manera que demuestra la concientización, podría ser que de joven su formación no fuera así. Solamente por la reflexión y la introspección, entiende por qué hizo lo que hizo o dijo lo que dijo. Aun la investigadora que se identifica como miembro de un grupo marginado, para llegar a un estado de concientización crítica en cuanto a sus propias perspectivas culturales, necesita examinar cómo se sitúa dentro de las categorías socialmente construidas (Banks y Banks, 2012) que crean o borran el poder y el privilegio: la clase socioeconómica, el género, la orientación sexual, el idioma, la discapacidad, la religión, la raza, la etnicidad o cualquier otra característica o perspectiva cultural. Al ser investigadora, ahora pertenece en ciertos aspectos a la cultura dominante y tiene que investigar las raíces de la persona que ahora lo es, y tiene que llegar a la concientización para no funcionar como opresora al trabajar y convivir con las personas en comunidades vulnerables. Esta metodología le fuerza a examinar sus propias perspectivas culturales como miembro de la cultura dominante de una manera sistemática y transparente.

Para reconocerse como miembro de la cultura dominante y poderosa, también es necesario analizar cómo las normas sociales sitúan el poder y el privilegio, y después se puede entender su propia herencia cultural dentro de la cultura dominante. Puede ser que la investigadora que se posiciona como miembro de una cultura construida por la sociedad como vulnerable o marginada por raza, etnicidad, religión, orientación sexual, etc., todavía es miembro de la cultura dominante a causa de su posición en la academia, la cual implica cierto poder y privilegio.

Por la reflexividad y la introspección intensas, se puede comprender la naturaleza insidiosa del poder y del privilegio, y la manera en que "alcanzan la mera fibra" de nuestros seres, y "se insertan en [las] acciones y actitudes" (Foucault, 1980: 39). Desde la autoetnografía crítica, podemos posicionarnos en la investigación (Behar, 1996) para críticamente examinar nuestras propias prácticas como investigadora, navegando los espacios vulnerables que requieren que examine esas vulnerabilidades con el mismo cuidado que se examina a las otras participantes en el estudio. Ponerse en una posición de vulnerabilidad también causa que la investigadora sea más consciente de la vulnerabilidad de las otras personas, lo que muchas veces le lleva a seleccionar los datos que quiere incluir en la narrativa con mucho más cuidado y sensibilidad. Como resultado de esta concientización intensificada de vulnerabilidad que incluye a la investigadora como partícipe en el estudio, se entiende la necesidad de conseguir el permiso de cada participante para publicar los resultados y para presentarlos en un lugar público. Podemos ofrecer la opción de usar seudónimos y podemos hablar con los participantes sobre su preferencia de tener protegidas sus identidades. Lo más importante es tratar a los participantes como quisiéramos ser tratados. La ética se integra dentro del estudio.

Por otro lado, si la investigadora escribe una autoetnografía crítica que trata con un evento o suceso en su propia vida, tiene que interrogar las razones por las que realizó sus acciones o las palabras que brotaron y que no ejemplificaron la consciencia crítica. La única diferencia sería que no se combina lo que emerge con lo que sale de la investigación de otros participantes en el estudio.

Guías para escribir trabajos personales

La autoetnografía crítica se basa en una epistemología que interroga y problematiza cuestiones como las siguientes: ¿Cómo se genera y se presenta el conocimiento? ¿Quién(es) tienen el derecho de decidir cuál es conocimiento con valor? ¿En qué consiste la realidad—si existe? ¿Con quién(es) se ubican el poder y el privilegio? Es necesario considerar la temporalidad, la ubicación histórica y geográfica, y el proceso y la intersección entre lo microsocial y lo macroestructural de la narración (Blanco, 2011; Ellis, 2004). La mayoría de las sugerencias que siguen tienen raíces en el trabajo de Carolyn Ellis (2004), si no cito a otra autora, en forma de traducción libre integrada con mis propias interpretaciones e interpolaciones.

Los críticos dicen que con la narración personal como se ve en la autoetnografía crítica, no se puede generalizar. Afirman que no es objetiva, y que hay una falta de rigor científico. Critican que la autoetnografía no es más que "contar historias" (Blanco, 2011), y que la autoetnografía es ingenua con el pretexto de ser académica. Pero los que defienden la metodología afirman que implica más que sólo escuchar, grabar o recolectar historias y relatos bajo el pretexto de la objetividad. Requiere evidencia, plausibilidad interpretativa y un pensamiento disciplinado (Blanco, 2011). Para construir sobre los cuatro criterios que Laurel Richardson y Elizabeth St. Pierre (2005) sugieren para repasar un trabajo autoetnográfico, propongo que para llevar a cabo una autoetnografía crítica, la investigadora/ autora tenga en cuenta estos criterios: 1) que contribuye profundamente al entendimiento de una acción que resultó en crear la jerarquía; 2) que tiene mérito como arte y como ciencia; 3) que demuestra la reflexividad y la introspección que interrogan intensamente el poder y el privilegio; y 4) que puede afectar al lector de una manera evocadora, cautivadora, apasionada e intelectual para que el lector sienta lo que sintió la investigadora, o recuerde o anticipe experiencias similares. También afirma la imposibilidad de ser objetivo al conducir investigaciones. Siempre es la investigadora la que escoge cada detalle de la investigación, así que la perspectiva de la investigadora siempre está presente.

Escribir trabajos personales de la autoetnografía crítica para publicarlos

Para empezar a escribir la autoetnografía crítica es necesario tener en cuenta varias reglas generales. Puesto que las revistas académicas casi siempre tienen límites sobre el número de páginas y/o palabras, es mejor escoger uno o dos sucesos dentro de una serie más amplia de sucesos. En vez de tratar de presentar el espectro de sucesos que resultaron en un momento liminal, es preferible limitarse para poder reflexionar y practicar la introspección de una manera profunda y significativa. Para poder incluir los diálogos y las escenas que ilustren la situación, es indispensable incluir muchas descripciones ricas y evocadoras. Al decidir cuáles sean los sucesos más cruciales, es posible describirlos de una manera que extiende el momento. Necesitamos trabajar un fin que se relacione al principio y que tal vez ofrezca una sorpresa o un conocimiento o percepción. Con este tipo de escritura, el enfoque no consiste en crear generalizaciones, sino en darle al lector una ilustración íntima y personal de un fenómeno, por el cual el lector puede internalizar la situación para practicar su propia reflexión e introspección. La escritura tiene la intención de representar la complejidad y las contradicciones de la experiencia; es el intento de captar lo que habita en la mente y en el corazón.

También es imprescindible ofrecer esperanza, sin simplificar demasiado la realidad de la situación. Así es posible demostrar que aún la recuperación y el entendimiento son complicados. Las transiciones en cómo nos comportamos se desarrollan poco a poco, paso a paso, no repentinamente. Es necesario dejarle saber al lector que aún los tropiezos en como tratamos a otras personas, especialmente a los marginados y vulnerables, no tienen que resultar en fracasos. Lo de incluirnos como participantes en la historia del suceso, y lo de compartirlo con los otros participantes en la investigación nos pone en una posición vulnerable, pero a la vez, crea un espacio libre para implicarnos en un diálogo no jerárquico. A la vez, lo de practicar la reflexión y la introspección nos lleva hasta el cambio positivo. Aun si tenemos otros tropiezos que resultan en la opresión y la jerarquía en el futuro, podemos sentirnos mejor y más en control. Nos ofrece la posibilidad de cambiar suficientemente para evitar ciertos tropiezos en nuestro trabajo en esas comunidades donde sería tan fácil ser opresores.

La responsabilidad

Además, a veces, empezamos a escribir estas autoetnografías críticas y, de repente, nos damos cuenta de que nos causa tanto dolor o que la historia trata de problemas que todavía no queremos compartir y que no podemos seguir. En estos casos, debemos abandonar la historia. Por ejemplo, escribo bastantes historias que incluyen a mi familia o mis estudiantes, al lado de los otros participantes en la investigación. Al escribir, se me ocurre que estoy escribiendo algunos detalles que no quisiera que nadie compartiera sobre mí. O hay detalles que contribuirían mucho a la historia y aun a la literatura de la disciplina, pero en el proceso, podrían provocar dolor a la persona que compartió esta historia conmigo. Con el caso de mi familia, tengo cierta información porque somos una familia muy unida. Con los participantes, se suele compartir información de una manera abierta porque tienen mucha confianza en mí. Escribir la narración requiere que practique la discreción en lo que yo comparta sobre los participantes. Me están regalando su confianza, y siento mucha responsabilidad con respetar sus deseos, su intimidad y su privacidad.

La autoetnografía crítica puede resultar de momentos liminales

Los trabajos personales que salen de la autoetnografía crítica brotan de un evento, suceso o situación cuando la investigadora siente una inquietud inexplicable. Por la reflexión y la introspección intensas, puede interrogar sus acciones y/o sus palabras por las perspectivas culturales de su historia socioeconómica, sociopolítica, etc. para descubrir por qué hizo o dijo algo. De manera similar, el uso de la pedagogía crítica le permite interpretar lo que descubro en términos de poder y privilegio; me permite problematizar lo que ocurrió, examinando las acciones y las palabras y su impacto en la creación de jerarquías y opresión.

Para mí, esta metodología surgió orgánicamente mientras escribía para investigar mis propias prácticas pedagógicas e investigadoras. Había escrito varios artículos por un tiempo antes de poder nombrar lo que hacía. Me di cuenta de que lo que decidí nombrar "la autoetnografía crítica" siempre salía de un momento liminal, un momento *eureka* cuando me capté que había hecho o dicho algo que me molestaba, aún sin poder nombrar esa sensación de inquietud. Al desarrollar la costumbre de meterme profundamente en la reflexión y la introspección, pude interrogar mis perspectivas culturales hasta el punto de comprender de dónde salió una reacción aparentemente opuesta a mis creencias.

Muchas veces, los momentos liminales también pueden ocurrir al escribir la historia. Suelo empezar a escribir para tratar de entender lo que acaba de ocurrir. Al escribir, los momentos *eureka* pueden ocurrir. Al ver las palabras en la página, las acciones pueden saltar como momentos liminales para ser problematizadas. Aunque sea difícil por varias razones, es mejor tratar de escribir dentro del caos de la experiencia misma. Nos ayuda a organizar el caos para que se desarrolle como una historia que la gente pueda seguir y entender y, a la vez, nos ayuda a organizar la experiencia y su importancia para nosotros mismos.

Al escribir desde dentro de la experiencia, podemos ponernos otra vez dentro de la situación que ocurrió. Es importante redactar la escritura de esa perspectiva apartada antes de entrar en la experiencia para sentirla de nuevo. Lo de entrar en y quitarnos de, solamente para entrar otra vez en la experiencia nos ayuda a problematizar el suceso de una manera bastante más profunda. También nos ayuda a crear la tensión dramática por haberla visto desde varias perspectivas. Nos provoca a pensar en la historia como una película en donde somos el dramaturgo con control de cámara, algo que nos permite dirigir al lector a sentir la tensión y la resolución de una manera personal e íntima. Así el lector se siente urgido a entrar en la experiencia de una manera que le provoca entrar en la suya propia para observar, comparar y analizar. Queremos escribir narraciones tan cautivadoras que al empezar a leer, el lector no pueda dejar la historia antes de leerla toda, ojalá con la intención de meterse en diálogo con nosotros por la narración de su propia historia.

La autoetnografía crítica con un corte literario

Puesto que la autoetnografía crítica combina el arte y la ciencia, muchas veces es preferible que el trabajo tenga un corte literario. El uso de escenas y diálogos crea un ambiente donde el lector puede sentirse metido en la narración mientras la investigadora presenta la situación.

Muchas veces es necesario pensar en la voz narrativa, porque el uso de primera persona, el yo, le comunica al lector que todo lo que se escribe representa la perspectiva de la investigadora sin duda alguna. Pero a veces, es necesario usar la tercera persona (él, ella, ellos, ellas) para poder escribir la narración al estilo de un cuento, una novela, etc. Lo importante es que la voz sea consistente por todo el trabajo. Tal vez lo más importante de todo sea que escribamos un texto que trata de un tema, un suceso, una situación que nos apasiona hasta tal extremo que no podamos evitar desarrollarlo. Este tipo de proyecto de investigar y escribir a veces puede servir de terapia, para ambos: la investigadora y el lector.

El estilo literario también tiene que ser consistente para dar un tono holístico al trabajo. Tenemos que redactar el trabajo varias veces para estar seguros de que cada palabra que se incluye sea crucial. Tenemos que eliminar cada frase o palabra que no destaque la narrativa. También es imprescindible que los tiempos de los verbos se correspondan. Con cada detalle es importante seguir las reglas de la gramática y la puntuación.

Tenemos que desarrollar y problematizar el suceso o la sucesión. Es necesario analizarlo desde cada perspectiva posible, incluyendo la socioeconómica, la sociopolítica y la sociohistórica. Si es una autoetnografía crítica combinada con una etnografía de un individuo o un grupo, puede ser necesario incluir un análisis integrado con el texto que forma la narrativa; es importante que la narración sea fluida y consistente, como un buen texto literario. También es imprescindible que todo se ubique dentro de un análisis basado en la pedagogía crítica; es decir, un análisis que problematiza el poder y el privilegio, que problematiza el rol de la investigadora como posible opresora.

Ilustraciones de mi trabajo

Mi trabajo ha incluido la poesía y la narrativa, al lado de trabajos de corte más tradicional. Fue por un comentario que hizo un colega/amigo durante una ponencia cuando me di cuenta de que el estilo literario que empleaba vino de mis estudios especializados en el bachillerato y la maestría de literatura española. En los ejemplos que siguen, incluyo ilustraciones que muestran cómo la autoetnografía crítica me permite interrogar tanto mi investigación como mi práctica pedagógica. Investigar y escribir dentro del marco teórico de esta metodología me ha llevado a darme cuenta de que la concientización no es un estado estático. Al mismo tiempo que llego a la concientización en un aspecto de mi trabajo, mis perspectivas basadas en mi herencia como miembro de la cultura dominante brotan en otra situación y otra vez actúo desde esa perspectiva. Mientras que interpreto mi propio trabajo, visualizo la concientización como un proceso que ocurre repetidamente en tanto que quedamos dispuestos a ser vulnerables por la introspección y a admitir nuestros papeles como opresores. Con estas ilustraciones, demuestro el potencial de la autoetnografía crítica para ayudarnos como investigadores a distanciarnos de las perspectivas de la cultura dominante que formaron nuestras creencias y prácticas como opresores. Esta perspectiva me abre el camino para oír y escuchar las palabras y los diversos sentidos del contexto cultural en y contra el que navego. Incluyo unas ilustraciones personales de esta metodología para demostrar la reflexión y la introspección profundas que se requieren.

Las buenas intenciones trazan el camino a la jerarquía

El texto surgió de tres circunstancias cruciales durante unos siete años. La primera ocurrió en el contexto del estudio que informó mi tesis del doctorado. Había estado como intérprete en una clínica pública para mujeres hispanoparlantes en sus citas de cuidado prenatal y planificación familiar. Pasaba veinte horas a la semana trabajando con ellas y puesto que era la única angloparlante a quien conocían y en quien confiaban, me llamaban constantemente para pedirme ayuda en sus citas con la médica o la maestra, o para saber si les podía ayudar a conseguir algún apoyo básico. Asistía a una iglesia donde la gente siempre estaba dispuesta a compartir y donaba montones de ropa, muebles, etc. Guardaba todo en mi garaje, y después de un tiempo, me di cuenta de que este proyecto era demasiado para que lo hiciera yo sola, especialmente con mi trabajo de tiempo completo en la universidad, mi trabajo en la clínica y mis estudios como estudiante. Se me ocurrió la idea de diseñar un curso en el cual habría aprendizaje servicio. Después de un año de escuchar las discusiones en la clase y de leer sus reflexiones, decidí investigar las amistades recíprocas que podía observar se habían desarrollando entre las y los estudiantes y las familias con quienes convivían por el semestre. También decidí establecer un "día de trabajo": el primer sábado del semestre. Los estudiantes venían a mi garaje para separar y dividir esos artículos y llevárselos a las mujeres, quienes le llamaban "la dispensa".

El segundo semestre que lo hice, dos estudiantes me molestaron. Me dijeron que no les había gustado porque era "como observar a los animales en el jardín zoológico" cuando fuimos en un camión a repartir los artículos. Como parte de la narración para la tesis, incluí la historia del día, sin mencionar los comentarios de los estudiantes. Entonces cuando se la presenté a mi comité, dos asesoras me comentaron, "Kris, no creo que entiendas lo que haces con esta práctica. Estableces una jerarquía social, con los estudiantes como los ricos y las familias como los pobres". Me chocaron sus palabras. Estas sirvieron como mi segundo momento crucial.

El tercer momento crucial ocurrió al fin de mi primer año como profesora auxiliar cuando tuve mi evaluación. La directora de la Facultad de Educación y el jefe del Departamento habían leído un artículo (2003) que salió de la tesis (presentada el mismo año), y me preguntaron sobre lo del "lado oscuro" del programa. Recordé las palabras de mis estudiantes y de mis asesoras, y otra vez sentí el choque de un momento crucial. Así empecé un tiempo de reflexión e introspección, y de ese período salieron dos artículos que examinaron mi práctica usando la perspectiva de la pedagogía crítica: *"Troubling the Tide: The Perils and Paradoxes of Service-Learning in Immigrant Communities"* ["Problematizando la marea: Los riesgos y las paradojas del aprendizaje por servicio"] (2009) y *"Good Intentions Pave the Way to Hierarchy: A Retrospective Autoethnographic Approach"* ["Las buenas intenciones trazan el camino a la jerarquía"] (2009). Puesto que ya conocía bien la metodología de la autoetnografía, escribí los dos desde la perspectiva personal, examinando mi práctica, y tratando de entender mis acciones mediante un examen detallado del ambiente sociocultural que me había llevado a establecer el "día de trabajo". Fue mi primera experimentación en combinar la autoetnografía con la pedagogía crítica, así que las presenté como dos metodologías distintas.

La introspección y reflexión que resultan en la autoetnografía crítica muchas veces empiezan así con un momento liminal que le causa a la investigadora a interrogar sus acciones y/o palabras para entender lo que pasó. Estos momentos ilustran bien la importancia de la introspección y reflexión constantes.

La hija del minero de carbón consigue su doctorado

Otro texto autoetnográfico donde usé la perspectiva de la pedagogía crítica resultó en un poema, "La hija del minero de carbón consigue su doctorado" [*"The Coal Miner's Daughter Gets a Ph.D"*] (2011). Usando poesía, examino mi trayectoria como la hija de un minero de carbón que con los años llegó a ser profesora adjunta en la universidad. Con la metodología de la autoetnografía performativa, investigo las influencias que me han llevado a percibirme como forastera en la comunidad universitaria. También investigo cómo mi historia personal me ha influido en mi trabajo con la comunidad latina. Cuestiono cómo posiciono/reposiciono la esencia de mi *Self* al moverme con cierta fluidez entre mis raíces y mi puesto académico:

Escribo para comprender mi historia.
Enfrentar.
Luchar.
Aceptar.
Liberar
Las nociones de auto-duda.
. . . .
Soy la hija de un minero de carbón.
. . . .
Conduciendo investigaciones en la comunidad latina.
. . . .
Todavía interrogando el poder, el privilegio y la blancura étnica de la sociedad.
Ahora soy catedrática.
Reflexionando, escribiendo y desempeñando como investigación (Ellis y Bochner, 2001; Richardson, 1998).
Raíces.
Raíces entrelazadas con filones de carbón.
Raíces que promueven la defensa y el activismo.
La hija del minero de carbón consigue su doctorado (p. 722).

Al igual que con mi texto sobre la masacre, muchas personas me han comentado que leer este poema les ha ayudado a saber que hay otras personas que pudieron llegar a tener un puesto profesional en la academia a pesar de sus antecedentes de clase obrera. Lo he presentado en México, Chile y Estados Unidos, y en cada lugar, varias personas me han comentado, "así era mi papá. Era minero/obrero migrante".

Cruce de frontera: (auto)etnografía que va más allá de la inmigración/imaginación

El siguiente texto en el que uso la autoetnografía combinada con la pedagogía crítica se basó en un contexto etnográfico para presentar e interpretar los resultados de un viaje que hice a México para entrevistar a las familias de cinco mujeres a quienes había estado entrevistando durante los siete años que habían vivido en mi ciudad. Colaboré con esas mujeres para diseñar el estudio que explorara el impacto que la emigración tuvo en la familia que se quedó en México. Estas mujeres me dieron las preguntas que querían que les hiciera a sus familias, y hablaron con sus familias para preparar el camino para las entrevistas. Las familias me abrieron sus casas y sus corazones para compartir conmigo el dolor de perder a una hija/hermana/tía, porque sin documentos legales, no era posible que regresaran a México para visitarles.

Primero escribí un ensayo narrativo sobre la investigación, y cuando se lo entregué a *Qualitative Inquiry,* recibí una carta de Norman Denzin, diciéndome que necesitaba "demostrar más y decir menos," como nos dice Bud Goodall (2008) en sus consejos para escribir. Me dijo, "Quiero un manuscrito que represente su reflexividad como lo hace su poema ["La hija del minero de carbón consigue el doctorado]." Regresé al ensayo, y quité todas las palabras que no eran necesarias para comunicar la fuerza de los datos e interpretaciones que habían salido del análisis de las entrevistas transcritas. Al hacerlo, me di cuenta de mi propio poder y privilegio al lado de las mujeres y sus familias, lo cual incluí por todo el poema, "Cruce de frontera: (Auto)etnografía que va más allá de la inmigración/imaginación" [*"Border Crossing: (Auto)Ethnography that Transcends Immigration/ Imagination"*] (2011):

Lina salió de San Juan Bautista, Oaxaca;
Marisol salió de Ciudad Juárez, Chihuahua;
Lupe salió de Tonalá, Jalisco.
Laura salió de Santa Fe, Jalisco;
Gisela salió de Santa Fe para acompañar a su hermana Laura;
Yo. Nunca salí de ningún lugar adonde no pude regresar.
Nunca (pp. 386-387).

También di los detalles de mi encuentro con la guardia de inmigración en el aeropuerto en Ciudad Juárez, Chihuahua, que tiene frontera con El Paso, Texas, porque no llevaba conmigo el papel que había llenado en el avión y en el que reportaba sobre mi estancia en México. El guardia canceló mi pasaporte diciendo:

Mi pueblo las necesitan [visas] para visitar su país
Así que ustedes las necesitan para viajar al mío.
. . . .
Dos pasaportes cancelados.
"Ilegales.
Pueden ir a la cárcel por estar en México sin papeles."
Lo mismo como Lina, Marisol, Lupe, Laura y Gisela,
Nunca en la cárcel
Menos la prisión de su propio miedo

De ser atrapadas
Y encarceladas.
No es lo mismo en absoluto.
Yo tengo derechos.
Yo tengo papeles.
Yo tengo poder y privilegio.
Puedo cruzar la frontera cuando quiera
Del norte al sur al norte al sur . . . .
Solamente un guardia enojado.
Dos pasaportes cancelados.
No la cancelación o la negación de nuestros derechos
Como seres humanos
Como ciudadanos estadounidenses
Nosotros mismos de blancura étnica liberados a vagar adónde que
quisiéramos en México
O en los Estados Unidos
O en casi cualquier otro lugar (p. 395).

Mientras que convertía la narración a un poema, surgieron más preguntas
que respuestas. Empecé a articular las dudas que me habían inquietado
desde que empecé a realizar investigaciones en la comunidad latina. Me
di cuenta de que no tengo el derecho de hablar por nadie y mi derecho a
interpretar las palabras de otras personas es limitado:

(Auto)etnografía.
El auto es correcto.
Puedo tratar de analizar/comprender/interpretar
Mis propias palabras/pensamientos/percepciones
Pero ni puedo sentirme segura de eso.

Etnografía.
Puedo reportar lo que escuché/traduje/interpreté
Cuando lo escuché/traduje/interpreté.
¿Habrían dicho lo mismo la semana/el mes/el año anterior?
¿Dirían lo mismo la semana/el mes/el año que viene?
Solamente puedo reportar lo que escuché/traduje/interpreté
En ese momento específico
Y nada más.
No puedo determinar lo que la gente quiere decir
Con sus palabras
Sus subtextos
Filtrados
Por mi perspectiva.
Por mis subtextos.
Solamente puedo reportar lo que escuché/traduje/interpreté

A ese momento específico
En la vida mía y en las de ellas (p. 400).

Me di cuenta de que no era posible que yo supiera "la verdad" nunca, ya que para mí no existe una sola verdad. Me di cuenta de la complejidad del ser humano y de mi incapacidad para interpretar las palabras de otras personas. Puedo reportar lo que dice alguien en una entrevista, y claro que soy yo la investigadora que escoge lo que incluir en el texto; pero para mí, no existen interpretaciones fijas. Este texto representó un momento liminal en mi desarrollo como investigadora. Desde que empecé a estudiar el doctorado, me había inquietado mucho la idea de ser una experta con el derecho de interpretar las palabras de otras personas, de analizar sus acciones y llegar a conclusiones sobre sus motivos verdaderos. Este texto sirvió para darme cuenta, de una manera imprevista, que combinando la autoetnografía y la pedagogía crítica, es posible interrogar y problematizar cualquier situación o circunstancia.

The Baptism/El Bautizo

Después de escribir "Cruce de frontera", seguía pensando en mi posicionalidad en la comunidad hispanoparlante, especialmente después de que en el año 2010, nació mi nieto mexicano americano. Otra vez escribí sobre manera de hacer investigación, esta vez para examinar mi propia posicionalidad/poder/privilegio, pero también para interrogar las fronteras construidas por las normas sociales. En todo el texto de "*The Baptism*/El bautizo" (2013) hago referencia a las amistades/relaciones que describí en "Cruce de frontera", contrastando mi posición como madre/abuela sustituta para las mujeres con quienes colaboré para conducir esa investigación con la de ser abuela del bebé de mi hija. Aunque había asistido a los bautizos de esos nietos de sangre, esta vez, asistía al bautizo de mi nieto biológico:

Interna-externa.
Abuela/madre sustitutas.
Amiga.
Esta vez, no soy sustituta.
Esta vez, yo soy la abuela
Biológica.
No solamente de corazón.
Esta vez, Dan y yo
Somos testigos del bautizo de nuestro nieto
David Isaac Hernández (p. 2).

Así que podía conectar "lo autobiográfico y lo personal con lo cultural y lo social" (Ellis, 2004: xix).

Durante este tiempo, he desarrollado mi deseo de escribir para investigar, y también he desarrollado mi pasión de escribir de formas literarias, probablemente el resultado de mis estudios especializados en la literatura española. Cuando escribo mis poemas, escucho en mi mente la voz de Unamuno, de Neruda, de Gabriela Mistral, de Federico García Lorca y muchos más, ahogándome en la lluvia de palabras e imágenes, pero a la vez con ese espíritu crítico que se hace realidad con la combinación de la autoetnografía y la pedagogía crítica. Es como dice T. S. Eliot:

No cesaremos de explorar
Y al fin de nuestra exploración
Llegaremos adonde empezamos
Y conoceremos el lugar por primera vez (Eliot, 1971: 144).

Últimos toques

Al fin, es necesario siempre incluir a los otros participantes en la investigación, en los diálogos, las decisiones, el desarrollo del proyecto para que no resulte como otro proyecto colonizado que oprime a un individuo o un grupo subalterno. Provee la oportunidad de dirigirse al poder para perturbarlo, especialmente sobre el derecho y la autoridad de la investigadora (forastera) de estudiar a otros (exóticos). La autoetnografía crítica abre un espacio en donde la investigadora y los otros participantes pueden construir sus propias historias personales y culturales (Denzin, Lincoln y Smith, 2008) dentro del contexto de aplanar la jerarquía e igualar las relaciones de poder entre la investigadora y los otros participantes en la investigación. Así la investigadora puede entender mejor al *Self* como ser cultural que tiene interacciones con otros seres culturales.

Referencias

Banks, J. y Banks, C. (Eds.). (2012). *Multicultural education: Issues and perspectives* (8ª ed.). Hoboken, NJ: Wiley.

Behar, R. (1996). *The vulnerable observer: Anthropology that breaks your heart.* Boston, MA: Beacon.

Blanco, M. (2011). Investigaciones narrativas: Una forma de generación de conocimientos. *Nueva época, 24* (67), 135-156.

Blanco, M. (2012). ¿Autobiografía o autoetnografía? *Desacatos, 38,* 169-178.

Boylorn, R. M. y Orbe, M. P. (Eds.) (2014). *Critical autoethnography: Intersecting cultural identities in everyday life (Writing lives).* Walnut Creek, CA: Left Coast Press.

Denzin, N. K. (2003). Performance ethnography: Critical pedagogy and the politics of culture. Thousand Oaks, CA: Sage.

Denzin, N. K. (2006). Analytic autoethnography, or déjà vu all over again. *Journal of Contemporary Ethnography, 35* (4), 419-428.

Denzin, N. K. The death of data. *Cultural Studies⇔Critical Methodologies, 13* (4), 353-356. doi: 10.117/1532708613487882

Denzin, N. K. y Lincoln, Y. S. (2005). Introduction: The practice and discipline of qualitative research. En N. K. Denzin &

Y. S. Lincoln (Eds.), *Handbook of qualitative research*, 3rd ed. (pp. 1-32). Thousand Oaks, CA: Sage.

Denzin, N. K., Lincoln, Y. S. y Smith, L. T. (Eds.) (2008). *Handbook of critical and indigenous methodologies*. Thousand Oaks, CA: Sage.

Ellis, C. (2004). *The ethnographic I: A methodological novel about autoethnography*. Walnut Creek, CA: AltaMira Press.

Ellis, C. y Bochner, A. (2001). Autoethnography, personal narrative, reflexivity: Researcher as subject. En N. Denzin y Y. Lincoln (Eds.), *Handbook of qualitative research*, 2ª ed. (pp. 733-768). Thousand Oaks, CA: Sage.

Ellis, C. y Bochner, A. P. (2014). Merging culture and personal experience in critical autoethnography. En R. M. Boylorn y M. P. Orbe (Eds.), *Critical autoethnography: Intersecting cultural identities in everyday life (Writing lives)*. Walnut Creek, CA: Left Coast Press.

Eliot, T. S. (1971). Little Giddings. En *T. S. Eliot: The complete poems and plays 1909-1950*. New York: Harcourt, Brace & World.

Foucault, M. (1980). *Power/Knowledge: Selected interviews and other writings*. Brighton, UK: Harvester.

Freire, P. (1970). *Pedagogy of the Oppressed*. New York: Continuum.

Freire, P. (2005/1997). *Teachers as cultural workers: Letters to those who dare to teach*. New York, NY: Continuum.

Goodall, H. L., Jr. (2008). *Writing qualitative inquiry: Self, stories and academic life*. New York: Routledge.

Jones, S. H. (2005). Autoethnography: Making the personal political. En N. K. Denzin & Y. S. Lincoln (Eds.). *Handbook of Qualitative Research* (3ª ed.) (pp. 763-792). Thousand Oaks, CA: Sage.

Kincheloe, J. L. (2005). *Critical constructivism*. New York: Peter Lang.

Kincheloe, J. L. y McClaren, P. (2000). Rethinking critical theory and qualitative research. En N. K. Denzin & Y. S. Lincoln (Eds.) *Handbook of Qualitative Research* (2nd ed.) (pp. 923-949). Thousand Oaks, CA: Sage.

Neumann, M. (1996). Collecting ourselves at the end of the century. En C. Ellis y A. Bochner (Eds.), *Composing ethnography: Alternative forms of qualitative writing* (pp. 172-198). Walnut Creek, CA: AltaMira.

Richardson, L. (1998). Writing: A method of inquiry. En N. K. Denzin & Y. S. Lincoln (Eds.), *Collecting and interpreting qualitative materials* (pp. 345-371). Thousand Oaks, CA: Sage.

Richardson, L. (2000). Writing: A method of inquiry. En N. K. Denzin & Y. S. Lincoln (Eds.), *Handbook of Qualitative Research* (2ª ed.) (pp. 923-949). Thousand Oaks, CA: Sage.

Richardson, L. y St. Pierre, E. A. (2005). Writing: A method of inquiry. En N. K. Denzin & Y. S. Lincoln (Eds.), *The Sage handbook of qualitative research* (3ª ed.) (pp. 959-978). Thousand Oaks, CA: Sage.

Spry, T. (2001). Performing autoethnography: An embodied methodological praxis. *Qualitative Inquiry*, 7 (6), 706-732.

Street, S. (2003). Representación y reflexividad en la (auto)etnografía crítica: ¿Voces o diálogo? *Nómadas*, *18*, 72-79.

Tarrés, M. L. (2001). *Observar, escuchar y comprender: Sobre la tradición cualitativa en la Investigación social*. Porrúa, México: Facultad Latinoamericana de Ciencias Sociales, El Colegio de México.

Tilley-Lubbs, G. A. (2013). The baptism. *Qualitative Research in Education,* 2 (1), 272-300. doi: 10.4471/qre.2013.02

Tilley-Lubbs, G. A. (2012). Border crossing: (Auto)Ethnography that transcends imagination/immigration. *International Review of Qualitative Research, 4* (4).

Tilley-Lubbs, G. A. (2011). The coal miner's daughter gets a Ph.D. *Qualitative Inquiry, 17* (9). doi: 10.1177/1077800411420669

Tilley-Lubbs, G. A. (2009). Good intentions pave the way to hierarchy: A retrospective autoethnographic approach. *Michigan Journal of Community Service Learning, 16* (1), 59-68.

Tilley-Lubbs, G. A. (2003). Crossing the border through service-learning: The power of cross-cultural relationships. En J. A. Hellebrandt, J. Arries y L. T. Varona (Eds.) *JUNTOS: Community partnerships in Spanish and Portuguese* (pp. 36-56). Boston: Heinle.

CAPÍTULO 14

Investigar con y a través de internet[1]

Mónica López-Gil

Introducción

L as tecnologías de la información y la comunicación han llegado a nuestras vidas y no parece que vayan a marcharse; es más, su presencia y dominio en nuestras rutinas diarias es cada vez mayor. Son indudables las profundas y numerosas transformaciones que han acontecido desde que se democratizó su uso en el ámbito social, político, económico y educativo, lo que ha provocado incluso la aparición de un nuevo paradigma cultural (Freire, 2008; Del Rey, 1996: 440; Robins, 1995: 30; Sefton-Green, 1998; Gere, 2002; Angulo y Vázquez, 2010). Están presentes siempre y en todo lugar; nos encontramos en lo que Echevarría (1999) llama el Tercer Entorno[2]. El modo en que nos enfrentamos y tratamos la información y conocimiento difiere de forma importante a como lo veníamos haciendo hasta ahora, caracterizado por nuevas fuentes de cultura, nuevos agentes del saber, nuevas maneras de participación social y de relación. Asimismo, han aparecido nuevos canales, nuevas formas de gestión de contenidos y de creación del mismo (Buckingham, 2005; Pisani y Piotet, 2009; Piscitelli, 2009).

Estas grandes transformaciones originan nuevos focos (y espacios) de investigación para quienes se dedican a la investigación socioeducativa y se ha configurado, sin duda alguna, en un nuevo yacimiento de investigaciones de índole cualitativa (Horts y Miller, 2012) en relación con: en relación con los nuevos modos de lectura y escritura, la incidencia del uso

---

1. Este trabajo se ha realizado al amparo del proyecto de excelencia Escenarios, tecnologías digitales y juventud en Andalucía, referencia P07-HUM-02599 financiado por la Junta de Andalucía, España y la tesis doctoral, "Nuevas formas de hacer, nuevas formas de ser: las tecnologías digitales como agentes dinamizadores del aprendizaje informal" (López, 2013).

2. La idea de entorno densamente tecnologizado ha sido desarrollada en Angulo y Vázquez (2010).

de sistemas de comunicación sincrónica en las relaciones sociales, nuevos modos de construir y gestionar el conocimiento o la participación de los jóvenes en la cultura digital entre otros ámbitos que se han visto afectados por este panorama. Estos yacimientos de investigación requieren el replanteamiento de modelos y estrategias investigadoras que se adecuen a sus particularidades.

A su vez, estos investigadores e investigadoras son usuarios y usuarias de dichos dispositivos y los utilizan en sus prácticas indagadoras como recursos en la recogida de información. Las bases de datos, la toma de imágenes digitales, la grabación de entrevistas en grabadoras digitales o en los teléfonos móviles, las listas de distribución, los cuestionarios on line, la inmersión en redes sociales, entre otros son ejemplo de ello; definitivamente estamos enredados. Por tanto es posible una doble la dimensión de las TIC: como objeto de estudio y como instrumento en la práctica científica. Tomando de ejemplo Internet, podemos hablar de investigar sobre Internet o en y a través de Internet, tecnología en la que nos centraremos en este trabajo.

La investigación *sobre* y *en* Internet se desarrolla desde los noventa (Escobar, 1994; Miller y Slater, 2000; Hine, 2000) y son muchos los retos a los que aún se enfrenta. Su propia denominación es fuente de posibles dilemas. Sirva este escrito para cuestionar y debatir sobre ello y algunas particularidades de la investigación digital.

Investigar "sobre" y "en el" ciberespacio

De este modo, Internet se nos presenta como objeto de estudio pero también como espacio donde analizar y comprender los comportamientos o pensamientos de los sujetos que estudiamos. La web 2.0 es participativa por antonomasia. No sólo hacemos en y con las tecnologías, sino que "somos" en la misma a través de nuestras intervenciones en ella (cuando compramos, damos *like* a un vídeo o una foto, establecemos nuevas relaciones que se suceden en lo virtual, publicaciones, compartimos información...). Ser en la Red conlleva mostrar, al menos, parte de nuestra identidad o incluso construir nuevas identidades digitales[3]. Si *somos* y estamos en la Red, ésta se configura como un espacio de índole social susceptible de estudio eminentemente etnográfico. Este contexto tecnológico y digital dispone de un sistema, estructura y particularidades que requieren el replanteamiento de lo que hasta ahora hemos entendido como investigación y de los modelos y estrategias investigativas que se adecuen a sus particularidades. Porque

---

3. Para la idea de identidad digital rizomática véase Glissant (1996). También consultar López Gil y Angulo Rasco (2015).

las TIC "están ahora en el centro de la experiencia, en el corazón de nuestra capacidad o incapacidad para encontrarle un sentido al mundo en que vivimos" (Silverstone, 1999 citado en Buckingham, 2005: 23).

En la doble dimensión que veníamos hablando, debemos distinguir entre investigar *sobre* el contexto digital e investigar *en* lo digital. Investigar *sobre* el ciberespacio implica que este es el propio objeto de estudio: su estructura, su historia, lo que en ella se acontece, aspectos técnicos o aspectos como la identidad y la sociabilidad *online*, etc. De hecho este tipo de estudios podrían realizarlo investigadores/as que no hayan navegado jamás por la Red pero que sí hayan tenido experiencia bibliográfica sobre ella.

Hacer investigación *en* Internet, sin embargo, hace hincapié en el espacio donde se realiza el trabajo de campo (en espacios digitales). El campo de estudio no necesariamente tiene relación con las prácticas virtuales de los usuarios/as sino que es en ella donde se localizan los datos, se recaba la información o se realizan entrevistas a través de sus herramientas (tales como Skype o mails). De este modo se pueden realizar investigaciones, por ejemplo, sobre el fenómeno fan de "Pokemon" y adentrarnos en foros, comunidades digitales o redes sociales porque es el espacio donde "están"; es uno de los entornos donde se localiza y transcurre el objeto de estudio (García, 1976) al igual que acudiríamos a un club de fans o asociaciones relacionadas cuando investigamos en espacios físicos (no digitales) focalizando nuestra atención al hecho en sí y no al contexto o inmueble en el que se reúnen.

En también hace alusión al uso de Internet como medio de difusión tanto de las conclusiones de la investigación como del proceso investigativo a través de blogs o redes sociales que reciben el *feedback* de sus lectores y que mejoran, mediante este intercambio colaborativo, sobre dicho proceso.

Realizar trabajo de campo *en* el ciberespacio, además de las ventajas que supone como espacio en el que se puede indagar sobre objetos de estudios emergentes, facilita la aparición de nuevas metodologías y técnicas de recogida, análisis e interpretación de datos.

Investigar *en* el cibermundo no es incompatible con el trabajo de campo en el entorno físico. Es la línea de trabajo de Daniel Miller y Don Slater (2000). De hecho es necesario cuando se trata de problemáticas en las que lo que ocurre en el contexto digital repercute en lo que ocurre fuera del mismo y viceversa. Muestra de ello podrían ser temáticas relacionadas con la comprensión que tiene la juventud de la cultura mediática y tecnológica que les rodea; el papel que juegan en sus vidas, las necesidades a las que responden o las problemáticas que ocasionan y el análisis de esa participación en la construcción de dicha cultura. Es el caso de la investigación "Nuevas formas de hacer, nuevas formas de ser: las tecnologías digitales como agentes dinamizadores del aprendizaje informal" (López, 2013;

López y Angulo, 2015), investigación en la que la autora de este escrito se introdujo en la investigación en y sobre lo digital al mismo tiempo.

Estudiar *en* el entorno digital resultaría desde esta visión, menos intrusiva y más naturalista (Kozinets, 2010) ya que la recogida de datos se realizan en los mismos espacios donde se realizan las prácticas digitales investigadas, tales como las redes sociales, los foros, las comunidades u otras herramientas digitales en la que las personas investigadas desarrollan tales prácticas. Para la realización de entrevistas presenciales en las investigaciones que no tienen relación con el ciberespacio, debe establecerse un espacio específico (comúnmente negociado entre investigadores e investigados) no natural, para "crear" un entorno cercano, en el que la persona entrevistada se sienta tranquila y lejos de distorsiones o distracciones (sobre todo si procedemos a la grabación de la entrevista).

Investigación digital, sin preposiciones de por medio, es quizás el término más aceptado cuando deseamos hacer referencia tanto a lo uno como a lo otro. Es decir, cuando nos referimos al estudio de las prácticas que se suceden dentro de las pantallas o aquellas asociadas a la utilización y construcción de contenido en Internet pero también a la recogida de datos dentro del contexto digital. Internet en este caso es tanto objeto de conocimiento como instrumento para la producción de conocimiento (Okabe e Ito, 2006; Mason y Dick, 2001; Lasén, 2006; Norman, 2000). Es la doble dimensión investigativa de las TIC que ya adelantamos.

Precisamente en estudios en los que se pretender analizar y comprender las prácticas digitales de usuarios que extrapolan las pantallas, se exige un método que permita a quien investiga acercarse tanto al entorno físico como al digital de forma simultánea y/o enlazada que permita poder determinar qué, cómo, cuándo y por qué acontece lo que acontece dentro y fuera del cibermundo. Son estudios sobre lo digital (no solo) y en lo digital (pero también fuera). Lo digital a modo de reflejo de lo que ocurre en el mundo físico, o el mundo físico como extensión de lo que puede comenzar en el mundo digital, pero también lo digital como universo en sí, es lo que hace que el trabajo de campo pueda desarrollarse dentro y fuera de la red.

La investigación "Escenarios, tecnologías digitales y juventud en Andalucía"[4] tenía como objetivo el análisis del uso de TIC por parte de menores (el teléfono móvil, la televisión, la Internet, las cámaras de fotos...), pero se utilizó Internet para la toma de datos a través de un cuestionario online. Por tanto, investigar *sobre* Internet y *en* Internet no son dimensiones incompatibles. Otros ejemplos serían cuando se analiza el uso de TIC como las redes sociales o de dispositivos como teléfonos móviles para el estudio de qué manera se gestionan las relaciones sociales. En estos casos,

---

4.   Con referencia P07-HUM-02599.

el objeto de investigación son las TIC, pero las redes sociales, el teléfono móvil o la cámara digital, son a su vez, instrumentos que se utilizan durante el trabajo de campo o para la difusión de resultados. Hine (2000) utiliza el adjetivo virtual en lugar de digital, lo que abre un nuevo debate terminológico que desarrollaremos posteriormente. El uso de técnicas propias de la investigación etnográfica clásica como la observación participante o no participante y/o entrevistas para el análisis de comunidades virtuales como si fueran comunidades físicas es ejemplo de ello. La investigación digital (y en concreto la etnografía digital[5] como método de estudio cualitativo) la asumimos como híbrido entre el estudio de lo que ocurre dentro de la Red pero que irremediablemente repercute en lo no digital y viceversa.

En este sentido y referente al uso del método etnográfico, Hine (2000) plantea las siguientes preguntas fundamentales al hablar de la investigación digital:

- ¿De qué modo afecta Internet a la organización de las relaciones sociales? ¿Es distinta esa organización a la de "la vida real"?
- Y si la respuesta es afirmativa, ¿cómo los usuarios y las usuarias reconcilian lo digital y lo no digital?
- ¿Cuáles son las consecuencias de Internet sobre los sentidos de autenticidad y autoría? ¿Cómo se desempeñan y experimentan las identidades, y cómo se juzga la autenticidad?
- ¿Es "lo virtual" experimentado como algo radicalmente diferente y separado de "lo real"? ¿Hay una frontera divisoria entre la vida *online* y *offline*?

La investigación *en* y *sobre* el ciberespacio no está exenta de ventajas pero también de conflictos y dilemas que debemos plantear y que no distan tanto de algunas de las problemáticas que posee la investigación y etnografía tradicional. Otros, en cambio, se originan de este nuevo entorno y objeto de estudio social. Estos posibles conflictos giran alrededor de varias dimensiones interrelacionadas entre sí y se sitúan principalmente en la investigación en el entorno digital:

- Cuestiones epistemológicas relativas a la veracidad y rigor de los datos adquiridos en lo digital: *virtualidad versus realidad.*
- Cuestiones metodológicas y éticas:

---

5. Utilizaremos el término etnografía digital por considerar que engloba la etnografía virtual (Hine, 2000) y presta más atención a la epistemología que otros conceptos como la *etnografía del ciberespacio* (Hakken, 1999), cuya atención se focaliza en las prácticas que ocurren en Internet y que no repercuten necesariamente en el mundo físico o la *ciberetnografía* que realiza el análisis de las similitudes y diferencias entre las prácticas *online* y *offline* (Escobar, 1994).

- Relativas a la acotación del contexto de estudio y reconfiguración del concepto de campo social. *Acotar el campo o territorio.*
- Relativas a los rasgos que definen el funcionamiento y dinamismo de este entorno. *La ruptura de las esferas de espacio y tiempo; lo privado y lo público.*
- Relativas a la adecuación de los instrumentos de recogida de información propios de la etnografía en el específico contexto digital. *La presencia de quien investiga.*

Reflexiones sobre el trabajo de campo online

La realidad de lo virtual

Es cierto que cada vez la preocupación es menor, pero desde su origen, el concepto de lo virtual es controvertido. Hay quienes asumen que lo virtual no es real, es ficticio, siendo realidad sólo aquello que sucede en contextos presenciales o de cara a cara (Estatella y Ardèvol, 2007).

Nos situamos en un mundo conectado, en el que el ciberespacio no está desvinculado del entorno físico y en el que ambos espacios se interconectan, conviven y confluyen; no son dicotómicos sino complementarios (Teli, Pisani y Hakken, 2007). Así, lo que lo que ocurre dentro de ambos entornos, es real. Es más, uno y otro, y su interrelación, participan actualmente en la construcción de nuestras identidades, rutinas y relaciones[6]. A pesar de que nos podamos ocultar tras un *nick* o una identidad "inventada", nuestras manifestaciones digitales (cliqueando en *like* o *dislike*, suscribiéndonos a canales, participando en redes sociales donde publicamos intereses, dudas, pensamientos, experiencias, etc.) no dejan de ser reales. Sin lo *real* (lo no digital), no habría digitalidad y si ambos forman parte de nuestra vida diaria, la distinción entre virtual/real carece de sentido. Sería más coherente hablar de virtual/no virtual o digital/no digital o entorno físico/ entorno digital.

Acotar el campo o territorio se hace harto complicado

Si entendemos por escenario el contexto compuesto por la muestra de nuestra investigación, sus interacciones y en el que se suceden las situaciones a investigar, y/o como el referente empírico de la investigación (Guber,

---

6. Para ampliar el estudio sobre el debate entre culturas aisladas entre lo digital y lo físico que da lugar a una cultura global versus culturas interrelacionadas y a su vez con rasgos idiosincráticos, ver los trabajos de Miller y Slater (2000) y Mitra (1998).

CAPÍTULO 14

2004: 83), en los estudios sobre y en lo digital se hace harto complicado delimitar dicho escenario. En el mundo globalizado e interconectado en el que vivimos, inspira un trabajo de campo multisituado o *asituado* (Hine, 2000), es decir, dentro y fuera de la Red, donde seguir las historias y los conflictos justo donde se suceden sin ataduras al espacio. El contexto no deja de ser una construcción de quien investiga definido por el marco teórico y la base metodológica desde la que nos enfrentemos al objeto de estudio (Guber, 2004). En los estudios digitales se hace harto complicado delimitar dicho escenario pues el objeto de estudio sucede dentro de la pantalla, pero también fuera de ellas. ¿Dónde comienzan y acaban ambos espacios? ¿Hasta dónde llegar dentro del mundo digital, amplio y pantagruélico sin fronteras, en el que podemos ser y estar en todo momento y lugar? ¿Y cuál es el límite del objeto de estudio fuera del ciberespacio?

Resulta complejo acotar el campo de estudio cuando de investigaciones digitales se trata, pero no es únicamente propio del ciberespacio. Insistimos que en un mundo interconectado en el que la mayor parte de las relaciones y prácticas sociales no se limitan a uno u otro entorno, se exige de un estudio multisituado (sobre todo cuando se trata de etnografía) (Marcus, 1998), que permita a los investigadores ubicar el trabajo más allá de un espacio o entorno concreto. Se trata de poder seguir al grupo de referencia estudiado allá donde se sitúe, ya sea tanto dentro como fuera del ciberespacio. El campo, desde esta visión, se construye además de por las condiciones mencionadas, por las propias prácticas sociales a estudiar allá donde sucedan.

La ruptura de las esferas de espacio y tiempo

Internet es un servicio abierto las veinticuatro horas y los siete días de la semana (es a lo que llamamos el 24/7) lo que hace que las prácticas sociales y fenómenos sensibles de estudio ocurren a cualquier hora pero también en cualquier lugar debido a la proliferación de dispositivos y espacios que posibilitan la conexión.

Un espacio sin horarios ni fronteras, posibilita igualmente investigar en Internet desde cualquier lugar y en cualquier momento. Es más, Internet como espacio eminentemente democrático donde podemos localizar cualquier tipo de contenido, los ámbitos de estudio se amplían de forma considerable.

Esta circunstancia otorga libertad en espacio y tiempo a quien investiga, tanto en relación al trabajo de campo como al momento de análisis de la información recabada. Se puede investigar en Internet a tiempo real pero también en diferido, sobre todo cuando se trata del análisis de prácticas digitales a través de los rastros y huellas que los usuarios/as a los que estudiamos van dejando en su transitar digital.

Otro de los rasgos a destacar del ciberentorno y que median en la práctica investigativa es la multimodalidad de los datos (Angulo, 2009; Kress, 2010). En la Red las imágenes fijas y móviles y el texto se combinan dando lugar a que las fuentes de información además de ser más diversas, se interrelacionen, lo que exige el proceso de la triangulación en el caso de estudios cualitativos y estrategias de validez en caso de las cuantitativas.

Lo privado y lo público

La distinción entre público y privado es otro de los elementos éticos clave si tratamos la particularidad del estudio en y sobre lo digital (específicamente en lo digital). Si la cuestión ética es ya de vital importancia cuando se trata de investigación en general, en los estudios digitales resulta un asunto aún más complejo y entra en interacción con otros criterios éticos como, por ejemplo, la negociación.

En la investigación que se desarrolla en espacios físicos, la presencia de quien investiga es más *evidente* y sería suficiente con la firma de un consentimiento informado. En espacios digitales/virtuales es importante y complicado determinar cuándo es necesario ya que, ¿sería necesario para datos recogidos en blogs, webs o redes sociales con perfil público al ser espacios y escritos eminentemente públicos? (Mann y Stewart, 2009).

Un enfoque considera que, en un espacio público puede mantenerse cierta privacidad (como un parque o una cafetería) y en el espacio digital como espacio compartido, más que público, debe ser respetado igualmente el derecho a la privacidad (Sharf, 1999; Allen, 1996; Bromseth, 2002). Por lo tanto, sí sería necesario, al menos, notificar o solicitar permiso para la publicación de dicha información. El hecho de que un foro, un blog o una red social sea de libre acceso no implica que se conciba como un espacio público que pueda ser investigado/utilizado deliberadamente (Bakardjieva y Feenberg, 2001).

Otro planteamiento es considerar que no sería necesario negociar el uso de datos que son divulgados en la Red y cuyo acceso es público (King, 1996; Walther, 2002), y por lo tanto, un investigador no necesita de mayores prevenciones para registrar y almacenar la información.

Para quienes se encuentran entre ambas posturas, y así lo entendemos desde este escrito, se considera que lo público o lo privado en Internet, es un constructo negociable, contextual y particular, por lo que el camino más oportuno es el de seguir el principio de la negociación como criterio ético. Entendemos así que la identidad y el rol de la persona investigadora se construye y está mediatizada por las herramientas que se utilizan, las intenciones y los espacios donde sucede la toma de datos.

La presencia de quien investiga

Cuando investigamos en el espacio físico, los roles de quienes investigan y quienes son investigados están bastante delimitados. Incluso cuando se hace observación no participante, la simple presencia de artefactos como la grabadora o la cámara de fotos explicitan que quien investiga está tomando datos y la presencia del investigador se hace evidente. Cuando estos instrumentos no están presentes, parece que no se está tomando datos ni analizando situaciones. En el espacio digital la toma de datos es menos visible al situarnos tras la pantalla y no es necesario, a priori, mostrar nuestra presencia en el campo donde se recoge información pues podemos hacerlo desde la periferia, sin intervenir. Pero esta cuestión despierta un dilema de si es ético, ¿las personas investigadas deben ser conscientes de que sus prácticas e intervenciones digitales están siendo registradas y analizadas con fines investigativos?

Es cierto que no delatar la presencia de los/as investigadores/as puede conllevar ciertas ventajas ya que, de esta manera, no se altera en ningún sentido el campo donde se investiga. No obstante, desde la ética confirmamos que es completamente necesario a pesar de que en muchas ocasiones, quien publica contenidos en Internet, tiene la intención precisamente de compartirlos. Si nuestro estudio se hace desde la etnografía y asumimos, por tanto, que el/la etnógrafo/a se inserta y participa en el contexto donde suceden los hechos para reconstruir, comprender, interpretar el modo de vida de un grupo de individuos (Woods, 1998; Ballester Brage, 2001), es imprescindible y requisito por tanto informar de su presencia e intenciones (Guber, 2004).

Para ello podrían tomarse distintos caminos. Uno es dar a conocer, al menos a aquellos sujetos de los que se tomarán datos, el *nick* o sobrenombre con el que la persona que investiga se introducirá en los contextos sensibles de estudio. Esto facilitará al etnógrafo/a explorar libremente el entorno y crear un mayor nivel de confianza y cercanía con el grupo de referencia que ofrece información relevante para la investigación. Para esta opción planteamos dos posibilidades: advertir desde el comienzo de nuestro rol como investigadores/as o bien iniciar la inmersión en el contexto de forma anónima (o desde la periferia) y una vez sintamos que tenemos cierta confianza con el grupo de personas participantes, exponer nuestras intenciones pidiendo autorización para utilizar la información recabada. En definitiva, la identidad y rol del investigador/a se construye y está mediatizada, por tanto, por las herramientas que se utilizan, las intenciones y los espacios donde sucede la toma de datos.

Reflexiones finales, aspectos sensibles de ser debatidos

Estamos en la era de compartir y construir de manera colectiva donde las tecnologías digitales, tienen un papel fundamental. En coherencia, las ideas aportadas en este documento son susceptibles de ser debatidas, discutidas, y mejoradas. Sirvan estas páginas precisamente para abrir un camino hacia el replanteamiento de los métodos de investigación ante los retos, pero también posibilidades y ventajas, que supone el nuevo paradigma cultural y social en el que la digitalidad tiene mucho que ver.

Pero Internet –como veníamos diciendo– no sólo puede ser un nuevo yacimiento de investigación (eminentemente de lo social), es también un medio que influye en el modo en que se produce, se gestiona y se disemina el conocimiento, por lo que se hace necesario reflexionar el modo en que interfiere en nuestras acciones investigativas, tanto en lo epistemológico como en lo metodológico. Los criterios éticos, la idiosincrasia de la toma de datos en el ciberentorno, la amplísima diversidad de fuentes biblio-gráficas que nos ofrece la Red para fundamentar los estudios (bases de datos, revistas electrónicas, libros electrónicos, etc.), la particularidad de los tiempos y espacios para investigar, la posibilidad de ampliar el grupo de sujetos a analizar, el modo en que se pueden registrar y analizar los datos recabados o la escritura y la diseminación de la producción (que puede ser hipertextual y/o multimodal combinando audios, imágenes, texto y gráficos en formato libro o artículos) (Mason y Dicks, 1999), son ejemplos de ello.

Si bien han cambiado las formas de dar a conocer el conocimiento derivado de investigaciones (sirvan de ejemplo las revistas electrónicas o las redes sociales), no ha cambiado tanto la epistemología que sustenta la investigación sobre y en el entorno virtual. Es indudable que las tecnologías están cambiando incluso los modos de pensamiento (Carr, 2011; McLuhan, 1964), lo que exige de nuevo recapacitar sobre las posibilidades y retos que Internet como espacio tecnológico nos proporciona.

Uno de los rasgos en los que no hemos entrado aquí, pero queremos platear en esta reflexión, es sobre la difusión de las investigaciones en Internet abriendo la posibilidad de que este conocimiento esté realmente al alcance de cualquiera y no sólo de un público experto o no especializado. Esto significaría colaborar con la democratización del conocimiento.

La investigación digital presenta particularidades que la hacen confi-gurarse como metodología coherente para el estudio de la cultura digital. Pero si aceptamos que la digitalidad imperante, y la nueva cibercultura que deriva de ella, afecta tanto a quienes usan las tecnologías como a quienes no las usan (e irremediablemente no pueden escaparse de ellas), deberíamos plantearnos el ciberentorno como espacio y objeto de estudio, al menos en parte, de cualquier estudio de índole social. Esta idea posiblemente controvertida exige, para comenzar, comprender la necesidad de romper fronteras (construidas que no inherentes) entre lo físico y lo virtual, aceptar que lo virtual es tan real como lo físico y concebir que aunque intervengamos en un espacio público, dentro del mismo se inspira y se espera, al menos, cierta privacidad.

Sin duda no sólo han cambiado los espacios y el modo en que nos acercamos a la realidad sensible al estudio, sino que esta misma ha cambiado y se construye tanto en las tecnologías como a través de ellas. Por tanto, si se han modificado los modos de hacer y de ser, quienes investigamos no podemos obviar tales transformaciones, lo que nos obliga a replantearnos el modo en que nos acercamos e interpretamos lo social.

Referencias

Allen, C. (1996). What's wrong with the "Golr den Rule"? Conundrums of conducting ethical research in cyberspace. *Information Society, 12*, 175-187.

Angulo Rasco, J. F. (2009). Novos espaços para a alfabeRzação. En J. M. Paraskeva y L. R. Oliveira (Orgs.) *Currículo e tecnologia Educativa – Volume 2* (pp. 87-116). Lisboa: Edições Pedago.

Angulo Rasco, J.F. y Vázquez Recio, R. M. (2010). El currículum y los nuevos espacios para aprender. En J. Gimeno Sacristán, *Saberes e incertidumbres sobre el curriculum* (pp. 501-526). Madrid: Morata.

Ardèvol, E., Estalella, A. y Domínguez, D. (coords.) (2008). La mediación tecnológica en la práctica etnográfica. Serie, XI Congreso de Antropología de la FAAEE, Donostia, Ankulegi Antropologia Elkartea [en línea] [www.ankulegi.org].

Ballester Brage, L. (2001). *Bases metodológicas de la investigación educativa*. Palma de Mallorca: Universitat de Les Illes Balears. Servei de Publicacions i Investigacions Cientìfiques.

Bourdieu, P. (1988). *Cosas dichas*. Buenos Aires: Gedisa.

Bromseth, J. C. H. (2002). Public places—puH blic activities? Methodological approaches and ethical dilemmas in research on computer mediated communication contexts. En A. Morrison (Ed.), *Researching ICTs in context* (pp. 33-61). Inter/Media Report 3/2002. Oslo: University of Oslo.

Buckingham, D. (2005). *Educación en medios: alfabetización, aprendizaje y cultura contemporánea*. Barcelona: Paidós.

Carr, N. (2011). *Superficiales. ¿Qué está haciendo Internet con nuestras mentes?* Madrid: Taurus.

Del Rey Morato, J. (1996). *Democracia y postmodernidad: teoría general de la información y comunicación política*. Madrid: Complutense.

Echeverría, J. (1999). *Los señores del aire: Telépolis y el tercer entorno*. Barcelona: Destino.

Escobar, A. (1994). Welcome to Cyberia. Notes on the anthropology of cyberculture. *Current Anthropology, 35* (3), 211-231.

Estalella, A. y Ardèvol, E. (2007). Ética de campo: hacia una ética situada para la investigación etnográfica de internet [85 párrafos]. *Forum Qualitative Sozialforschung / Forum: Qualitative Social Research, 8* (3), Art. 2. Disponible en: [http://nbn-resolving.de/urn:nbn:de:0114-fqs070328].

Freire, J. (2008). Cultura digital y prácticas creativas en educación. *Revista de Universidad y Sociedad del Conocimiento, 6* (1).

García, J. L. (1976). *Antropología del territorio.* Madrid: Taller de Ediciones JB.

Geertz, C. (1973). Thick description: Toward an interpretative theory of culture. En C. Geertz (Ed.), *The interpretation of cultures* (pp. 3-30). New York: Basic Books.

Gere, C. (2002). *Digital culture.* London: Reaction Books.

Glissant, É. (1996). *Introducción a una poética de lo diverso.* Barcelona: Ediciones del Bronce.

Grupo LACE (2008). Escenarios, tecnologías digitales y juventud en Andalucía, con referencia, P07-HUM-02599, proyecto de investigación. UCA.

Guber, R. (2004). *El salvaje metropolitano. Reconstrucción del conocimiento social en el trabajo de campo.* Buenos Aires: Paidós.

Hakken, D. (1999). *Cyborgs@Cyberspace? An ethnographer looks at the future.* New York: Routledge.

Hine, C. (1998). Virtual ethnography. International Conference, *UK IRISS '98: Conference Papers,* 25-27 Marzo, Bristol, recuperado de: [http://sosig.ac.uk/iriss/papers/paper16.htm].

Hine, C. (2000). *Virtual ethnography.* London: Sage.

Horts H. y Miller, D. (2012). *Digital anthropology.* London: Bloomsbury Publishing PLC. Disponible en: [http://www.intermedia.uio.no/konferanser/skikt02/docs/Researching_ICTs_in_context-Ch3-Bromseth.pdf].

King, S. A. (1996). Researching internet communities: Proposed ethical guidelines for reporting of results. *The Information Society, 12* (2), 119-127.

Kozinets R. (2010). *Netnography: Doing ethnographic research online.* London: Sage.

Kress, G. (2010). *Multimodality: A social semiotic approach to contemporary communication.* New York: Routledge.

Lasen Díaz, A. (2006). Lo social como movilidad: usos y presencia del teléfono móvil. *Política y Sociedad, 43* (2), 153-167.

López Gil, M. (2013). Nuevas formas de hacer, nuevas formas de ser: las tecnologías digitales como agentes dinamizadores del aprendizaje informal (Tesis doctoral). Universidad de Cádiz, Cádiz. Recuperado de: [http://rodin.uca.es/xmlui/handle/10498/16711?show=full].

López Gil, M. y Angulo Rasco, F. (2015). Sonorona o el rizoma digital. *Revista Portuguesa de Educaçao, 28* (1), 9-33.

Machado Silveira, C. (1998). Representación, identidad, virtualidad. Consideraciones acerca de los más recientes fenómenos de la industria cultural. Recuperado de: [http://www.eca.usp.br/associa/alaic/Congreso1999].

Mann, C. y Stewart F. (2009). *Internet communication and qualitative research. A handbook for researching on line.* London: Sage.

Marcus, G.E (1998). *Ethnography trough thick and thin.* Princeton University Press.

Bakardjieva, M. y Feenberg, A. (2001). Involving the virtual subject. *Ethics and Information Technology, 2* (4), 233-240.

Mason, B. y Dicks, B. (2001). Going beyond the code. The production of hypermedia ethnography. *Social Science Computer Review, 19,* 445-457.

McLuhan, M. (1964). *La comprensión de los medios como las extensiones del hombre.* México: Diana.

Miller, D. y Slater, D. (2000). *The Internet. An ethnographic approach.* Oxford: Berg.

Mitra, A. (1998). Virtual commonality: Looking for India on the Internet. En S. G. Jones (ed.) *Virtual culture* (pp. 55-79). London: Sage.

Norman, K. (2000). Phoning the field: meaning of place and involvement in fieldwork "at home". En V. Amit (ed.) *Constructing the field. Ethnographic fieldwork in the contemporary world* (pp. 120-146). Oxon: Routledge.

Okabe, D. e Ito, M. (2006). Everyday contexts of camera phone use: Steps toward technosocial ethnographic frameworks. En J. Höflich y M. Hartmann (Eds.), *Mobile communication in everyday life: An ethnographic view* (pp. 79-102). Berlin: Frank & Timme.

Pisani, F. y Piotet, D. (2009). *La alquimia de las multitudes: cómo la web está cambiando el mundo*. Barcelona: Paidós.

Piscitelli, A. (2009). *Nativos digitales: dieta cognitiva, inteligencia colectiva y arquitecturas de participación*. Buenos Aires: Santillana.

Ramírez Goicoechea, E. (2007). Tiempos de Internet: jóvenes en-red-ados on y off-line. Proyecto de investigación no publicado.

Robins, K. (1995). Will image move us still?, En M. Lister (Ed.) *The photographic image in digital culture*. London: Routledge.

Sefton-Green, J. (1998). Introduction: Being young in the digital age. En J. Sefton-Green (Ed.), *Digital diversions: Youth culture in the age of multimedia*. London: UCL Press.

Sharf, B. F. (1999). Beyond netiquette: The ethics of doing naturalistic discourse research on the Internet. En S. Jones (Ed.), *Doing Internet research: Critical issues and methods for examining the Net* (pp. 243-256). Thousand Oaks: Sage.

Taylor, S. J. y Bogdan, R. (1987). *Introducción a los métodos cualitativos de investigación: la búsqueda de significados*. Barcelona: Paidós (reimp. 1998).

Teli, M, Pisani, F. y Hakken, D. (2007). The Internet as a Library-of-people: for a Cyberethnography of online groups. *Forum: Qualitative Social Research, 8*(3), 1-24. Recuperado de: [http://www.qualitative-research.net/index.php/fqs/article/view/283/622].

Walther, J. B. (2002). Research ethics in internet-enabled research: Human subjects issues and methodological myopia. *Ethics and Information Technology, 4* (3), 205-216

Woods, P. (1998). *Investigar el arte de la enseñanza. El uso de la etnografía en la educación*. Barcelona: Paidós.

CAPÍTULO 15

El cuestionario: preguntar desde lo cuantitativo

Pablo Cáceres

Desde hace mucho tiempo, el trabajo con cuestionarios ha venido siendo un importante elemento del arsenal de herramientas de recolección de información en las ciencias sociales. Probablemente sea la técnica formalizada de obtención de datos más conocida y más ampliamente utilizada en investigación, en muy diversos campos (Cea D'Ancona, 2004). En el presente capítulo se intentará brindar un panorama sintético pero completo de esta herramienta con dos propósitos: a) definir lo que este instrumento es y a qué diseño o estrategia de investigación está vinculada y b) comprender su uso y adecuación en el contexto de la investigación de carácter cualitativo.

Origen de los cuestionarios

Es ciertamente difícil establecer cuándo los cuestionarios hicieron su aparición como herramientas de investigación, pues su origen está intrínsecamente vinculado con el diseño al que siempre se le asocia, las encuestas. Se sabe que se han utilizado mecanismos similares dentro de procesos de encuesta desde tiempos remotos. Ya en la antigua China se hacían recuentos censales sobre la población y bienes. En general, los primeros usos estaban orientados sobre todo a reconocer los recursos humanos y económicos, principalmente con fines militares y tributarios. En el siglo XVIII aparecen los primeros usos en investigaciones que podrían llamarse "sociales", vinculados a los esfuerzos de los llamados reformadores sociales que intentaban crear conciencia de los problemas sociales que surgieron junto con la Revolución Industrial. No es posible separar estas primeras aplicaciones de las bases cuantitativas que sostienen y justifican su uso. En el siglo XVII el desarrollo de la teoría de la probabilidad (Cea D'Ancona, 2004), pero en particular de la denominada aritmética política, precursora de la estadística inferencial, llevaron a las preocupaciones siempre crecientes sobre el papel de la población en el quehacer político contingente y su influencia, cada vez más presente, a través del ambiguo pero poderoso concepto de "opinión pública" (Mañas, 2005).

Hay dos hitos de importancia en la historia del desarrollo de cuestionarios que deben ser también referidos aquí. El primero tiene relación con el estudio de John Sinclair denominado The Statistical Account of Scotland (1791-1825), un trabajo en veintiún volúmenes que trataba sobre las dificultades sociales de las comunidades rurales en Escocia. Para llevarla a cabo se creó un cuestionario con 116 preguntas de tipo sociodemográfico, geográfico-productivo (áreas cultivables, minería, etc.) y económico (en particular desempleo y producción agrícola y ganadera) (Cea D'Ancona, 2004). La segunda corresponde al trabajo de Charles Booth, quien desde 1889 a 1897 llevó a cabo una investigación de las condiciones de vida de la población trabajadora de la ciudad de Londres. Un elemento distintivo de Booth es que por primera vez no acude a fuentes secundarias, sino que realiza los sondeos yendo directamente a los mismos trabajadores. Fue por tanto, una de las primeras investigaciones usando cuestionario en que el trabajo se realizaba cara a cara (De Leeuw y Collins, 1999).

El cuestionario como técnica de recolección: definición

Probablemente uno de los aspectos que más confunde a los investigadores respecto del contexto de aplicación de un cuestionario resida en la polisemia del concepto. La principal confusión proviene del término cuestionario como sinónimo de encuesta. Ambos conceptos, sin embargo, expresan aspectos técnico-metodológicos distintos.

En efecto, el método de encuesta –o también llamado diseño de encuesta– define toda una estrategia de investigación con etapas bien definidas. En este contexto, los investigadores organizan un "survey", que implica: a) orientación en el campo de investigación y formulación de un sistema de hipótesis, b) construcción, evaluación y administración del instrumento para obtener información, c) obtención de los datos, d) procesamiento de los mismos, e) análisis y f) presentación de resultados (Padua, 1994). En consecuencia, una encuesta en realidad refiere a todo un proceso de investigación, en donde el cuestionario representa únicamente la herramienta de recolección de información. No debe pensarse por ende, que un diseño por encuesta entraña necesariamente el uso del cuestionario ni que el cuestionario es la única técnica a aplicar en la encuesta, aunque sí la más común (López, 1998). Por tanto, como primer elemento de definición está el hecho de que el cuestionario es sólo el instrumento, herramienta o técnica que es aplicada en un proceso de investigación.

El cuestionario, sin embargo, es una pieza clave de todo proceso de encuesta y su uso responde bien a los propósitos de un diseño como el mencionado. Al tener esto presente, se comprende por qué construir y utilizar cuestionarios responde a ciertos propósitos de investigación que deben evaluarse antes de emprender su uso. Como tal, el diseño de encuesta representa una aproximación extensiva antes que intensiva a los fenómenos estudiados. De acuerdo a Balluerka y Vergara (2002) la metodología de encuesta se caracteriza por la representatividad de la información, así, la preocupación principal está enfocada en la selección de muestras representativas para poder generalizar los resultados obtenidos a una población mayor. El criterio de representatividad guía este tipo de diseños, como lo hace con todos los diseños de carácter no experimental.

En este sentido, un segundo elemento de definición del cuestionario es que su construcción tiene el propósito de facilitar la tarea de obtener abundantes datos con el menor costo posible.

La facilitación de la tarea en el cuestionario lleva al desarrollo de una serie de preguntas que han sido predefinidas en función de aquello que el investigador desea preguntar, y por lo tanto, su base es teórica. En consecuencia, un tercer elemento de definición permite señalar que los cuestionarios suelen estructurarse a partir de documentación que ha sido previamente recopilada y sistematizada (Padua, 1994).

Puestos a definir el instrumento, y considerando lo dicho hasta aquí, el cuestionario es "un dispositivo de investigación cuantitativo consistente en un conjunto de preguntas que deben ser aplicadas a un sujeto (usualmente individual) en un orden determinado y frente a las cuales este sujeto puede responder adecuando sus respuestas a un espacio restringido o a una serie de respuestas que el mismo cuestionario ofrece" (Asún, 2006: 67).

Etapas de desarrollo

Dado que los cuestionarios son en sí la técnica o instrumento utilizado dentro de un proceso de investigación, debe seguir sus propios pasos desde la idea al producto finalizado. Aunque hay descritos muchos procedimientos de desarrollo (Briones, 1990; Cea D'Ancona, 2004; Callegaro, Lozar, y Vehovar, 2015; Heeringa, West y Berglund, 2010; Krosnick y Presser, 2010; López, 1998; Padua, 1994; Shaughnessy, 2007), hay acuerdo en los siguientes siete pasos:

- Definición de un problema o tema de investigación: que guiará todo el proceso ulterior de desarrollo de preguntas y sus opciones de respuesta. En realidad, este paso es compartido con el diseño de encuesta, más general, ya que en éste debe estar presente con claridad el propósito que justifica el estudio (Padua, 1994). Requiere que el investigador lleve a cabo una indagación inicial profunda en la literatura disponible referida al tema a consultar. El problema menciona conceptos que son considerados constructos claves en el contexto de investigación. Por ejemplo, es posible que el investigador esté interesado en el problema de las relaciones profesionales que un docente establece con sus colegas. Este tema puede cristalizar en el constructo "relaciones laborales" o "relaciones interpersonales del profesorado", que debe tener una definición conceptual clara y precisa, motivo por el cual se realiza la extensiva revisión bibliográfica. El constructo a su vez, pasa a considerarse una variable cuando existe un modelo de medida asociado (en ocasiones es algo tan simple como hablar de "grado de adecuación de las relaciones interpersonales", lo que implica que hay asociada una escala que cuantifica el rasgo, en vez de únicamente mencionar las "relaciones interpersonales") (Maxim, 2002). Si no hay nada publicado o los antecedentes relativos al problema son escasos, también se puede comenzar la indagación a través de observación participante, entrevistas, grupos focales o cualquier otra técnica cualitativa que permita familiarizarse con el tema en cuestión. Cuando se inicia el trabajo haciendo uso de técnicas cualitativas, se está haciendo uso de métodos mixtos o multimodales, en particular a través del denominado diseño secuencial exploratorio, en que la primera etapa es exploratoria de tipo cualitativo, y la segunda es cuantitativa, en que se elabora definitivamente el cuestionario con la información previa ya consolidada (Creswell y Plano, 2007).

- Definición de la población con la que se trabajará: el constructo, aunque haya sido precisado conceptualmente, requiere ser circunscrito a una población o grupo específico de participantes, justamente aquellos para los que tiene sentido su definición conceptual (Cea D'Ancona, 2004). La identificación de la población con la que se va a trabajar es, además, un aspecto clave del diseño de encuestas, tratado como parte del diseño muestral (Heeringa, West y Berglund, 2010; Lumley, 2010).

- Determinación de objetivos: son derivados del problema o tema principal que se quiere tratar. Definen las pretensiones específicas del estudio y responden a todas aquellas preguntas o temáticas derivadas del problema principal. Generalmente ayudan a precisar ámbitos de un tema que es difícilmente abordable sin establecer sus dimensiones o espacios. Representan los matices de la indagación y brindan una mirada más amplia considerando otras facetas del estudio (López, 1998).

- Construcción de dimensiones e indicadores: por cada objetivo que haya sido establecido para ser consultado en un cuestionario, será necesario definir dimensiones (algunas veces son referidos como subconstructos) e indicadores (López, 1998). Estos últimos deben ser entendidos como las expresiones conductuales concretas que darán cuenta de forma manifiesta de la magnitud en que el constructo o variable se presenta en la población (Martínez, Hernández y Hernández, 2006). Si se sigue el ejemplo anterior, del constructo "relaciones interpersonales", se pueden definir las dimensiones: a) relaciones interpersonales con el grupo de pares; b) relaciones interpersonales con las jefaturas directas; y c) relaciones interpersonales con apoderados. Luego, tomando la última de las dimensiones, se establecen indicadores, que pueden ser: números de instancias de participación extra aula con apoderados, amplitud de conocidos de la familia por parte del docente, etc.

- Redacción de las preguntas: por cada uno de los indicadores generados, se puede plantear al menos una pregunta que consulte en concreto por la conducta en específico allí mencionada. Es de importancia que las preguntas permanezcan en el nivel de concreción planteado en los indicadores. Respecto de la redacción, la recomendación más común es cuidar que el lenguaje usado sea simple, adaptado a las personas a quienes se les aplicará el instrumento y, claro, que evite en lo posible la ambigüedad o los conceptos demasiado abstractos (Briones, 1990; Shaughnessy, 2007). En efecto, si las preguntas tienden a ser demasiado amplias en su redacción o a referir aspectos que deben ser interpretados por el encuestado, ello puede derivar en sesgo en la respuesta.

- Redacción de las alternativas de respuesta: en ocasiones los cuestionarios son pensados como un conjunto de preguntas para las cuales se espera una respuesta abierta, elaborada por el encuestado. El formato más común es, sin embargo, los denominados cuestionarios de respuesta cerrada o estructurada, donde las alternativas de respuesta ya han sido desarrolladas previamente por el investigador. Se requiere especial cuidado en este proceso para no dejar de lado alguna alternativa de respuesta que debería estar incluida (exhaustividad) y que las opciones de respuesta no se solapen entre sí (exclusividad) (Krosnick y Presser, 2010).

- Redacción de instrucciones: siempre teniendo en mente el colectivo al que será aplicado el instrumento. Deben ser suficientemente detalladas y amplias (López, 1998).

Este proceso de construcción tiene por fin asegurar un mínimo de calidad en el instrumento, lo que pasa por considerar su validez y fiabilidad (Martínez, Hernández y Hernández, 2006). No obstante, un adecuado proceso de validación de un cuestionario se suele llevar a cabo mediante la revisión de la estructura del cuestionario, las preguntas y sus opciones de respuesta por parte de jueces que conozcan el tema en cuestión; con ello se obtiene evidencia de la validez de contenido del instrumento, que refiere a que éste representa una adecuada muestra del dominio de contenidos sobre aquello que se desea preguntar (Abad et al., 2009). Por su parte, la fiabilidad o estabilidad de la respuesta, puede obtenerse de diversas maneras, aunque la forma habitual corresponde a una nueva aplicación del instrumento a los mismos sujetos encuestados. Se ha sugerido también el uso de entrevistas cognitivas, que consisten en la interrogación exhaustiva acerca de la forma en que los participantes llegaron a emitir sus respuestas y la razón de las aparentes discrepancias que pudieran surgir. No obstante, autores como Morton, Mullin y Biemer (2008) declaran que sólo la primera opción es verdaderamente un procedimiento efectivo para reducir el error y aumentar la fiabilidad. Por supuesto, dado que volver a aplicar el instrumento es complejo y costoso, se suele intentar aportar a la fiabilidad realizando una cuidadosa construcción y revisión de preguntas y opciones de respuesta, tal como hemos descrito. Hay una larga lista de sugerencias para esta tarea (Asún, 2006; Cea D'Ancona, 2004). Se sugiere, además, llevar a cabo una prueba piloto que también contribuya a la fiabilidad, aunque su propósito está más orientado a evaluar formalidades del instrumento (Shaughnessy, 2007).

Lo señalado en este apartado da una idea de la exhaustividad y tiempo que se requiere para poder desarrollar adecuadamente un cuestionario. Es claro que no tiene mucho sentido producir una herramienta de la cual no se tienen certezas sobre su calidad. Conviene entonces contemplar cuál puede ser realmente el uso del cuestionario en el contexto de la investigación cualitativa, pues aunque no hay cifras precisas –dada la naturaleza de este tipo de investigación– para muchos docentes e investigadores es evidente el uso que se ha estado haciendo de cuestionarios en estudios de enfoque interpretativo.

Limitaciones del cuestionario como herramienta cualitativa

La investigación cualitativa está asentada en fuertes bases epistemológicas que permiten sustentar ideológicamente las estrategias de investigación. Desde allí, concebir e implementar un estudio con enfoque cualitativo siempre obliga a asumir un conjunto de supuestos, cuya adscripción a un paradigma científico permite legitimar no sólo qué cosas preguntar, sino cómo podrían ser respondidas y cuáles son las respuestas aceptables dado el contexto (Valles, 2000).

La estrategia de investigación que se adopte estará empapada de dichos supuestos y ayudará a prescribir qué metodología, actividades y tareas pueden llevarse a cabo (Pérez, 1998).

La metodología cualitativa responde, pues, a orientaciones distintas a las de la investigación tradicional. Dilthey estableció que a diferencia de las ciencias de la naturaleza, que están orientadas a la explicación de fenómenos, las ciencias humanas se orientan a la comprensión de las vivencias y significados de los individuos en torno a éstas, a la subjetividad en suma (Denzin y Lincoln, 2012; Valles, 2000). Pérez (1998) señala que la investigación cualitativa está orientada al proceso antes que al resultado, asumiendo una realidad subjetiva y dinámica.

Sobre esta pretensión es que las técnicas aplicadas en el contexto del trabajo de investigación cualitativo, buscan explorar, profundizar y aprehender las experiencias de modo íntegro, holístico y en toda su complejidad (Mendizábal, 2006). Si se pretende capturar una realidad subjetiva y dinámica no resulta apropiado utilizar técnicas de recolección que dan cuenta de dicha realidad de manera estática, aunque su uso pueda justificarse en algunos casos. Los cuestionarios, en este sentido, tienden a representar una imagen muy concreta de un momento específico del fenómeno en estudio, recogiendo información de modo extensivo antes que intensivo, sin tiempo para profundizar en experiencias y subjetividades.

Otra característica de los estudios cualitativos corresponde a la alta valoración que se hace de los participantes en la investigación como sujetos comunicativos, interactivos, que comparten significados. Se establece una relación entre investigador e investigado que va más allá de la tradicional relación sujeto-objeto. Según Vasilachis de Gialdino (2006), hay un principio de igualdad esencial en la interacción cognitiva entre investigador e investigado, donde ambos están abiertos a influirse mutuamente y co-construir, en un diálogo abierto, las preguntas y las respuestas. A diferencia de este supuesto de igualdad, los cuestionarios proponen una conversación no horizontal, donde un investigador cumple el rol de formular preguntas prestablecidas mientras que el encuestado sólo escoge opciones de respuesta (Asún, 2006). Es claro que la aplicación de cuestionarios no favorece el vínculo entre investigador y participantes, porque quiebran la relación de igualdad que se espera establecer en favor de una relación de confianza.

En este mismo sentido debe tenerse presente que los estudios cualitativos propenden al diseño flexible, donde ni las preguntas iniciales, ni los objetivos, ni las técnicas de producción o los procedimientos de análisis están sacramentados, ya que dependen del devenir del estudio en el campo específico en que el investigador se inserta. La situación es particular y los acontecimientos no son previsibles (Mendizábal, 2006). En este contexto, un cuestionario posiblemente no se adapte a las reales necesidades del investigador y aunque se construya uno ex profeso siguiendo los pasos metodológicos prescritos, el marco de trabajo definido por investigador y participantes probablemente cambie lo suficiente como hacer inútil su aplicación. Es posible, claro está, que el investigador construya un cuestionario improvisado, pero no es necesario advertir nuevamente sobre las desventajas de este proceder.

El diseño flexible también ayuda a comprender otra característica de los estudios cualitativos que puede ser discutido. El investigador se inserta en un contexto específico, individualizable, con límites de sentido claros que lo distinguen de otros contextos o escenarios (Pérez, 1998). Dicho de otro modo, el investigador cualitativo no se interesa por cualquier contexto o por atributos de contextos en general. Los cuestionarios, sin embargo, se aplican con el fin de obtener representatividad, están orientados a ofrecer una descripción, usualmente cuantitativa, de una población, para lo cual se aplican a muestras de dicha población. La representatividad estadística en investigación cualitativa, en cambio, no es un tema de interés. Lo que se muestrea se hace en función de la relevancia para el estudio y con el fin de denotar las temáticas presentes en los relatos de los participantes. Si hay algún muestreo, es para asegurar la diversidad y tipicidad de significados, no la representatividad, dentro de un escenario limitado (Valles, 2000).

En el proceso de investigación propio del trabajo cualitativo, a veces descrito en fases, el inicio recae en una idea, pero esa idea no es el primer paso del estudio. Es sólo una noción que mueve a una reflexión y planificación inicial del trabajo de campo. Entre los aspectos a planificar está la entrada al campo, que requiere atención a la manera en que se generará el vínculo con las personas que son parte del escenario, la negociación del rol del investigador, el diálogo que mantendrá con los actores del contexto, ya sea en instancias de observación participante o no (Mendizábal, 2006; Taylor y Bogdan, 1987). Esta suerte de "contrato psicológico" que se instaura progresivamente con los participantes implica la construcción de confianzas. El cuestionario, al ser un instrumento que es aplicado en una relación no horizontal, representa un obstáculo a la construcción de dicho vínculo.

Estas son algunos de los argumentos, sin pretensión de exhaustividad, que pueden mencionarse respecto de las limitaciones que entraña utilizar el cuestionario en estudios cualitativos. Con todo, y dado que no hay nada dado por cierto en estas metodologías, es posible que su aplicación sea pertinente bajo ciertas situaciones.

Opciones de aplicación del cuestionario en estudios cualitativos

Lo dicho anteriormente debiera bastar para tener una idea clara sobre el impacto del uso de cuestionarios en investigación cualitativa, no obstante, en algunos casos puede haber espacios de aplicación.

En la estrategia de investigación-acción, también llamada investigación-acción participativa (IAP), los autores (Ghiso, 2006; Kemmis y Taggart, 2013; Pérez, 1998) adoptan una postura abierta cuando de obtener información se trata. Con matices, las diferentes descripciones de la IAP coinciden en iniciar el proceso de intervención de cara a las mejoras de una comunidad, con una fase de diagnóstico y/o planificación. Dicha etapa no se restringe a las técnicas más o menos conocidas del arsenal cualitativo (entrevistas, entrevistas en profundidad, grupos de discusión) sino que permite el desarrollo de talleres, tertulias, encuentros, todo tipo de documentación y en general cualquier insumo que sea de utilidad y ayude a fortalecer el diagnóstico que la comunidad hace de aquello que la aqueja. El cuestionario, en este caso, es una herramienta más.

Jansen (2010) habla de encuestas cualitativas, aunque indica que se ha escrito poco al respecto. Con este tipo de técnicas, no se pretende realizar análisis estadísticos, como obtener frecuencias, medias y otros parámetros, sino más bien constatar la diversidad de algunos tópicos de interés dentro de una población, no cuenta el número de personas, sino las variaciones de significado entre los individuos. La estructura de este tipo de estudios, sin embargo, no restringe la producción de datos al clásico cuestionario, ya que su naturaleza necesariamente está subordinada al diseño de investigación, permitiendo no sólo consultar o preguntar a las personas, sino también observar interacciones o recolectar artefactos y documentos con significado. Creswell (1998) emparenta la encuesta cualitativa con las aproximaciones de la Teoría Fundada en las primeras instancias de trabajo, cuando se piensa en obtener información que será codificada. En realidad se debe pensar en las encuestas cualitativas como una opción simple, que no busca patrones ni generalizaciones, sino heterogeneidad (Jansen, 2010).

Las opciones de uso del cuestionario son múltiples, no por nada sigue siendo una de las técnicas estrella para recolectar información (Cea D'Ancona, 2004), pero su laboriosa preparación, las restricciones de aplicación y los fines que persigue, hacen que su uso en estudios cualitativos deba ser suficientemente reflexionada, por las posibles consecuencias a las que conlleve.

Referencias

Abad, F., Olea, J., Ponsoda, V. y García, C. (2010). *Medición en ciencias sociales y de la salud.* Madrid: Síntesis.

Asún, R. (2006). Construcción de cuestionarios y escalas: el proceso de la producción de información cuantitativa. En M. Canales (Ed.) *Metodologías de investigación social. Introducción a los oficios* (pp. 63-113). Santiago: LOM.

Balluerka, N. y Vergara, A. I. (2002). *Diseños de investigación experimental en psicología.* Madrid: Prentice Hall.

Blasius, J. y Thiessen, V. (2012). *Assessing the quality of survey data.* London: Sage.

Briones, G. (1990). *Métodos y técnicas de investigación para las ciencias sociales.* México: Trillas.

Callegaro, M., Lozar, K. y Vehovar, V. (2015). *Web survey methodology.* London: Sage.

Cea D'Ancona, M. A. (2004). *Métodos de encuesta. Teoría y práctica, errores y mejora*. Madrid: Síntesis.

Creswell, J. (1998). *Qualitative inquiry and research design: choosing among five traditions*. London: Sage.

Creswell, J. W. y Plano, V. L. (2007). *Designing and conducting mixed methods research*. Thousand Oaks, CA: Sage.

De Leeuw, E. y Collins, M. (1997). Data collection methods and survey quality. An overview. En L. Lyberg *et al.* (Eds.) *Survey measurement and process quality* (pp. 199-220). New York: Wiley-Interscience.

Denzin, N. K. y Lincoln, Y. S. (2012). La investigación cualitativa como disciplina y como práctica. En N. K. Denzin & Y. S. Lincoln (Coords.) *El campo de la investigación cualitativa* (pp. 43-101). Barcelona: Gedisa.

Ghiso, A. (2006). Rescatar, descubrir, recrear. Metodologías participativas en investigación social comunitaria. En M. Canales (Ed.) *Metodologías de investigación social. Introducción a los oficios* (pp. 63-113). Santiago: LOM.

Heeringa, S. G., West, B. T. y Berglund, P. A. (2010). *Applied survey data analysis*. Boca Raton, FL: Chapman & Hall/CRC.

Jansen, H. (2010). The logic of qualitative survey research and its position in the field of social research methods. *FQS. Forum: Qualitative Social Research, 11* (2) Disponible en: [http://www.qualitativeresearch.net].

Kemmis, S. y McTaggart, R. (2013). La investigación-acción participativa. La acción comunicativa y la esfera pública. En N. K. Denzin & Y. S. Lincoln (Coords.) *Las estrategias de investigación cualitativa* (pp. 361-439). Barcelona: Gedisa.

Krosnick, J.A. y Presser, S. (2010). Question and questionnaire design. En P. B. Marsden y J. D. Wright (Eds.), *Handbook of survey research* (pp. 263-313). Bingley, UK: Emerald.

López, H. (1998). La metodología de encuesta. En J. Galindo (Ed.) *Técnicas de investigación en sociedad, cultura y comunicación* (pp. 33-73). México: Pearson.

Lumley. T. (2010). *Complex surveys: A guide to analysis using R*. New York: Wiley & Sons.

Mañas, B. (2005). Los orígenes estadísticos de las encuestas de opinión. *Empiria*, *Enero-junio* (9), 89-113.

Martínez, M. R., Hernández, M. J. y Hernández, M. V. (2006). *Psicometría*. Madrid: Alianza.

Maxim, P. S. (2002). *Métodos cuantitativos aplicados a las ciencias sociales*. México: Oxford.

Mendizábal, N. (2006). Los componentes del diseño flexible en la investigación cualitativa. En I. Vasilachis de Gialdino (Coord.), *Estrategias de investigación cualitativa* (pp. 65-105). Barcelona: Gedisa.

Morton, J. E., Mullin, P. A. y Biemer, P. P. (2008). Using reinterview and reconciliation methods to design and evaluate survey questions. *Survey Research Methods*, 2 (2), 75-82.

Padua, J. (1994). *Técnicas de investigación aplicadas a las ciencias sociales*. México: Fondo de Cultura Económica.

Pérez, G. (1998). *Investigación cualitativa. Retos e interrogantes. I. Método*. Madrid: La Muralla.

Shaughnessy, J. J. (2007). *Métodos de investigación en psicología*. México: McGraw-Hill Interamericana.

Taylor, S. J. y Bogdan, R. (1987). *Introducción a los métodos cualitativos de investigación: la búsqueda de significados*. Barcelona: Paidós.

Valles, M. S. (2000). *Técnicas cualitativas de investigación social. Reflexión metodológica y práctica profesional*. Madrid: Síntesis.

Vasilachis de Gialdino, I. (2006). *Estrategias de investigación cualitativa*. Barcelona: Gedisa.

— TERCERA PARTE —

CAPÍTULO 16

Análisis estructural de contenido

Leticia Arancibia Martínez

Introducción

El análisis estructural de contenido es un método de análisis cualitativo que se constituye de procedimientos de descripción y de trabajo analítico para la formalización de los datos. Su objetivo es comprender y describir los modos de existencia del sentido. El análisis estructural ha estado desde sus orígenes asociado a la lingüística. La sociología ha recurrido a esta técnica para adaptarla a sus intereses y a sus objetivos disciplinarios, donde el análisis es llevado en función de una problemática teórica que precisa el impacto de lo cultural sobre el sistema social global y al nivel de la conciencia de los actores (Ruquoy, 1990: 93).

En la preocupación por la necesidad de una utilización pertinente y el desarrollo de un referente teórico y procedimental desde la sociología, dando un soporte teórico y metodológico que permitiera enriquecer la práctica y el estatus del análisis de contenido, podemos destacar el trabajo de Remy y Ruquoy en la Universidad Católica de Lovaina y en particular el trabajo de Jean Pierre Hiernaux (1977), quien plantea como objeto de estudio la institución cultural y construye un marco teórico que permite a la sociología trabajar el análisis de contenido considerando el objeto de conocimiento ligado a las representaciones culturales o a las ideologías. El trabajo que él efectúa se inscribe en la perspectiva de la sociología de la cultura y se centra sobre el problema de los modos de captación y de descripción en los cuales se desarrolla el análisis de contenido en sociología. Hiernaux considera los aportes de la semántica estructural de Greimas, pero también los de autores tales como Víctor Propp y Roland Barthes, elaborando una sistematización teórica y metodológica propia a fin de formalizar un método: el método de descripción estructural.

La institución cultural y el método de análisis estructural

Jean Pierre Hiernaux señala el gran desafío que constituye para la sociología el desarrollo de formas pertinentes y rigurosas de comprensión y de captación del sentido. Él tiene en cuenta el objeto de conocimiento, básicamente constituido por lo que él denomina la *institución cultural*, tema en torno al cual desarrolla su propuesta.

"Si bajo diversas denominaciones, aquellas de representaciones culturales o ideologías, los fenómenos del sentido socialmente producido y socialmente eficaz interesan la investigación sociológica desde sus orígenes, parece no obstante, que es sino tardíamente que se aboca y emprende a la cuestión de los modos de comprensión y de descripción precisa y operatorias realmente adaptadas a la naturaleza de este objeto de conocimiento" (*ibíd.*, vol. I, p. IV).

Hiernaux busca el desarrollo de un análisis sociológico de las instituciones culturales. La institución cultural será definida como "los sistemas de reglas de combinación socialmente producidos, y socialmente eficaces, constitutivos de sentido informando las percepciones, las prácticas y los modos de organización puestos en marchas por los actores sociales" (*ibíd.*, p. 1). La institución cultural constituye

"Los sistemas de reglas de combinación, objetivados y/o interiorizados, socialmente producidos, impuestos o difundidos, informando las percepciones, las prácticas y los modos de organización puestos en obra por los actores –o los sistemas constituidos o utilizados en ese marco– que tienen sus efectos, se reconducen o reelaboran por las relaciones establecidas en la práctica social, entre los sentidos que ellos generan por una parte y los otros determinantes de esta práctica por otra" (*ibíd.*, vol. II, p. 25).

El análisis estructural es una técnica de análisis de contenido que posee influencia de la lingüística, pero es igualmente un método descriptivo que se orienta a proporcionar un conjunto de principios y de procedimientos analíticos sólidos para describir las dimensiones y las diferentes configuraciones del objeto de análisis sociológico: la institución cultural.

La naturaleza semántica de los datos observados resulta de gran importancia para tomar en cuenta; es decir que no es sino después de haber tomado conocimiento del texto en su existencia semántica que viene la relación teórica (Ruquoy, 1990). Se trata, en otros términos, de "aprehender los sistemas de reglas de combinación de sentido" que existen en el material de trabajo y no en las diferentes formas y maneras en las cuales el material se produce o se comunica. De este modo, estas categorías dejan de ser fenómenos explicativos para convertirse en fenómenos a explicar.

El análisis estructural es un método descriptivo que pretende proporcionar un conjunto de principios y de procedimientos analíticos para describir las dimensiones y las diferentes configuraciones del objeto de análisis sociológico. Bajo la forma de sistemas de percepción y de representación, se manifestarán a través de diferentes materiales. Ya sea el lenguaje verbal, como el discurso oral y diferentes tipos de escritos. Y también a través del lenguaje no verbal presente en las diferentes expresiones gráficas y gestuales, constitutivas de sentido (donde, por ejemplo, la disposición espacial de los objetos o el tipo de vestuario de las personas son datos) que nos permiten la descripción de la institución cultural, la cual, tal como ya lo hemos dicho, representa el sistema de reglas de combinación constitutivas de sentido.

El objetivo del método es de llegar a un máximo de formalización de esos materiales. Las estructuras de sentido que el método permite reconocer –sobre la base de materiales concretos– deben ser concebidas como procesos *socialmente localizados* (y no simples artificios lingüísticos), *socialmente eficaces* (con efectos tangibles en las prácticas y los modos de percepción de las personas concretas) y *socialmente producidas*. La información contenida en ciertas manifestaciones implican un sentido: la realidad de los ítems perceptibles, concebibles e invocables. El método de descripción estructural se centra en el material concreto, sin que éste pretenda dar cuenta de las modalidades de comunicación en las cuales estas manifestaciones se emiten, es decir en el material definido (*ibíd.*, pp. 6-7).

Para examinar los aspectos técnicos del método, partiremos por describir los elementos básicos necesarios de identificar en el material de análisis, a fin de descubrir la estructura que poseen.

Las unidades mínimas de estructura

> *"...antes de apuntar a la cuestión de las estructuras de conjunto, (...) se plantea la cuestión de las unidades mínimas y de los principios de observación elementales a partir de los cuales toda organización posterior puede dejarse aprehender"* (Ruquoy, 1990: 5).

En la operatoria del método es preciso, al inicio, establecer las unidades mínimas de las estructuras, las cuales son la condición para establecer, enseguida, un análisis que permita el desarrollo de niveles de abstracción lo más complejos posibles, por las diferentes combinatorias que esas unidades posibilitan. Debemos recurrir a un marco que permite construir sistemas que van de una complejidad inferior hacia una complejidad superior al nivel de la abstracción. En ese marco, es necesario que distingamos los siguientes tipos de códigos que nos habilitan a desplegar sucesivamente un proceso de análisis.

a. Código disyuntivo

En el análisis estructural, para que exista una significación es preciso que haya al menos dos elementos en relación entre ellos de tal suerte que obtengamos en el análisis descriptivo estructural, la unidad mínima de sentido que será lo que nosotros llamamos el *código disyuntivo*. Un código disyuntivo, en el cuadro de un material definido, que posee principios organizadores de sentido que orientan la percepción, es necesario ubicar *las relaciones de oposición o de disyunción*. Así, "la descripción debe convenir considerar como *condición de constitución* de un ítem cualquiera en tanto que 'realidad' y *la relación de disyunción* especificando esta 'realidad' en relación con la 'realidad inversa'" (*ibíd.*, p. 6).

Para ilustrar mejor este tipo de relaciones se puede tomar un ejemplo concreto donde aparece la categoría *mujeres* en una relación de oposición al elemento *hombres,* como la imagen que correspondería a su opuesto dicotómico, pero también al elemento complementario, es decir, a su *inverso.* Esta última propiedad nos lleva visualizar las dos nociones de partes dicotómicas donde las dos están ligadas entre ellas puesto que ellas se refieren a una *totalidad de sentido,* en nuestro ejemplo: los seres humanos. Guardando este sentido, hay que pensar esta relación como una *presuposición mutua,* donde la existencia de un elemento significa la existencia del otro, de tal suerte que nosotros podríamos decir que *es porque las mujeres existen que los hombres existen y viceversa.* En los términos de Hiernaux (1996), "los hombres frente a las mujeres, sería aquello que el sujeto puede concebir, percibir, evocar, aquello que puede manifestarse por palabras sin ser no obstante, estas palabras como tales puesto que se trata de nociones (sentidos) que esas palabras manifiestan y quedan a circunscribir en el análisis posterior" (p. 8).

De este modo, podemos percibir la existencia de una propiedad que une los dos elementos que se suponen se excluyen el uno al otro. Esta relación binaria de oposición será el resultado de la realización de al menos un eje semántico. Por lo tanto podrá afirmarse que los elementos son opuestos y dicotomizables en la medida que ellos forman una *totalidad* común a los dos. Esto permite la existencia de una *presuposición mutua y complementaria*: es la pertenencia a un todo indisoluble, la totalidad, que se constituye a su vez en tanto que tal en esta complementariedad mutua de los elementos.

Para desarrollar nuestra explicación analítica es pertinente esquematizar el eje semántico de la unidad de sentido –o disyunción concreta de una realidad específica– de acuerdo a la nomenclatura:

r	=	el código disyuntivo
A, B	=	las realidades constituidas
/	=	la relación de disyunción
A̱ + Ḇ = T	=	la Totalidad
A, B	=	los inversos de A, B
	ó,	r; A / Ḇ⇒A, B Є (T = A+B)
	y,	A=B ; B=A

A partir del ejemplo precedente sería:

T= LOS SERES HUMANOS

A= mujeres   B= hombres

En la relación establecida en A=B; B=A distinguimos que la relación es de totalidad en la medida que la existencia de un elemento depende de la existencia del otro. Así, mientras que la definición de este eje semántico binario es exhaustiva, la unidad mínima de sentido: código disyuntivo r, requiere un alto nivel de operacionalización. No obstante, desde el material que se disponga, no siempre será posible encontrar el inverso de un elemento A. En ese caso, en términos de negación, se buscará un elemento que ocupe el lugar del inverso de A, es decir un No-A, el cual se designará: ~A. este elemento se llamará *inverso vacío.* Para hacer aparecer claramente que se busca formular hipótesis que suponen la identidad de inversos investigados, se pondrá este término entre paréntesis: (B), siendo así el inverso vacío de A, presto a ser verificado (*ibíd.*, pp. 14-15). En lo que concierne a la Totalidad, habitualmente no está enunciada explícitamente en el material definido, será pues necesario denotar su presencia poniéndola entre comillas: "T".

Algunos criterios importantes a tener en cuenta son: a) el postulado de *binaridad,* donde una relación de disyunción no puede ser establecida entre más de dos elementos; b) el criterio de *homogeneidad,* los dos términos deben referirse a un denominador común o a un eje semántico; c) el principio de *exhaustividad*: no puede haber otro término que esté ligado al eje semántico fuera de los dos elementos de la disyunción, y d) el criterio de *exclusividad* que indica que los términos que integran el código de disyunción deben ser diferentes y no pueden ser confundidos, para permitir procesos de más gran complejidad. Los elementos del material concreto sobre el cual trabaja el análisis estructural, considerando su principio organizador de sentido, no se construyen como realidades específicas sino a condición de ser las partes constituyentes de una totalidad común a los dos.

b. El código objeto y el código de calificación

Yendo de las estructuras básicas hacia las de complejidad creciente, distinguimos en primer lugar los códigos de disyunción: objeto o de calificación. El código de disyunción constituye la unidad mínima de sentido y a partir del cual se inicia el análisis. El sentido se construye en la oposición de un elemento a su contrario, donde ambos están ligados por una totalidad de sentido. Esto significa que la división de la realidad en dos es posible porque una realidad posee una o más propiedades que la otra realidad no posee. El *código objeto* y el *código de calificación* hacen referencia a las relaciones de asociación entre códigos, aquí este tipo de relación se grafica con una línea vertical: (I). En efecto, en este tipo de relación observamos que existen *códigos objetos* **ro** que son los códigos definidos por el productor del material al cual se le atribuyen esas características. Del mismo modo que los términos objetos forman entre ellos un código objeto, las propiedades calificativas pueden formar también un *código calificativo*.

Los códigos calificativos **rq** son los códigos que expresan las características del objeto, siendo las propiedades o las cualidades que se combinan. Ellos agrupan un conjunto de otras propiedades contra-definidas de manera disyuntiva, asociando un término en relación con otro a la realidad del **código r**. El código de calificación constituye un pareja de propiedades calificativas contra-definidas que aplicadas a la totalidad, hace aparecer las partes contra-definidas de un código objeto. Se considera que se llega a conocer la unidad de sentido en la medida que se arriba a conocer sus propiedades calificativas.

La formalización de todos estos códigos será:

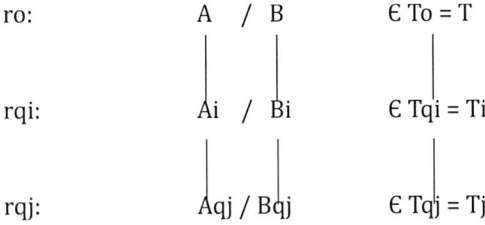

ro: A / B   ∈ To = T

rqi: Ai / Bi   ∈ Tqi = Ti

rqj: Aqj / Bqj   ∈ Tqj = Tj

En el esquema siguiente, podemos observar estas relaciones:

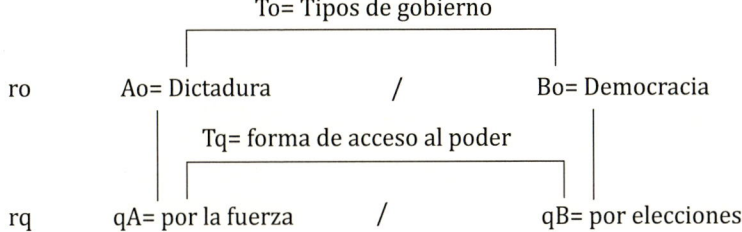

To= Tipos de gobierno

ro   Ao= Dictadura   /   Bo= Democracia

      Tq= forma de acceso al poder

rq   qA= por la fuerza   /   qB= por elecciones

Tal como vemos arriba, en nuestro ejemplo, hemos establecido que el *código objeto ro* se constituiría por la oposición dictadura / democracia y que su totalidad sería los tipos de gobierno; el *código calificativo rq* estaría constituido por la oposición: por la fuerza / por elecciones, correspondiente a la *totalidad Tq: formas de acceso al poder*. Con ello, el código disyuntivo: por la fuerza / por elecciones, nos permite caracterizar el código objeto dictadura / democracia.

Los momentos operatorios específicos

a. Las isotopías

Un aspecto importante a precisar en los momentos operatorios, es que un elemento presente en un material no se constituye como realidad en la relación disyuntiva especificada sino bajo la condición de que su presuposición recíproca se plantee como partes dicotomizables de una totalidad común (*ibíd.*, p. 8).

Las isotopías constituyen el lugar común donde se articula un conjunto de códigos, donde diferentes términos se encuentran reunidos bajo un cierto punto de vista.[1] En efecto, la noción de *isotopía* significa mismo nivel = iso; y lugar = *topos*. No es posible describir estructuras con códigos disyuntivos que no pertenecen al mismo *isótopo*, pues en una isotopía no se puede considerar las informaciones que relevan el mismo lugar estructural, incluso si en el material las informaciones se encuentran dispersas (Hiernaux, 1995: 128) o implícitas. La isotopía es un espacio de sentido donde los códigos se reagrupan.

---

1. Al respecto, podemos recordar la definición que hace Greimas (1981): "por la isotopía nosotros entendemos un conjunto redundante de categorías semánticas que hacen posible la lectura uniforme del discurso tal como ella resulta de las lecturas parciales de los enunciados después de la resolución de sus ambigüedades, esta resolución está guiada por la búsqueda de la lectura única".

b. Los planos

Los planos son categorías analíticas que permiten agrupar los diferentes códigos según su naturaleza. No son inferidos a partir del análisis de contenido del material sino que son una construcción que el investigador ha hecho, el mismo, según el interés del análisis. Nosotros podemos distinguir así, el plano del *Tiempo,* el plano del *Espacio,* el plano de los *Actores,* el plano de las *Acciones* y el plano de los *Objetos u Objetivos.* Sin embargo, considerando la naturaleza de la investigación y de las realidades manifestadas, es posible imaginar otros planos analíticos.

c. El modelo

Cuando hablamos de modelo nos referimos a la estructura del sentido general que puede ser extrapolado a partir del análisis de diferentes tipos de materiales. Nosotros podemos tener acceso a la aprehensión de un modelo global por la intermediación de la forma en que el actor organiza su percepción de ese modelo global. A partir de su valorización es posible hacer el agrupamiento de códigos y la consideración de sus interrelaciones.

d. El gráfico y su construcción

El gráfico es la adaptación a una modalidad gráfica estándar de la estructura de los códigos que puede extraerse de un material determinado, un esquema descriptivo que permite visualizar la decodificación realizada en el análisis y que pone en evidencia las relaciones que se encuentran allí. El gráfico tiene como característica particular una capacidad *relacional.* Ello significa que vuelve inteligible –para comprenderlo– la estructura y el orden del sentido, señalando las relaciones y las numerosas combinaciones posibles entre las *realidades* y sus *propiedades*. Esta capacidad *relacional* es *descriptiva.*

En la elaboración del gráfico no hay que confundir el rigor con el hecho de respetar el orden en el cual aparecen los términos en el material inicial. Por otra parte, hay que tomar en cuenta que la aparición de otros elementos puede llevar a una modificación de éste, privilegiando un análisis riguroso.

e. La paráfrasis

La paráfrasis es un test en vistas de verificar si la descripción estructural es válida o no en relación con los contenidos del material. Ella se realiza de manera oral, repitiendo la parte del gráfico y reconstruyendo la estructura descubierta. La paráfrasis debe ser hecha leyendo el gráfico realizado, vigilando que esta reconstrucción sea lógica del punto de vista del locutor.

f. El protocolo analítico

Es un ejercicio de *traducción o explicitación* (Hiernaux, 1977, vol. II, p. 18) en un lenguaje natural del contenido, o del sentido, de la estructura expresada en el gráfico. Hay que "hacer decir" al material el modo de existencia de las "realidades" y de los principios constitutivos de "realidad" que el mismo implica (*ibíd.*, p. 18). Esto exige ser claros en la descripción de modo que se comprenda la estructura del gráfico, dando cuenta de la articulación existente entre códigos, totalidades, universos, planos y modelos presentes en el gráfico. Nosotros podemos considerar el protocolo analítico como una "esquematización hablada" del modelo en nombre del cual el locutor organiza la realidad de sentido puesta en escena en el material.

g. El comentario analítico

A través de este ejercicio el investigador integra los elementos que los resultados de la descripción inspiran para la problemática más global de su investigación, él sale de una posición exclusiva de descripción y elabora un discurso propio. El *comentario analítico* consiste en extraer las consecuencias, las causas y los orígenes que emanan de las estructuras de sentido puestas en evidencia anteriormente, formulando conclusiones correspondientes. Este ejercicio se sitúa, pues, entre la simple descripción de datos de observación y la reflexión sociológica.

Principios básicos en la descripción estructural

Conformidad

El principio de conformidad señala que la descripción realizada por la aplicación del método debe ajustarse a aquello que está en el material. La descripción no puede modificar el sentido contenido en el material sino que ella debe transmitirlo con la más grande fidelidad posible. Esto significa que la sistematización de la información no debe alterar la estructura de sentido subyacente en el material.

Canonicidad

A fin de reforzar los procedimientos de descripción y de análisis estandarizados, existe la demanda de este principio que requiere el respeto de reglas de descripción definidas, o axiomática del método. Todo esto con el objetivo de reforzar así tanto el análisis del material concreto, como los aspectos teóricos del método de análisis estructural.

Condensación descriptiva

Este principio opera cuando estamos en presencia de una misma realidad manifestada muchas veces o bajo formas concretas variables (*ibíd.*, p. 15) en el material. Así, cuando una misma unidad de sentido está expresada a través de varios ítems, nos arriesgamos de dispersar el material, es el motivo por el cual habría que homogeneizarla. En este caso nosotros podríamos, en el análisis, "... según la oportunidad llevar la diversidad aparente a la unidad bajo una formulación condensiva-descriptiva única" (*ídem*).

Es necesario, pues, englobar los materiales homologables a fin de facilitar el reagrupamiento y la manipulación de códigos pese a una cierta pérdida de información que se produce, pero que de todas formas será recuperada durante el análisis; la denotación será la siguiente:

$$
\left.
\begin{array}{ll}
/.../1 & A1 \,/\, B1 \\
/.../2 & A2 \,/\, B2 \\
\quad \vdots & \quad \vdots \\
/.../n & An \,/\, Bn
\end{array}
\right\} \quad \text{"A" / "B"}
$$

Es decir:

"A" / "B"	: Nuevas realidades definidas por condensación
A/B	: Términos o realidades anteriormente construidas
/.../	: Secuencias o textos del material considerado

Aplicándolo a un material concreto, tendríamos:

Material nº 1
"En el presente las decisiones sobre las políticas de gobierno se toman sobre la base de datos exactos. De este modo, ya no son más las bellas palabras, sino las cifras, el resultado de lo que se hace, es lo que cuenta. Se decide en relación con criterios objetivos, distintos de aquellos utilizados hace treinta años. Las prioridades actuales han por fin cambiado y se busca el progreso económico, porque lo más importante es el desarrollo de la economía. No nos detenemos más por aquello que ha sido conducido por los deseos, porque el llamado progreso social no ha sido nunca una realidad, ahora se prefiere obtener resultados y los intereses (...) son las motivaciones de las decisiones políticas, porque se quiere avanzar concretamente".

En este ejemplo, constatamos ciertos códigos calificativos estrechamente asociados, en razón del hecho de que el locutor le ha dado el mismo registro semántico o porque el enunciado precisa en detalle la pertenencia a una misma "realidad". Así, nosotros podemos desplegar las siguientes oposiciones:

$$\frac{\text{Datos exactos} \quad — \quad \text{las cifras} \quad — \quad \text{criterios objetivos}}{(\sim\text{datos exactos}) \quad — \quad \text{Las bellas palabras} \quad — \quad (\text{criterios subjetivos})} = \frac{\text{"Criterios objetivos"}}{\text{"criterios subjetivos"}}$$

$$\frac{\text{Progreso económico} \quad — \quad \text{desarrollo de la economía}}{\text{Progreso social} \quad — \quad (\sim \text{desarrollo de la economía})} = \frac{\text{"progreso económico"}}{\text{"progreso social"}}$$

$$\frac{\text{Intereses} \quad \text{- avanzar concretamente -} \quad \text{obtener resultados}}{\text{Deseos} \quad \text{- } (\sim \text{avanzar concretamente}) \text{ - } (\sim \text{obtener resultados})} = \frac{\text{"Intereses"}}{\text{"Deseos"}}$$

En este ejercicio nosotros tenemos la oposición *datos exactos/ (~ datos exactos)* y la oposición *criterios objetivos /(criterios subjetivos)*, que pertenecen a un mismo registro semántico. Asimismo las oposiciones *progreso económico/progreso social* y la oposición *desarrollo de la economía / (~ desarrollo de la economía)*. En estas últimas oposiciones encontramos tres oposiciones que comparten la misma realidad. Construyamos ahora la estructura antes y después de la condensación. El primer gráfico:

LAS POLÍTICAS DE GOBIERNO

ro ; (Las políticas del pasado) / (Las políticas del presente)
        "tipos de datos utilizados para decidir las políticas"

rq1 ; (~datos exactos) / <u>datos exactos</u>
        "tipos de criterios para la toma de decisiones"

rq2 ; (criterios subjetivos) / <u>criterios objetivos</u>
        "argumentos utilizados"

rq3 ; <u>las bellas palabras</u> / <u>las cifras</u>
        "tipo de progreso buscado"

rq4 ; <u>progreso social</u> / <u>progreso económico</u>
        "tipo de desarrollo buscado"

rq5 ; (~desarrollo económico) / desarrollo económico
        "motivaciones para decidir las políticas"

rq6 ; <u>los deseos</u> / <u>los intereses</u>
        "tipo de progreso buscado"

rq7 (~avanzar concretamente) / avanzar concretamente
        "objetivo de las políticas"

rq8 (~obtener resultados) / obtener resultados

El segundo gráfico, que obtenemos después de la condensación sería el siguiente:

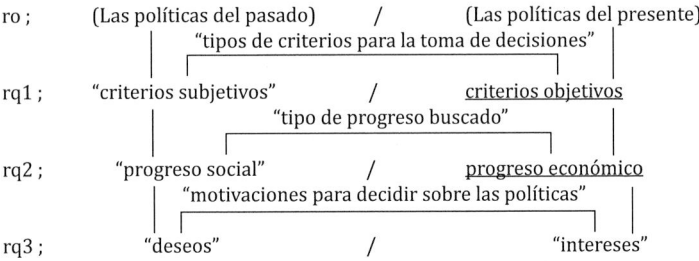

LAS FORMAS DE LAS POLÍTICAS DE GOBIERNO

ro ;   (Las políticas del pasado)   /   (Las políticas del presente)
             "tipos de criterios para la toma de decisiones"

rq1 ;   "criterios subjetivos"   /   criterios objetivos
                     "tipo de progreso buscado"

rq2 ;   "progreso social"   /   progreso económico
             "motivaciones para decidir sobre las políticas"

rq3 ;   "deseos"   /   "intereses"

Tipos de estructuras

1. La estructura paralela

La estructura paralela es la configuración más simple al interior del conjunto de estructuras comprendidas en el método. Ella mantiene una cierta continuidad en relación con la dicotomía de la axiomática binaria (Hiernaux, 1992), en la medida que se presenta como la separación total de dos "realidades" y de sus propiedades correspondientes. Se trata de un sistema de organización de términos que da lugar a dos universos no solamente paralelos, sino también inversos desde el punto de vista de la organización del sentido. Su elaboración se construye sobre la base de un código disyuntivo *r*, y de una o varias parejas de elementos en una relación de disyunción y de presuposición mutua, estando estas últimas ligadas a un término en relación con la otra del código de disyunción anterior.

En la estructura paralela existe una relación de implicación recíproca o de calificación (Ruquoy, 1990) donde "las cualidades definen las cosas. Esto implica que una realidad se define como la suma de sus propiedades" (Hiernaux, 1977: 32). Así, para la existencia de una estructura paralela es suficiente tener un código subjuntivo y la presencia de una o varias parejas de propiedades en relación disyuntiva, que corresponden de un término al otro, a las propiedades del código disyuntivo. En este caso, el gráfico de la estructura paralela sería la siguiente:

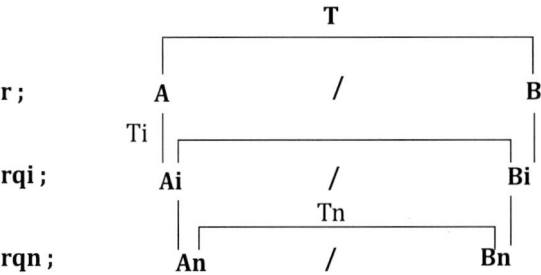

Para ilustrarlo, utilizaremos el material número 1, donde tenemos:

Material N⁰ 1

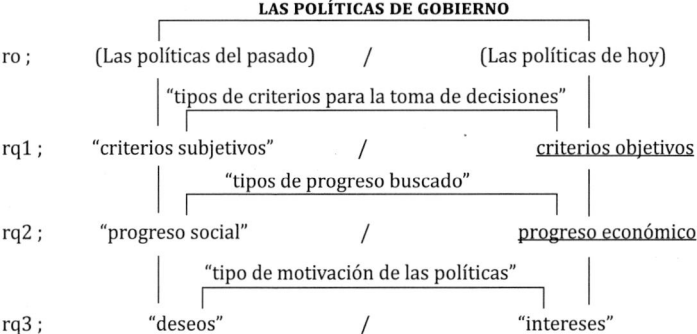

Posterior a la elaboración del gráfico, se podrá explicarlo del siguiente modo:

Paráfrasis: *"las políticas de gobierno del pasado respondían a las decisiones que se tomaban sobre la base de criterios subjetivos, que buscaban el progreso social, y cuya motivación eran los deseos. Las políticas actuales, en cambio, se deciden sobre la base de criterios objetivos que buscan el progreso económico en virtud de los intereses existentes".*

Protocolo analítico: *"lo que el autor del texto afirma es que existen diferencias en las prioridades que han tenido las políticas de gobierno a lo largo del tiempo. Así se pueden desprender dos realidades: las políticas del pasado y las políticas del presente. Estas realidades se distinguen en las calificaciones siguientes: mientras que las decisiones sobre las políticas que se llevaban hace treinta años se apoyaban sobre criterios subjetivos, buscando el progreso social, es considerado por el autor como un objetivo poco realista, fundado sobre los deseos. Las políticas contemporáneas reposan sobre criterios objetivos, donde tienen por objetivo un progreso económico, basado sobre el interés y los resultados concretos".*

En el trabajo de análisis, es preciso ver la protocolización analítica como directamente ligada a un proceso de precisión y de acumulación permanente, donde es posible progresar al nivel de la observación y avanzar en la sistematización y la comprensión de las estructuras de sentido subyacentes a los datos. El ejercicio de traducción que implica la protocolización analítica es parte integrante del proceso de descubrimiento analítico, puesto que es en este momento lógico donde pueden distinguirse una serie de implicaciones que no son necesariamente manifiestas o perceptibles en un primer momento. De este modo, el comentario analítico siguiente progresará en el sentido que acabamos de enunciar.

Comentario analítico: Las políticas gubernamentales han sufrido una transformación a través del tiempo. Así, mientras que en el pasado estas políticas encontraban su origen en el seno del debate entre diversos proyectos de desarrollo social, considerados por el autor del texto como criterios subjetivos que apelarían al dominio de los deseos y una perspectiva poco realista, que no ha contribuido al desarrollo del país en la medida que no existen resultados concretos; hoy en día las políticas gubernamentales son elaboradas a partir de criterios que se centran sobre prioridades económicas representadas por las cifras que dan cuenta de los resultados de inversiones realizadas y sobre lo que el autor llama el interés. La puesta en valor de estos criterios y el desprecio por una valorización de tipo social constituirían los criterios objetivos, los cuales en su conjunto permitirían el progreso económico y el éxito del país. Este proyecto permite distinguir, según el autor, un mayor pragmatismo en la toma de decisiones políticas.

2. La estructura cruzada

Estamos en presencia de una estructura cruzada cuando hay dos términos objeto con el mismo atributo que interviene simultáneamente. Esto significa que hay una intervención de códigos al mismo tiempo, articuladas por dos ejes de calificación.

Para ilustrar mejor lo que sería una estructura cruzada, podemos empezar por notar que sobre la base de dos códigos r1 y r2 – o ri y rj – cruzados entre ellos, nosotros tenemos un espacio bidimensional, con la superposición de propiedades de códigos respectivos.

Estos códigos se cruzan y forman, de esta manera, una estrella con cuatro posibilidades, en el seno de la cual los cuatro códigos aparecen cada vez con dos calificativos. El resultado del entrecruzamiento puede ser presentado en el gráfico siguiente:

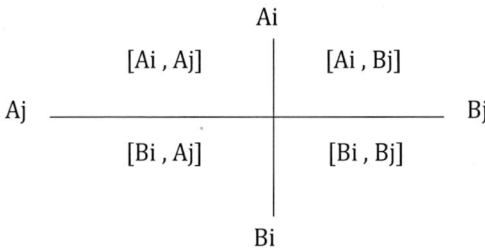

Un texto que hemos recogido de una entrevista, nos servirá de ejemplo:

Material nº 2
"Durante ese tiempo, el pueblo democrático luchaba incansablemente contra la dictadura, fue valiente cuando se enfrentó a quienes tenían el poder, aquellos que fueron culpables de tanto dolor. Pero aparte de los protagonistas, yo creo que el resto del pueblo no era ajeno a una cierta valoración de su participación durante ese período. Algunos justificaron la represión –operaciones peineta, secuestros, detenciones, violaciones, muertes– en realidad ellos eran cómplices de los asesinos sin que se les haya señalado con el dedo. Pero había también otras personas, quienes, pese a que tenían una actitud pasiva, poseían valores democráticos y no apoyaron jamás a la dictadura, pero estaban aterrorizados sin osar hacer nada".

A partir de este material, podemos distinguir los dos códigos siguientes:

ri: tipo de valores de la gente
rj: tipo de actitud durante la dictadura

Ubicados en un gráfico, quedarían como sigue:

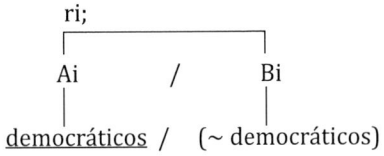

ri;

Ai   /   Bi

democráticos / (~ democráticos)

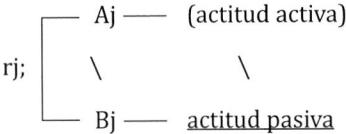

rj;   ┌─ Aj ── (actitud activa)
      │   \   \
      └─ Bj ── actitud pasiva

Debemos recordar que la presentación de esta estructura corresponde a un plan bidimensional, en tanto existe una correspondencia de dos códigos disyuntivos. Estos códigos se cruzan en la medida que las realidades que aparecen en el material comparten los mismos códigos; ello significa que, respectivamente en función del material, tanto la gente apegada a valores democráticos como aquellos que sostuvieron la dictadura tuvieron una cierta actitud, pasiva o activa, frente al régimen.

Luego del procedimiento expuesto nosotros tendremos el gráfico siguiente donde las propiedades de Ai, Bi, Aj y Bj se distribuyen como sigue:

Ai = Democrático

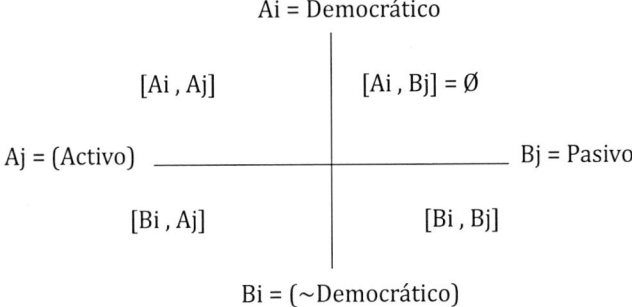

$$[Ai\,, Aj] \qquad [Ai\,, Bj] = \emptyset$$

Aj = (Activo) ─────────────────── Bj = Pasivo

$$[Bi\,, Aj] \qquad [Bi\,, Bj]$$

Bi = (~Democrático)

Podemos observar que, en el cruce de los códigos, aparecen cuatro realidades: tres de ellas ya tienen una denominación según el autor del discurso (Ai, Aj; Bi, Bj; Bi, Aj), pero la cuarta (Ai, Bj) podremos nombrarla en función del análisis, donde los términos como resultado de la construcción de códigos cruzados serían según el sentido del material:

[Ai, Aj] = "Los valientes"
[Ai, Bj] = "Los miedosos"
[Bi, Bj] = "Los cómplices"
[Bi, Aj] = "Los culpables"

El análisis que ilustramos en el cuadro muestra la valorización que conduce cada uno de los polos, los códigos. Según el material, el tipo de valores que la gente tenía durante la dictadura, es valorada por el sujeto de manera positiva una actitud activa de defensa de la democracia, *valiente* (Ai, Aj), y de manera negativa, una actitud de quienes fueron responsables de las violaciones de los derechos humanos durante ese período, designado en el material como *culpable* (Bi, Aj). Sin embargo, es más difícil reconocer en la elaboración del análisis, la valorización que el autor de este discurso hace de la actitud pasiva o activa –o del grado de protagonismo e implicación– que cada uno de los actores representa frente a Aj/Bj.

Intentando responder a esta pregunta, podemos formular una primera hipótesis diciendo que el autor hace una valorización positiva de las actitudes marcadas por un mayor protagonismo (Aj+) durante la dictadura, frente a aquello que ocurría y que influían sobre el curso de los acontecimientos. Pero esta hipótesis es insuficiente en la medida que podría ser más bien otro aspecto el que nos permite sostenerla. Esta última aparece cuando analizamos quién habla.

Este nivel de análisis nos permite distinguir el universo que el autor pone en evidencia. En este caso, se trata de una dirigente popular, donde observamos que cuando ella habla, tiene como punto de vista y universo de referencia inmediato su comunidad y el medio popular que conocía el tipo de represión que describe la autora. Esta represión era conocida sobre todo en los medios populares y habría sido justificada y realizada por los soplones que apoyaban la represión al interior de la población, quienes pese a tener la característica de "popular" (factor asociado a la pertenencia a una clase social), no tenían ni cargo ni responsabilidad al interior de la estructura reconocida de poder. Además existirá el antidemocrático pasivo, que se denomina como *cómplice* (Bi, Bj), que será diferente del grupo de los antidemocráticos activos que aparecen en el discurso y que resultan protagonistas, en la medida que ellos ponen por delante el poder formal. De esta forma nosotros vemos que "el sapo o el soplón" aparece como un elemento implícito en el discurso, donde la actitud pasiva (el polo Bj) de la gente portadora de valores antidemocráticos (Bi, Bj) parece incluso más amenazante que el grupo que decide una política de represión (Bi,Aj) que está en el polo activo, Aj. De este modo, tendremos el gráfico siguiente:

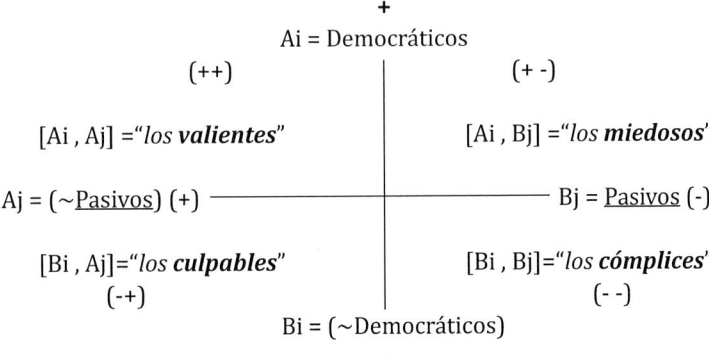

+

Ai = Democráticos

(++)   (+ -)

[Ai , Aj] = *"los valientes"*   [Ai , Bj] = *"los miedosos"*

Aj = (~Pasivos) (+)   Bj = Pasivos (-)

[Bi , Aj]=*"los culpables"*   [Bi , Bj]=*"los cómplices"*

(-+)   (- -)

Bi = (~Democráticos)

-

Comentario analítico

El autor de este discurso hace una valorización negativa de la actitud pasiva de ciertas categorías de personas durante la dictadura. Se observa una oposición de los códigos entre quienes tuvieron una actitud de defensa de la democracia contra aquellos que cometieron crímenes. No obstante, esta valoración se cruza con los códigos respecto de la intensidad de su participación durante ese período. Ello aparece a través de su cualificado en cuatro términos. En este cruce, la valoración más negativa va dirigida hacia quienes apoyaban la dictadura, y sin ser protagonistas, actuaban en el ámbito local, bajo una cooperación pasiva, sin que se les pudiera identificar abiertamente como responsables. Estos serían **cómplices** de la represión sufrida durante ese período en el ámbito de la comunidad barrial, que queda en evidencia en los términos "operación peineta", forma en que se denominaban los allanamientos masivos en barrios populares chilenos durante la dictadura de Pinochet. Allí puede hipotetizarse que estos cómplices son individuos del mismo barrio que hacían soplonaje para las policías y organismos represivos (policía secreta). Al mismo tiempo, el sujeto que habla comparte una valoración negativa hacia los "responsables", aquellos que tuvieron protagonismo político en su apoyo a la dictadura.

Luego se ubicarían los "miedosos" que tenían actitudes democráticas pero no osaban realizar mayores acciones contra la dictadura. Y finalmente la realidad mayor valorada por quien habla es la de los "valientes", quienes se enfrentaron y lucharon abiertamente contra la dictadura en Chile.

3. La estructura de abanico

Este tipo de estructura analítica corresponde a un modo de asociación de al menos dos términos, *realidades* que pertenecen a la misma familia.

La estructura de abanico se construye a partir de la identificación de un primer código, donde uno de los términos al menos se extiende en dos términos disyuntivos, formando otro código y produciendo la intervención sucesiva de códigos de calificación. En este tipo de estructuras, al menos una realidad tiene un doble estatus: aquel de ser parte, de manera contra-definida, de una relación de disyunción y aquella de formar parte de la totalidad de otra. Por lo tanto, estamos en presencia de una totalidad genérica y de un orden jerarquizado de disyunciones sucesivas. La estructura de abanico se caracteriza por la *secuencialidad* de las propiedades que pueden prolongarse dando al gráfico la forma de un árbol con sus brazos según el caso de cada material.

Cuando hay tres o cuatro términos, se pueden encontrar varias interpretaciones disyuntivas, pero hay que partir siempre de un primer código binario que es preciso descubrir. En este sentido, tal como en la estructura paralela, los términos que componen cada código pueden también ser el objeto de valorizaciones. De tal suerte que cuando un término es valorizado, éste valoriza, a la vez, todos los términos que implica, incluido lo opuesto, los términos que aparecen como inversos. Las valorizaciones de los niveles jerárquicos de la estructura se transmiten a los niveles inferiores. El esquema será el siguiente:

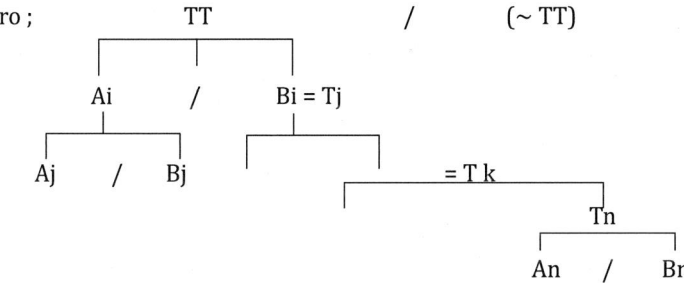

Como podemos observar en el gráfico anterior, estamos en presencia de una estructura de abanico que presenta una organización clasificatoria y jerarquizada de dos términos o realidades de la misma familia.

Considerando que una realidad constituye el interior de un código disyuntivo perteneciente a una totalidad, es posible distinguir su condición de parte contra-definida de otra realidad por la aplicación de al menos un código de calificación o de una o de varias propiedades. Esto significa que cuando estamos frente a un material concreto, cada código debe estar precedido de una intermediación, la *base calificativa* designada como rq. Esta situación puede ser ilustrada de la siguiente manera:

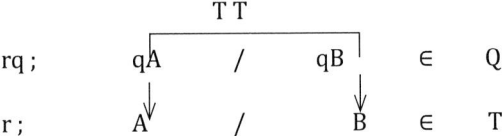

$$rq\ ;\quad q\overset{\text{T T}}{A}\quad /\quad qB\quad \in\quad Q$$
$$r\ ;\quad A\quad /\quad B\quad \in\quad T$$

Para poder observar este tipo de estructura, analizaremos otro material:

Material n° 3

"El amor verdadero es un sentimiento que constituye un don que da grandeza y plenitud a las parejas. Nosotros podemos decir, en cambio, que hay otros sentimientos los cuales queriendo parecerse al original, faltan de profundidad y no se le pueden igualar. (...) Así, se puede encontrar la pasión, que no es más que un deseo pasajero de las personas que se interesan solamente de pasar un buen momento, hay también aquellas quienes, demasiado preocupadas por el futuro, no disfrutan del hecho de estar juntos. Ellas son guiadas por el honor de tener una familia respetable o bien por el miedo de quedar solos, para tener compañía. Esos son los aspectos que les ayudan a permanecer como una pareja estable".

A partir de este material nosotros tenemos el gráfico siguiente:

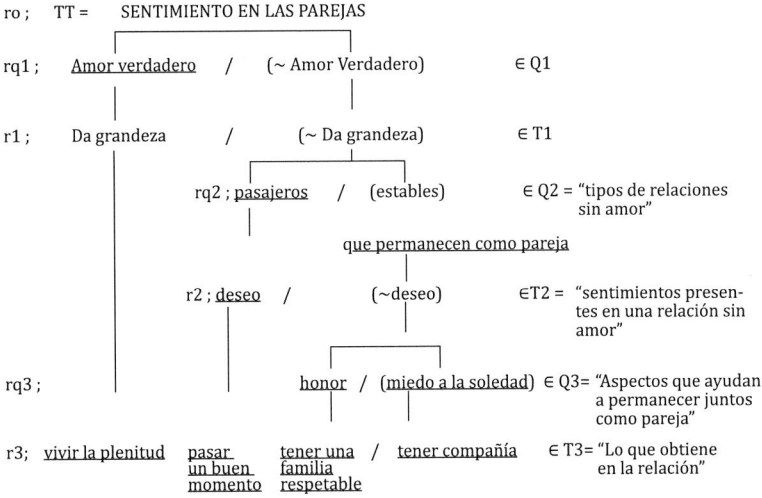

En este ejemplo la totalidad genérica está constituida por "sentimiento de pareja", la cual se divide según el código calificativo rq1: amor verdadero / (~amor verdadero). A partir de este código se puede hacer una gran división según la cual se valoriza un correspondiente "amor verdadero", versus el punto de vista opuesto (~amor verdadero). Desde este universo, se identifica a la vez otro código de calificación que designa un subuniverso: aquel de los tipos de "relación sin amor", del cual se aíslan los términos: "relación *pasajera/ relación estable*".

En este caso, la "relación pasajera" se caracterizaría por la motivación conducida *por deseo*, mientras que la realidad "relación estable", implícitamente lo excluiría y sería reemplazado por dos motivaciones de las parejas estables sin amor: *miedo a estar solo* v/s por *honor o interés en tener una familia respetable,* que se desprenden del tercer código de calificación.

En el texto observamos la presencia de una secuencia de propiedades, una sucesión de códigos de calificación que nos advierte que estamos frente a una estructura de abanico o jerárquica, que da cuenta de la existencia de varias realidades simultáneas valorizadas de manera jerárquica por el autor.

Lo que interesa es recuperar la estructura del sentido del sujeto que habla, intentando describir su modo de existencia, donde la recuperación profunda del sentido del texto deja en evidencia las representaciones sociales, imágenes individuales o colectivas, presentes en la cultura.

Estructura de orden superior

a. El orden universal

El orden universal refiere aquello que contiene y reúne el conjunto de códigos disyuntivos a un nivel más abstracto. Se trata de un orden más amplio que da una posibilidad de descripción que constituye, más allá y sobre la base de datos categoriales, la coherencia en la percepción de universos globales organizados en sus diversos subuniversos contra-distinguidos sobre los diferentes planos de lo real. El objeto analítico es la determinación del *modelo de percepción de lo real más abstracto* puesto en escena por el locutor. Este modelo se construye en virtud de un principio donde la búsqueda pasa por una "sesión analítica" en el orden categoría, pero que supera las posibilidades analíticas que este orden, o que a este nivel ofrecen. En el análisis del orden universal, el análisis de las *isotopías* y de sus relaciones, permite acceder a la aprehensión del modelo global a través del cual el actor organiza su percepción de lo real.

Es importante destacar que la *estructura de sentido del locutor* da lugar a la constitución lógica de los universos y subuniversos, mientras que son las *necesidades analíticas del investigador* que dan lugar a la constitución de los planos. En este sentido hay que remarcar que las secuencias de manifestación en el material son relativamente independientes de las secuencias estructurales subyacentes, las cuales deben ser reconstruidas por el analista en vistas de construir el modelo global.

b. El orden accional actancial

Este modelo da cuenta del modo como un *sujeto* organiza los elementos de su medio en función de un proyecto o de sus preocupaciones de *acción*. Este análisis funciona al nivel de las reglas de constitución del discurso y se preocupa de distinguir el orden que disponen y organizan los elementos de percepción en una serie de alternativas correlativas, concernidas por la búsqueda de un actor-sujeto, simultáneamente estructurado. En el orden accional-actancial el *sujeto* despliega una *búsqueda* activa (en tanto que eje de las acciones) para acceder a un *objetivo*. Es preciso notar que la naturaleza del objetivo puede ser tanto material como no material, por lo tanto es preferible hacerse una idea del *objeto* como un *objetivo*.

La estructura del modelo supone que el objeto sea definido de manera dual como una alternativa objetal O+/ O- (objeto positivo que se busca / objeto negativo que se evita). Nosotros podemos representar este eje estratégico del modelo accional-actancial de la siguiente manera:

	OBJETO (+)
SUJETO	
(búsqueda, deseo, voluntad del sujeto)	OBJETO (–)

En este contexto, el locutor organiza los códigos y las "realidades" propias de su percepción a la manera de un espectáculo. Él asigna "roles" en función de su búsqueda del objeto deseado. Las propiedades y las realidades organizadas en la percepción del sujeto, adquieren en este *discurso* una apariencia de voluntad humana bajo la forma de identidades que hacen referencia al sujeto y a su búsqueda.

El modelo considera un número preciso de seis "clases funcionales" o "estatus actanciales". La denominación "estatus actancial" significa una posición funcional en el modelo, pudiendo ser reemplazada por no importa cuál *realidad concreta,* esta última asumiendo la cualidad de *analítica, de actuante.* El eje estratégico del gráfico anterior representa el primer componente de esta estructura.

B.1. Alternativa objetal

Esta estructura muestra la forma en que un sujeto pone en obra un modelo específico de organización del actuar. Ella supone la existencia de un *actor-sujeto (S)* en búsqueda de un *objeto (O),* este último siendo definido en una *alternativa objetal: O+ / O-* (objeto positivo a alcanzar / objeto negativo a evitar). Así la alternativa objetal compromete el querer o el deseo del sujeto. El objeto es un objetivo.

CAPÍTULO 16

B. 2. Alternativa accional

Esta alternativa hace referencia al "hacer" del sujeto S, y articula las acciones que, según lo que dice, llevarían a acceder al objeto buscado (An S+/ An S-). Habrán acciones positivas que llevan al objeto positivo (O+) del sujeto y acciones negativas que lo llevan hacia el objeto negativo (O-).

B.3. Alternativa referencial

La alternativa referencial representa un *eje analítico del poder.* Se refiere al "poder" atribuido por el sujeto, donde, en su percepción, los **adyuvantes** (Ady) son realidades que favorecen la acción y el acceso al objeto; contrariamente, el *oponente (Op)* retoma todas las realidades que en la percepción del sujeto, son visualizadas como capaces de impedir el éxito del objetivo de la búsqueda (decimos realidades, pues en efecto, éste puede ser no importa qué elemento de la estructura de los códigos del sujeto).

B.4. Alternativa relacional

Así como la *alternativa referencial* constituye un *eje analítico del poder*, la *alternativa relacional* hace referencia a un *eje analítico de comunicación.* La *alternativa relacional* está asociada en un material dado, a la existencia de ciertos elementos que tienen por cualidad ser "intercambiables o transmisibles", el *Destinador (Dr)* corresponde a quien provee el elemento intercambiable, mientras que el *Destinatario (Drio)* aquel a quien estos elementos van destinados y dirigidos. La alternativa relacional compromete el haber atribuido por el sujeto (S). El compromiso del Sujeto- S en tal relación, puede definir su *alternativa* relacional como opción posible entre la relación con, o la encarnación de, los estatus Dr+ / Dr- y /o Drio+/ Drio- (Destinador y/o Destinatario de elementos positivos o negativos). Hay que considerar que el sujeto no adquiere, por definición, el estatus de Destinatario en un material dado.

Alternativa subjetal. Negatividad o positividad del Sujeto

Esta alternativa compromete el "ser" mismo del Sujeto, puesto que el sujeto se encuentra confrontado a alternativas (objetal, accional, referencial, relacional) en función del conjunto de relaciones que mantiene con los diferentes componentes de la estructura. Esto conduce a situar, al nivel del actor mismo, la alternativa subjetal S+/ S- (Sujeto positivo/ Sujeto negativo).

Las posiciones *Sujeto, Objeto, Adyuvante, Oponente, Destinador y Destinatario* definen las clases funcionales del modelo o los **estatus actanciales**, atribuyéndosele cualidades y acciones que favorecen o impiden lo que desea el sujeto. El actante es toda "realidad" o **actor concreto** susceptible de verse revestido de uno de estos estatus, derivando de sus calificaciones o acciones propias. Finalmente podemos ilustrar la estructura de búsqueda de la manera siguiente:

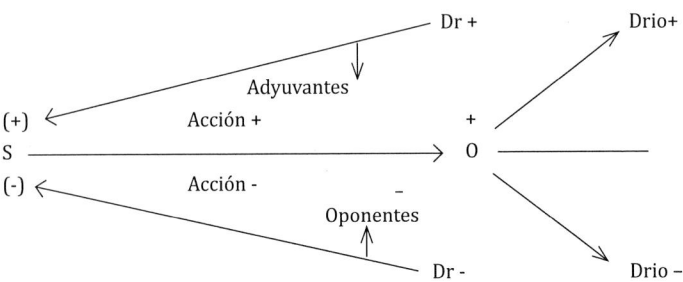

Para ilustrar mejor la forma en que se presentan estas alternativas de objeto, de acción, de poder y de haber, que acabamos de plantear más arriba, analizaremos un material donde nos encontramos frente a una estructura de búsqueda o actancial:

Material n° 4
"Una justicia excesiva puede volverse una injusticia. Hay que comprenderlo bien, porque, seguido, se liga a la justicia un sentimiento de venganza, de odio, sin tomar en cuenta quien se encuentra al interior de la otra persona, llegándose a un radicalismo en la pena que puede ser también injusto. Hay que predicar con el ejemplo. Personalmente, yo he tomado la decisión, bien luego, ante el caso de un sacerdote que sufrió tortura hasta la muerte, de no hacer juicio. El juicio en la conciencia es ya suficiente. Hay una voluntad de paz que debe dominar en todo esto. Es necesario intentar comprender las repercusiones que afectan a los oficiales que han debido respetar las órdenes. Yo creo que hay una cosa en el alma de los chilenos que debe producirse: intentar comprender qué es lo que pasó en un oficial si él recibió órdenes que iban contra su conciencia y qué esta persona pensó de su familia, de su vida, del futuro, el miedo con el que pudo actuar. Falta una valoración de las situaciones concretas difíciles. Yo creo que hay muchos roles en la Mesa de Diálogo que las gentes han pasado por alto, ellos no se detienen en decir en cuántos aspectos hay un progreso y ellos piensan solamente: ¿se llegó a conocer dónde están los detenidos desaparecidos? ¿Cuál es su paradero real? ¿Quiénes participaron de su desaparición? (...) La Mesa de Diálogo ha tenido la virtud de poner en la discusión a quienes no habían jamás hablado: los abogados de Derechos Humanos no discutían con los representantes de las Fuerzas Armadas y del orden y ellos suponían que jamás llegarían a ponerse de acuerdo. Por otra parte, es un diálogo donde alguien ofrece su confianza al otro, alguien cree que la otra persona quiere la verdad o el bien del país para curar una herida en muchas

familias de detenidos desaparecidos. Yo creo que es un valor de los diálogos en que alguien ofrece su confianza".

En el material distinguimos la presencia de varios códigos de calificación (rq1, rq2), cuyo primer nivel de análisis ilustran los gráficos siguientes:

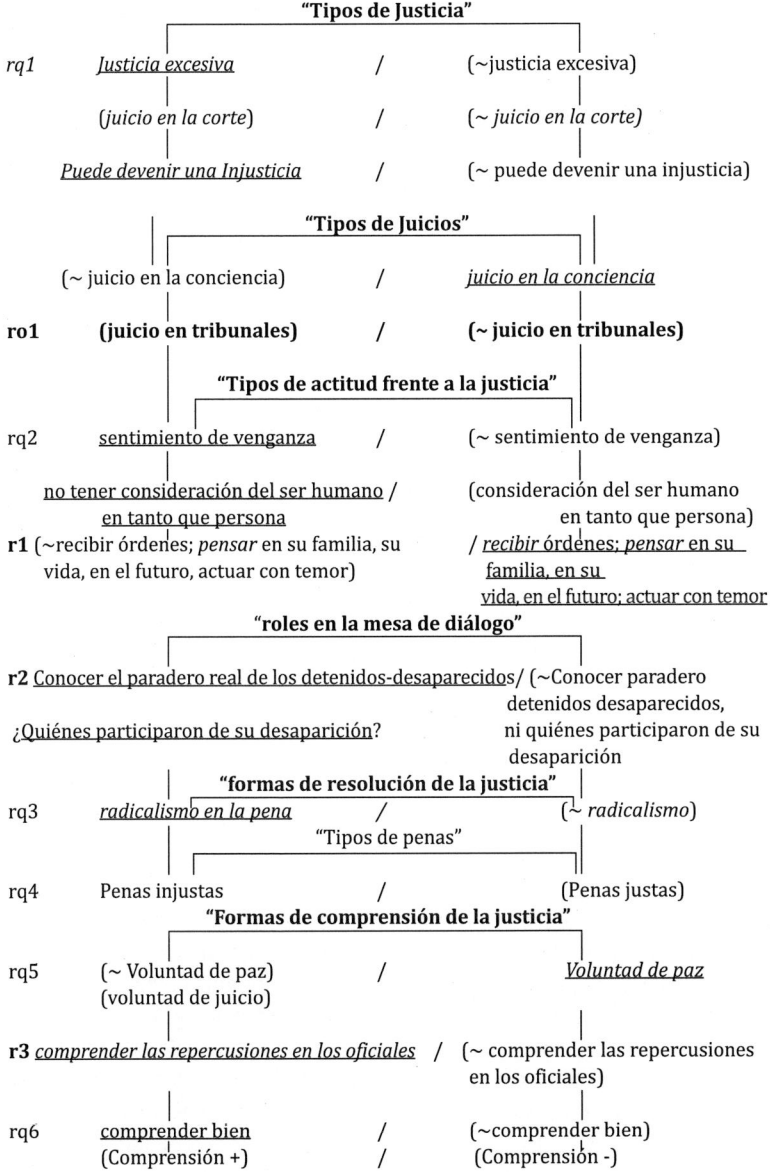

"Tipos de Justicia"

rq1   *Justicia excesiva*   /   (~justicia excesiva)

      (*juicio en la corte*)   /   (~ *juicio en la corte*)

      Puede devenir una Injusticia   /   (~ puede devenir una injusticia)

"Tipos de Juicios"

    (~ juicio en la conciencia)   /   *juicio en la conciencia*

ro1   **(juicio en tribunales)**   /   **(~ juicio en tribunales)**

"Tipos de actitud frente a la justicia"

rq2   sentimiento de venganza   /   (~ sentimiento de venganza)

    no tener consideración del ser humano / (consideración del ser humano
        en tanto que persona   en tanto que persona)
r1 (~recibir órdenes; *pensar* en su familia, su   / *recibir* órdenes; *pensar* en su
    vida, en el futuro, actuar con temor)   familia, en su
                                vida, en el futuro; actuar con temor

"roles en la mesa de diálogo"

r2 Conocer el paradero real de los detenidos-desaparecidos/ (~Conocer paradero
                                       detenidos desaparecidos,
¿Quiénes participaron de su desaparición?   ni quiénes participaron de su
                                       desaparición

"formas de resolución de la justicia"
rq3   *radicalismo en la pena*   /   (~ *radicalismo*)

"Tipos de penas"
rq4   Penas injustas   /   (Penas justas)

"Formas de comprensión de la justicia"
rq5   (~ Voluntad de paz)   /   *Voluntad de paz*
    (voluntad de juicio)

r3 *comprender las repercusiones en los oficiales* / (~ comprender las repercusiones
                                        en los oficiales)

rq6   comprender bien   /   (~comprender bien)
    (Comprensión +)   /   (Comprensión -)

En el texto, el sujeto construye dos realidades que se confrontan mutuamente, la de la justicia y la de la injusticia ante los casos de violación de derechos humanos y el proceso en la Mesa de Diálogo donde estaban implicados, por una parte, los familiares de las víctimas, y por otra, los representantes de las fuerzas armadas involucrados en la violencia de Estado durante la dictadura militar en Chile.

En la mención del sujeto, organiza el sentido oponiendo dos realidades respecto de los actores presentes en los procesos judiciales de los tribunales de justicia. Se mencionan: los familiares de detenidos desaparecidos, representados por abogados de derechos humanos, que hemos nominado "Querellantes", mientras que el otro actor estaría representado por los militares que participaron de violaciones a los derechos humanos, que el propio sujeto denomina como "oficiales".

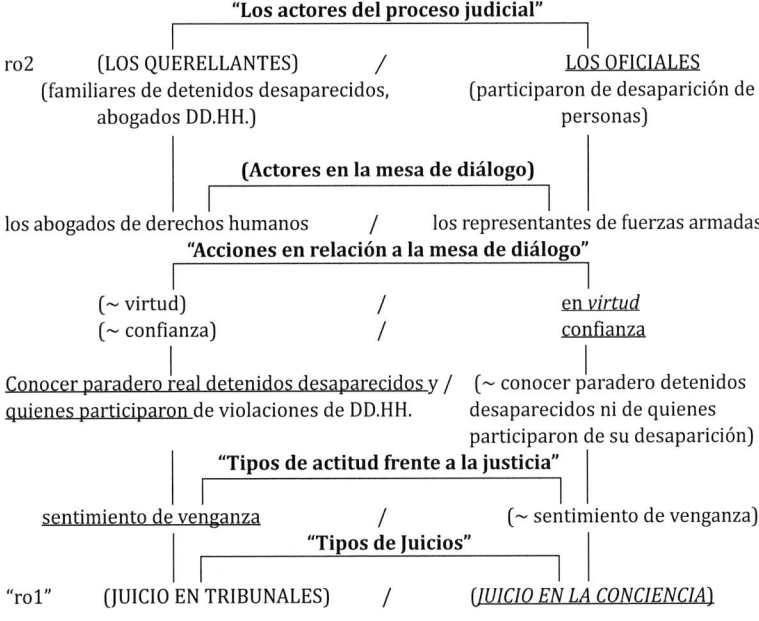

Al describir los elementos que componen la estructura del sentido, para el sujeto, cada actor representaría las acciones favorables o desfavorables en relación con la mesa de diálogo, dejando en evidencia la dimensión de actitudes frente a la justicia, donde hay una valoración negativa por quienes buscan que se enjuicien en los tribunales a los responsables de las violaciones de los derechos humanos, oponiendo así a querellantes de los acusados. Los dos actores representan cada una de esas realidades, asociadas a diferentes actitudes frente a la justicia y a las respectivas acciones que, a ojos del sujeto, ayudarían o bien se opondrían al logro del objetivo que él busca con relación a ese tema.

CAPÍTULO 16

Aquí encontramos una estructura de búsqueda o actancial en la medida que el sujeto quiere o busca generar un efecto con su discurso, que en el material aparece cuando dice: *"Yo creo que hay una cosa en el alma de los chilenos que debe producirse..."*. Esta estructura se graficará refiriendo los actores y las acciones que estos desarrollan ayudando u oponiéndose al objetivo buscado por el sujeto. Aquí aparecen como emisores o destinadores (Dr), de acciones positivas y negativas, respectivamente: los "oficiales", y los "abogados de derechos humanos". Este último actor, en la estructura del sentido del locutor, representará a las familias de las víctimas cuyo interés sería conocer el destino de sus familiares y avanzar con los juicios en tribunales. De las acciones de estos actores depende el logro o no logro del objeto-objetivo del sujeto que habla, quien busca el diálogo y la reconciliación, esperando acciones en relación con la "mesa de diálogo", iniciativa institucional del Estado para que conversen ambos actores.

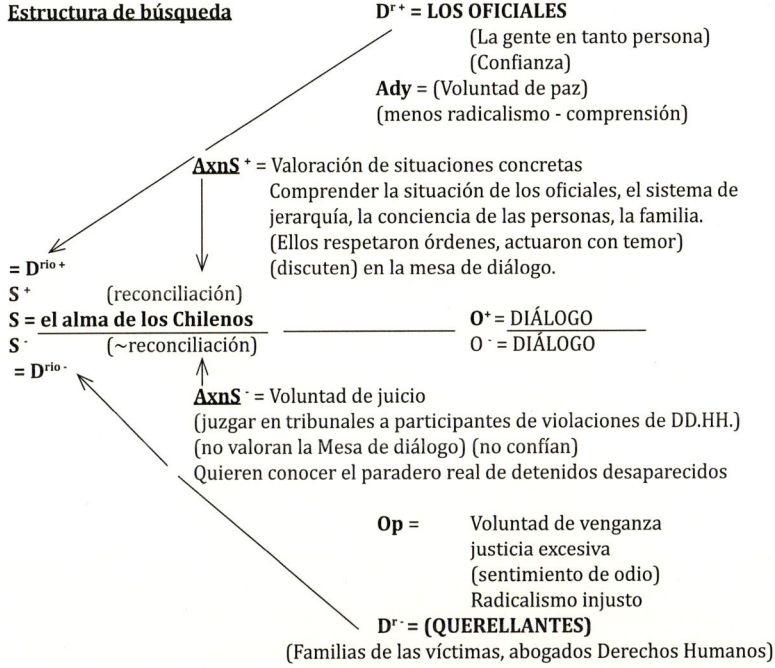

Estructura de búsqueda

D^{r+} = **LOS OFICIALES**
(La gente en tanto persona)
(Confianza)
Ady = (Voluntad de paz)
(menos radicalismo - comprensión)

AxnS $^+$ = Valoración de situaciones concretas
Comprender la situación de los oficiales, el sistema de jerarquía, la conciencia de las personas, la familia.
(Ellos respetaron órdenes, actuaron con temor)
(discuten) en la mesa de diálogo.

= D^{rio+}
S^+ (reconciliación)
S = **el alma de los Chilenos**
S^- (~reconciliación)
= D^{rio-}

O^+ = DIÁLOGO
O^- = DIÁLOGO

AxnS $^-$ = Voluntad de juicio
(juzgar en tribunales a participantes de violaciones de DD.HH.)
(no valoran la Mesa de diálogo) (no confían)
Quieren conocer el paradero real de detenidos desaparecidos

Op =   Voluntad de venganza
justicia excesiva
(sentimiento de odio)
Radicalismo injusto
D^{r-} = **(QUERELLANTES)**
(Familias de las víctimas, abogados Derechos Humanos)

En el modelo puede observarse que quien habla hace una valoración negativa de los querellantes, atribuyéndoles sentimientos de venganza por haber recurrido a los tribunales de justicia para saber el destino de sus familiares y querellarse contra los responsables de las violaciones a los derechos humanos. Esta visión negativa de los juicios permite comprender la operación semiótica que realiza el sujeto intentando modificar el sentido de la justicia, apelando a una cuestión de conciencia interna, íntima (juicio en la conciencia) y rechazando la justicia conforme a derechos y la legalidad existente.

En este caso, la descripción estructural nos permite identificar que el sujeto que habla, busca modificar el concepto de justicia a través de la transformación de los atributos del código. Este proceso se explica de manera esquemática:

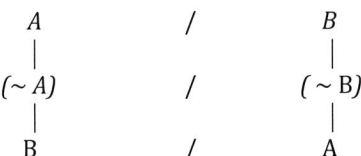

$$
\begin{array}{ccc}
A & / & B \\
| & & | \\
(\sim A) & / & (\sim B) \\
| & & | \\
B & / & A
\end{array}
$$

Es decir, si en una relación de disyunción entre A y B, igualamos A - ~ A, entonces B sería igual a ~ B. Por lo tanto A termina siendo B y B termina siendo A. Aquí estamos frente a una inversión de los contenidos y sus valores. Llevado a nuestro ejemplo, el sujeto busca revertir el sentido del código "justicia" utilizando el atributo "excesiva", que le permitiría argumentar que la justicia excesiva se volvería una "injusticia". Puesto que si una justicia es una injusticia, entonces el sentido del término se invierte.

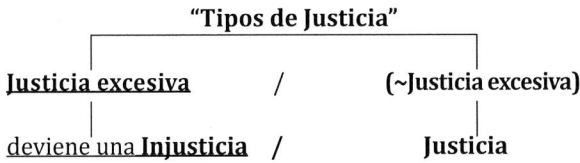

"Tipos de Justicia"

| Justicia excesiva | / | (~Justicia excesiva) |
| deviene una **Injusticia** | / | Justicia |

En la estructura del sentido del sujeto que habla, aparece una valoración negativa del juicio en tribunales: calificada como justicia excesiva, versus el juicio en la conciencia y de los actores: querellantes/responsables de las violaciones a los DD.HH. que impulsan esa acción (en tanto actantes). Desde el punto de vista de la estructura implícita, esto evidencia en el sujeto la búsqueda de una reconciliación sobre la base de la impunidad de los militares implicados en violaciones de los derechos humanos, y un rechazo a la justicia en Tribunales para establecer responsables.

Conclusiones

Tal como plantea Barthes (1981: 10), el análisis estructural tiene como elemento decisivo la organización de todo sistema de sentidos, donde aquello que impide que el relato se considere como una mera suma de proposiciones, será el nivel de la descripción. Los niveles de descripción permiten un trabajo ascendente en el análisis, que permite recuperar los modos de existencia del sentido en ciertas agrupaciones que exceden la palabra y la frase, pues acceden al sentido global que recorre el texto, dotándole de una arquitectura posible de reconstruir a través de la operatoria de descripción estructural que he intentado graficar a través de estos textos de muy variado origen.

Para efectos canónicos en el desarrollo del método, enfatizando el nivel de descripción textual, no se entregó mayor referencia sobre las condiciones de producción y la identidad de los emisores del discurso. Y dejamos para el final la referencia, todas tomadas de la realidad chilena. El primero, se trata de uno de los discursos de un candidato a parlamentario; el segundo, el relato de una dirigente social de una organización en un barrio popular; el tercero, un comentario en un suplemento femenino de un periódico local, y el cuarto, el fragmento de la primera entrevista dada a medios locales por un obispo chileno, luego de haber jurado como Cardenal en Roma.

Para finalizar, recupero la inspiración de Roland Barthes, para quien, cuales sean los niveles de análisis, "comprender un relato, captar su sentido no es solo esperar el despliegue de la historia, es también reconocer etapas, proyectar encadenamientos horizontales de un hilo narrativo sobre un eje implícitamente vertical, (...) no es sólo pasar de una palabra a otra, es también pasar de un nivel a otro" (Barthes, 1981: 11). La tarea de identificarlos es lo que nos acerca a ese sentido que se está produciendo cada día como esquemas de percepción, socialmente condicionados y socialmente eficaces, enraizados en las prácticas y la institución de la cultura en diferentes espacios sociales: la escuela, el barrio, las comunicaciones, la política.

Referencias

Barthes, R. (1981). Introduction à l'analyse structurale des récits. En R. Barthes, R.; C. Bremond; U. Eco, U.; G. Genette; A. J. Greimas; J. Gritti; C. Metz; V. Morin; T. Todorov (édit. original Communications 8, 1966), *L'analyse structurale du récit* (pp. 7-33). Paris: Editions du Seuil.

Hiernaux, J.-P. (1977). *L'Institution Culturelle. Systématisation théorique et méthodologique*. Vol. I: "La problématique institutionnelle: objet et perspective"; Vol. II: "Méthode de description structurale"; Vol. III: "Les fonctions institutionnelles. Modalités de production d'effets actoriels et sociaux". Dissertation doctorale en sociologie soumise au jury en vue de la défense publique, U.C.L. Presses Universitaires de Louvain U.C.L., Publications de l'Institut des Sciences Politiques et Sociales.

Hiernaux, J.-P. (1995). Analyse structurale de contenus et modèles culturels. Application à des matériaux volumineux, En L. Albarello, *et al.* (1995). *Pratiques et méthodes de recherche en sciences sociales*. Paris: Armand Colin.

Hiernaux, J.-P. (1996). *Apprendre par l'erreur. Notes critiques concernant: Piret & al. "L'analyse structurale"*, U.C.L., Louvain la Neuve: Cahier Ronéo.

Hiernaux, J.-P. (1992). Intervention au colloque "La conception binaire du réel. Une mise en question à partir de la confrontation des cultures", Louvain la Neuve.

Ruquoy, D. (1990). Les principes et procédés méthodologiques de l'analyse structurale. En J. Remy y D. Ruquoy, *Méthodes d'Analyse de contenu et sociologie*. Bruxelles: Facultés universitaires Saint-Louis.

Greimas, A. J. (1981). Eléments pour une théorie de l'interprétation du récit mythique. En R. Barthes, R.; C. Bremond; U. Eco, U.; G. Genette; A. J. Greimas; J. Gritti; C. Metz; V. Morin; T. Todorov (édit. origie nal Communications 8, 1966), *L'analyse structurale du récit* (pp-34-65). Paris: Editions du Seuil.

Suárez, H.-J. (2008). *El sentido y el método. Sociología de la cultura y análisis de contenido*. México: UNAM - El Colegio de Michoacán.

Suárez, H.-J. (2006). La palabra y el sentido: Análisis del discurso de Joaquín Sabina. *Revista Mexicana de Sociología* [online]. 2006, *68* (1), 49-79.

Suárez, H.-J. (2009). El modelo de catolicismo socioreligioso. Análisis de una entrevista a partir del método estructural. En L. Tapia (Coord.), *Pluralismo epistemológico* (pp. 277-300). La Paz, Bolivia: CLACSO, CIDES, Muela del Diablo, Comuna.

CAPÍTULO 17

Desafíos y principios para investigar con teoría fundamentada

Tatiana Cisternas León

Introducción. ¿Por qué la teoría fundamentada?

L a teoría fundamentada es sin duda uno de los diseños más reconocidos y valorados dentro del conjunto de tradiciones y enfoques de la investigación cualitativa. Ello porque en sus principios y orientaciones analíticas se expresa buena parte de los rasgos que caracterizan este paradigma: la construcción de la realidad como principio epistemológico, la circularidad del proceso, la inducción como centro de la práctica analítica, la relevancia del caso y la subjetividad de los actores como fuente para comprender los fenómenos. Por otra parte, la teoría fundamentada logra explicitar caminos y estrategias que a veces se realizan tácita o informalmente contribuyendo a aumentar los niveles de reflexividad y visibilizando el proceso de investigación cualitativa. Por último, hay quienes señalan que la teoría fundamentada ha ganado legitimidad porque ofrece un tipo de estandarización y rigurosidad en los procesos similar a los métodos cuantitativos, entregando herramientas que justifican y dan mayor "objetividad" a los hallazgos obtenidos a partir de investigaciones cualitativas. Como sea, estamos ante un enfoque que progresivamente suma adherentes y al mismo tiempo nos presenta importantes desafíos a la hora de investigar.

En el campo educativo, el uso de los métodos de la teoría fundamentada progresivamente ha ido en aumento. Basta una rápida revisión para constatar su presencia en el estudio de prácticas y saberes pedagógicos, procesos de implementación y construcción curricular, formación de profesores, trayectorias escolares, prácticas de inclusión y exclusión, liderazgo y gestión escolar, políticas educativas, entre muchos otros ámbitos. Sin embargo, esta presencia extendida no siempre refleja un aprovechamiento de todo el potencial que tiene la teoría fundamentada para estudiar fenómenos educativos complejos y aportar en la construcción de una base sólida y significativa de conocimientos en educación.

En ese contexto, el presente capítulo propone algunos elementos de reflexión sobre este enfoque, sus principios y los desafíos que implica su adhesión. En una primera parte, abordamos algunas consideraciones conceptuales y prácticas de esta perspectiva que orienten el desarrollo de teorías sustantivas fundamentadas en los datos. Posteriormente se comentan algunos criterios relevantes para analizar los datos, relevando algunos aspectos que a nuestro juicio representan "el corazón" de la teoría fundamentada para el diseño de investigaciones que buscan desarrollar teorías a partir de los datos.

Consideraciones para desarrollar teoría desde los datos

La teoría fundamentada puede ser definida como "un conjunto de pautas analíticas flexibles que permiten a los investigadores concentrar su recolección de datos y elaborar teorías inductivas de alcance medio a través de sucesivos niveles de análisis de datos y de desarrollo conceptual" (Charmaz, 2013: 271). Surge en la década de 1960 de la mano de los sociólogos Barney Glaser y Anselm Strauss, quienes estudiaban la experiencia de profesionales que trabajaban en hospitales con pacientes terminales. Su interés era poder formalizar buena parte de los procesos de análisis cualitativo que ellos y otros investigadores habitualmente realizaban, de tal manera que éstos tuvieran tanta solidez y rigurosidad como la investigación cuantitativa. Glaser y Strauss cuestionaban que la posibilidad de "explicar" un fenómeno fuera una cualidad exclusiva de los métodos cuantitativos. Consideraban que era posible y necesaria una explicación comprensiva del mundo social a partir de las interacciones y la subjetividad de los propios actores involucrados en esos fenómenos. Esta aspiración se produce durante el período denominado "modernista" en el marco del desarrollo histórico del paradigma cualitativo de investigación (Denzin y Lincoln, 1994) y se expresa en la búsqueda de mayor rigor, la necesidad de mayor sistematicidad y formalización de los procesos investigativos en un período del desarrollo de la investigación cualitativa.

Sin embargo, el trabajo mancomunado entre Glaser y Strauss no se extendió por mucho tiempo pues había entre ellos diferencias epistemológicas que los llevarían a desarrollar en paralelo sus ideas originando distinciones importantes en la manera de comprender los procesos de investigación mediante teoría fundamentada. Quienes han estudiado sus publicaciones individuales señalan que Glaser representa una aspiración más objetivista, con fuerte raíz pospositivista mientras que Strauss recoge los aportes del interaccionismo simbólico y el pragmatismo, enfatizando la relación entre los significados, las acciones y los procesos que viven los sujetos en distintos contextos (Charmaz, 2006). Del mismo modo, en Glaser habría mayor interés por profundizar principios que permitan conceptualizar y abstraer en tiempo y espacio con miras a lograr una "generalización conceptual" a partir de los datos, en tanto que a Strauss se le atribuye la incorporación de los conceptos de codificación axial y el uso de memos y diagramas para lograr una "generalización descriptiva" (Carrero, Soriano y Trinidad, 2012). En este contexto, el libro de Strauss y Corbin (en su edición de 1998, y uno de los más citados en español a la hora de describir este enfoque) ha sido objeto de diversas críticas pues no reflejaría estos debates y distinciones y sus consecuentes consideraciones metodológicas. En suma, y similar a otras tradiciones cualitativas, no podemos hablar de "una" teoría fundamentada. Más bien coexisten interpretaciones que reflejan posturas epistemológicas y metodológicas de naturaleza *objetivista* y *constructivista* cristalizadas fundamentalmente en discusiones sobre qué será considerado como "teoría" (generalizable o contextualizada y local) el rol que juegan las concepciones y posición del propio investigador (las que se deben neutralizar o explicitar e incorporar en el proceso) y los énfasis puestos en el análisis (lógico y abstracto o flexible reconociendo los significados y contextualizado).

Más allá de este debate que ha rodeado los desarrollos del enfoque, existe consenso en torno a la doble dimensión que se expresa en la investigación con teoría fundamentada. Por una parte representa un *proceso*, es decir un camino y unas estrategias concretas y por otra refleja un *producto* particular y diferente de lo que producen otros diseños cualitativos (Glaser, 2004; Strauss y Corbin, 2002; Charmaz, 2006; Flick, 2004; Carrero, Soriano y Trinidad, 2012; Gibs, 2012). La primera dimensión, referida al proceso de investigación, es la más reconocida y visibilizada en manuales y materiales metodológicos. Las estrategias de la teoría fundamentada ofrecen un conjunto de herramientas para desarrollar bajo una lógica específica las tareas de análisis y categorización de los datos (que involucra pautas concretas como la codificación abierta, axial y selectiva, o la comparación teórica constante). Por su parte, en tanto *producto*, posee rasgos que la distinguen de otros enfoques cualitativos: sus resultados van más allá de descripciones acabadas y se expresan en teorías inductivas o *sustantivas* donde se reconstruyen las voces y mundos de los propios actores a través de una conceptualización y comprensión original y fundamentada en los datos. Precisamente, esta generación de teoría representa una dimensión exigente y a veces difícil de lograr en los diseños de investigación. Más aún cuando son los propios desarrolladores de teoría fundamentada quienes reconocen las dificultades de esta empresa (Glasser, 2004; Straus y Corbin, 1998; Charmaz, 2006, 2013). Por ello, un primer desafío está en desarrollar investigaciones desde este enfoque atendiendo a esa doble dimensión de proceso y producto.

Pero ¿qué implica avanzar desde una descripción densa hacia una formulación de teoría? ¿Qué elementos marcan esta diferencia? ¿De qué manera un diseño metodológico podría cautelar decisiones que apoyen y orienten los resultados hacia este fin? Primeramente, diremos que la teoría es sustantiva cuando el producto de la investigación refleja una *conceptualización* del fenómeno estudiado a fin de comprenderlo en términos abstractos a través de afirmaciones teóricas originales y novedosas que expresen el alcance, la profundidad y la relevancia de su interpretación (Charmaz, 2006: 217). En este sentido, desarrollar una caracterización detallada de los significados y las acciones de las personas y sus mundos es condición necesaria pero no suficiente para lograr los propósitos de conceptualización y comprensión teórica. Así entonces, ¿qué elementos posibilitan la construcción de teorías inductivas? Avanzar hacia una comprensión conceptual requiere que el investigador se interese por *la relación entre procesos y estructuras* que subyacen a los fenómenos que estudia. Construir teoría fundamentada implica entonces comprender las prácticas y los significados "a efecto de analizar las relaciones entre la agencia humana y la estructura social" (Charmaz, 2013: 272). En este sentido, referirse a los procesos implica comprender las estrategias, acciones e interacciones de los actores y la significación que le dan a éstos. Por su parte, la dimensión estructural o *condicional* de un fenómeno está dada por los contextos y las condiciones sociales, culturales y de recursos, que influyen, promueven, coartan, facilitan u obstaculizan las acciones e interacciones de los actores. Este es un principio clave para comprender el modo en que la teoría fundamentada plantea la formulación de teorías desde los datos.

Una teoría sustantiva que emerge de estos procesos de investigación tiene que dar cuenta del contexto, las condiciones, las relaciones y los recursos. Como ya dijimos, un rasgo que cristaliza estos principios es la posibilidad de interpretar los fenómenos estableciendo conexiones entre unos procesos y las estructuras en las que éstos se producen. Así entendida la interconexión entre procesos y estructura en la comprensión de los fenómenos, los procesos analíticos posteriores a la codificación abierta, reconocidos como procesos de *codificación axial* (Flick, 2004; Strauss y Corbin, 2002) o *codificación selectiva* (Glaser, 2004; Carrero, Soriano y Trinidad, 2012) adquieren mayor relevancia y significatividad. Más allá de las denominaciones, hay acuerdo en que a partir de la codificación abierta es necesario establecer relaciones entre las dimensiones contextuales y las estrategias de los actores. Según Strauss y Corbin (1998) el mecanismo que permite organizar e integrar estructuras y procesos sería la *codificación axial*. Esto porque "si uno estudia sólo la estructura, entonces aprende por qué, pero no cómo ocurren ciertos acontecimientos. Si uno estudia sólo el proceso, entonces comprende cómo actúan o interactúan las personas, pero no el por qué" (p. 139).

El movimiento de la codificación abierta a la axial se refleja en el proceso de relacionar las categorías y subcategorías emergentes durante la codificación abierta. Recordemos que esta codificación es el primer paso del proceso analítico. La codificación abierta o inicial requiere que el investigador identifique las acciones o interacciones clave que están presentándose en los datos. Los códigos se centran en definir la acción, ver los procesos y "explicar las presunciones implícitas". El procedimiento analítico de la codificación axial (con sus preguntas: qué, cuándo, cómo, dónde y por qué) da origen al *paradigma* que en realidad, no es más que una reorganización conceptual de las respuestas a las preguntas ya señaladas y da forma a unas *condiciones* (por qué, dónde, cuándo y cómo), *acciones e interacciones* (quién, qué y cómo) y a unas *consecuencias* (figura 1). Se le denomina "axial" porque se codifica en relación con un eje (una categoría) y se enlaza a los otros según sean sus propiedades y dimensiones. Estas relaciones deben dar cuenta tanto de la estructura como del proceso (Strauss y Corbin, 2002). Algunos autores sugieren el uso de matrices que permitan organizar los códigos en torno a las relaciones condicionales: contextos, condiciones causales, condiciones intervinientes y acciones e interacciones y consecuencias (Strauss y Corbin, 2002; Scott y Howell, 2008). Un problema que habitualmente se produce, pese a la insistencia de sus autores, es la tendencia a utilizar en forma rígida estas orientaciones, perdiendo de vista el sentido último de esta herramienta. Esto es, construir interpretaciones abstractas pero situadas que logren capturar la complejidad de las relaciones entre la acción humana y los contextos en que esta se desarrolla.

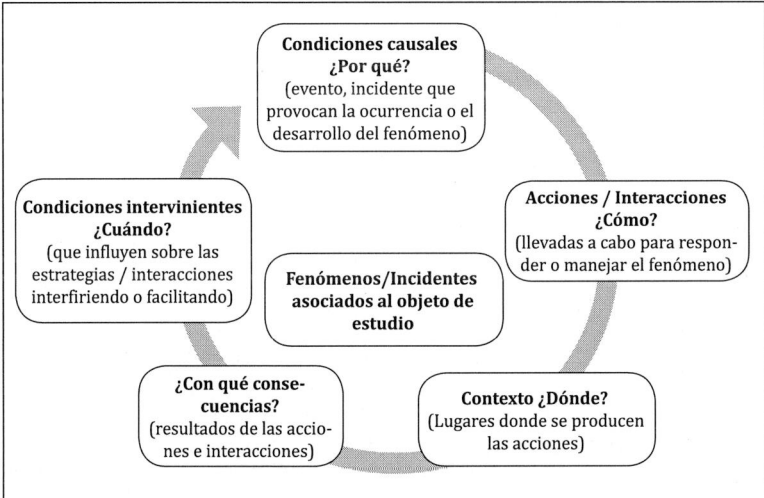

Figura 1. El modelo axial como fuente y criterio para diseñar la investigación. (Elaboración propia).

Adicionalmente, pensar la investigación en estos términos se expresaría no sólo en el modo por el cual analizamos los datos sino también en el tipo de preguntas que guían nuestra investigación y las características y dimensiones claves de los instrumentos de tal manera que faciliten el camino para ir más allá de la descripción de los significados y los procesos. No basta entonces con comprender y describir qué hacen y piensan las personas explorando cómo, eso que hacen y piensan, se conecta con las características de los contextos donde se insertan, los apoyos que reciben, las condiciones que subyacen, las consecuencias de sus decisiones. La dimensión contextual cobra mayor importancia aquí. Es necesario preguntarse por las interacciones que se producen entre condiciones y estrategias y cómo el fenómeno que estudiamos varía en relación a estos elementos. Es decir, se precisan medios para acercarse no sólo a las experiencias de quienes estamos estudiando, sino, principalmente, para reconocer los procesos por los cuales los actores interpretan y actúan y los contextos específicos y las condiciones bajo las cuales esto ocurre.

Bajo estas consideraciones, desarrollar teoría fundamentada atendiendo a su doble dimensión y propiciando la generación de teorías sustantivas, supone potenciar un diseño de investigación capaz de dar cuenta de los procesos de los actores y sus condicionantes. Tomando los criterios sugeridos por Charmaz (2013), el siguiente cuadro sugiere algunas preguntas orientadoras para diseñar y guiar la investigación desde este enfoque:

Criterios para desarrollar teoría fundamentada desde una perspectiva constructivista	Preguntas para orientar las decisiones del diseño y proceso de investigación
a) Familiaridad con situaciones y episodios que ocurren en estos escenarios, así también familiaridad con los participantes de la investigación. b) Focalización en los significados y los procesos para organizar la interpretación. c) Estudiar la acción: aprender cómo, cuándo y por qué las personas actúan en cierta dirección. d) Analizar detalladamente el contexto social dentro del cual se produce la acción. Fuente: Charmaz (2013)	a) ¿Cómo garantizamos un acercamiento suficiente a los contextos y participantes? ¿Qué decisiones sobre la duración del trabajo de campo es necesario tomar para que esto ocurra? b) ¿Están nuestras preguntas de investigación orientadas hacia la comprensión de lo que piensan y deciden los actores? c) ¿De qué manera la construcción de instrumentos asegura una indagación sobre las acciones de los actores y las condiciones en que ocurre? d) ¿Qué estrategia de análisis permitirá vincular las acciones a los escenarios y condiciones en que se producen? Fuente: Elaboración propia

Cuadro 1. Preguntas orientadoras para diseñar y guiar la investigación con teoría fundamentada. (Elaboración propia).

Finalmente, cabe señalar que para la investigación en el campo educativo estas consideraciones cobran especial relevancia. Una crítica habitual ha sido la producción de conocimiento predominantemente descriptivo, cuando no, prescriptivo, débilmente anclado a la comprensión de los procesos subjetivos y las condiciones sociales e institucionales en que se producen. Se trata de una tensión metodológica que impregna también las decisiones sobre la naturaleza de los objetos que construye la investigación en educación (Araujo-Oliveira *et al.*, 2009; Cochran-Smith y Fries, 2005; Cisternas, 2011; Cisternas, 2013). Esto hace más fértil el terreno para la emergencia permanente de modas o innovaciones sin base empírica y conceptual que las sustente. De allí que nutrir y problematizar la práctica educativa accediendo a interpretaciones más ecológicas que sirvan a la toma de decisiones requiere "fundamentarla" por medio de procesos investigativos que puedan teorizar sobre ésta articulando estos núcleos, el de los significados, las acciones y las condiciones.

El análisis como proceso de conceptualización y teorización

A lo largo de este apartado se propone un segundo grupo de reflexiones en torno a los procesos de análisis de datos con teoría fundamentada. El desafío principal, si se busca construir teoría en base a los datos, es establecer categorizaciones y un ordenamiento conceptual en lógica axial que permita visualizar los procesos de los actores y las estructuras o condiciones que generan variaciones en el fenómeno. En este sentido, profundizaremos sobre el modo de conceptualizar la teoría sustantiva, destacando la importancia de reconocer la variabilidad de los fenómenos para alcanzar los propósitos de este enfoque y sugeriremos algunos principios que orienten el análisis cualitativo.

Una primera consideración es qué consideraremos por *teoría* fundamentada. Pregunta de difícil respuesta tanto por las diferencias al interior de este enfoque como por la heterogeneidad de acepciones sobre lo que es y no es una teoría inductiva. Revisando las investigaciones que adoptan este enfoque, Charmaz (2006) señala que es posible encontrar muy variados significados al respecto. Se utilizan conceptos tales como *generalización empírica*, *categorización*, *explicación* de los procesos, *relaciones entre variables*, por nombrar algunos. Sin embargo, la mayoría de esas investigaciones en realidad llegan a formular estudios descriptivos más que teóricos. Por otro lado, la naturaleza de lo teórico también está sujeta a las perspectivas epistemológicas más objetivistas o constructivistas a las que adhiera el investigador, tal y como fue analizado en el apartado anterior. Así, desde corrientes más cercanas al positivismo, la teoría debiese buscar causas y explicaciones haciendo hincapié en la generalidad y universalidad. Sus conceptos suelen ser vistos como variables objetivas que son testeadas en los casos, y se construyen definiciones operacionales a partir de ellos. Por otra parte, cuando la perspectiva se aproxima a una epistemología constructivista, se enfatiza la comprensión más que la explicación y la teoría es vista como algo abstracto pero interpretativo y de naturaleza situada e interactiva (Charmaz, 2006: 126-128).

Más allá de estas diferencias –que, por supuesto, conviene tener en cuenta pues deviene en decisiones específicas y diferenciadas– diremos que la teoría debiese expresarse por medio de entendimientos abstractos que se despegan de los propios datos, organizados a partir de una lógica interna y coherente que aporta un prisma original desde el cual leer el mundo de los actores. No obstante, más que hallar una definición, el desafío principal está en comprender la *teorización* como una *actividad*, una práctica donde el rol de los métodos es ordenar y llevar a cabo esta actividad de manera sistemática y coherente. Es decir, los métodos son un medio y no un fin, y donde las preocupaciones conceptuales y prácticas de quien investiga orientan y definen dicha actividad y constituyen el contenido sobre el cual se realiza esta teorización (Charmaz, 2006; Flick, 2004; Gibs, 2012; Strauss y Corbin, 2002).

En el análisis para construir teorías fundadas, una segunda consideración se refiere a la discusión sobre el predominio o no de los *procesos inductivos* (entendidos como aquella codificación sin categorías *a priori*, las cuales se construyen a partir de los propios datos) por sobre los *procesos deductivos* (en tanto codificación con categorías previamente definidas, que se busca hacer corresponder con los datos). Habitualmente en los diseños cualitativos se rechaza la deducción como parte del proceso de análisis, considerándolo como una "traición" al enfoque. En este sentido, algunos autores hacen una distinción entre la elaboración conceptual y la elaboración lógica. Esta última supone la verificación deductiva de hipótesis que se levantan a partir de las teorías o conceptos preexistentes en la literatura. En tanto que la elaboración conceptual hace uso de procesos inductivos (Carrero, Soriano y Trinidad, 2012). Sin embargo, ¿es posible un análisis exclusivamente inductivo? ¿Puede y debe el investigador despojarse de sus hipótesis y teorías *a priori* para hacer emerger los datos *tal cual son*? En una postura objetivista de la teoría fundamentada probablemente sí. Pero si aceptamos una perspectiva constructivista de la teoría fundamentada más que negarlas, se precisa de una práctica reflexiva por parte del investigador durante todo el proceso en torno a sus propias interpretaciones y cómo estas se vinculan a sus opciones teóricas (explícitas e implícitas) respecto del objeto de estudio. Contra lo que se suele señalar respecto de la ausencia de premisas teóricas al iniciar una investigación, la práctica de investigar nos muestra que todo estudio se origina a partir de ciertos intereses y un conjunto de conceptos generales a los cuales adhiere el investigador. De este modo, las categorías no emergen directamente de los datos sino de las interpretaciones que hacemos de ellos. Estos conceptos permiten delimitar las preguntas de investigación e identificar tópicos, procesos, conceptos que sensibilicen y orienten el estudio, especialmente en la etapa de recolección y análisis de información. No obstante, la presencia de algunos procesos de naturaleza deductiva no implica "forzar" ideas preconcebidas sobre los datos. Más bien se trata de seguir las pistas que ofrece el análisis desde las fuentes, sin renunciar a las principales preocupaciones y focos iniciales. Aquí resulta fundamental la apertura del investigador y su sensibilidad ante los temas emergentes. Por esa razón resulta discutible la sobrevaloración que se ha dado a la inducción como principio analítico, en la medida que invisibiliza "los lentes" que utiliza el investigador para "ver" los datos en un proceso que en realidad debiese articular procesos inductivos y deductivos a lo largo de la investigación. "Sin el escrutinio, la dirección y el desarrollo teóricos, los datos terminan siendo descripciones mundanas" (Charmaz, 2013: 279). En suma, el desafío para el caso de la teoría fundamentada está no sólo en conceptualizar inductivamente sino también mantener una permanente vigilancia epistemológica frente a los intereses, conjeturas y conceptos iniciales y lo que van mostrando los datos emergentes.

Un tercer desafío del análisis a través de este enfoque es avanzar desde categorías descriptivas hacia categorías conceptuales estableciendo relaciones entre éstas de tal manera que puedan observarse las variaciones y sus elementos asociados. Lograr esto supone ir *más allá de la "descripción densa"* (Glaser, 2002) conceptualizando los datos, abstrayéndolos. Esos procesos requieren la capacidad del analista para producir o reconocer la *dimensionalidad* de los fenómenos que estudia, es decir, ¿cómo y por qué varía una categoría?, ¿cuáles son sus facetas?, ¿qué rasgos marcan esas distinciones? Para generar teoría se precisa profundizar en la variabilidad de un fenómeno y qué aspectos se asocian a dichas variaciones. Con este propósito la teoría fundamentada desarrolla dos herramientas muy potentes y significativas: el *muestreo teórico* y el *método comparativo*[1].

El muestreo teórico supone una selección "emergente" de los participantes y escenarios de acuerdo a los temas y conceptos que surgen en el análisis que tempranamente se inicia con los primeros datos recogidos. "En etapas iniciales el muestreo debe estar abierto y relativamente desenfocado (...) mientras se analizan los datos el investigador debe utilizar los resultados para dirigir el estudio a otros grupos y a contextos diversos que puedan

---

1. Para una descripción detallada de ambas estrategias, se sugieren los textos de Strauss y Corbin (2002), Flick (2004) y Carrero, Soriano y Trinidad (2012).

ensanchar la interpretación" (Carrero, Soriano y Trinidad, 2012: 24). De este modo, y a diferencia de otros enfoques donde los actores y lugares se definen *a priori* y sin un vínculo directo con los resultados del análisis, con el muestreo teórico los criterios para seleccionar fuentes y participantes están dirigidos por la teoría que emerge. Esto es posible porque las etapas de recolección y análisis se dan simultáneamente haciendo que los datos se moldeen y focalicen recíprocamente (Charmaz, 2013). En suma, gracias al carácter cíclico y lo temprano del análisis el investigador tiene insumos para tomar decisiones sobre la recolección: quiénes, dónde, con qué nuevos focos de contenido a explorar. Pero a la vez, nos plantea el desafío de la flexibilidad en el diseño y también en el propio investigador. Este tipo de muestreo es imprescindible para desarrollar teorías fundamentadas en los datos y nos obliga a cambiar la lógica lineal a la que solemos estar acostumbrados cuando hacemos investigación.

La segunda herramienta central para desarrollar teorización desde los datos es el denominado "método comparativo constante". Un proceso mediante el cual se analiza la información comparando similitudes y diferencias entre casos, incidentes, categorías y fragmentos con el objetivo de descubrir patrones y relaciones en torno al fenómeno central que se está indagando. Para Charmaz (2006, 2013) la teoría fundamentada en sí misma es un método comparativo pues es un principio transversal, que recorre todo el proceso. En esa misma línea, algunos autores sugieren cuatro etapas sucesivas en las que se aplica este principio de comparación y búsqueda de similitudes-diferencias: primero comparando episodios y su categorización, luego integrando las categorías a sus propiedades, posteriormente actúa en el proceso de conceptualizar, relacionar y reducir a las categorías centrales y finalmente escribiendo la teoría sustantiva. De este modo, "comparando dónde están las similitudes y las diferencias de los hechos, el investigador puede generar conceptos y sus características, basadas en patrones del comportamiento que se repiten. En definitiva, este método persigue hallar regularidades en torno a los procesos sociales" (Carrero, Soriano y Trinidad, 2012: 28). Para alimentar y registrar estas comparaciones se recomienda usar preguntas sensibilizadoras (sobre qué está pasando, qué actores están involucrados, cuándo ocurre y bajo qué condiciones) y preguntas teóricas que ayuden a reconocer las variaciones al interior de un concepto y sus conexiones.

Con estas consideraciones sobre el análisis queremos focalizar la atención del investigador sobre las exigencias de un enfoque como la teoría fundamentada. Ir más allá de la descripción "implica desarrollar ideas cada vez más abstractas acerca de los significados, las acciones y los mundos de los participantes, y buscar datos específicos para completar, refinar y controlar las categorías conceptuales emergentes" (Charmaz, 2013: 271).

Buscar la diversidad y explorar esas respuestas menos esperadas aceptando la condición "multivariada" de los fenómenos sociales en general y educativos en particular.

Reflexiones finales

Este capítulo quiso llamar la atención sobre algunos rasgos de la teoría fundamentada que han sido menos atendidos por la investigación, especialmente en el campo educativo. En las discusiones sobre metodología de investigación habitualmente hacemos una separación entre nuestras decisiones sobre qué investigar y las ideas que sostienen cómo haremos para investigarlo. Herederos de una concepción lineal de la investigación –donde primero se delimita un objeto de estudio y posteriormente el método– se suele reflexionar menos sobre esta importante interdependencia disociando los fundamentos y principios que guían el diseño metodológico de la construcción del problema, las preguntas y delimitación del objeto de estudio. Más allá de las características ampliamente reconocidas de la teoría fundamentada (como son el método inductivo, la codificación abierta o el muestreo teórico) quisimos destacar otras dimensiones menos atendidas pero enormemente pertinentes para la investigación de procesos educativos. Ya lo dijimos a lo largo de este capítulo: abundan los estudios que recurren a las herramientas analíticas de este enfoque y son menos los que logran construir teorías fundadas en los datos. En este contexto, reflexionamos sobre lo que significa "teorizar" con este enfoque y el papel crucial que juegan las relaciones entre sentidos, prácticas y estructuras para comprender un fenómeno.

Los desafíos que fuimos describiendo son mayúsculos pues nos obligan a repensar la propia práctica investigativa y también nuestras preguntas e intereses de investigación. Desde este enfoque, preguntarse por los significados de los actores no es suficiente, debemos indagar también en las condiciones en las que esos significados y experiencias se encarnan. Del mismo modo, no podemos dar cuenta de los procesos si sólo tomamos un par de fotografías; las fuentes de información y el trabajo en terreno deben ser variadas, intensivas y prolongadas. Y si de analizar hablamos, el desafío aumenta: conceptualizar y abstraer relaciones es mucho más que parafrasear o sintetizar los datos. Por estas razones hacer teoría fundamentada implica no sólo la convicción de que la investigación debe y puede teorizar desde y con las personas y sus mundos. También se precisa persistencia, flexibilidad, apertura y mucha rigurosidad. Todas estas, sin embargo, son cuestiones que sólo podremos desarrollar atreviéndonos a pensar e investigar *en lógica fundamentada*.

Referencias

Araújo-Oliveira, A., Lenoir, A. y Lebrun, J. (2009). Étude critique de la documetad tion scientifique brésilienne relative à l'analyse des practiques enseignantes. *Canadian Journal of Education, 32* (2), 285-316. Recuperado el 20 de marzo de 2010, de: [http://www.csse-scee.ca/CJE/Articles/CJE32-2.html].

Carrero, V., Soriano, R. y Trinidad, A. (2012). *Teoría fundamentada-Grounded Theory. El desarrollo de teoría desde la generalización conceptual* (2° Ed). Cuadernos Metodológicos 37. Madrid: Centro de Investigaciones Sociológicas.

Charmaz, K. (2013). La teoría fundamentada en el siglo XXI. Aplicaciones para promover estudios sobre la justicia social. En N. K. Denzin & Y. S. Lincoln (coords.), *Manual de investigación cualitativa*, Volumen III. Barcelona: Gedisa.

Charmaz, K. (2006). *Constructing grounded theory. A practical guide through qualitative analysis*. London: Sage.

Cisternas, T. (2011). La investigación sobre formación docente en Chile. Territorios explorados e inexplorados. *Calidad en la Educación, 35* (diciembre), 131-164.

Cisternas, T. (2013). Contextos, contingencia e intereses en el proceso de investigar la formación docente. Un estudio de casos. *Calidad en la Educación, 38*, (julio), 116-146.

Cochran-Smith, M. y Fries, K. (2005). Researching teacher education in changing times: Politics and paradigms. En AERA (Ed.), *Studying teacher education: The report of the AERA Panel on Research and Teacher Education* (pp. 69-109). New Jersey: Lawrence Erlbaum Associates.

Denzin, N. y Lincoln, Y. (1994). *Handbook of qualitative research*. London: Sage.

Flick, U. (2004). *Introducción a la investigación cualitativa*. Madrid: Morata.

Gibs, G. (2012). *El análisis de datos cualitativos en investigación cualitativa*. Madrid: Morata.

Glaser, B. (2002). Conceptualization: On theory and theorizing using grounded theory. *International Journal of Qualitative Mhetods, 1* (2).

Glaser, B. (2004). Remodeling grounded theory. *Forum Qualitative Social Research, 5* (2).

Jones, D., Manzelli, H. y Pecheny, M. (2007). La teoría fundamentada: su aplicación en una investigación sobre vida cotidiana con VIH/sida y con hepatitis C. En A. L. Kornblit (Ed.), *Metodologías cualitativas en ciencias sociales. Modelos y procedimientos de análisis* (2ª Ed.). Buenos Aires: Biblos.

Scott, W. K. y Howell, D. (2008). Clarifying Analysis and interpretation in grounded theory: Using a conditional relationship guide and reflective coding Matrix. *International Journal of Qualitative Methods, 7* (2), 1-15.

Strauss, A. L. y Corbin, J. (2002). *Bases de la investigación cualitativa: técnicas y procedimientos para desarrollar la teoría fundamentada* [1° Ed. 1998]. Medellín: Universidad de Antioquía.

CAPÍTULO 18

La interpretación como diálogo y la doble hermenéutica

José Félix Angulo Rasco

Cualquier pregunta, cualquier aclaración o clarificación, cualquier explicación (en su formulación no técnica, sino cotidiana), coloca al que la solicita y a quien la realiza –o está en el deber de hacerlo– en un trabajo hermenéutico. Este parece ser el significado del término griego con el que se designa: "Hermeneutikós" (Bauman, 1978: 7).

Si aceptamos esto, va de suyo que la hermenéutica es tan vieja como el ser humano, como nosotros mismos, seres racionales dotados de lenguaje. Esta es la raíz desde la que Gadamer (1975a, 1975b) –y en gran medida Heidegger (1927)– concibe lo que podemos denominar "trabajo hermenéutico". Pero antes que él otros determinaron a la hermenéutica de manera más concisa y quizás más reductiva.

Tradicionalmente, la hermenéutica ha sido el arte de la interpretación, profusamente practicada en la exégesis bíblica. Como tal, no se trataba de un esfuerzo común, sino de una labor paciente y erudita, de una metodología por la que acarar-clarificar, no lo cotidiano sino lo singular, es decir, no el significado expresado en nuestras interacciones y nuestros equívocos mundanos, sino el significado "verdadero" encerrado en los textos que expresaban el mensaje de la divinidad.

Esta fue sin duda la tradición desde la que Schleiermacher retomó para las Ciencias del Espíritu el trabajo hermenéutico (Freund, 1975: 49 y ss). Con él, la hemenéutica adquirió un estatuto desconocido prácticamente hasta entonces; concebida *metodológicamente* (i.e. como método), planteó la posibilidad de convertirse en la vía por la que dichas ciencias podrían adquirir su unicidad. Una unidad que vendría determinada por el consentimiento a una reglas de interpretación y que se diferenciarían de disciplina a disciplina sólo en la "manera de aplicarlas" (Freund, 1975: 51). Pero además del método de las Ciencias del Espíritu, Schleiermacher apuntó cualidades esenciales de la hermenéutica que aún hoy permanecen y que, por ello, merecen ser nombradas aquí.

Más allá de mostrar y descubrir el "sentido objetivo de las palabras", la hermenéutica intenta captar como un objeto legítimo suyo la particularidad inefable del significado que el ser humano expresa o atribuye a sus actos (Freund, 1975: 52). Por ello, la reconstrucción hermenéutica es siempre provisional, siempre susceptible "de ser completada" (ibíd., pp. 53-54), y por ello es, a la vez, demostrativa y adivinatoria, un "arte y un método científico". Conviene retener esto último porque en cierta medida señala tanto los límites de la hermenéutica de Gadamer (1975a, 1975b), como, extendiendo y prolongando su contexto, el límite de la misma metodología hermenéutica en la investigación social.

Sin embargo, aun cuando Scheliermacher abre el trabajo hermenéutico a lo humano y a sus realizaciones lingüísticas (Freund, 1975: 51), permanece en la tradición de la hermenéutica teológica. Es sólo con August Boeckh (1785-1867) y Johann Gustav Droysen (1808-1884), cuando la hermenéutica (o la "teoría de la interpretación") realmente adquiere el papel de metodología *científica*, que Schleiermacher bahía apuntado. Mientras que en Boeckh la hermenéutica se enlaza con la filología (y ésta constituye la teoría general de las ciencias humanas); con Droysen aparece la distinción, que aún hoy sobrevive polémicamente, entre *explicación* (propia de las ciencias de la naturaleza) y *comprensión* (propia de las ciencias sociohumanas), como resultado del trabajo interpretativo del hacer humano. En ambos casos, la exigencia de la interpretación no sólo configura un método, sino que justamente por ello, impide la reducción del conocimiento sobre el hombre al modelo de conocimiento en la naturaleza (Freund, 1975: 51).

Lo común a estos autores, que no sin cierto apresuramiento y simplificación hemos tocado, es lo que de alguna manera Gadamer (1975a) se resiste a aceptar. Para él la hermenéutica no es ya, o no sólo, un método; la hermenéutica es esencialmente un medio para comprendernos, es la manera por la que podemos conocernos existencialmente como seres humanos. En lo que sigue, y dada su importancia, quisiera intentar explicitar esta posición deteniéndome sólo en aquellas cuestiones que en su tesitura me ayuden a desvelar la posición de Gadamer (1975a, 1975b).

Hermenéutica y humanidad

Heidegger (1927) en su *Sein und Zeit*, coloca la comprensión en la estructura misma del "ser en el mundo"; comprendiendo que el "ser ahí", que es más que mero ser, se instala en un proyecto, en un *poder ser*.

"El comprender es el ser existenciario del 'poder ser' peculiar del 'ser ahí' mismo, de tal suerte que este ser abre en sí mismo el 'en donde' del ser consigo mismo... En cuanto es el 'abrir que es', el comprender concierne siempre a la total estructura fundamental del ser en el mundo" (Heidegger, 1927: 126).

Más que un ser en el mundo, el ser ahí del ente se abre a las significatividades y a sus posibilidades de ser; es por ello que el ser comprender tienen en sí mismo la "estructura existenciaria" de la proyección.

"El carácter de proyección del comprender constituye el 'ser en el mundo' respecto al 'estado de abierto' de su 'ahí' en cuanto 'ahí' de un 'poder ser'. La proyección es la estructura existente del ser del libre espacio fáctico 'poder ser'" (*ibíd.*).

Pero sólo cuando el comprender se desarrolla, es decir, cuando el "ser ahí" realmente se apropia de las significatividades y realiza sus posibilidades de ser, es cuando podemos hablar de *interpretación*.

"Al desarrollo del comprender lo llamamos 'interpretación'. En ello el comprender se apropia comprendiendo lo comprendido. En la interpretación no se vuelve el comprender otra cosa, sino él mismo. La interpretación se fundamenta existenciariamente en el comprender, en lugar de surgir éste de ella. La interpretación no es el tomar conocimiento de lo comprendido, sino el desarrollo de las posibilidades proyectadas en el comprender" (*ibíd.*, p. 166).

Comprender pues, es parte esencial de la existencia del ser (del "ser ahí"). Comprendiendo, el ser se abre a las significatividades y al mundo, se instala como proyecto *en el mundo*, como un poder ser posible. Interpretando, la comprensión se desarrolla y se apropia, hace suyas las posibilidades del mundo en el que se proyecta. Comprensión/interpretación, no son cualidades especiales de un trabajo disciplinar ni una metodología propia que requeriría el concurso del experto. En un sentido netamente existencial comprender/interpretar pertenecen al hombre, forman en él su estructura de ser y existir.

El trabajo hermenéutico es entonces un trabajo propiamente humano, enraizado en su humanidad "mundana". En su humanidad realizada constantemente, hacia sus semejantes y hacia las cosas, se conforma y origina el, para Gadamer, "universo hermenéutico".

"El modo como nos experimentamos unos a otros, y como experimentamos las tradiciones históricas y las condiciones naturales de nuestra existencia y de nuestro mundo, forma un auténtico universo hermenéutico con respecto al cual nosotros no estamos encerrados entre barreras insuperables sino abiertos a él" (Gadamer, 1975a: 26).

Es por ello que Gadamer rechaza la mera reducción de la hermenéutica a metodología. Más que esto, la hermenéutica es, por así decir, una llamada de atención; muestra al ser humano "su finitud y su especificidad" (Gadamer, 1975a: 13), abarcando el "conjunto de su experiencia del mundo". Más que método, la hermenéutica es filosofía, pero no filosofía especulativa, sino filosofía que apunta a la existencia el existenciario privilegiado: filosofía práctica (Gadamer, 1976: 80). Sólo comprendiendo, sólo interpretando somos, como tales, humanos; dicho de otra forma: interpretando y comprendiendo el mundo, obtenemos una "autocomprensión más amplia y profunda", la nuestra, la de seres racionales abiertos al mundo en el que podemos ser y proyectarnos. Pero ¡cuidado!, no somos porque vivimos en el mundo; Heidegger, y con él Gadamer, nos advierten: *somos porque vivimos comprendiendo e interpretando el mundo.*

El texto como contexto hermenéutico

La hermenéutica es la hermenéutica y desde sus orígenes disciplinares o precisamente por ello coloca ante sí el mismo contexto, el referente y objeto de su trabajo: el texto escrito. Gadamer no renuncia a ello; aún aceptando su componente existencial, el trabajo hermenéutico es todavía e inevitablemente, el trabajo sobre textos, el desciframiento de los significados, la develación *metodológica* y *adivinatoria de lo no-explícito y extraño,* lo que aparece cuando la tenue unión autor y texto desaparece, y lo que queda como posibilidad de significatividad y desciframiento invocando, como invoca una lengua extraña, a nuestra comprensión (Gadamer, 1975a: 635). Sin embargo, este contexto esencial y tradicional para la hermenéutica, goza ahora de una nueva dignidad. "Comprender e interpretar textos no es sólo una instancia científica, sino que pertenece con toda evidencia a la experiencia humana del mundo" (Gadamer, 1975a: 23).

He afirmado arriba *inevitablemente,* porque como Gadamer mismo señala: "la tarea de la interpretación se plantea de lleno cuando hay algo material escrito". En el texto el problema hermenéutico aparece "en forma pura y libre de toda psicología" (*ibíd.*, p. 471), porque en él se eleva una "esfera de sentido en la que puede participar todo el que esté en condiciones de leer" (*ibíd.*). En verdad, esto no ocurre cuando la hermenéutica es comprendida como elemento de la existencia. Entonces no es posible hablar de pureza; al contrario, interpretar/comprender no constituyen una disciplina sino el modo mismo, como decíamos, de ser y entender. Por ello, siempre es necesario referirse al contexto del texto, sea éste cual fuere, para aproximarse a la hermenéutica distintivamente.

La hermenéutica, pues, como disciplina (pura) la encontramos referida al texto. Así lo ve Ricoeur (1981), otro hermeneuta contemporáneo. Mucho más escorado en Dilthey (1983) que Gadamer, Ricoeur (1981) sí que participa de la exclusividad metodológica. La hermenéutica es definida por él como el conjunto de "reglas necesarias para la interpretación de los documentos escritos de nuestra cultura" (1971: 316); y en otro lugar, enfatiza:

"Entendemos por hermenéutica la teoría de las reglas que presiden una exégesis, es decir, la interpretación de un texto singular o de un conjunto de signos susceptibles de ser considerados como un texto" (1981: 316).

Creo que es conveniente que nos detengamos un tanto aquí y averigüemos la cualidad de lo que Ricoeur determina como texto. En uno de sus trabajos más importantes, en donde realiza una penetrante exégesis no psicoanalítica del psicoanálisis (1965: 11), Ricoeur define el símbolo de la siguiente manera:

"hay símbolo allí donde la expresión lingüística se presenta por su doble sentido o sus sentidos múltiples a un trabajo de interpretación. Lo que suscita este trabajo es una estructura internacional que no consiste en la relación del sentido con la cosa, sino en una arquitectura del sentido, en una relación de sentido a sentido, del sentido segundo con el primero, sea o no una relación de analogía, sea que el sentido primero disimule o revele al segundo" (ibíd., p. 20).

El sentido múltiple se presenta porque el símbolo o, con mayor extensión, lo simbólico, es el mediador "universal del espíritu entre nosotros y lo real" que expresa "el carácter no inmediato de nuestra aprehensión de la realidad" (ibíd., p. 13), en donde no sólo se encuentra un sentido primero ostensible, literal, sino un sentido segundo (o tercero) latente, que es precisamente lo que se supone el psicoanálisis pone al descubierto.

En esta aproximación, el texto no es sólo lo escrito, aunque indudablemente lo sea; el texto es el lugar en donde el símbolo emerge; y el trabajo hermenéutico, la labor de rescatar el sentido, de apropiarse del significado disfrazado tras lo aparente. Psicoanalíticamente el texto es el sueño (ibíd., pp. 11 y 19). Pero Ricoeur nos advierte que el campo hermenéutico es más que el del psicoanálisis (es más que el lugar del "doble sentido"), pero menos que la "teoría del lenguaje total" (puesto que no pretende determinar la sintaxis, ni quedar en la gramática, sino permanecer en el significado perdido u oculto de las mediaciones simbólicas). En su brega con lo simbólico, la hermenéutica "sospecha" y "escucha", hace "voto de rigor y voto de obediencia" (ibíd., p. 28), porque como Ricoeur afirma, "comenzar a entender los símbolos" es comenzar a deshacerse de los "ídolos", es decir, desvelar lo equívoco, lo latente, lo oculto; es desenmascarar las falsas concepciones y restaurar el sentido (ibíd., p. 320), o como afirma Gadamer: "sólo porque entre el que comprende y su texto no existe una concordancia lógica y natural, se nos puede participar en el texto una experiencia hermenéutica" (1975a: 566).

En conclusión, hemos enfatizado la cualidad existencial en la hermenéutica, o el lugar propio y exclusivamente simbólico de su trabajo, el "texto" es todavía el referente –el contexto– privilegiado. No debemos perder de vista esto en todo nuestro tratamiento del trabajo hermenéutico. Pues aunque no abordemos, en lo que sigue, tan directamente como ahora, las posibilidades mismas del texto, éste permanece como fondo en lo que tratemos.

Comprensión e interpretación

Gadamer afirma que la comprensión es en principio "entender con otros", algo natural "en el referirse conjuntamente a las mismas cosas", que es un referirse a una "cosa común" (1975a: 232); pero cuando el acuerdo implícito se rompe, o el "referirse común" se rompe o se distorsiona, la comprensión se convierte en una "tarea especial": en la tarea hermenéutica. La atención debe desplegarse entonces hacia las peculiaridades de la situación. Como afirma Gadamer, la opinión es la "opinión del otro, del tú o del texto" (*ibíd.*) Por ello, "el verdadero problema de la comprensión aparece cuando en el esfuerzo por comprender un contenido se plantea la pregunta reflexiva de 'cómo ha llegado el otro a su opinión' o en qué estriba la 'renuncia a un sentido compartido'" (*ibíd.*, p. 233). Es justamente esta "situación especial" lo que nos interpela (*ibíd.*, p. 369) y por la que la hermenéutica comienza.

Ahora bien, la hermenéutica no es sólo comprensión. Ésta aparece como un resultado siempre provisional y parcial. Fundamentalmente, la hermenéutica ha sido un esfuerzo de interpretación en el "medio universal del lenguaje" (*ibíd.*, p. 468). No obstante, en la interpretación la comprensión *se realiza* y, para Gadamer, esto significa que "en la comprensión está contenida potencialmente la interpretación, lo cual simplemente confiere a aquélla su condición de explicitud... la interpretación no es un medio para producir la comprensión sino que se introduce por sí misma en el contenido de lo que se comprende" (*ibíd.*, p. 362).

Parece como si Gadamer, también aquí quisiera dejar clara su diferencia con respecto al pasado histórico de la hermenéutica. Aunque no rechaza, ni mucho menos, la interpretación; ésta no adquiere un papel privilegiado, pero tampoco está subordinada a la comprensión, simplemente se la sobreentiende. Todo comprender es ya interpretar; pero, de alguna manera, lo contrario no funciona. Ello significa que frente a la interpretación, la comprensión y su ruptura, y la nueva búsqueda de comprensión, son el verdadero justificante del trabajo hermenéutico, su alfa y omega; es decir, y de nuevo, la hermenéutica no se define "metodológicamente" por la interpretación sino por el estado de ser, entender y referirse, i.e. por la comprensión.

La hermenéutica interminable

Como ya hemos señalado, la hermenéutica se propone instaurar o restablecer el acuerdo "alterado o inexistente" (Gadamer, 1975a: 362), porque es esta situación la que genera propiamente el movimiento hermenéutico. Pero el que desde ese punto y momento emprende sobre el texto el trabajo de su significado, no parte en absoluto de la ausencia de presupuestos o desde una posición sin historia. "Lo que uno entiende es que está comprendiendo el texto mismo. Pero esto quiere decir que en la resurrección del sentido del texto se encuentran ya siempre implicadas las ideas propias del intérprete" (ibíd., p. 467).

En efecto, cuando éste "deja hablar al objeto", es el mismo lenguaje del intérprete por el que el texto habla, desde una "distancia en el tiempo" (ibíd.). Gadamer no quiere más que dos cosas. Primero, hacernos ver que la comprensión y la hermenéutica han de asumir su "movilidad histórica" necesariamente (ibíd., p. 380), sin dejarse embaucar por la "ingenuidad" y el "objetivismo historicista" (ibíd., p. 370). Segundo, hacernos ver que literalmente es imposible una comprensión libre de prejuicios y preconcepciones, como la ilustración –añade– nos hizo creer, y como en el positivismo defiende. A lo primero Gadamer denomina *historia efectual,* como requisito de la hermenéutica.

"Un pensamiento verdaderamente histórico tiene que ser capaz de pensar al mismo tiempo su propia historicidad. Sólo entonces dejará de perseguir el fantasma de un objeto histórico que lo sea de una investigación progresiva, aprenderá a conocer en el objeto lo diferente de lo propio y conocerá así tanto lo uno como lo otro. El verdadero objeto histórico no es un objeto, sino que es la unidad de lo uno y de lo otro, una relación en la que la realidad de la historia persiste igual que la realidad del comprender histórico. Una hermenéutica adecuada debe mostrar en la comprensión misma la realidad de la historia. Al contenido de este requisito yo le llamaría 'historia efectual'" (ibíd., p. 370).

Por ello, porque existe un desfase entre la interpretación del autor y el significado del texto, la hermenéutica no es una reproducción del original.

"La reconstrucción de la pregunta a la que se supone que responde el texto está ella misma dentro de un hacer preguntas con el que nosotros mismos intentamos buscar la respuesta a la pregunta que nos plantea la tradición. Pues una pregunta reconstruida no puede encontrarse nunca en un horizonte originario. El horizonte histórico descrito en la reconstrucción no es un horizonte abarcante; está a su vez abarcado por el horizonte que nos abarca a nosotros, los que preguntamos y somos afectados por la palabra de la tradición" (ibíd., p. 452).

Este interpretar desde la actualidad y desde la distancia de nuestro presente, el texto que pertenece a otro momento, a otra historia y a otra tradición, no es negativo; en realidad, el texto –o la obra de arte– "despliega su plenitud de sentido al paso que se va transformando su comprensión" (*ibíd.*, p. 452), que es siempre y a su vez, una nueva "creación del comprender" (*ibíd.*, p. 556).

Y esto nos lleva a lo segundo: es imposible una comprensión libre de prejuicios, exenta de concepciones previas, transparente frente al texto; y como Gadamer afirma, esto es así "por mucho que la voluntad de nuestro conocimiento deba estar siempre dirigida al concurso de nuestros prejuicios" (*ibíd.*, p. 585). Existe siempre una mediación entre los conceptos del pasado inscritos en el texto y el propio pensar actual desde el que el intérprete se aproxima a ellos; éste es el pensar históricamente: "realizar la transformación que les acontece a los conceptos del pasado cuando intentamos pensar en ellos" (*ibíd.*, p. 477). Por lo tanto, evitar las preconcepciones en la interpretación es tanto absurdo como imposible, concluye Gadamer (*ibíd.*). Sin embargo, el intérprete está vinculado de manera no natural e incuestionable a la tradición desde la que el texto puede hablar. El intérprete posee una conexión con dicha tradición, que le familiariza con el momento histórico del texto. Pero a la vez, el intérprete es extraño a esa tradición (*ibíd.*, p. 365), él parte desde su actualidad histórica desde su lejanía en el tiempo presente:

> "Sólo la distancia en el tiempo hace posible resolver la verdadera cuestión crítica de la hermenéutica, la de distinguir los prejuicios *verdaderos* bajo los cuales comprendemos, de los prejuicios *falsos* que producen *malentendidos*. En este sentido, una conciencia formada hermenéuticamente tendría que ser hasta cierto punto también conciencia histórica, y hacer consciente los propios prejuicios que la guían en la comprensión, con el fin de que la tradición se destaque a su vez como opinión distinta y acceda así a su derecho" (*ibíd.*, p. 369).

Para Gadamer, la única vía por la que los prejuicios se hacen conscientes, en la tesitura histórica desde la que se interpreta, es la interrogación, es decir, "la pregunta; suspende nuestro 'conocimiento', y nos lleva a un diálogo con el texto, a una conversación en la que por historia, y por prejuicio, cada interpretación es sólo una aproximación, sólo un intento, plausible y fecundo, pero claramente no definitivo" (Gadamer, 1976: 75); y añade: "una interpretación es algo que siempre está en marcha, que no concluye nunca" (*ibíd.*). La hermenéutica como diálogo es ella misma una conversación interminable.

La interpretación como diálogo

Para entender este último apartado, tenemos que suscitar de nuevo la hipótesis primera que enunciamos al comienzo de este capítulo: el comprender e interpretar mundano. De poco nos vale lo que hasta ahora hemos precisado, para aferrar esencialmente el carácter de la hermenéutica de Gadamer. Todo lo dicho hasta el momento pergeña únicamente lo que podemos denominar la perspectiva epistemológica de su hermenéutica. Es necesario volver al origen. Ya lo hemos afirmado: la hermenéutica es, en su base, *existencial,* pero en su trabajo (lo que ahora intentamos describir) *dialógica;* el comprender y el interpretar son nuestra existencia, de seres dotados de lenguaje, el diálogo es la substancia de la comunicación con nosotros y los otros. Gadamer lo expresa de la siguiente manera:

"Cuando intentamos entender un texto no nos desplazamos hasta la constitución psíquica del autor sino que, ya que hablamos del desplazarse, lo hacemos hacia la perspectiva bajo la cual el otro ha ganado su propia opinión. Y esto no quiere decir sino que intentamos que se haga valer el derecho de lo que el otro dice. Cuando intentamos comprenderlo hacemos incluso lo posible por reforzar sus propios argumentos. Así ocurre también en la conversación. Pero donde se hace más patente es en la comprensión de lo escrito. Aquí nos movemos en una dimensión de sentido que es comprensible en sí misma, ya que como tal no motiva un retroceso a la subjetividad del otro" (1975a: 361).

En el ejercicio del entender, y del mutuo entendimiento, se encuentra la analogía de una interpretación como diálogo. Si el lenguaje tiene su verdadero ser en la conversación, así la interpretación alcanza su escenario vital en el diálogo con lo interpretado (*ibíd.,* p. 535). El diálogo se origina porque lo interpretado "plantea una pregunta al intérprete". El texto escapa a nuestra comprensión y por eso nos llama, nos obliga a la pregunta: "¿qué nos dice?"; y la exigencia de una pregunta espera la consecución de una respuesta. No obstante, la pregunta también es una manera de destacar nuestros ineludibles prejuicios. Por ello, la apertura de la pregunta, afirma Gadamer (1975a), impone sus límites:

"El planteamiento de una pregunta implica la apertura pero también sus limitación. Implica una fijación expresa de las preguntas que están en pie y desde las cuales se muestra la cantidad de duda que queda abierta. Por eso el planteamiento de una pregunta puede ser a su vez correcto o falso según llega uno al terreno de lo verdaderamente abierto... En su condición de pregunta muestra una apertura y susceptibilidad de decisión; pero, cuando lo que se pregunta no está destacado con claridad, o al menos no lo está suficientemente, frente a las preguntas que se mantienen en pie, no se llega realmente a lo abierto y en consecuencia no hay nada que decir" (*ibíd.*, p. 441).

Plantear bien la pregunta, suspender momentáneamente los prejuicios y permitir la apertura del texto, no es más que afirmar la dignidad del otro o del texto:

"Formar parte de toda verdadera conversación, el atender realmente al otro, dejar valer sus puntos de vista y ponerse en su lugar, no en el sentido de que se le quiera entender como la individualidad que es, pero sí en el que se intenta entender lo que dice. Lo que se trata de recoger es el derecho objetivo de su opinión a través del cual podremos ambos llegar a ponernos de acuerdo en la cosa" (*ibíd.*, p. 463).

Indudablemente, la afirmación de dignidad, el derecho objetivo a su opinión, de la interpretación, es poner su dignidad y su opinión en alguna relación con "el conjunto de opiniones propias" (*ibíd.*, p. 335), pero no en una relación de dominio, en la que el intérprete impone sus propios prejuicios al texto, en cuyo caso el diálogo se transforma en el mejor de los casos en monólogo y, en el peor, en silencio:

"El que quiere comprender un texto tiene que estar en principio dispuesto a dejarse decir algo de él. Una conciencia formada hermenéuticamente tiene que mostrarse receptiva desde el principio por la alteridad del texto. Pero esta receptividad no presupone ni 'neutralidad' frente a las cosas, ni tampoco 'autocancelación', sino que incluye una matizada incorporación de las propias opiniones previas y prejuicios" (*ibíd.*).

Como consecuencia, el trabajo hermenéutico elaborará un lenguaje común, que como en la conversación "se confundirá con la realización misma del comprender y el llegar a un acuerdo" (Gadamer, 1975a: 466). Nótese que Gadamer dice *acuerdo*, dando a entender que la comprensión del lenguaje común logrado para que el texto no permanezca en la sombra de lo incomprensible y el intérprete rescate sus significados, no es una meta definitiva que se alcanza para siempre. Como en el diálogo, la interpretación acusa la historicidad, la existencialidad de los que conversan y de sus perspectivas; como en el diálogo, la interpretación no es definitiva.

Lo importante es que en la conversación ambos, texto e intérprete, tienen parte, aún a pesar de que el rendimiento del intérprete logre en última instancia que el texto "haga hablar a su tema" (*ibíd.*). Es con ello con lo que la hermenéutica de Gadamer en verdad se instala en la existencia del hombre; y más allá de ello, logra para sí gravedad ética. Gadamer rescata para el método del hacer simbólico humano la vida comprensiva del hombre, en el respeto del valor de lo que se dice y en la humildad moral del que escucha; y en esta intensidad nos muestra que la realidad social es un texto que debe y puede ser comprendido e interpretado, desde la distancia existencial e histórica, a través de un diálogo interminable, por el que la realidad misma se muestra y en el que nosotros nos mostramos.

De la interpretación a la comprensión: los dos problemas del trabajo hermenéutico

> *"La hermenéutica ha defendido siempre la seguridad de la comprensión frente al escepticismo histórico y el capricho subjetivo"*
> *W. Dilthey (1910)*

Según Gadamer (1975a), el trabajo hermenéutico comienza justo cuando "el entenderse con otro" que supone la comprensión, ya sea, como en su caso un texto, o más propiamente un hecho social (una institución, un acontecimiento) se rompe, y el "sentido compartido" deja de existir. La hermenéutica trata de restituir la comprensión. Con ello Gadamer quiere señalar que el proceso de interpretación/comprensión ya no se formula sólo como un acontecimiento existencial, en el sentido cotidiano, sino como una actitud investigadora.

Desde luego, no siempre es necesario hablar de "ruptura". La investigación hermenéutica, o como venimos denominándola, investigación científico-interpretativa, se genera en el instante en que tenemos la intención, y la voluntad de conocer ("comprender") una realidad extraña (por desconocida) a la nuestra inmediata. La tarea hermenéutica se encuentra en acceder a la comprensión de esas dos formas de vida, desde la interpretación de sus propias significatividades; y esto es más una voluntad de conocimiento que propiamente una ruptura.

Quizás entendamos mejor todo este asunto utilizando el sistema conceptual presentado por Agar (1985: 220 y ss.). Refiriéndose a la investigación etnográfica, Agar afirma que ésta se origina en una interrupción o corte [«*breakdown*»]. La interrupción designa explícitamente una "disyunción" entre "tradiciones" (es decir, entre la que pertenece al antropólogo y la que pertenece a los sujetos investigados) e, implícitamente, una disyunción entre "estructuras simbólicas". La interrupción, a su vez, y necesariamente, da lugar a "un proceso de resolución"; el cual convierte dicha interrupción en una comprensión coherente o, de otra manera, concluye con la instauración de una coherencia que antes no existía entre estructuras significativas (simbólicas) diferentes.

> "La coherencia etnográfica –afirma– se alcanza cuando la interrupción inicial es resuelta cambiando el conocimiento en la tradición del etnógrafo... El nuevo conocimiento tiene que conectarse adecuadamente con el viejo conocimiento disponible en la tradición del etnógrafo... Dicha conexión ocurre cuando las diferencias han sido resueltas, así

que conectan con similitudes y permiten una comprensión coherente de un acto social" (Agar, 1985: 25 y 41-42).

Para formular estas ideas con más claridad, Agar recurre a categorías tomadas de la psicología cognitiva. Así, cuando la ruptura o interrupción ocurre, nos encontramos –advierte– con un "problema de esquemas" [«*a squemata problem*»], o un problema de marcos – «*frames*»– o estructuras cognitivas en su aceptación menos fuerte, o estructuras semánticas [«*schemata*»] (Agar, 1985: 25 y ss.)[1].

Cuando un esquema cognitivo, según Rumelhart y Norman (1978), representa "un modelo general de la situación... especificando las interrelaciones creídas como existentes entre los conceptos y acontecimientos que abarcan una situación" (*ibíd.*, p. 43). La ruptura se sustenta "psicológicamente" en que el "esquema de comprensión/interpretación del investigador", ni posee los conceptos elaborados, ni la red e interrelaciones conceptuales (en el peor de los casos) adecuadas para comprender un "esquema" o una situación nuevas y diferentes; en el sentido de que "el acto de comprensión" es la selección y reestructuración apropiadas –coherentes– de un esquema que finalmente "dé cuenta de dicha situación" (*ibíd.*, pp. 43-44).

El etnógrafo, entonces, tiene que reducir, en un proceso de resolución, la "distancia cognitiva" entre ambas tradiciones. En dicho proceso el etnógrafo recoge trozos de información (franjas –«*strips*»– como las denomina Agar (1985: 27), como los datos de una entrevista, un informe observacional o, incluso, algún documento. La resolución se desarrolla en la aplicación y análisis "repetido" del esquema del investigador a dichos datos (*ibíd.*, p. 28). Sólo cuando las franjas son comprendidas por el esquema disponible del investigador o la investigadora, la interrupción original queda eliminada y el proceso poder ser concluido.

Aunque esta exposición es muy abstracta y altamente simplificada, puede sernos de utilidad. Por ejemplo, el proceso de resolución es representado por Agar de la siguiente manera:

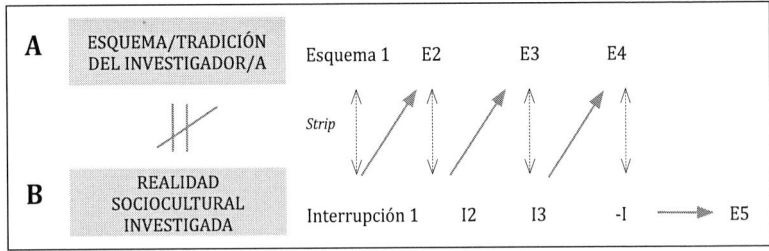

(En donde A es distinto de B)

Fig. 1. Tomado y adaptado de Agar (1985: 28).

---

1.   Véase también Rumelhart y Ortony (1977) y Posner (1978).

Varias son las cosas dignas de ser señaladas. En primer lugar, el esquema desde el que parte el investigador es evolutivamente modificado en cada intento de comprensión, de tal manera que el Esquema-1 es diferente del Esquema-4, puesto que este último sí ha adquirido el contenido conceptual suficiente como para "entender la realidad antes ajena" (los esquemas-2 y 3 son "modulaciones" con respecto al esquema-1 y etapas aproximadas con respecto al 4).

Indudablemente éste es un proceso de aprendizaje en el que una "estructura semántico-cognitiva" o un «schemata», ha sido modificada asimilando nuevos contenidos. Esto último puede notarse, tanto en el hecho de que las interrupciones o cortes sucesivos son, por decirlo así, menos extensos; es decir I1 < I3 en cuanto al espectro de lo inteligible (- 1 indica que la interrupción deja de darse).

En segundo lugar, durante la resolución, los procesos de comprensión e interpretación se generan en un continuo. Recordemos que Gadamer afirmaba que la interpretación está introducida por sí misma en el contenido de lo que se comprende. En nuestro ejemplo, la comprensión parcial y sucesiva supone interpretaciones graduales y convergentes del "*strip*", hasta el punto de que no se entiende una comprensión total, en el caso de que se dé, sin al menos una interpretación exhaustiva, siendo ambas complementarias o como advierte Agar (1985: 31) "terriblemente recursivas".

Desde luego, todo este proceso, tal como lo hemos expuesto, no representa más que muy formal y someramente las complicaciones intrínsecas al trabajo de campo de un etnógrafo.

"Entre otras cosas –afirma Agar– es más complicado en el número de «*strips*» que se maneja, el número de esquemas que se toman en consideración y los muchos niveles en los que la resolución procede. Esto implica parcialmente por qué el trabajo de campo es intelectualmente agotador" (Agar, 1985: 31).

Sin embargo, por el momento no nos hemos salido de, por así decir, el marco psicológico del proceso de comprensión/interpretación y éste no es, sin duda, un marco diferenciador. Tanto un físico como un antropólogo, interpretan sus realidades respectivas para adquirir la comprensión y la inteligibilidad deseada. ¿Cuál es pues la cualidad específica que en el uso de la «*verstehen*» distingue al segundo del primero?, ¿en qué sentido la comprensión interpretativa es constituida por el punto de vista de la «*verstehen*», sin ser reducida a un mero y común acontecimiento psicológico?

De entrada hay que reconocer razonablemente que el paso de la interpretación a la comprensión de una realidad natural o social es un proceso de *aprendizaje complejo* que según Rumelhart y Norman (1978: 37-38) posee una cualidad emergente e "involucra tanto una modificación de las estructuras organizacionales de la memoria como la acumulación de hechos sobre el tópico estudiado... A veces esta modificación de la estructura organizacional parece estar acompañada por un 'click de comprensión', un sentimiento razonablemente fuerte de intuición o comprensión de un tópico que provoca que un amplio cuerpo de información previamente adquirido (pero mal estructurado) ocupe su lugar".

Rumelhart y Norman (1987: 38 y ss.) continúan argumentando que ese "click de comprensión", aparentemente súbito que se produce en los «schemata» del sujeto que realiza un aprendizaje complejo, es un resultado de tres procesos cualitativamente diferenciados de aprendizaje: acreción, sintonización y reestructuración.

La acreción es la clase normal de aprendizaje en el que se acumula información y en el que el "conocimiento base de una persona es meramente incrementado por nuevos conjuntos de hechos (ibíd.). La acreción no implanta cambios estructurales en el sistema de procesamiento de información. La sintonización, por otro lado, es una clase más significativa de aprendizaje que la acreción, que sí implica y provoca algún tipo de modificación en las estructuras de la memoria y no sólo mera adición de datos de información. Con ella las categorías conceptuales se pueden precisar o generalizar y/o especificar su aplicabilidad o incluso determinar sus valores de defecto (i.e. categorías no totalmente especificadas).

Por último, la reestructuración es el proceso de aprendizaje más importante y ocurre cuando "nuevas estructuras son creadas para interpretar nueva información e imponer una nueva organización a la que ya estaba almacenada". La reestructuración que genera "modos diferentes de accesibilidad" y propicia cambios en los "futuros modos de interpretación y adquisición de conocimiento", tiene lugar "sólo después de considerable tiempo y esfuerzo y probablemente, requiere alguna cantidad crítica de información que haya sido acumulada" (ibíd.., p. 39).

Basta comparar el proceso de aprendizaje complejo expuesto por Rumelhart y Norman con el proceso de resolución de Agar, para darnos cuenta de que la acreción se corresponde con el registro de "strips de información", que la sintonización es la evaluación sucesiva de «schemas» (de E1 a E3) a través de las sucesivas interpretaciones que realiza el investigador de la información almacenada y que la reestructuración es, como comprensión resultante, la desaparición de la ruptura y, con ello, la asimilación inteligible de la tradición objeto de estudio a la tradición original del investigador, que como consecuencia ha sido modificada y en muchos caos substancialmente (Rumerhart y Norman, 1978: 39 y ss.). Pues como afirman Berger y Kellner (1981: 59) "no puedo interpretar el significado de otro sin cambiar si quiera sea de modo mínimo mi propio sistema de significado".

CAPÍTULO 18

Parece entonces que en esto no hay duda: el proceso de interpretación/ comprensión es un aprendizaje complejo e importante en el que se origina un cambio significativo (y activo) (Rumelhart y Norman, 1978: 45 y ss.) del sistema de conocimiento y percepción del sujeto. Sin embargo, ¿es sólo un aprendizaje? Si así fuera, el problema que venimos debatiendo y aclarando en este apartado quedaría irresuelto. Pero no, la reestructuración que ocurre en el "cerebro" del investigador social desde una perspectiva interpretativa o, si lo prefieren, el proceso de interpretación/comprensión es además por la cualidad propia de su objeto de estudio (otros seres humanos y sus construcciones, que a su vez también tienen aprendizajes complejos), un proceso de *socialización*.

Si la comprensión de un acontecimiento social, más que una mera traducción supone un proceso de comprensión/interpretación de las estructuras semántico-pragmáticas que han sido construidas –creadas– por los actores sociales y por las que representan y "definen" su manera propia de vivir en sociedad; entonces dicho aprendizaje, dicho proceso de comprensión/interpretación en el investigador, es un proceso de socialización "aproximativa" a ese "vivir en sociedad" objeto directo o indirecto de investigación. "Aprender lo que es un motivo corresponde a aprender los patrones que rigen en la sociedad en la que se vive y esto corresponde asimismo al proceso de aprender a vivir como un ser social" (Winch, 1958: 79).

Por lo mismo, aprender para el investigador los motivos, actos, significados que conforman otra cultura y otra realidad social es aprender *también a ser* en esa cultura, en esa sociedad. Malinowski (1922) captó quizás como nadie en su época, esta cualidad distintiva de la «*verstehen*»:

"a través de este trato natural se aprende a conocer el ambiente y a familiarizarse con sus costumbres y creencias mucho mejor que si se estuviera atendido por un informador pagado y, a menudo, sin interés... ¿Qué significa esto último? Para el etnógrafo significa que su vida en el poblado –en principio una aventura extraña a veces enojosa, a veces cargada de interés– toma pronto un curso normal mucho más en consonancia con la vida que le rodea... y fue gracias a esto, a saber gozar de su compañía y a participar en alguno de sus juegos y diversiones, como empecé a sentirme de verdad en contacto con los indígenas; y ésta es ciertamente la condición previa para poder llevar a cabo con éxito cualquier trabajo de campo" (*ibíd.*, pp. 24-26).

El conocimiento, si no exhaustivo, al menos correcto de una realidad social, origina un cierto grado de socialización del investigador con respecto al objeto de estudio. Por el contrario, la comprensión "en la mente del físico", de un acontecimiento en la naturaleza no supone con respecto al primero tal socialización, porque ni los átomos ni las partículas elementales, ni la energía, comprenden o interpretan su realidad misma.

"Los hechos, datos y sucesos que debe abordar el especialista en ciencias naturales son hechos, datos y sucesos solamente dentro del ámbito de observación que le es propio, pero este ámbito no 'significa' nada para las moléculas atómicas y electrones que hay en él. En cambio, los hechos, sucesos y datos que aborda el especialista en ciencias sociales, tienen una estructura totalmente distinta. Su campo de observación, el mundo social no está enteramente inestructurado y tiene un sentido particular y una estructura de significatividad, dadas por los seres humanos que viven, piensan y actúan dentro de él. Estos han preseleccionado y preinterpretado este mundo mediante una serie de construcciones de sentido común acerca de la realidad cotidiana y esos objetos de pensamiento determinando su conducta, definen el objetivo de su acción y los medios disponibles para alcanzarlos; en resumen, los ayudan a orientarse dentro de su medio natural y sociocultural y a relacionase con él" (Schütz, 1962: 37).

Es el aprendizaje de esas –como las denomina Schütz (1962)– "construcciones de sentido común" el que *obliga* al científico social a socializarse: la comprensión de un símbolo o un hecho social, en fin, de una cultura, consiste en referirla a sus "usos comunalmente basados" y esto no es más, y tampoco es menos, que "comprender una forma de vida" (Bauman, 1978: 217).

El mundo natural no "enseña" cabalmente al científico; pero el mundo social, sí lo hace. Como afirma Spradley (1979) los informantes (i.e. hablantes nativos) "hablando su propia lengua o dialecto", viviendo su propia vida, costumbres, ritos y rutinas presentan ante el etnógrafo "un modelo a imitar" y a aprender. "El etnógrafo aprende a usar el lenguaje nativo en la manera en que el informante lo hace... estos son una fuente de información, que literalmente, llegan a ser *maestros* para el etnógrafo" (*ibíd.*, p. 25).

Debe quedar claro que no estoy sugiriendo que la socialización se dé de manera absoluta. La socialización trabaja, en primer lugar, para nosotros, como una metáfora que indica la raíz del rasgo distintivo de la «*verstehen*» en las ciencias sociales. En segundo lugar, para el investigador social es siempre un resultado parcial y aproximativo. Esto no quita que en teoría –e incluso en la práctica, como en el caso de Castañeda (1968)–, pueda darse. Si esto ocurre, el objeto de estudio se come –fagocita– al sujeto que lo estudia; o como escribe Octavio Paz, con la belleza que le caracteriza en la introducción al libro de Castañeda:

"Si los libros de Castañeda son una obra de ficción literaria, lo son de una manera muy extraña: su tema es la derrota de la antropología y la victoria de la magia; si son obras de antropología, su tema no puede serlo menos: la venganza del *objeto* antropológico (un brujo) sobre el antropólogo hasta convertirlo en un hechicero" (Paz, 1974: 11). Esto no parece desde luego una consecuencia deseable para la ciencia social. Aunque no nos compete discutir aquí el problema de la catalogación científica de la obra de Castañeda, sí es cierto que suscita dos cuestiones que están unidas con el proceso de socialización que acabamos de descartar: en primer lugar, y directamente, lo que los defensores de la concepción interpretativa y los hermeneutas en general, denominan "doble hermenéutica" y, en segundo lugar, e indirectamente, la confusión entre "interpretación y descripción", bastante corriente y común.

La doble hermenéutica

Refiriéndose al fin disciplinar de la antropología, Geertz (1973) afirma que un antropólogo no busca "llegar a ser un nativo", ni "imitarlos", sino "mucho más que hablar, conversar con ellos", "un asunto que implica considerables dificultades" (p. 13). Esa conversación que Geertz designa como *medio metodológico,* ya la hemos visto en el tratamiento de la hermenéutica de Gadamer y parcialmente reflejada al describir el substrato del proceso de interpretación/comprensión. En ambos casos dos tradiciones, la del investigador y del objeto investigado, toman contacto. El acto de comprensión presupone un acto de socialización del primero con respecto al segundo, por el que el aprendizaje de la tradición "desconocida" se lleva a cabo desde la misma forma de vida que la sustenta. En esta especial conversación tiene su lugar de la doble hermenéutica.

El investigador social, *en tanto* científico social, tiene como su base de comprensión y como su resultado de comprensión particular, la tradición de racionalidad de su disciplina científica. Pero como investigador social comprometido "interpretativamente", realiza un esfuerzo considerable por aprender las estructuras de significados y la realidad social que estudia y, por lo tanto, adapta y reconstruye hasta lo necesario los esquemas conceptuales de su disciplina científica para, como lo expresa Giddens (1976: 145) "entrar en y alcanzar" dicha estructura producida. No obstante, dicho esquema conceptual no necesita ser sinónimo del que poseen y usan los actores sociales en su vida cotidiana; es decir, la estructura conceptual del científico que resulta de un proceso de investigación/comprensión no es la "estructura conceptual" de sentido común construida por los sujetos.

Aunque prescindamos de la significatividad subjetiva que tanto el investigador como el informante aportan al encuentro entre sus tradiciones, el interés científico del primero genera, por sí mismo, un distanciamiento epistemológico, que a su vez justifica su empresa. La racionalidad del conocimiento científico de los asuntos sociales plantea esta doble hermenéutica, requisito y exigencia, de sus construcciones cognitivas con respecto a la de los sujetos estudiados; sólo así, como afirma Geertz (1973: 14) de la antropología, la ciencia social interpretativa puede lograr "ampliación del universo humano del discurso". Stenhouse (1978) ha reflejado con mucha claridad lo que estoy intentando explicar:

"la comprensión es un concepto que supone dos clases de afirmaciones relacionadas; una personal y otra pública. Decir *yo comprendo* es negar dos proposiciones al mismo tiempo. La primera 'no comprendo' y la segunda, 'interpreto mal'. Cuando oponemos comprensión a la mala interpretación, reconocemos la existencia de criterios por los que las interpretaciones que apoyan nuestras afirmaciones personales de comprensión pueden ser contrastadas... Estamos comprometidos con interpretaciones y críticas de interpretaciones; y los *criterios públicos* de las interpretaciones son de fundamental importancia. Los estudios descriptivos no pueden evadirlas si desean ser conducidos como investigaciones científicas accesibles" (p. 24).

Efectivamente, independientemente de interpretaciones místicas o artísticas, independientemente incluso de las interpretaciones mismas del actor social, las interpretaciones o mejor, las explicaciones-interpretativas del científico social, invocan esa doble hermenéutica en la que bascula su trabajo: las estructuras (no sólo lingüísticas sino sociales) de la tradición racional de la investigación científica de su disciplina y las estructuras racionales de la vida cotidiana de la gente; en el sentido de que, como apunta Giddens (1976: 145) la autenticidad de la comprensión alcanzada con respecto al "mundo de la vida" al que se refiere, ha de ser distinguida de la "validez de las proposiciones" en las que se articula el conocimiento científico de las mismas. Validez que ha de ser sostenida y fundamentada argumentativamente en la estructura de significados particulares del conocimiento científico. Es en esta dinámica justamente en la que la explicación interpretativa desemboca en las cuestiones de la objetividad y verdad de su conocimiento.

Descripción versus interpretación

En ocasiones, e inadvertidamente, se desliza en las investigaciones autocalificadas como cualitativas un tipo peculiar de falacia que denominaré *falacia descriptivista*. Ésta puede originarse de dos maneras: en primer lugar, y como si fuera un presupuesto metodológico, se afirma que el investigador debe entrar en la realidad a estudiar, como si su mente estuviera en blanco, "suspendiendo sus preconcepciones". Este caso es una radicalización del principio de "puesta entre paréntesis" fenomeno-lógico[2]; aunque también puede ser entendido como una "exageración" del requisito de no imposición de categorías conceptuales *a priori* al objeto de investigación.

Creo que por sentido común y porque no somos dioses, resulta difícil aceptar que un investigador pueda despojarse de toda su tradición adquirida y acumulada (y cuando hablo de tradición me refiero tanto a su experiencia como investigador, como al conocimiento de teorías y otros conocimientos registrados y aceptados en su disciplina). Pero además, no debemos ni podemos ser dioses. Nadie por supuesto entra en una situación como una verdadera *tabula rasa*. El lenguaje es él mismo un factor que provee un conjunto de herramientas conceptuales. De manera similar, la experiencia previa influencia las observaciones y los pensamientos del científico.

Y Malinowski señala: "tener una buena preparación teórica y estar al tanto de los datos más recientes no es lo mismo que estar cargado de ideas preconcebidas... Las ideas preconcebidas son perniciosas, en todo trabajo científico, pero las conjeturas son el don principal de un pensador científico, y tales conjeturas le son posibles al observador sólo gracias a sus estudios teóricos" (1922: 26).

Así pues, un científico social ha de partir necesariamente y ha de uti-lizar flexiblemente ese conocimiento (tanto teórico como práctico) que representa el conocimiento alcanzado por su disciplina, y no parece que se deba confundir esto, con la imposición arbitraria y *a priori* de un marco de referencia. En gran medida el éxito de sus explicaciones va a depender de la reelaboración (crítica ella misma) que el investigador haga de sus esquemas disciplinares. En todo caso, la puesta entre paréntesis de su conocimiento solo se entiende como una recomendación metodológica, que sólo es válida hasta que la experiencia en el ambiente de estudio "sugiere" (Wilson, 1977: 250) la relevancia de aquél.

La segunda manera en la que encontramos la *falacia descriptivista* y que me parece la más grave de las dos, se descubre generalmente en el calificativo otorgado a los resultados de la investigación. En este caso se dice que el investigador ofrece una descripción, un retrato de la realidad. Un ejemplo bastante interesante de lo que digo, lo tenemos en Guba y Lincoln (1982), en el contexto de la evaluación de programas, cuando afirma lo siguiente:

---

2. En alemán se denomina *Einklammerung* del mundo cotidiano (en griego corresponde al término "epojé" –ἐποχή). Este concepto aparece ya enunciado en las *Meditaciones Cartesianas* de Husserl de 1929 (Husserl, 1985).

"Contra más extensas sean nuestras descripciones de los contextos políticos y sociales mejor serán los juicios que pueden hacerse sobre la educación del programa en otros contextos... Un informe que retrata el contexto y origina experiencia vicaria... determina la relevancia del mismo" (Guba y Lincoln, 1982: 99-100).

Como puede apreciarse, las expresiones como *descripción, retrato* e *identidad,* introducen sutilmente la falacia. La utilización de este tipo de expresiones y la ausencia de un claro compromiso interpretativo, la invocan. Éste es un asunto epistemológicamente grave, especialmente cuando se apela al *descriptivismo* como criterio de validez de una investigación. Conviene señalar algunas cuestiones:

Primero, no me parece que exista algo así como una descripción *libre de interpretación.* Incluso su negación requiere ya una interpretación. El "retrato" que el investigador logra es un resultado conjunto e interactivo que depende de los sujetos que *informan* y del conocimiento previo –ya poseído– por el investigador o investigadora. De un modo muy real, dicho retrato es una interpretación, no independiente de las interpretaciones que refleja.

Segundo. Ello no impide que hablemos de descripción. Ciertamente el investigador social "describe", pero sus descripciones son de un tipo especial: son descripciones densas [«*thick descriptions*»]. La idea de *descripción densa,* distinta de *descripción fina* [«*thin descriptions*»], fue empleada por primera vez por Geertz (1973: 7 y ss.). Una descripción fina es una sentencia del siguiente tipo: "Juan, que está frente a Pedro, realiza un movimiento palpebral dos veces"; una descripción densa, por el contrario, de la misma situación podría ser así: "Juan hace un guiño de complicidad a Pedro". ¿Qué diferencia a una de la otra? Simplemente que la segunda requiere el conocimiento de la intención significativa de la conducta ("complicidad"), pero no así la primera, que sencillamente *registra* un acontecimiento físico ("movimiento palpebral dos veces"). La descripción densa es, pues, una interpretación (en nuestro ejemplo, de la intención del actor).

Por lo tanto, los «strips», es decir, los datos que el investigador recoge, como las conclusiones, son sustancialmente interpretaciones. El proceso de investigación es un proceso de interpretación/comprensión en tanto que se basa y tiene como resultado descripciones densas que ellas mismas son interpretaciones, formadas en el "diálogo" entre tradiciones.

La *falacia descriptivista* sea de la manera en la que la encontremos, es un error considerable al que una perspectiva interpretativa consciente de sus implicaciones, no debería dejarse arrastrar. Primero, porque *epistemológicamente* es imposible, porque para toda investigación, no es posible concebir datos independientes de teorías. Y, segundo, porque seguir afirmando el carácter descriptivo de las investigaciones en ciencias sociales, sin una adecuada explicitación de su naturaleza, no hace más que confundir y desvirtuar su objetivo.

Para concluir quisiera entresacar los tres componentes que intervienen, cada uno con igual importancia, en los procesos de explicación-interpretación (McCutcheon, 1981: 6-7).

En primer lugar, el concurso del conocimiento teórico-práctico de la disciplina (o disciplinas) que el investigador utiliza, así como el conocimiento tácito de su experiencia personal como investigador o investigadora.

En segundo lugar, la realización de descripciones densas, que en sentido metodológico marca la diferencia tanto entre un hecho social (i.e. un hecho con significado) y el registro de un acontecimiento conductual, como entre la imposición arbitraria de categorías y el logro interpretativo de categorías para la comprensión.

En tercer lugar, la formación evolutiva de patrones que ordenan y estructuran en un todo coherente, las piezas de información y los datos. Dichos patrones construidos suponen –internamente– la reestructuración de los esquemas usados por el investigador y –externamente– un "retrato" interpretativo y racional (en cuanto válido) de la realidad investigada.

Estos tres componentes juntos configuran los límites y la naturaleza de la explicación-interpretación como un proceso de acceso a la comprensión inteligible y racional del ser humano a su realidad misma.

Referencias

Agar, M.H. (1985). *Speaking of Ethnography.* Sage University Paper Series on Qualitative Research Methods (Vol. 2). Los Angeles: Sage.

Bauman, Z. (1978). *Hermeneutics and social science: Approaches to understanding.* London: Hutchinson.

Berger, L. y Kelner, H. (1981). *La reinterpretación de la sociología.* Madrid: Espasa-Calpe.

Castañeda, C. (1974). *Las enseñanzas de Don Juan: una forma yaqui de conocimiento.* México: Fondo de Cultura Económica.

Dilthey, W. (1983). *Crítica de la razón histórica.* Barcelona: Península.

Freund, J. (1973). *La teoría de las ciencias humanas.* Barcelona: Península.

Gadamer, H.-G. (1975a). *Verdad y método.* Salamanca: Sígueme.

Gadamer, H.-G. (1975b). Hermeneutics and social science. *Cultural Hemeneutics, 2,* 307-316.

Gadamer, H.-G. (1975c). *La razón en la época de la ciencia.* Barcelona: Alfa.

Gadamer, H.-G. (1976). *Philosophical hermeneutics / Hans-Georg Gadamer.* Berkeley: University of California Press.

Geertz, C. (1973). *The interpretation of cultures.* New York: Basic Books.

Giddens, A. (1976). *New rules of sociological method: a positive critique of interpretative sociologies.* London: Hutchinson & Co.

Guba, E.G. y Lincoln, Y.S. (1982). Epistemological and metholodogical bases of naturalistic inquirí. *Educational Communication and Technolgoy Journal, 30* (4), 233-252.

Heidegger, M. (1927). *Ser y tiempo.* México: Fondo de Cultura Económica.

Husserl, E. (1929). *Meditaciones cartesianas.* México: Fondo de Cultura Económica, 1985.

Malinowski, B. (1922). *Los argonautas del Pacífico Occidental.* Barcelona: Península.

McCutcheon, G. (1981). On the interpretation of classroom observations. *Educational Researcher, 10* (5), 5-11.

Paz, O. (1974). *La mirada interior. Prólogo a Las Enseñanzas de Don Juan.* En C. Castañeda, *Las enseñanzas de Don Juan: una forma yaqui de conocimiento* (pp. 5-18). México: Fondo de Cultura Económica.

Posner, G.J. (1978). Tools for curriculum research and development: Potentical contributions from cognitive science. *Curriculum Inquiry, 8* (4), 311-340.

Ricoeur, P. (1965). *Freud: una interpretación de la cultura.* México: Siglo XXI, 1999.

Ricoeur, P. (1981). *Hermeneutics and the human sciences: Essays on language, action and interpretation.* Cambridge: Cambridge University Press.

Rumelhart, D.E. y Ortony, A. (1977). The represetntation of knowledge in memory. En R.C. Anderson, R.J. Spiro y W.E. Montague (Eds.), *Schooling and the acquisition of knowledge* (pp. 99-135). New Jersey: Lawrence Erlbaum.

Rumelhart, D.E. y Norman, D.A. (1978). Acretion, tuning and restructuring: three modes of learning. En J.W. Cotton y R. Klatzky (Eds.) *Semantic factors in cognition* (pp. 37-53). New Jersey: Lawrence Erlbaum.

Schütz, A. (1962). *El problema de la realidad social.* Buenos Aires: Amorrortu.

Spradley, J.P. (1979). *The ethnographic interview.* New York: Holt, Rinehart and Winston.

Stenhouse, L. (1978). Case study and case records: towards a contemporary history of education. *British Educational Eesearch Journal, 4* (2), 21-39.

Wilson, S. (1977). The use of ethnographyc techniques in educational research. *Review of Educational Research, 47* (1), 245-265.

Winch, P. (1958). *Ciencia social y filosofía.* Buenos Aires: Amorrortu.

CAPÍTULO 18

CAPÍTULO 19

Criterios de validez y rigor

Pablo Cáceres

Desde que la investigación cualitativa ha pasado a ocupar un lugar de privilegio en el quehacer del científico social, ha habido una serie de debates aparentemente sin plazo sobre el rigor que debe imperar en este tipo de estudios. Sólo por mencionar, sin pretensión de exhaustividad, está la cuestión de la complementariedad de métodos (cuantitativos y cualitativos) versus las bases epistemológicas, aparentemente incompatibles, que los sostienen (Acevedo, 2011; Cantor, 2002; Koro-Ljungberg, 2004); los procesos de análisis de la información, aspecto que a veces se asume como un procedimiento artesanal, de responsabilidad absoluta del investigador (Kvale, 1995) y otras como una tarea delegable, incluso dependiente en buena medida de programas informáticos dedicados (Ali y Yusof, 2011; Flick, 2012); o también, la cuestión del papel academicista del investigador cualitativo en terreno enfatizando su rol neutral versus el rol de participante activo y hasta militante (Brink, 1993; Valles, 2000). En fin, son múltiples los debates que, por épocas, tienden a estar en la palestra de la discusión académica, con más o menos intensidad.

En la misma línea, uno de dichos debates, probablemente también sin plazo ni esperanza de acuerdo, corresponde al relativo a qué tan "científica" es la investigación cualitativa, cuestión que remite de modo directo a qué tan "objetiva" es o qué tanto rigor se desprende de ella. Por supuesto, hay quienes aceptan y exigen criterios claros al respecto (Miles y Huberman, 1994; Morse *et al.*, 2002), y quienes rechazan de plano no sólo la inquietud, sino también las bases desde las cuales se permite enunciar un interrogante de esta clase. Dicho de otro modo, están las posturas que se abren a la discusión y asimilan el trabajo cualitativo a ciertos estándares de objetividad, más propios de la investigación tradicional neopositivista, posturas que toman una posición cualitativa conservadora, intentando formular definiciones sobre lo que se entiende por rigor desde lo cualitativo (Golafshani, 2003) y posturas al otro lado del espectro, que argumentan que plantear cualquier criterio de esta índole atenta contra la naturaleza misma de lo cualitativo (Long y Johnson, 2000).

Estas dos miradas, una próxima al rigor de la investigación tradicional y otra más cercana a la ruptura con los estándares de dicho rigor (con ocasionales y aún tímidas aproximaciones que tienden a rescatar lo bueno de ambas miradas), domina hasta hoy la discusión académica en torno a la calidad científica de la investigación cualitativa. Sin embargo, como se ha mencionado, el debate ha sido extenso y no concluyente. Este capítulo no pretende ser un veredicto, sino más bien, brindar una mirada lo más completa posible, de los matices de este debate invitando al lector a reflexionar sobre las implicaciones que el tema puede tener en sus propias prácticas de investigación.

La noción de rigor científico ha estado desde siempre acompañando el quehacer propio de la investigación cualitativa, al menos desde la primera aproximación estructurada del método cualitativo, que inicia con la publicación acerca de la *Grounded Theory* (Glaser y Strauss, 1999; Sisto, 2008; Taylor y Bogdan, 2000). Su aparición ha sido relacionada con la denominada etapa modernista (Valles, 2000), que destacó los esfuerzos de la comunidad científica de entonces por formalizar, bajo el paraguas del pospositivismo, los modelos metodológicos cualitativos, intentando encajar los argumentos de Campbell y Stanley (2005) referidos a la validez interna y externa con las actividades de investigación emergentes.

Esta noción del análisis riguroso en lo cualitativo, si bien ya no es dominante, legitimó el vínculo de los conceptos de validez y fiabilidad con la investigación cualitativa.

El mismo Valles (2000) expone que la etapa posterior al período modernista, la llamada "*blurred genres*" (géneros desdibujados), representa la ruptura con esta visión formalizada, aséptica, de los estudios cualitativos. La incorporación de la semiótica o la hermenéutica abre la puerta a nuevas perspectivas. Para Cornejo y Salas (2011), el debate real, sin embargo, inicia en los años noventa y continúa hasta hoy.

La propuesta pospositivista, no obstante, aún no ha sido abandonada y sigue siendo referida en trabajos recientes, pero con algunos matices (Cornejo y Salas, 2011; Erazo, 2011).

Para Delefosse *et al.* (2015) la explicación del énfasis en estas aproximaciones más tradicionales, reside en las disciplinas, que acentúan o no ciertos aspectos que convierten un trabajo cualitativo en algo relevante. Por un lado, hay una visión más cercana al rigor de la investigación cuantitativa desde las ciencias de la salud. El foco está sobre el uso adecuado de las herramientas de obtención de información, la ética y el consentimiento informado, la adecuada secuencia de pasos para llevar a cabo el estudio, la búsqueda exhaustiva. Los artículos publicados en estos campos, que buscan símiles con los conceptos más tradicionales de validez y fiabilidad, son bastante comunes (Lincoln y Guba, 1985; Palacios, Sánchez y Gutiérrez, 2011).

Por su parte, la búsqueda de nuevos criterios está asociada con las aproximaciones críticas en psicología, sociología y educación, donde el modelo biomédico no es predominante (Parker, 2004; Sisto, 2008; Sparkes, 2001). Como consecuencia del estado de la cuestión, actualmente las visiones sobre el rigor de la investigación cualitativa se debaten entre unos y otros argumentos. Los investigadores han optado, según sus convicciones, por alguna de estas aproximaciones.

Sin embargo, hay algunos supuestos que están a la base de cualquier concepción de rigor y que son aceptados independientemente de la posición que el investigador cualitativo adopte. Entre ellos, a) la ruptura, desde una perspectiva epistemológica, de la relación tradicional entre un ser cognoscente (el sujeto) y el proceso o hecho sobre el que se conoce (objeto); no es ya posible asumir el conocimiento desde una posición externa al objeto. Ambos, sujeto y objeto, están indisolublemente vinculados desde el momento en que hay una experiencia de simbolización que dicho "sujeto" pretende interpretar (Parker, 2004); b) la necesidad de asumir que el vínculo lleva a dejar de lado la concepción de conocer de modo objetivo y neutral (Angen, 2000; Moral, 2006), y que al decir de Sisto (2008) comprende el conocimiento como una co-construcción entre investigador e investigado, quienes dialogan y dan forma a elementos simbólicos que constituyen una verdad participativa antes que objetiva, con el concepto de verdad adoptando un nuevo significado; c) una desconfianza (consecuencia de lo anterior) en la metanarrativa de la legitimación o deslegitimación del sistema de pensamiento como un conjunto organizado de creencias universales que dan forma a la realidad, transitando hacia una realidad que es una construcción social y lingüística (Kvale, 1995); y d) la realidad socialmente construida que obliga al investigador a un permanente estado concurrente de reflexión y autocrítica que marcha de modo simultáneo, a los "hallazgos" propios del estudio principal (Cho y Trent, 2006; Whittemore, Chase y Lynn, 2001).

Sobre estos supuestos, emerge entonces la discusión sobre qué elementos considerar para aproximarse a una cierta legitimidad avalada por los miembros de una comunidad de investigación. Muchos conceptos han sido propuestos para hacerse cargo de dicha legitimación en el proceso y producto de la investigación cualitativa. Algunos de esos conceptos son el rigor, la validez (Golafshani, 2003; Guion, 2002; Whittemore, Chase y Lynn, 2001), la confianza (Shenton, 2004) o la calidad (Bergman y Coxon, 2005). En particular, parece ser que el concepto de calidad engloba a los otros, y por tanto, hablar de un estudio de calidad implica no quedarse sólo en criterios técnicos que atiendan sólo al producto de la indagación, sino más bien, hacerse cargo de todo el proceso de investigación y sus vicisitudes, aspecto que se discute más adelante.

Los conceptos de validez y confiabilidad en investigación

La mirada clásica del rigor enfatiza conceptos que provienen desde la investigación cuantitativa de tipo experimental y de la medición (Abad *et al.*, 2010; Campbell y Stanley, 2005; Martínez, Hernández y Hernández, 2006). Los conceptos son ampliamente conocidos y refieren a la confiabilidad y la validez, siendo la segunda más relevante en términos de dar legitimidad a los hallazgos.

Desde la mirada tradicional cuantitativa, la confiabilidad, según señala Joppe en Golafshani (2003) se puede comprender como la magnitud en la cual los resultados son consistentes a través del tiempo y la posibilidad de reproducirlos bajo una metodología similar, lo que implicará que los instrumentos de investigación también serán considerados fiables. En términos de medición, la fiabilidad puede ser de tres tipos: a) estabilidad, que implica que los resultados se mantienen en el tiempo de un estudio a otro; b) equivalencia, que implica que dos medidas comparables pueden brindar los mismos resultados en dos momentos distintos del tiempo; y c) consistencia, que refleja el grado en que lo medido es consistente internamente con la medida realizada (Page, 1993).

Por su parte, Golafshani (2003) señala que la validez tiene profundas raíces en la tradición positivista y ello ha influido en que el positivismo haya sido definido en ocasiones como la teoría de la validez. La validez se convirtió en un concepto transversal en la aproximación cuantitativa, siendo aplicado en medición y en diseños de investigación. Joppe, en Golafshani (2003) se hace eco de una definición psicométrica bastante extendida, indicando que la validez determina si la investigación verdaderamente mide aquello que pretende medir. Abad *et al.* (2010) actualizan esta definición precisando que la validez es el grado en que la teoría y los datos disponibles apoyan la interpretación que se hace de las mediciones realizadas sobre un fenómeno en concreto. Esta última definición lleva a que se hable actualmente de validez de constructo como concepto que determina qué datos deben ser reunidos y como deberían ser recolectados, lo que evidentemente tiene un impacto de relevancia en el interjuego teoría y dato.

No obstante, es quizás la definición de Campbell y Stanley (2005) la que mayor impacto parece tener en las primeras aplicaciones del concepto de validez al diseño cualitativo. Ellos distinguieron entre validez externa e interna. La primera refiere a la capacidad de generalización de los hallazgos en un estudio mientras que la segunda, más relevante en estudios experimentales, atiende al grado de certeza que se tenga de la relación existente entre la variable independiente (causas) y la dependiente (consecuencias) en un estudio. Fue Denzin, de acuerdo a Brink (1993) quien aplicó estos conceptos a la investigación cualitativa, asumiendo que la validez interna se debe referir a la magnitud en que los hallazgos de la investigación son un reflejo o representación verdadera de la realidad y la externa, el grado en que es legítimo aplicar tales representaciones a otras comunidades o grupos. La validez y la confiabilidad, en función de sus definiciones originales, son conceptos que ciertamente se enfrentan a un sinnúmero de inconsistencias en la investigación emergente. Ello se debe a la naturaleza inherente de esta clase de indagación. La validez externa no tiene sentido desde el momento en que la generalización no es un propósito de lo cualitativo, pues la que se llega a realizar es meramente teórica. El objetivo real es la concreción o saturación de ciertos elementos explicitados en la teoría y no una generalización de carácter probabilístico con fines inferenciales desde una muestra a una población (Acevedo, 2011); tampoco es posible responder en lo empírico a la validez interna como es concebida en la experimentación clásica, pues la investigación se hace de manera naturalista, abierta, flexible, holística y sin controles (Pérez, 1998; Valles, 2000). La validez, como búsqueda de la objetividad entre teoría y dato, también se ve deslegitimada pues los investigadores cualitativos no pueden capturar la realidad directamente, sino sus representaciones, que son reconstruidas en un texto (Cortés, 1997; Moral, 2006).

La fiabilidad tampoco representa un criterio que pueda aplicarse acríticamente en lo cualitativo. Según Parker (2004), ha sido visto como una garantía de que el objeto de estudio permanece estable sobre el tiempo y en consecuencia, los resultados que se obtengan no están sujetos a cambios drásticos, lo que está fuertemente vinculado a la consistencia de los hallazgos. Sin embargo, hay algunas estrategias emergentes de investigación, como la investigación acción participativa, que centra su atención en los procesos de cambio, intentando explícitamente que las cosas no permanezcan igual. El estudio de los procesos dinámicos de cambio es más importante que la búsqueda de patrones de comportamiento humano o trazar modelos de estructuras de pensamiento.

Criterios de rigor en investigación cualitativa

Ante la falta de ajuste entre la concepción original de la validez y la fiabilidad, surgió la necesidad de propuestas nuevas que acogieran las particularidades del nuevo paradigma. Se ha preferido usar una terminología que se distancie de los criterios positivistas. De acuerdo a Shenton (2004), fue Guba quien propuso cuatro conceptos que se transformaron en conocidos criterios de rigor en la investigación cualitativa. Los criterios han sido mencionados profusamente por la literatura metodológica (Aguilar, 2012; Ali y Yusof, 2011; Long y Johnson, 2000; Palacios, Sánchez y Gutiérrez, 2011; Shenton, 2004). Se ha intentado realizar algún tipo de correspondencia con los conceptos cuantitativos: a) credibilidad, por referencia a la validez interna, b) transferabilidad, en referencia a la validez externa o generalización, c) dependencia, respecto de la confiabilidad y d) confirmabilidad, respecto de la objetividad.

Al intentar aproximarse a los criterios de rigor desde esta perspectiva que intenta homologar lo cuantitativo, varios autores han definido los procedimientos (Palacios, Sánchez y Gutiérrez, 2011; Pérez, 1998; Shenton, 2004):

a) Credibilidad: responde a la pregunta ¿qué tan congruente son los hallazgos con respecto a la realidad investigada? Para maximizar el criterio se ha propuesto: i) el uso de métodos de investigación bien establecidos y aceptados; ii) el desarrollo de una temprana familiarización con la cultura que será investigada; iii) una selección no intencional de informantes, que puede evitar algún tipo de sesgo en los primeros contactos; iv) tácticas para lograr testimonios auténticos, que pasa por conseguir un contrato psicológico de confianza con los participantes; v) proceso de consultas iterativas, sobre todo cuando surgen contradicciones; vi) análisis de casos negativos, que implica estudiar lo que "no ajusta" con las interpretaciones que hacemos para el escenario o caso estudiado; vii) discusión de los hallazgos con investigadores más experimentados, que den una nueva mirada sobre lo investigado, aportando a la reflexión; viii) escrutinio de pares, a modo de auditoría, por parte de los participantes o investigados de las interpretaciones que ha hecho el investigador; xix) descripción detallada del tema bajo escrutinio, que permita al lector del trabajo comprender adecuadamente lo que se está haciendo; x) examen de estudios previos, para determinar la congruencia de lo realizado con esos trabajos anteriores; xi) triangulación, que intenta compensar las limitaciones individuales y las miradas que pueden resultar inconsistentes al abordar un tema de estudio de manera parcial; triangulación que se funda en el tratamiento de un tema con más de un observador, más de un método, o más de una fuente de información, entre otras opciones.

b) Transferabilidad: hay cierto consenso en la literatura en considerar que este criterio, que refiere al grado en que los investigados son representativos del universo al cual pueden extenderse los resultados obtenidos, no puede recaer en el investigador, quien tiene como responsabilidad fundamental hacer una buena descripción de lo estudiado y aportar la suficiente información contextual para que el lector pueda, eventualmente, establecer vínculos con otros entornos y espacios sociales. La

CAPÍTULO 19

información debiera hacerse cargo de caracterizar: i) organizaciones, o grupos implicados en el estudio; ii) restricciones o compromisos de todos los implicados en el estudio; iii) número de participantes implicados en el trabajo de investigación; iv) el número y duración de las sesiones de producción de datos; v) el período de tiempo durante el cual los datos fueron producidos.

c) Dependencia: relativo a la fiabilidad o consistencia de la información. Para lograrla, el proceso de investigación seguido por el o los investigadores debe ser descrito en detalle, habilitando a futuros investigadores a repetir el proceso aunque no necesariamente, como es obvio, obtener los mismos resultados. Entre las acciones que pueden emprenderse están: i) el diseño de investigación y su implementación, describiendo como se planeó y ejecutó; ii) detalles operativos de la producción de datos, una minuta de lo que fue hecho en el campo; iii) valoración reflexiva de la investigación, que implica evaluar la eficacia del estudio emprendido; y iv) el uso de métodos solapados, como ocurre cuando se usan entrevistas y grupos focales para indagar sobre las mismas cuestiones.

d) Confirmabilidad: implica que el investigador tenga presente su propia predisposición hacia lo investigado, y en qué medida sus prejuicios pueden tener impacto en sus interpretaciones. Por supuesto, la pretensión fundamental es que el investigador sea fiel a la versión de los investigados. En este aspecto, se sugiere: i) la triangulación, como gran técnica para reducir el sesgo aportado por la posición del investigador; ii) el uso de pistas de auditoría, que permite a cualquier observador trazar paso a paso las decisiones tomadas y los procedimientos de investigación seguidos. Puede representarse a través de diagramas. No sólo se puede aportar un diagrama de pistas de auditoría para el trabajo de campo, sino también para el proceso de construcción de la teoría, de haberlo.

Hasta aquí se ha hecho mención, de modo sintético, a las formas en que se intentó aplicar el rigor en el trabajo cualitativo. Sin embargo, de todos los métodos propuestos, cobró particular importancia el proceso de triangulación, al punto que muchos investigadores han extendido la comprensión del término en diversas situaciones de estudio (Cantor, 2002; Cisterna, 2005; Guion, 2002). En particular, Guion (2002) hace una exposición de algunas de las modalidades de triangulación que un investigador puede considerar, entre ellas: a) la triangulación de datos; b) triangulación por investigadores; c) triangulación de teoría; d) triangulación metodológica; y e) triangulación de ambientes o contextos. Todas aproximaciones para garantizar mayor credibilidad.

No obstante, este intento de búsqueda del rigor desde una mirada alternativa, no puede reducirse sólo a un puñado de criterios. Autores como Whittemore, Chase y Lynn (2001) mencionan la necesidad de incorporar aspectos como la subjetividad y la creatividad desde una óptica sustentada íntegramente en principios interpretativos. Lo evocativo, la verdad de la vida, los retratos significativos, historias y paisajes de la experiencia humana constituyen la esencia de la investigación cualitativa, pero son amenazados por un sobre-énfasis en el método científico, opuesto al arte y la creatividad de la interpretación. Los investigadores necesitan tener, de acuerdo con Sandelowski (Sandelowski, en Whittemore, Chase y Lynn, 2001: 526), libertad para sumergirse en el proceso de investigación, de manera crítica y creativa, considerando todos los posibles significados que se desprenden de los datos.

En consecuencia, emergen criterios que pretenden hacerle justicia a las particularidades de la diversidad metodológica de la aproximación cualitativa. Los criterios anteriores, también considerados de primer orden, deben estar presentes en todo estudio, pero son necesarios criterios específicos, llamados de segundo orden, como la creatividad, explicitud, vivacidad, exhaustividad, congruencia y sensibilidad. Algunos de estos criterios son parte de los anteriores, pero se les da una mayor relevancia ya que actúan como indicadores de calidad adicionales y son considerados más flexibles para ser aplicados a situaciones de investigación específicas, como puede ocurrir en la construcción de teoría sustantiva desde la perspectiva de Glaser y Strauss (1999), que requiere de mayor exhaustividad y vivacidad que la teoría formal, o como puede pasar con las aproximaciones de teoría crítica, en donde se intenta rescatar la visión *emic* dentro de un contexto histórico, político y social concreto y en donde la sensibilidad, la explicitud y la vivacidad toman mayor relevancia que en otras situaciones (Whittemore, Chase y Lynn, 2001).

Los criterios de segundo orden son una ayuda adicional al desarrollo de la validez en los estudios cualitativos y conviene brindar una pequeña definición:

a) Explicitud: está vinculado a las pistas de auditoría, que lleva a la presentación explícita de resultados que provee evidencia y apoyo para inferencias y conclusiones obtenidas por el investigador. Se trata de dar cuenta de las decisiones metodológicas, las interpretaciones y los sesgos del investigador a través de una declaración de lo realizado (Rodgers y Cowles, 1993).

b) Vivacidad: que implica la presentación de descripciones fidedignas y precisas, con astucia, imaginación y claridad. Una presentación inteligente y enriquecida de los datos contribuye a destacar aspectos relevantes sin sobrecargar al lector con detalles excesivos. La investigación debe ser narrada con detalles claves que lleven a una interpretación vívida, no sólo en términos físicos, sino también sociales y psicológicos.

c) Creatividad: se trata de mostrar una organización, un análisis y una presentación de los datos que evidencie originalidad y que desafíe las maneras tradicionales de enfrentarse al material cualitativo. No obstante, la creatividad u originalidad no puede estar desligada de los fundamentos que consolidan los hallazgos científicos (Whittemore, Chase y Lynn, 2001).

d) Exhaustividad: implica atención al vínculo entre los temas y el desarrollo íntegro de las ideas. Se le asocia con la consistencia o con la saturación, pero destacando la congruencia que debe haber entre los principios epistemológicos, la pregunta de investigación, los métodos y los hallazgos. Y también entre dichos hallazgos y los resultados de investigaciones previas y la práctica y experiencia del investigador (Whittemore, Chase y Lynn, 2001).

e) Sensibilidad: consiste en asumir una investigación que se implementa de un modo que es sensible a la naturaleza de lo humano, a lo cultural y a los contextos sociales (Munhall, 2012). Las consideraciones éticas, el respeto por la diversidad de voces, llevan al planteamiento de un diseño y conducción de la investigación que no puede estar ajeno a estas necesidades. Implica algo más, la consideración de la comunidad investigada no sólo como una productora de datos, sino también como la destinataria de los frutos de la investigación. Los investigados deben obtener algo, deben beneficiarse en alguna forma de los estudios.

Es interesante que entre las argumentaciones que sostienen los criterios de segundo orden, aparece casi de manera incidental el concepto de calidad. Y es que la preocupación por el rigor científico de la investigación cualitativa dio paso progresivamente a considerar el rigor de una manera más amplia tocando a todo el proceso indagatorio y no sólo al papel del investigador, al trabajo de campo o al producto del estudio o los hallazgos sin más. Las nuevas aproximaciones al rigor no sólo se reducen a listados de criterios sino que abordan la concepción misma de lo que se entiende por la legitimidad de un estudio.

Nuevos criterios vinculados al rigor de la investigación

Más allá de los *"checklists"*, que sin duda representan una ayuda muy práctica para revisar sistemáticamente el rigor de un trabajo de investigación, actualmente parece haber mayor interés en no externalizar la mirada crítica y asumir que el rigor de una investigación es una parte integral del mismo. Son los responsables del estudio quienes deben asumir una postura crítica y de reflexión permanente mientras se desenvuelve su compromiso con el proceso de investigación.

La posición extrínseca, ajena al compromiso de los involucrados en el estudio, es lo que Sisto (2008) enfatiza al mencionar que en la visión tradicional los datos "están ahí" y pueden ser "recolectados". Se soslaya el hecho de que entre la realidad y la interpretación está la representación que el investigador y el investigado hacen de dicha realidad, quienes son los responsables de la construcción de significados y en consecuencia, de que los datos sean "producidos".

Para Sparkes (2001) estaba claro que las concepciones de validez competían en la forma de aproximarse al rigor y que algo se gestaba al interior del enfoque cualitativo, algo que eminentemente iba más allá de lo que él llamó la perspectiva de replicación y la perspectiva paralela. Mientras que la replicación sintetiza lo que se entiende por validez en el contexto experimental (condiciones de control), la segunda hace alusión a los ya mencionados criterios de validez y fiabilidad, que aunque bajo conceptos diferentes enriquecidos con los matices cualitativos, siguen representando la misma formalidad de los criterios originales. Lo novedoso, desde el punto de vista del autor, es que la misma práctica fue evidenciando que los conceptos, ya sean definidos desde la replicación o desde el paralelismo, no satisfacían adecuadamente la representación de una verdad que ante todo emergía como una concepción situada y pragmática aunque coherente, antes que una visión de conocimiento que se asume como verdadero. Cualquier noción de validez por tanto, se asume como socialmente construida dentro de un discurso específico, propio de una comunidad, en un momento históricamente determinado y para unos particulares propósitos e intereses (Kvale, 1995; Sparkes, 2001).

En consecuencia, la validez no es independiente de esta construcción social, lo que lleva a considerar la presencia de una crisis de legitimación en este tipo de estudios. Sisto (2008) plantea –desde la postura de Gadamer– que se puede hallar una verdad, pero es una verdad creada en el diálogo y en consecuencia es una verdad histórica y perecedera. Es una verdad participativa que surge del diálogo. No hay una voz predominante, ni la del investigador, ni del investigado, sino un intercambio de experiencias, o como menciona Bergman y Coxon (2005), citando a Gadamer, una fusión de horizontes, comprendiendo los horizontes como un rango de visión que incluye todo lo que puede ser visto desde cierto punto de vista.

La mirada implica entonces que puede haber múltiples visiones de validez que no obedecen a las previas clasificaciones estructuradas. No hay, al menos en principio, una aproximación única al rigor de un estudio (Kvale, 1995; Sisto, 2008). El rigor en verdad es más una cuestión de habilidad y sensibilidad del investigador, antes que un asunto metodológico (Aguilar, 2012). Aun aplicando condiciones que obedezcan y favorezcan la aplicación de los criterios externos, lo cierto es que su aplicabilidad y su legitimidad siempre están sujetas a la representación del investigador y de los participantes dentro de su propio contexto. En las perspectivas críticas la relatividad de la validez es aún mayor, pues además de asumir que no puede haber investigación neutral, lo válido, lo fiable, depende de las interpretaciones de quienes han sido empoderados o se han emancipado al desafiar la situación de opresión que enfrentaban y bajo las cuales otras eran las representaciones de lo válido y fiable. En este sentido, en la investigación de corte crítico, la validez está más relacionada con una evaluación de qué tan efectivo es el proceso de investigación en lograr este cambio emancipatorio y en generar los cambios de conductuales y actitudinales (Sparkes, 2001).

Podría pensarse que es la ruptura con la externalización de los criterios de validez lo que da sentido a una ciencia cualitativa donde es el compromiso del investigador y de los participantes, y el sentido compartido de lo que es relevante en el entorno de significados que han sido socialmente construidos, lo que empapa la concepción de validez. El rigor, por tanto, no puede ser planteado *a priori*, como ocurre con la revisión en función de criterios (Bergman y Coxon, 2005), sino que debe considerarse de acuerdo a la evolución del proceso indagatorio, considerando la historicidad propia asentada en el contexto social local y a la contribución de todos los participantes implicados en el estudio.

Estas posiciones más radicales pueden, no obstante, llevar al equívoco que la investigación cualitativa, por el hecho de ser un proceso íntimo, en algún grado autocontenido en y desde la experiencia conjunta entre el investigador y el participante, no está sujeta a control o valoración alguna de su validez. Pero como ha señalado Sandelowski (1994), un proyecto cualitativo puede estar sujeto al menos a una evaluación de lo bueno o malo que es en términos de criterios como la profundidad de lo tratado o su estética, del mismo modo que podría ser evaluada una novela o un drama.

Pero si los criterios clásicos no cuadran con las nuevas conceptualizaciones, y a la vez, la resignificación no elimina toda posibilidad de evaluación del rigor, se presenta el desafío de hallar nuevos parámetros para cualificar esta clase de investigación.

Sparkes (2001) sintetiza algunos de estos criterios que no han tenido tanto eco como los extrínsecos:

a) La evocación de la experiencia: surge desde la propuesta de Ellis (Ellis, 1995, citado en Sparkes, 2001) quien relató sus vivencias con una pareja que falleció de una grave enfermedad. Para ella, su trabajo es mejor juzgado si éste evoca en el lector un sentimiento de que la experiencia descrita es auténtica, creíble y posible. La generalización surge del tránsito de la experiencia descrita a la experiencia del lector, quien le da al relato la legitimidad de lo compartido.

b) Sentido de autenticidad: sobre el relator y el relato. Ocurre cuando el texto transmite el tono emocional de lo vivido o relatado. Esto es, si el trabajo es capaz de evocar en el lector una experiencia vicaria sobre aquello que se describe en la investigación y si esta experiencia es sentida como auténtica, coherente y llena de colores emocionales.

c) Fidelidad: es un criterio en que se rescata lo que sucedió en una situación específica, pero a partir de lo que dicha situación ha significado para el investigador y cómo éste ha relatado lo que fue su experiencia de manera convincente. Son pistas narrativas que apuntan a que los hechos sucedieron y se hicieron sentir como el narrador expresa. Para valorar lo descrito, el lector debe experimentar congruencia con sus propias experiencias, aunque no es necesario que el lector interprete lo narrado del mismo modo, sino más bien que sea capaz de valorar que lo expuesto por el investigador ayuda a redescribir sus propias vivencias y resignificar su propias interpretaciones. La utilidad de lo narrado está en función del aporte a la riqueza de lo vivido, aunque la experiencia no sea la misma.

Hay que señalar que todos estos criterios contienen muchos elementos psicológicos. Parecen apuntar a una experiencia intimista. En efecto, el tenor de los criterios introduce el trabajo cualitativo en aspectos más relacionados con lo literario, vinculando la ciencia y el arte desde una mirada humanista más general (Sparkes, 2001; Sandelowski, 1994).

Pero lo intimista no cierra el paso a lo social. En efecto, el afán de rescatar el valor de la validez desde lo participativo, requiere también la integración de las visiones colaborativas. Sisto (2008) rescata muchos de los criterios tradicionales (que asocia a los criterios donde participa la comunidad de investigadores), pero hay algunos que están en mayor comunión con lo aquí expuesto y que contribuyen a sostener la visión alternativa del rigor:

a) La comunidad como árbitro de la calidad: implica la participación activa de los investigados, quienes a través de los turnos de habla pueden ayudar a precisar lo que el investigador intenta producir como material significativo y que posteriormente analizará. Ciertamente, este aspecto tiene relación con la triangulación por medio de participantes, o triangulación metodológica (Guion, 2002). También implica la participación de los investigados en los procesos de reflexión crítica y en la planificación y ejecución de la acción comunitaria.

b) Voz y multivocalidad: se hace necesario rescatar el posicionamiento del investigador y la voz que éste adopta en tanto sujeto activo del estudio, acogiendo lo vívido de su experiencia. Este criterio además puede vincularse a la preocupación por aquellas voces silenciadas, aquellas experiencias acalladas por el orden social, lo que se configuraría en lo que Lincoln (2002) llama participación apasionada en tanto voz de resistencia contra el silencio.

Sisto (2008) también enfatiza la reflexividad, pero más que un criterio, refiere más bien a una posición que tiñe transversalmente los procesos indagatorios, en tanto el ejercicio de conciencia crítica es parte de la acción del investigador desde el inicio hasta el final de su estudio.

El rigor de la investigación cualitativa, como puede verse, está teñido de muchas miradas, muchos caminos y tributarios que en algunas ocasiones confunden al investigador pero las más de las veces, enriquecen su mirada. Es este capítulo se ha expuesto una de las vías –de las muchas posibles– para retratar la evolución y las principales características de los marcos teóricos que ayudan a comprender el rigor o la calidad de la investigación emergente. Es claro que no es posible asumir una única aproximación a la validez, pero se espera que este aporte invite a la discusión y, en caso necesario, la orientación suficiente para estructurar un trabajo cualitativo de calidad.

Referencias

Abad, F., Olea, J., Ponsoda, V. y García, C. (2010). *Medición en ciencias sociales y de la salud*. Madrid: Síntesis.

Acevedo, C. (2011). Acuerdos comunes de validez: diálogo entre la metodología cuantitativa y cualitativa. *Cinta de Moebio, 42*, 276-287.

Aguilar, A. (2012). *Ontología y epistemología en la investigación cualitativa*. Revista IIP-SI, 15 (1), 209-212.

Ali, A. M. y Yusof, H. (2011). Quality in qualitative: The case of validity, reliability and generalizability. *Issues In Social and Environmental Accounting, 5* (1), 25-64.

Angen, M. J. (2000). Evaluating interpretive inquiry: Reviewing the validity debate and opening the dialogue. *Qualitative Health Research, 10*, 378-395.

Bergman. M. M. y Coxon, A. P. (2005). La calidad en métodos cualitativos. *Forum: Qualitative Social Research, 6* (2). Recuperado el 27 de agosto de 2014 de: [http://nbn-resolving.de/urn:nbn:de:0114-fqs0502344].

Brink, H. I. (1993). Validity and reliability in qualitative research. *Curationis, 16* (2), 35-38.

Campbell, D. T. (1974). Evolutionary Epistemology. En P. A. Schilpp (Ed.), *The philosophy of Karl R. Popper* (pp. 412-463). LaSalle, IL: Open Court.

Campbell, D. F. y Stanley, J. C. (2005). *Diseños experimentales y cuasiexperimentales en la investigación social*. Buenos Aires: Amorrortu.

Cantor, G. (2002). La triangulación metodológica en ciencias sociales. Reflexiones a partir de un trabajo de investigación empírica. *Cinta de Moebio, 13*, 58-69.

Cho, J. y Trent, A. (2006). Validity in qualitative research revisited. *Qualitative Research, 6*, 319-340.

Cisterna, F. (2005). Categorización y triangulación como procesos de validación del conocimiento en investigación cualitativa. *Theoria, 14* (1), 61-71.

Cornejo, M. y Salas, N. (2011). Rigor y calidad metodológicos: Un reto a la investigación social cualitativa. *Psicoperspectivas, 10* (2), 12-34.

Cortés, G. (1997). Confiabilidad y validez en estudios cualitativos. *Educación y Ciencia, 1* (1), 77-82.

Delefosse, M. S., Bruchez, C., Gavin, A. y Stephen, S. L. (2015). Diversity of the quality criteria in qualitative research in the health sciences: Lessons from a lexicometrics analysis composed of 133 guidelines. *Forum: Qualitative Social Reseach, 16* (2), Recuperado de: [http://www.qualitative-research.net/index.php/fqs/article/view/2275].

Denzin, N. K. y Lincoln, Y. S. (2012). La investigación cualitativa como disciplina y como práctica. En N. K. Denzin & Y. S. Lincoln

(Coords.) *Manual de investigación cualitativa* (pp. 43-101). Barcelona: Gedisa.

Erazo, M. S. (2011). Rigor científico en las prácticas de investigación cualitativa. *Ciencia, Docencia y Tecnología, XXII* (42), 107-136.

Flick, U. (2012). *Introducción a la investigación cualitativa.* Madrid: Morata.

Glaser, B. G. y Strauss, A. L. (1999). *The discovery of grounded theory.* Chicago: Aldine DeGruyer.

Golafshani, N. (2003). Understanding reliability and validity in qualitative research. *The Qualitative Report, 8* (4), 597-607.

Guion, L. A. (2002). Triangulation: Establishing the validity of qualitative studies. *Institute of Food and Agricultural Sciences.* Recuperado de: [http://edis.ifas.ufl.edu].

Koro-Ljungberg, M. (2004). Impossibilities of reconciliation: Validity in mixed theory projects. *Qualitative Inquiry, 10,* 601-621.

Kvale, S. (1995). The social construction of validity. *Qualitative Inquiry, 1,* 19-40.

Lincoln, Y. y Guba, E. (1985). *Naturalistic inquiry.* Newbury Park, CA: Sage.

Long, T. y Johnson, M. (2000). Rigour, reliability and validity in qualitative research. *Clinical Effectiveness in Nursing, 4,* 30-37.

Mañas, B. (2005). Los orígenes estadísticos de las encuestas de opinión. *Empiria, Enero-junio* (9), 89-113.

Martínez, M. R., Hernández, M. J. y Hernández, M. V. (2006). *Psicometría.* Madrid: Alianza.

Miles, M. B. y Huberman, A. M. (1994). *Qualitative data analysis: An expanded sourcebook.* Thousand Oaks, CA: Sage.

Moral, C. (2006). Criterios de validez en la investigación cualitativa actual. *Revista de Investigación Educativa, 24* (1), 147-164.

Morse, J. M., Barrett, M., Mayan, M. Olson, K. y Spiers, J. (2002). Verification strategies for establishing reliability and validity in qualitative research. *International Journal of Qualitative Methods, 1* (2), 13-22.

Morton, J. E., Mullin, P. A. y Biemer, P. P. (2008). Using reinterview and reconciliation methods to design and evaluate survey questions. *Survey Research Methods, 2* (2), 75-82.

Munhall, P. (2012). *Nursing research. A Qualitative perspective.* Sudbury, MA: Jones & Bartlett Learning.

Page, M. A. (1993). *Elementos de psicometría.* Madrid: Eudema.

Palacios, B., Sánchez, M. y Gutiérrez, A. (2011). Evaluar la calidad en la investigación cualitativa. Guías o checklists. *Actas del 2° Congreso de Metodología de la Investigación en Comunicación,* 581-595.

Parker, I. (2004). Criteria for qualitative research in psychology. *Qualitative Research in Psychology, 1,* 1-12.

Pérez, G. (1998). *Investigación cualitativa. Retos e interrogantes. I. Método.* Madrid: La Muralla.

Rodgers, B. L., y Cowles, K. V. (1993). The qualitative research audit trail: A complex collection of documentation. *Research in Nursing and Health, 16,* 219-226.

Sandelowski, M. (1994). The proof is in the pottery: Towards a poetic for qualitative inquiry. En J. Morse (Ed.), *Critical issues in qualitative research methods* (pp. 46-63). London: Sage.

Schütz, A. (1962). *El problema de la realidad social.* Buenos Aires: Amorrortu editores. Edición en castellano 1974.

Schütz, A. (1964). *Collected Papers II. Studies in Social Theory.* La Haya: Martinus Nijhoff.

Shenton, A. K. (2004) Strategies for ensuring trustworthiness in qualitative research projects. *Education for Information, 22,* 63-75.

Sisto, V. (2008). La investigación como una aventura de producción dialógica: La relación con el otro y los criterios de validación en la metodología cualitativa contemporánea. *Psicoperspectivas, VII,* 114-136. Recuperado el 12 de junio de 2015 desde: [http://www.psicoperspectivas.cl].

Sparkes, A. C. (2001). Myth 94: Qualitative health researchers will agree about validity. *Qualitative Health Research, 11,* 538-552.

Taylor, S. J. y Bogdan, R. (2000). *Introducción a los métodos cualitativos de investigación.* Buenos Aires: Paidós.

Valles, M. S. (2000). *Técnicas cualitativas de investigación social. Reflexión metodológica y práctica profesional.* Madrid: Síntesis.

Whittemore, R., Chase, S. K. y Lynn, C. (2001). Validity in qualitative research. *Qualitative Health Research, 11* (4), 522-537.

CAPÍTULO 20

Triangulación metodológica como estrategia de investigación[1]

Teresa Alzás García

Introducción

Todo proceso de investigación implica dimensiones ontológicas, epistemológicas y metodológicas que determinan el lente, la racionalidad o paradigma desde el cual emergen los criterios de validez en los resultados obtenidos. El presente capítulo expone la triangulación metodológica como una estrategia relevante a la hora de investigar, sin confundir los planos o dimensiones que he mencionado. La forma de analizar el objeto de investigación es decisiva a la hora de situar la investigación dentro del marco epistemológico cualitativo o cuantitativo. En este sentido es importante matizar que la triangulación es una estrategia metodológica que se diseña a partir de un objeto de investigación que tiene una naturaleza epistemológica única. De modo que la triangulación consistirá, entre otros, en combinar métodos; pero la epistemología no podrá ser mixta, es decir, un problema de investigación no podría estar configurado y combinado en distintos paradigmas al mismo tiempo, pero sí un problema de investigación podrá ser resuelto metodológicamente desde la combinación de herramientas, métodos y técnicas tanto cualitativas como cuantitativas[2].

La metodología cuantitativa se relaciona con la epistemología positivista y por tanto se caracteriza por su objetividad y por el alcance de la generalización de sus resultados; mientras que la metodología cualitativa se asocia a la epistemología interpretativa, que busca comprender el significado de la conducta del grupo social, que, como señala Sánchez Gómez (2015), permite una proyección intersubjetiva entre quien investiga y quien

---

1. Este trabajo es resultado de la tesis doctoral de Teresa Alzás García, dirigida por Luis M. Casas, Universidad de Extremadura, España. Parte del contenido de este capítulo ha formado parte de la comunicación presentada al Congreso Ibero-Americano de Investigación Cualitativa.
2. Véase el capítulo en este mismo libro.

es investigado. En esta línea, Salgado (2007) matiza que "la investigación cualitativa puede ser vista como un intento de obtener una comprensión profunda de los significados y definiciones de la situación tal y como nos la presentan las personas, más que la producción de una medida cuantitativa de sus características o conducta" (p. 71).

No obstante, en la actualidad se puede hablar de un *cruce de enfoques* (Lincoln y Guba, 2000) que ofrece la posibilidad de optar por una postura más integral, que ha acabado denominándose *enfoque mixto*, entendido como un proceso de recolecta, análisis y vinculación con datos cuantitativos y cualitativos en un mismo estudio o una serie de investigaciones para responder a un planteamiento del problema (Tashakkori y Teddlie, 2003; Creswell, 2005; Grinnell y Unrau, 2005; Hernández Sampieri, Fernández y Baptista, 2006).

Triangulación: conceptualización y evolución

La triangulación como estrategia de investigación no es novedosa, aunque el diseño de los procedimientos que se requieren para utilizar y compaginar los diferentes métodos, no se debate hasta los años cincuenta del siglo XX (Cea, 2001). Por tanto, es a partir de estos años, cuando se inician las investigaciones que sentarán las bases para un nuevo enfoque multimétodo, en el que aparecerán autores que serán clave para la articulación y desarrollo de la triangulación como estrategia de investigación, entre los que cabe destacar a Campbell y Fiske (1959) y a Denzin (1970). Con estos autores se trazan dos líneas de desarrollo metodológico en relación a la triangulación: mientras que Campbell y Fiske (1959) entienden la triangulación como medio para la validación de una investigación, es con Denzin (1970) con quien se desarrolla el cuerpo teórico del concepto y sus tipologías. Conforme a estas premisas se configura una amplia gama de investigaciones, que van consolidado la aplicación del enfoque multimétodo donde se considera como estrategia la triangulación.

Campbell y Fiske (1959) desarrollan inicialmente, a través del concepto de "operacionalización múltiple", la idea de triangulación, entendiéndola como una estrategia multimétodos para la investigación. La estrategia de triangulación surge a raíz de las reflexiones que aportan en su artículo, "Convergent and discriminant validation by the multitrait multimethod matrix" (1959), en la que realizan una clara distinción entre lo que se entiende por fiabilidad y validez. En este sentido, la fiabilidad se alcanza midiendo un mismo rasgo de la realidad mediante métodos similares (utilizando instrumentos sólo cuantitativos o sólo cualitativos), y la validez se alcanza mediante la medición de un mismo rasgo, por métodos diferentes (combinando instrumentos cualitativos y cuantitativos).

CAPÍTULO 20

Para ambos autores, la fiabilidad es tan necesaria como la validez, aunque sus aportaciones se orientan concretamente a la importancia de confirmar la validez, en los procedimientos llevados a cabo para la medición de un rasgo de la realidad. En este sentido, especialmente, lo que aporta la operacionalización múltiple de un concepto, por métodos diferentes, es la validación y mayor confianza en los datos obtenidos. Ambos autores ponen especial énfasis en la idea de que "para la justificación de medidas de rasgos novedosos, para la validación de la interpretación de un test, o para el establecimiento para la validez de constructo, se requiere tanto de la validez discriminante como de la validez convergente" (*ibíd.*, p. 81). Mediante este proceso de medición múltiple, se obtiene tanto validez convergente como validez discriminante.

La validez convergente se entiende como aquella en la que se obtienen rasgos similares en la medición del concepto, mediante procedimientos de medición independientes. En cierto sentido, la idea de validez convergente podría aproximarse al concepto de fiabilidad, no obstante, como matizan Campbell y Fiske, "una correlación entre subpruebas diferentes es probablemente una medida de fiabilidad, pero todavía está más cerca de la región llamada validez" (*ibíd.*, p. 83), dado que entienden la validez convergente, no sólo en los resultados sino también en el proceso. La obtención de resultados convergentes utilizando métodos diferenciados, para la metodología cualitativa ha sido un medio que aporta mayor validez y fiabilidad tanto a los procesos como a los resultados. Dado que la profundidad en el análisis del fenómeno, ya de por sí es inherente al paradigma cualitativo, la posibilidad que ofrece la utilización de diferentes métodos mediante la triangulación, de obtener información cuantitativa y cualitativa para el análisis de los datos, ha incrementado la validez y la fiabilidad tanto del proceso como del análisis, pero además ofrece una mayor comprensión y una interpretación más precisa de los resultados cualitativos.

En cuanto a la validez discriminante, pone de manifiesto aquellas peculiaridades, o particularidades, que no sería posible conocer mediante un solo método de medida del concepto. Cabe matizar que mediante diferentes análisis estadísticos, como análisis de la varianza o el alfa de Cronbach, se pueden poner de manifiesto la existencia de particularidades de ciertos rasgos. No obstante, la utilidad de la validez discriminante viene dada por la profundidad: no sólo sabemos que existen peculiaridades, sino que además se puede indagar en conocer los otros constructos de la realidad. Como apuntan Campbell y Fiske, es el típico caso de los test que miden la inteligencia social, y señalan que "cuando se planteó la hipótesis de una dimensión de la personalidad, quien investiga tiene siempre en mente las distinciones entre la nueva dimensión y otras construcciones que ya están en uso. No se puede definir sin que ello implique distinción, y la verificación de estas distinciones es una parte importante de la validación del proceso" (1959: 84).

Clasificación de los tipos de triangulación

Denzin (1970) comparte la definición convencional de triangulación, entendiéndola como el uso de diferentes métodos para el estudio de un mismo fenómeno; no obstante, abre camino a una comprensión más amplia de las aplicaciones de la triangulación en la investigación social. Como apunta Denzin, el uso de múltiples métodos en el estudio de un mismo objetivo es solo una forma de estrategia; puesto que concibe la triangulación no sólo de métodos, sino también considerando la variedad de datos, personas que investigan el fenómeno, teorías y metodología. En base a esta concepción, establece "cuatro tipos básicos de triangulación: de datos, de investigadores, teórica y metodológica" (p. 301).

La triangulación de datos es la más utilizada en la investigación social y su aplicación requiere de la obtención de información sobre el objeto de investigación, mediante diversas fuentes que permitan contrastar los datos recogidos. Para Denzin, la triangulación de datos también ayuda a obtener un mayor desarrollo y enriquecimiento teórico, conformándose la búsqueda de fuentes de datos según criterios espaciotemporales y distintos niveles de análisis según la persona y el objeto de estudio.

Respecto de la triangulación de investigadores, consiste en contar con las observaciones de diferentes profesionales, especialistas en el objeto de investigación, bien de diferentes áreas, o bien porque controlan la aplicación de diferentes metodologías. Un ejemplo de la incorporación de esta estrategia de investigación, se encuentra en los equipos de trabajo multidisciplinares, los cuales "constituyen núcleos de intercambio de experiencias, de conceptos teóricos y perspectivas, que enriquecen los resultados de las investigaciones" (Perelló, 2011: 52), dado que se nutren precisamente de visiones teóricas diferentes.

Pero la triangulación entre personas investigadoras es compleja, y uno de los aspectos que la limitan es la idea de *líneas de investigación*, puesto que cada vez se instala más este pensamiento. La cuestión que plantea esta coyuntura, que presiona hacia una línea de investigación concreta, es: ¿cómo favorecer la línea de investigación de cada integrante del grupo?

Es una cuestión que surge a menudo entre personas investigadoras que comparten un objeto de investigación pero dada sus formaciones, el objeto es discutido y analizado desde diferentes corpus disciplinares y líneas temáticas. En base a esta cuestión, cabe proponer la triangulación metodológica como estrategia no sólo para la investigación sino también para los equipos de investigación multidisciplinares. De manera que por ejemplo, ante un objetivo de investigación conjunto, se puedan diseñar distintas herramientas y emplear diversas técnicas de análisis que den cabida a una producción científica con resultados analizados desde distintos prismas y que respondan a las líneas de investigación de cada miembro del equipo.

La triangulación teórica "en opinión de Denzin (1975), es la menos alcanzable en la práctica de la investigación social" (Cea, 2001: 50). Consiste en considerar las diferentes corrientes teóricas que explican el objeto de estudio, superando de este modo los sesgos que, en el análisis de la realidad social, conlleva utilizar una única perspectiva teórica. Además, otra de las oportunidades que brinda la triangulación teórica consiste en la constatación de hipótesis ya planteadas, y el surgimiento de hipótesis alternativas, puesto que "las diferentes perspectivas se utilizan para analizar la misma información y, por ende, poder confrontar teorías" (Okuda y Gómez-Restrepo, 2005: 123). Este tipo de triangulación no sólo elimina sesgos y permite la constatación y la aparición de hipótesis alternativas, sino que además, para Denzin, la confrontación de teorías en un mismo cuerpo de datos, es significado de un proceso de investigación caracterizado por "una crítica eficiente, más acorde con el método científico" (1970: 303).

Con relación al cuarto tipo básico de triangulación, la triangulación metodológica, en términos generales consiste en utilizar dos o más métodos. En este sentido hay que distinguir entre triangulación dentro de un método –intramétodo–, o triangulación entre métodos –intermétodo–.

La triangulación dentro de un método consiste en analizar los datos utilizando un solo método, pero seleccionando diversas técnicas de recogida de información enmarcadas dentro de la línea estratégica de dicho método. No obstante, es importante matizar que los métodos y técnicas de recolección de datos diseñados, son orientados hacia el mismo objetivo de estudio, y que por tanto, persiguen medir la misma variable. Dentro de la metodología cualitativa lo más habitual es utilizar la observación y la entrevista abierta, en este sentido son multitud las investigaciones que recurren a esta estrategia. En el terreno de la metodología cuantitativa, un procedimiento muy habitual en la triangulación dentro de un método es la realización de test-retest, "donde la estabilidad interna viene avalada por la confirmación de los primeros hallazgos en sucesivas reproducciones de la investigación" (Perelló, 2011: 53). No obstante, existe gran variedad de investigaciones en las que se recurre al uso de dos o más técnicas para la obtención y análisis de los datos. Este tipo de triangulación refuerza la validez y fiabilidad de los datos obtenidos, y también es habitual su uso cuando se quiere analizar el nivel de influencia que tienen las variables en relación con un determinado objeto de estudio.

En cuanto a la triangulación entre métodos, consiste en la utilización de distintas técnicas de recogida de información que se encuadran en métodos de investigación diferentes, y se combinan para analizar un mismo objeto de estudio. Este tipo de triangulación permite superar las debilidades inherentes a todo método, compensando así cada técnica, las debilidades de la otra u otras. En este sentido, "la triangulación de varios métodos y por tanto, metodologías, es una de la estrategias metodológicas dentro de un mismo proyecto de investigación que aumenta la fiabilidad y mejora la comprensión" (Della Porta y Keating, 2013: 51). Principalmente este tipo de estrategia, al utilizar ambos métodos, permite conocer el grado de validez de una investigación, dado que como subraya Rodríguez Ruíz, mediante la triangulación entre métodos se comprueba que "los resultados no son consecuencia de la utilización de un método particular" (2005: 6).

No obstante, en relación con la triangulación entre métodos, cabe hacer un inciso en autores como Bericat (1998), dado que dicho autor señala que no siempre que se utilizan distintos métodos en una investigación es una estrategia de triangulación. En este sentido, Bericat matiza la existencia de tres estrategias básicas que se pueden utilizar a la hora de integrar distintas metodologías en el diseño de una estrategia de investigación y que es importante no confundir: una estrategia de complementación, otra de combinación y una tercera de triangulación.

La estrategia de complementación se fundamenta básicamente en la utilización de métodos diferentes para analizar una misma realidad social, pero con información y análisis de los datos de manera independiente: "la finalidad de esta estrategia es meramente aditiva, pues no se trata tanto de buscar convergencia ni confirmación entre los resultados, cuanto de contar simultáneamente con dos imágenes que enriquezcan nuestra comprensión de los hechos" (Bericat, 1998: 106). La estrategia de combinación consiste en la utilización de distintos métodos pero donde no comparten los mismos objetivos de investigación, dado que los resultados de un método se utilizan para potenciar un segundo método. Por tanto, como señala Bericat, "el propósito de cada método utilizado es diferente, como en la estrategia de complementación, siendo lo que diferencia a ambas estrategias, que en la combinación uno de los métodos se integra incorporándose a otro método" (ibíd., p. 108). En cuanto a la estrategia de triangulación, debemos señalar que Bericat va en la línea desarrollada por Denzin, y entiende la triangulación como una estrategia de integración metodológica, donde la utilización de distintos métodos "se organizan para la captura de un mismo objeto de la realidad social. Con esta estrategia se pretende, ante todo, reforzar la validez de los resultados" (Bericat, 1998: 111), lo cual es posible mediante la convergencia o divergencia de los resultados obtenidos en cada uno de los métodos empleados.

Por tanto, es triangulación cuando se comparte un mismo objetivo de investigación, mientras que la complementación y combinación se diferencian precisamente por no compartir un mismo objeto de investigación en su diseño, procedimiento y análisis de los resultados. Por otro lado, tanto la estrategia de triangulación como de combinación ayudan y enriquecen el procedimiento y los resultados, mientras que la independencia de las observaciones es un aspecto de la triangulación que comparte con la complementación.

Finalmente cabe añadir en relación con la tipología de estrategias básicas de triangulación que identifica Denzin, su propuesta sobre la triangulación multimétodos que consiste en la utilización de al menos dos tipos básicos de triangulación, de datos, de grupo de investigación, de teorías o de metodologías. En cierto sentido, es la triangulación multimétodos la que aporta mejores resultados en una investigación, bajo los criterios considerados por Denzin, puesto que valida el proceso, enriquece la interpretación de los resultados y elimina los sesgo que la utilización de un solo método provoca. En este sentido, "cuanto mayor sea la variedad de las metodologías, datos e investigadores empleados en el análisis de un problema específico, mayor será la fiabilidad de los resultados finales" (Rodríguez Ruiz, 2005: 2).

La definición y clasificación de Denzin es uno de los primeros pasos para el desarrollo teórico de esta estrategia de investigación, puesto que a lo largo de las distintas investigaciones se han ido incorporando nuevas tipologías de triangulación, que responden a las necesidades que surgen a lo largo del tiempo y tipos de investigación, objetivos planteados y recursos disponibles.

Una propuesta muy cercana a la conceptualización de triangulación multimétodo de Denzin, es la planteada por Ruiz Olabuénaga (2012), quien desarrolla la idea de triangulación holística, concibiéndola como la combinación de diversas estrategias de triangulación parcial, que se aplican a la totalidad de las fases y elementos del proceso de la investigación. En este sentido, cabe explicar que se entiende por triangulación parcial, aquella multiestrategia que se realiza en una sola fase del proceso de investigación o sobre uno de los elementos del proceso. Es decir, se realiza triangulación en la elección del paradigma, en función de los niveles alternativos de análisis, en la recogida de información, o en la codificación del lenguaje.

Aunque ambos autores comparten la idea de entender la triangulación como estrategia, conviene matizar que Ruiz Olabuénaga tiene una concepción sobre la triangulación más amplia, en dos sentidos muy concretos: por un lado, considera que la triangulación es una técnica de control de la calidad de una investigación multiestratégica: "la triangulación es precisamente un intento de alternar planteamientos distintos para abordar un mismo problema, controlando así y elevando el nivel de calidad de sus conclusiones" (*ibíd.*, p. 338), y por otro lado, como también se apunta en la cita anterior, la triangulación la entiende no sólo en el diseño y desarrollo de la investigación, sino también en la fase de elaboración de las conclusiones. Para dicho autor la triangulación también es enriquecimiento pues, "con la triangulación se busca descubrir nuevos elementos de un objeto ya analizado, aumentar su estándar de precisión y corroborar su consistencia" (Ruiz Olabuénaga, 2012: 332). Por tanto, su concepción de triangulación está configurada en términos de control de la calidad de una investigación y enriquecimiento del contenido de las conclusiones obtenidas en el "posestudio".

En esta línea, dado que la triangulación es una estrategia de investigación multidisciplinar que es utilizada en muchos estudios de distintas disciplinas del conocimiento científico, su uso ha permitido que cada vez se perfeccione y matice más sobre las posibilidades que brinda el uso de esta estrategia. El "desarrollo profesional de técnicas concretas de triangulación aplicadas a diferentes situaciones y en diferentes momentos históricos ha seguido en cada ámbito disciplinar caminos diferentes según las necesidades de uso, el avance tecnológico y la disponibilidad de una instrumentación más precisa" (Rodríguez, Pozo y Gutiérrez, 2006: 290).

Un ejemplo que acabamos de ver es la propuesta de triangulación holística de Ruiz Olabuénaga, pero hay otras aportaciones que cabe señalar como la triangulación en el análisis de Kimchi, Polivka y Stevenson (1991) y la triangulación de perspectiva de Flick (2007).

Para Flick la triangulación es una "combinación de métodos, grupos de estudio, entornos locales y temporales y perspectivas teóricas diferentes para ocuparse de un fenómeno" (*ibíd.*, p. 243). Tiene una visión compartida en relación con la conceptualización de la triangulación, pero matiza que la importancia de la triangulación no reside en la posibilidad que brinda de validar los resultados obtenidos por diferentes métodos, sino que es el propio proceso de investigación lo que valida a los instrumentos. Para Flick es relevante el proceso de investigación porque lo entiende en el marco de la triangulación de perspectiva, que define como la "combinación de perspectivas de investigación apropiadas y métodos que sean idóneos para tomar en consideración el mayor número de aspectos posibles de un problema" (*ibíd.*, p. 64); en cierto sentido, considera que a través de este tipo de triangulación se evita tener una única visión del problema y, por tanto, se tiene una visión mayor a la hora de plantear el objetivo de investigación y diseñar el método de recogida y análisis de la información.

En cuanto a la triangulación en el análisis, como apunta Arias Valencia (2000), es una tipología de Kimchi *et al.* (1991), cuyo propósito de investigación radica en clasificar las definiciones operacionales para los tipos de triangulación, es decir, cataloga los tipos de triangulación con relación a las estrategias de triangulación más habituales en el campo de la investigación en enfermería. Tras analizar 319 artículos de seis revistas relevantes en la investigación en enfermería, concreta en las siguientes definiciones operacionales: triangulación de datos, triangulación espacial, triangulación de personas, triangulación múltiple, y triangulación en el análisis. Esta última tiene especial interés dado que es la aportación más novedosa de su investigación.

La triangulación en el análisis puede considerarse un tipo de estrategia de investigación más reciente, que consiste en el "uso de dos o más aproximaciones en el análisis de un mismo grupo de datos que tiene como propósito la validación" (Arias Valencia, 2000: 125). Es decir, consiste en utilizar diferentes técnicas de una misma metodología de modo que permita evaluar de manera similar los resultados obtenidos, verificando así los hallazgos. "Ésta se hace comparando resultados de análisis de datos, usando diferentes pruebas estadísticas o diferentes técnicas de análisis cualitativo para evaluar de forma similar los resultados disponibles" (Rodríguez, Pozo y Gutiérrez, 2006: 294). La triangulación en el análisis podríamos clasificarla como una variante de la triangulación dentro de un método, y tiene como único fin validar el instrumento de recogida de datos.

Ventajas y debilidades de la triangulación

Tras el análisis de la triangulación como estrategia de investigación, podríamos considerar que la triangulación no sólo aporta validez y fiabilidad al proceso, resultados y conclusiones, que no sólo ofrece enriquecimiento y profundidad a la investigación, y que no sólo es excelente para la eliminación de sesgos, sino que la triangulación también flexibiliza el diseño de la investigación, puesto que permite que se adapte mejor a los objetivos que se plantean. En este sentido, podemos plantear una investigación con objetivos globales (cuantitativos), sin limitarnos a plantear objetivos más concretos y específicos (cualitativos).

La triangulación da cabida al descubrimiento, al ser flexible en relación con la aplicación de diferentes métodos, ayuda a la innovación, facilitando un uso más creativo de las herramientas, mejorando así su eficacia para obtener información conforme a los objetivos planteados. De hecho, la triangulación conduce inevitablemente al descubrimiento de fenómenos atípicos, por la profundidad de análisis que ofrece esta estrategia de investigación.

Otros de los aspectos positivos acerca del uso de la triangulación, viene dada por la facilidad de ajustar el diseño de la estrategia de investigación en relación con los criterios mínimos de credibilidad, rigor, veracidad y robustez que toda investigación debe tener. Ya por sí, da validez a los resultados, pero además, como ya se ha apuntado, la triangulación es también un mecanismo de control de la calidad del proceso de investigación. En este sentido, la triangulación se convierte en el eje transversal en torno al cual se configura y desarrolla la investigación, estando presente en todas las fases del proyecto de investigación y durante el desarrollo del mismo. Por tanto, el uso de la triangulación implica tener un enfoque holístico, puesto que permite abarcar la totalidad de los aspectos que intervienen en el fenómeno de estudio. Este enfoque también se ve ampliado por la multidisciplinariedad que aporta dicha estrategia, bien por el acceso a diversas y múltiples bases y fuentes de datos, o bien por la tendencia actual de la comunidad científica de configurar grupos de investigación multidisciplinares.

La triangulación además es una estrategia y por estrategia de investigación se entiende, en palabras de Bulmer *et al.* (1992) "la manera en que un estudio empírico particular es diseñado y ejecutado" (p. 5), es la base de la toma de decisión en la investigación, en la que se planifican y encajan todas las acciones para enlazarlas en un proyecto común, para que los datos que se obtienen confirmen la parcela de la realidad que se busca analizar, es decir, se pretende establecer un procedimiento donde la metodología y la técnica den respuesta al problema planteado. Por tanto, una buena estrategia de investigación es determinante para que exista coherencia interna en todo proyecto de investigación. Se trata de la capacidad del estudio diseñado para representar la realidad, más concretamente la coherencia interna de toda investigación, se basa en la concordancia de los resultados analizados con los objetivos de investigación planteados.

En cuanto a las debilidades del enfoque de triangulación, cabe mencionar las consideraciones que señala Cea (2001). En este sentido, uno de los inconvenientes es el mayor coste económico y temporal que supone utilizar más de un método, tanto a la hora de recoger datos como durante el registro de los mismos. Por otro lado, aplicar más de un método requiere que las unidades muestrales seleccionadas estén dispuestas a colaborar durante más tiempo, incluso dependiendo de los instrumentos diseñados se necesitará más de un encuentro, y por tanto, nos encontraremos con más dificultades para repetir la investigación con encuentro con las unidades muestrales seleccionadas. Otro de los inconvenientes que recoge Cea (2001) hace referencia a que "el uso de una técnica de obtención de información puede afectar a observaciones posteriores que se efectúen mediante otras técnicas" (p. 58), tanto a las unidades muestrales como a la persona que realiza la investigación. Además, realizar la recogida de datos en diferentes momentos genera también problemas a la hora de comparar los resultados de las diferentes técnicas, bien porque se obtengan diferentes porcentajes de respuestas en cada una de ellas, o bien por la "incompatibilidad epistemológica entre algunos métodos" (*ibíd.*, p. 58).

Discusión

Lo cierto es que la profundidad que ofrece la triangulación es una de las características de esta estrategia de investigación que enriquece especialmente los análisis cuantitativos, puesto que permiten una indagación más precisa bien del fenómeno, o bien de la interpretación de los resultados, o incluso resulta de gran utilidad para realizar diseños de herramientas cuantitativas. Aunque como apunta Ruíz Olabuénaga (2012) el enriquecimiento es mutuo, dado que entiende la triangulación como "un intento de promoción de nuevas formas de investigación que enriquezcan el uso de la metodología cuantitativa con el recurso combinado de la cualitativa y viceversa" (p. 327).

De hecho el enriquecimiento y profundidad que ofrece la triangulación es una de las aportaciones que más se destacan en los debates actuales: como apunta Flick (2007), "la triangulación se conceptualizó al principio como estrategia para validar los resultados obtenidos con los métodos individuales. Sin embargo, el enfoque ha cambiado cada vez más hacia un enriquecimiento adicional y un perfeccionamiento del conocimiento" (p. 244).

La triangulación también es considerada como un mecanismo para evitar el sesgo que provoca la persona que investiga. De hecho, es compartida la idea acerca de la validez que otorga la triangulación a la investigación, que viene dada principalmente por la compensación de sesgos o fuentes de variación inherente a cada método, tal y como sostienen Campbell y Fiske (1959), Denzin (1970) y Bericat (1998).

En este sentido Arias Valencia (2000) apunta que "la mayor meta de la triangulación es controlar el sesgo personal de los investigadores y cubrir las deficiencias intrínsecas de un investigador singular o una teoría única, o un mismo método y así incrementar la validez de resultados" (p. 126). Al eliminar sesgos se garantiza la validez de la investigación, puesto que se supera el sesgo personalista que amenaza a toda investigación ya que la triangulación permite utilizar diferentes teorías, personas que investigan, fuentes de datos diferentes en el espacio y tiempo, así como combinar metodologías diferentes.

Referencias

Arias Valencia, M. M. (2000). La triangulación metodológica: sus principios, alcances y limitaciones. *Investigación y Educación en Enfermería*, *18* (1), 13-26.

Bericat, E. (1998). *La integración de los métodos cuantitativo y cualitativo en la investigación social*. Barcelona: Ariel.

Bulmer, M. (et al.) (1992). *Sociological research methods. An introduction*. London: Macmillan.

Campbell, D. T. y Fiske, D. (1959). Convergent and discriminant validation by the Multitrait Multimethod Matrix. *Psychological Bulletin*, *56*, 81-105.

Cea, M. A. (2001). *Metodología cuantitativa: estrategias y técnicas de investigación social*. Madrid: Síntesis.

Creswell, J. W. (2005). *Educational research: Planning, conducting, and evaluating quantitative and qualitative research* (2ª ed.). Upper Saddle River, NJ: Prentice-Hall.

Della Porta, D. y Keating, M. (2013). *Enfoque y metodologías en las Ciencias Sociales: una perspectiva pluralista*. Madrid: Akal.

Denzin, N. K. (1970). *The research act: A theoretical introduction to sociological methods*. New Yersey: Transaction Publishers.

Flick, U. (2007). *Introducción a la investigación cualitativa* (2ª ed.). Madrid: Morata.

Grinnell, R. M. y Unrau, Y. A. (2005). *Social work: Research and evaluation: Quantitative and qualitative approaches* (7ª ed.). New York: Oxford University Press.

Hernandez Sampieri, R., Fernández, C. y Baptista, P. (2006). *Metodología de la investigación* (4ª ed.). México: McGraw Hill.

Kimchi, J., Polivka, B. y Stevenson, J. (1991). Triangulation: operational definitions. Metodology corner. *Rev. Nursing Research*, *40* (6), 364-366. Recuperado de: [http://journals.lww.com/nursingresearchonline/Citation/1991/11000/Triangulation_Operational_Definitions.9.aspx].

Lincoln, Y. y Guba, E. G. (2000). Paradigmatic controversies, contradictions, and emerging confluences. En N. K. Denzin & Y. S. Lincoln (Eds.), *Handbook of qualitative research* (pp. 163-188). Thousand Oaks, CA: Sage.

Okuda, M. y Gómez-Restrepo, C. (2005). Métodos en investigación cualitativa: triangulación. *Revista Colombiana de Psiquiatría*, *34* (1), 118-124.

Perelló, S. (2011). *Metodología de la investigación social*. Madrid: Dykinson.

Rodríguez, C., Pozo, T. y Gutiérrez, J. (2006). La triangulación analítica como recurso para la validación de estudios de encuestas recurrentes e investigaciones de réplica en Educación Superior. *Relieve, 12* (2), 289-305.

Rodríguez Ruiz, O. (2005). La triangulación como estrategia de investigación en ciencias sociales. *Revista de Investigación en Gestión de la Innovación y Tecnología, 31*, 1-10. Recuperado de: [http://www.madrimasd.org/revista/revista31/tribuna/tribuna2.asp].

Ruiz Olabuénaga, J. I. (2012). *Metodología de la investigación cualitativa*. Bilbao: Universidad de Deusto.

Salgado, A. C. (2007). Investigación cualitativa: diseños, evaluación del rigor metodológico y retos. *Liberabit, 13*, 71-78.

Sánchez Gómez, M. C. (2015). La dicotomía cualitativo-cuantitativo: posibilidades de integración y diseños mixtos. *Campo Abierto*, vol. monográfico, 11-30.

Tashakkori, A. y Teddlie, C. (2003). The past and future of mixed methods research: From data triangulation to mixed model designs. En A. Tashakkori y C. Teddlie (Eds.), *Handbook on mixed methods in the behavioral and social sciences* (pp. 671-702). Thousand Oaks, CA: Sage.

CAPÍTULO 21

Métodos mixtos: convergencia metodológica y divergencia epistemológica

José Félix Angulo Rasco y Silvia Redon Pantoja

El debate entre lo cuantitativo y lo cualitativo, o entre –como aquí también la podemos denominar– la perspectiva positivista y la perspectiva interpretativa[1], que se remonta ciertamente a los albores del conocimiento social (vía Mill, Dilthey, Weber y Durkhein), ha dejado de ser un debate y una pugna. Hoy en día los investigadores optan por modelos "complementarios", llamados métodos mixtos (Creswell, 2014, 2003; Creswell y Plano-Clark, 2007; Hernández Sampieri, Fernández Collado y Baptista Lucio, 2010). Ya en la década de los setenta reputados metodólogos cuantitativos, ampliamente reconocidos por la comunidad científica (Campbell, 1975, 1978; Cook y Reichardt, 1986; Cronbach, 1975), ponderaban, y hasta enfatizaban, la importancia y la validez de los métodos y el conocimiento cualitativo. Por otro lado, en las décadas de los ochenta, una serie de trabajos en los que de modo manifiesto defendían y analizaban los beneficios "prácticos" del uso conjunto de ambas perspectivas (Sieber, 1973; Denzin, 1978; Crombach, 1975; Jacob, 1982, 1987; Downes y Ireland, 1983; Trend, 1982). En este marco, Smith y Heshusius (1986) señalaban que el investigador social no debía necesariamente optar entre uno u otro ámbito metodológico, puesto que "si no la síntesis... la compatibilidad y la cooperación es posible y deseable" (p. 4) y hasta *necesaria*.

A fines de la década de los noventa, Greene, Caracelli y Graham (1989) publican un estudio de carácter metaanalítico en el que analizan más de cincuenta investigaciones mixtas, caracterizando dichos estudios con el uso de la triangulación como una estrategia de convergencia y corroboración de los resultados; la importancia de la complementación metodológica para una mejor aclaración de las conclusiones; la utilización de metodologías mixtas en investigaciones de carácter exploratorios para abrir nuevos campos y nuevas perspectivas; la utilización de diversos métodos de forma secuencial,

---

1. Véase el capítulo 1 en este libro.

de manera que los resultados del primer método son la plataforma del segundo método y, por último, la necesidad por dar amplitud y alcance a un proyecto. Autores como Creswell y Plano-Clark (2007), basándose en el estudio de Greene, Caracelli y Graham (1989), definen cuatro tipos principales de diseños de métodos mixtos: diseño de triangulación; diseño imbricado; diseño explicativo y diseño exploratorio. Creswell (2014) ha resumido recientemente en una tabla las distintas opciones; algo que permite al investigador aclarar y justificar las razones por las que sería pertinente utilizar métodos mixtos y la modalidad concreta.

Razones para la elección de métodos mixtos	Resultados esperados	Diseños de métodos mixtos recomendados
Comparar diferentes perspectivas procedentes de datos cualitativos y cuantitativos	Fusión de dos bases de datos para mostrar convergencia o divergencia	Diseño mixto paralelo convergente
Explicar resultados cuantitativos con datos cualitativos	Comprensión más profunda de resultados cuantitativos (a menudo de relevancia cultural)	Diseño mixto secuencial exploratorio
Desarrollar mejores instrumentos de medida	Un test de las mejores mediciones para una muestra de una población	Diseño mixto secuencial exploratorio
Comprender resultados experimentales incorporando perspectivas de los individuos	Comprensión de los puntos de vista de los participantes en una intervención experimental	Método mixto incrustado
Desarrollar la comprensión de los cambios necesarios para un grupo marginado	Una llamada a la acción	Método mixto transformativo
Comprender la necesidad del impacto de un programa de intervención	Una evaluación formativa y sumativa	Método mixto multifase

Tabla 1. Elección de métodos mixtos, resultados esperados y tipo de diseño. (Tomado de Cresswell, 2014: 282).

Pero el debate que deseamos realizar en este capítulo, no se vincula a desarrollar los métodos mixtos y los argumentos para su utilización, sino algo bastante más necesario y profundo: la discusión epistemológica y la coherencia metodológica como condición estructural en la realización de toda investigación. Junto a ello nos interesa mostrar que es la confrontación entre paradigmas lo que a la postre supone un enriquecimiento conceptual, metodológico y práctico, es decir, epistemológico, que permite el progreso profundo de la investigación científica en ciencias sociales.

Cuestión de epistemología, no de técnica: el problema kuhniano

Según Smith y Heshusius (1986: 8), el principal factor que ha provocado la actual situación inane en la que se encuentra el debate entre perspectivas o concepciones epistemológicas, originalmente rivales, se sitúa en una marcada y sostenida confusión en la definición de "método". El concepto de "método", afirman dichos autores, puede ser caracterizado al menos de dos maneras:

"El significado más comúnmente encontrado es el de método como procedimiento o técnica. En este caso el término invoca las discusiones tipo 'cómo hacerlo' («how-to-do-it») ampliamente utilizadas en los manuales de (investigación)... La segunda caracterización de método es como 'lógica de la justificación'..., el centro no está aquí en las técnicas, sino en la elaboración de cuestiones lógicas y, en última instancia, de justificaciones que hagan de la práctica algo informado" (ibíd., p. 8).

No es lo mismo, por lo tanto, plantear las discusiones teniendo en la mente, o utilizando, uno u otro concepto de "método". Pero ¿por qué? Sencillamente, si nos situamos al nivel de la "lógica de la justificación", ello significa que estamos, entonces, preguntando por los principios básicos, es decir, por los principios sustantivos que dan sentido y modelan un modo propio –paradigmático– de no sólo ver la realidad (en nuestro caso, la realidad social), sino de investigarla y conocerla. Son justamente dichos principios, por ello, quienes determinan la dimensión epistemológica tanto de las técnicas de investigación puestas al servicio del investigador dentro de la perspectiva que asume, como de otras que pueda incorporar. "El asunto es que el método, como 'lógica de la justificación', envuelto como está en cuestiones filosóficas básicas, informa al método como técnica y los dos términos no son intercambiables" (Smith y Heshuius, 1986: 8).
De modo parecido aborda Bryman (1982) esta problemática:

"Una de las dificultades para representar las divergencias entre las dos metodologías, deriva de la tendencia a tratar las cuestiones filosóficas y técnicas simultanea y ocasionalmente confundidas. Las cuestiones filosóficas –añade– se relacionan con la epistemología, i.e. la propiedad fundacional del estudio de la sociedad y sus manifestaciones. Por el contrario, las cuestiones técnicas indican la consideración de la superioridad o beneficios de un método de investigación en relación con otro" (p. 75).

Para evitar la confusión, lo que hay que hacer, en primer lugar, es demarcar con suma claridad las diferentes "lógicas de justificación", o las bases epistemológicas que subyacen a las apreciaciones técnicas y a los debates. En ese momento, *una vez establecida la demarcación*, y sin que los niveles de tratamiento del problema se mezclen, habría que interrogar y examinar con detenimiento las propiedades, en este caso paradigmáticas, de los recursos metodológicos y técnicos, y analizar la fuerza de conexión real entre el método concreto y la perspectiva en la que tradicionalmente viene justificado.

Un ejemplo "demarcacionista" y clarificador nos lo ofrece Althusser (1967). Según este autor existen dos tipos destacables de relación entre las matemáticas, o disciplinas matemáticas, y las ciencias naturales y sociales: de aplicación o de constitución. Con relación a las primeras, las matemáticas son *"parte integrante* de su existencia", no son, por el contrario, ni una mera herramienta, ni un método, ni un lenguaje, al servicio de, sino un elemento constitutivo de ellas mismas como ciencias (*ibíd.*, p. 33). Pero, sin embargo, con respecto a las ciencias sociales, avanza el autor, la relación que establecen es, como mucho, de aplicabilidad y, en esta medida, la relación misma es problemática y no exenta, por ello, de controversia.

"En el caso de las ciencias humanas, la relación con las matemáticas es, evidentemente, en todo o en parte, una *relación exterior, no orgánica*; es decir, una relación técnica de aplicación. En las ciencias de la naturaleza, la cuestión de las condiciones de aplicación de las matemáticas, es decir, de la legitimidad de dicha aplicación, y de las formas técnicas que reviste, no es problemática" (*ibíd.*, p. 36).

Y más adelante añade: "Contrariamente a lo que ocurre en las ciencias de la naturaleza... esta forma de «aplicación» se queda [en las ciencias humanas] en algo exterior, mecánico, instrumental, técnico y, por tanto, sospechoso" (*ibíd.*, p. 46).

Para el contexto de nuestra discusión, la "demarcación" establecida por Althusser entre "aplicación" y "constitución" es clave por la siguiente razón: además de que es erróneo mezclar los niveles de discusión, y que parece imprescindible siempre una labor previa en la que se señale la jurisdicción lógica de cada perspectiva epistemológica, como hemos venido afirmando, es necesario también que en la relación entre perspectivas epistemológicas por un lado, y técnicas metodológicas, por el otro, nos interroguemos sobre su aplicabilidad o su constitucionalidad. Es decir, habría que preguntarse siguiendo el hilo argumental de Althusser, cuándo unas técnicas, o unos principios llegado el caso, son aplicados, i.e. empleados por una perspectiva epistemológica determinada, y cuándo son constituidas o constituyen a dicha perspectiva; o dicho de otra manera, qué técnicas y principios son externos –periféricos– y qué técnicas y principios son internos –orgánicos– a una perspectiva dada. Para despejar estas problemáticas y/o confusiones entre la "demarcación", "aplicación" y "constitución" de la investigación y su metodología, es necesario aclarar la base epistemológica desde la cual emerge el problema de investigación. Todo proceso de investigación, está determinado por el problema de investigación, el cual surge y se configura desde una naturaleza ontológica de sujeto/objeto, es decir, una concepción de realidad y verdad que determinarán y orientarán el uso de las técnicas. Pongamos un par de ejemplos.

Si el problema de investigación se vincula con comprender una realidad social, lo que marca el hilo conductor de la investigación en su coherencia interna, es la hermenéutica, la comprensión, sin perjuicio que el investigador requiera recoger datos cuantitativos y se sirva de la estadística o medidas de tendencia central para obtener mapas de la realidad social que desea comprender. La técnicas cuantitativas se ponen al servicio de un objeto problemático que surge desde una epistemología interpretativa. Obviamente un objeto de estudio vinculado a la comprensión requerirá múltiples técnicas cualitativas para indagar en profundidad la subjetividad e intersubjetividad del mundo social.

Si el problema de investigación se vincula con explicar una realidad desde su medición, lo que marcará el hilo conductor de la investigación en su coherencia interna, son los instrumentos de medida (ya validados) para explicar una realidad social desde el mapa o las regularidades explicativas dadas por la estadística (dependiendo del diseño a utilizar). En muchas ocasiones las investigaciones cuantitativas requieren de técnicas cualitativas como podrían ser las entrevistas o grupos focales o registros de observación etnográficos para construir sus indicadores que formarán parte del instrumento para medir la realidad social. El objetivo es explicar la realidad a través de la medición utilizando los estadísticos más permitentes.

Sin embargo, en ese mismo momento e indirectamente nos topamos con un insoslayable "problema kuhniano". Pues, si la perspectiva experimental –positivista– y la perspectiva interpretativa son como concepciones, tan radicalmente contrapuestas –y realmente lo son– ¿en qué medida es posible un diálogo real?, ¿es factible entonces el *intercambio* de técnicas y criterios, y su utilización indistinta? Estas preguntas son importantes porque, tal como lo estamos aquí desarrollando y aceptando, la claridad epistemológica en la que se sitúa el objeto del estudio, coherente con la problemática, permitirá no confundir los planos ontológicos, metodológicos y epistemológicos en el necesario diálogo entre la investigación interpretativa y la investigación experimental.

A continuación presentaremos cuatro ejes que intentan agrupar las distintas facetas y puntos de inflexión en los que las argumentaciones a favor del consenso y la colaboración, i.e. en contra de la determinación "concepción epistemológica/técnicas de investigación", se han desenvuelto. En el último núcleo explicaremos de qué manera es posible la utilización conjunta de metodologías de uno u otro tipo, sin atentar al principio, que creo imprescindible, de autonomía epistemológica y resituando la idea de métodos mixtos.

Problemas y perspectivas

Quisiéramos empezar planteando una cuestión, que es un *locus* común. Nos referimos a la idea ampliamente aceptada de que es el **problema** a investigar, el que determina la elección del **método** a utilizar. Esta idea, importante y por lo demás bastante razonable, se encuentra enunciada en la controversia entre Trow (1970) y Becker y Geer (1970), a propósito de los beneficios comparativos entre la observación participante y la entrevista. En este contexto, y en respuesta a los segundos, para quienes las ventajas, relativas y *absolutas* de la observación participante sobre la entrevista son del todo evidentes, Trow formula precisamente lo siguiente:

> "El punto de vista alternativo, y que es el más ampliamente aceptado por los científicos sociales, es que *diferentes clases de información* sobre el hombre y la sociedad son recogidas con mayor *economía* y *completud de diferentes maneras* y que *el problema bajo investigación* **dicta** *propiamente el método de investigación*" (p. 143).

Esta, me parece, es la idea básica de muchos de los trabajos en los que de un modo u otro se afirma la no exclusividad entre métodos cuantitativos y cualitativos (Van Maanen, 1983; Downes y Ireland, 1983; Vidich y Shapiro, 1955; Jacob, 1982; Wilson, 1977; Myers 1977; Berger y Kellner, 1981).

Aparentemente dicha idea parece muy razonable, y desde luego difícilmente objetable. Pero nos gustaría, no obstante, y sin rechazar esencialmente su significación, hacer una objeción **fuerte**: en esta línea de argumentación, puedo conceder que *efectivamente* el problema (o más concretamente, el tipo de información) determina la elección del método a utilizar, pero... ¿qué determina el problema? Dicho de otro modo, qué es lo que nos ayuda, o nos permite percibir no sólo algo como problema, sino las dimensiones fundamentales del mismo. Si concedemos que los problemas no se nos presentan "puros", es decir, como si no estuvieran preseleccionados, tenemos que aceptar que la percepción de un problema viene determinada por el paradigma, o la concepción con la que el investigador o investigadora se sienta comprometida, como Kuhn nos ha enseñado. Demos más ejemplos:

> "Estoy seguro –afirma Churchill– que habría algunos encuestados... que no podrían responder a las cinco cuestiones estándar [del cuestionario analizado] con respuestas exactas y rutinarias, y son estas personas las que interesan al etnometodólogo. En estos casos el individuo... tiene que

hacer mucho más que responder de manera rutinaria, tiene que interpretar las instrucciones para encontrar las respuestas satisfactorias... La existencia de tales casos es suficiente para que el etnometodólogo infiera que el individuo tiene que *usar* las instrucciones; él no puede simplemente seguirlas" (Churchill, 1971: 189-190).

Es decir, los casos anómalos son casos altamente significativos para el etnometodólogo, pero no para el investigador cuantitativo en ese mismo sentido. Mientras que para el primero dichos casos significan un tipo quizás *especial* de "actividad social" (o práctica social), para el segundo son fuentes de error: "El etnometodólogo los percibe como otras actividades sociales comunes, cuya gramática le gustaría descubrir...; [el investigador cuantitativo] las percibe como fuente no controlada de errores de medida" (*ibíd.*, p. 190).

Por ello Churchill afirma que para este tipo de investigadores, el mundo social es algo así como "la realización imperfecta de una forma platónica (...) puesto que están interesados en el descubrimiento de formas y leyes que gobiernen formas, las actividades sociales son incomodidades con las que hay que vivir. No pueden testar sus teorías sobre las formas y las leyes sin hacer frente a tales incomodidades («*nuisances*»). El etnometodólogo está mucho más interesado en las actividades mismas, y por lo tanto no las percibe como tales incomodidades" (*ibíd.*, p. 190).

Aunque este último ejemplo es mucho menos radical que el anterior, no es menos ilustrador. Hay que tener en cuenta que además de lo que hemos indicado, las diferencias entre una y otra perspectiva se desarrollan en otros muchos puntos importantes: como la búsqueda de relaciones causales ("formas y leyes", como las denomina Churchill), la definición de los indicadores y su valoración mismas, etc.

Pero, por otro lado, y esta vez sí de una manera radical, la diferencia sustantiva más destacable se encuentra en el proceso de investigador mismo, puesto que el trabajo que Churchill comenta, está totalmente basado en el análisis de vías («*path analysis*»), cuyos principios epistemológicos son de difícil aceptación para un investigador etnometodólogo, y en general, para un investigador interpretativo.

Como Hamilton (1980: 197-198) señala, los análisis de vías, sostienen cinco supuestos: "1. que se hayan incluidas todas las variables relevantes; 2. que las relaciones entre las variables son lineales y aditivas; 3. que no tiene lugar una causalidad recíproca; y 4. que se utiliza una escala de intervalo para medir las variables". De estos cuatro supuestos, el segundo y el tercero carecen de sentido para la investigación cualitativa (además de ser supuestos "falsos" sobre la realidad; véase Mehan y Wood, 1975), el cuarto *no es* un problema, y el primero va a depender de *quién* determine qué sea una variable, y *cómo*. Esta misma crítica se le puede hacer a la exhaustiva investigación de Jacob (1982), puesto que es el análisis de vías el marco general en el que se desarrolla, aunque emplee paralelamente procedimientos etnográficos.

Por último, una solución a esta cuestión que venimos comentando se encuentra en la diferenciación entre problemas que emanan directamente de una posición epistemológica, en cuyo caso el método debe reflejar la estructura epistemológica en la que se asienta la problemática; y problemas más generales, para los cuales la adscripción resulta innecesaria, en cuyo caso, el debate epistemológico implicará decidir metodológicamente si se realizan diseños mixtos por triangulación, imbricados, explicativos o exploratorios tal como señala Creswell (2003) coherentes con la problemática de origen ontológico cuantitativa o cualitativa, compartiendo y combinando técnicas cualitativas y cuantitativas (Bryman, 1982: 82-83).

Aunque evidentemente sea cierta, como decimos, la posibilidad de utilización conjunta de métodos ligados a perspectivas diferentes, y *alternativas*, ello es así no porque –como suponen Cook y Reichardt (1982)– no exista conexión "inherente", y los métodos, por lo tanto, se asocien indistintamente a los atributos de un paradigma o del otro. Si esto fuera verdad, carecería de sentido afirmar, como dichos autores hacen, que la posición paradigmática tiene su importancia, y que ciertos métodos "se hallan por lo común unidos a paradigmas específicos" (*ibíd.*, p. 37). Basta la sola consecuencia última para negar *todo* el antecedente.

Algunas cuestiones epistemológicas

Un tema recurrente en la literatura comparativa lo encontramos en la afirmación según la cual los métodos cualitativos son métodos esencialmente exploratorios, y como tales, fuentes de hipótesis, sugerencias e intuiciones, que el investigador cuantitativo, haciendo uso de sus métodos más *rigurosos* tratará de testar. Es decir, la aproximación cualitativa es preparatoria de la cuantitativa, más exacta; y de esta manera, lo cualitativo se ocupa exclusivamente del descubrimiento, mientras que lo cuantitativo de la verificación (Bryman, 1982: 84).

Un ejemplo de esta posición, bastante extendida, lo tenemos en Gage (1978: 82-83), quien afirma lo siguiente:

"Los investigadores «cuantitativos» pueden usar las intuiciones logradas a través del análisis etnográfico y lingüístico, i.e. del estudio intensivo de los significados ocultos y subjetivos de un fenómeno único [y] formular y observar fenómenos y variables que podrían de otro modo ser ignoradas... Pero los investigadores «cualitativos» deberían aceptar que sus datos son inadecuados para determinar el grado en que el fenómeno es *probable*. La cuestión de la probabilidad puede ser determinada sólo por el análisis de las frecuencias en una muestra de observaciones. Tal análisis requiere contar, muestrear, medidas no-ambiguas, y estadística".

Y concluye:

"Si el etnógrafo, cree observar que una clase de eventos parece causar otra, puede inferir solamente la posibilidad de que los dos eventos están conectados causalmente. Una base más segura para la inferencia inductiva de la conclusión sobre las relaciones causa-y-efecto se obtiene sólo a través del estudio de un número de eventos o fenómenos -un estudio que, por ello, llega a ser «*cuantitativo*»... El investigador cualitativo puede descubrir nuevos fenómenos y relaciones, o crear nuevas hipótesis. El investigador cuantitativo, puede testar, validar, o *justificar* mucho mejor las hipótesis" (*ibíd.*, p. 83).

Tras esta posición se esconden dos cuestiones muy problemáticas. Primero, si cada perspectiva opera dentro de un contexto distinto, esto significa, especialmente para el investigador cuantitativo, que la perspectiva interpretativa no sólo es poco válida para *justificar* sus supuestos, sino que no lo es en absoluto. Con ello se "minimiza" (Bryman, 1982: 85) y tergiversa la significatividad y propiedad del paradigma interpretativo *per se*. Sin embargo, como ha sido reconocido incluso por Cook y Reichardt (1982: 35), cada procedimiento y cada perspectiva "pueden servir a cada función" (Glaser y Strauss, 1967: 17-18). El diseño de investigación interpretativa, aun siendo una situación fundamentalmente de descubrimiento, es, a su vez, un ámbito de justificación: de las explicaciones que genera. En él se encuentran, en tanto que *diseño científico*, momentos de descubrimiento y momentos de verificación en un *continuum* fluctuante.

Segundo, lo que sí puede introducir una diferencia importante, es que la investigación cualitativa no está atrapada en la *retórica de la justificación* (Glaser y Strauss, 1967: 17) de la misma manera en que lo está la investigación cuantitativa; porque otra vez, y de nuevo, los criterios, el momento y las características de la verificación en general, que subyacen a sus principios epistemológicos básicos son **alternativos** y **divergentes** de los usados en la investigación cuantitativa. Dicho de otra manera, el hecho de que cada perspectiva abarque ambos contextos, no significa que ambas lo hagan de modo similar, como Cook y Reichardt (1982: 34) sugieren, y Campbell (1975: 99 y ss.) parece apoyar.

La interpretación que podemos encontrar en los trabajos de LeCompte y Goetz (LeCompte y Goetz, 1982; Goetz y LeCompte, 1984) de los criterios de fiabilidad y validez de la investigación etnográfica es una muestra ejemplar. La validez viene definida para estas autoras por la "precisión de los resultados científicos" (Goetz y LeCompte, 1984: 210) y la demostración de que "las proposiciones generadas, redefinidas o testadas armonizan (encajan) con las *condiciones causales* que se obtienen en la vida humana" (*ibíd.*, p. 220). La fiabilidad, por otro lado, se refiere a "la extensión con la cual los estudios pueden ser *replicados*" (*ibíd.*, p. 211): "Requiere que un investigador usando los mismos métodos pueda obtener los mismos resultados que los obtenidos en un estudio previo" (*ibíd., íd.*).

Es fácil comprobar que tal como son manejados por estas autoras, los criterios de fiabilidad y validez son entendidos al modo *estandar*, i.e. según la interpretación positivista-experimental al uso. Aunque es cierto que en alguna medida LeCompte y Goetz señalan ciertas diferencias entre la investigación experimental y la etnográfica, lo hacen justamente señalando los problemas que la última tiene para alcanzar los grados aceptables de fiabilidad y validez de la primera –como por ejemplo cuando se refieren a la fiabilidad en la investigación etnográfica como "problema heraclíteo" (1984: 211)–, pero en absoluto cuestionan si la manera en que la fiabilidad y la validez son concebidas por la perspectiva positivista es la adecuada para la investigación etnográfica: ¡lo dan por hecho!

En este momento, el problema ya no es ciertamente de confusión entre técnica y paradigma; por el contrario, la razón por la que esté ausente dicho cuestionamiento, no puede ser otra que el ignorar claramente las diferencias paradigmáticas, y adoptar como *modus rationandi*, no ya un "explícito paralelismo" como advierten Smith y Heshusius (1986: 7), sino mucho más grave, un isomorfismo epistemológico. El resultado no es otro que hacer de la investigación cualitativa "poco menos que una variación procesual de la investigación cuantitativa" (Smith y Heshusius, 1986: 7) y, con ello, borrar de un plumazo la posible y *necesaria* autonomía epistemológica de la primera. Por otro lado, la fiabilidad y la validez tampoco dependen sólo de la "finalidad a la que se hace servir un instrumento" o un diseño de investigación (Cook y Reichardt, 1982: 35) sino específicamente (hay que repetirlo de nuevo) del modo en que instrumento y diseño sean concebidos y, por lo tanto, estén sustentados en unos principios epistemológicos desde los cuales ambos traducen su sentido. De esta manera pueden ser también criticadas las interpretaciones altamente suavizadas que Cook y Reichardt (1982), realizan de otras cuestiones nominalmente paradigmáticas. Por ejemplo, dichos autores afirman: 1. que la perspectiva cualitativa "no tiene por qué limitarse a casos aislados", ni sus resultados son "menos generalizables" (*ibíd.*, pp. 37-38); 2. que los procedimientos cuantitativos también pueden medir los procesos sociales y que, por ello, este ámbito no es competencia exclusiva de los procedimientos cualitativos (*ibíd.*, pp. 34-35); 3. que los métodos cualitativos no son más holistas y los cuantitativos más particularistas (*ibíd.*, p. 36); 4. que la perspectiva cuantitativa no supone necesariamente una realidad estable (*ibíd., íd.*). Vamos a analizar una por una todas estas afirmaciones.

Capítulo 21

Tomemos la primera. Efectivamente la investigación interpretativa no se dedica en exclusividad al estudio de casos concretos, ni su poder de generalización, al no estar basado en muestras amplias, es menos evidente. ¿Qué la diferencia pues en este caso de la investigación cuantitativa? Pues *sencillamente*, la diferencia el modo en que es concebido el o los casos analizados y el modo en que se desarrolla la generalización. Con respecto a lo primero, la investigación interpretativa acepta que la realidad social estudiada, sea ésta cual fuere, es una entidad con características propias e idiosincráticas y que la comparación con otras realidades semejantes sólo es posible aceptando justamente dichas características *indéxicas*. De esta manera, la generalización no sólo no se basa en los mecanismos lógicos-estadísticos y de muestreo con los que, correcta o incorrectamente, funciona en la perspectiva cuantitativa, sino que además, no podría hacerlo concibiendo la realidad tal como lo hace.

Según la segunda afirmación, parece que tanto los métodos cualitativos como los cuantitativos, pueden analizar *si se lo proponen* los aspectos procesuales y terminales de un acontecimiento social y, por ello, unos no están mejor dotados que otros para hacerlo. Para sustentar esta afirmación Cook y Reichardt (1982) citan especialmente un trabajo de Hollister *et al.* (1982) en el que **cuantitativamente** se estudia el desarrollo de una innovación social (proceso) y se lo compara con su impacto (resultado). La única objeción que habría que hacer aquí es que, indudablemente, el análisis cuantitativo de un proceso es un análisis **cuantitativo**, pero de ninguna manera un estudio **cualitativo**. Esto quiere decir que estará mediatizado, como realmente lo está en el trabajo de Hollister *et al.*, por las exigencias del tratamiento cuantitativo: preespecificación de los indicadores, definición operacional de los mismos, utilización de cuestionarios (de forma exclusiva en este caso), tratamiento estadístico de los datos, etc. (*ibíd.*, pp. 206 y ss.).

Por ejemplo, en relación con la medición del proceso se afirma lo siguiente:

"Aún más importante que los datos de los resultados de posprograma, por lo que se refiere a nuestra capacidad de efectuar un análisis cuantitativo del proceso, es un 'Sistema de Información de Gestión' que comprende cuestionarios operacionales remitidos regular y periódicamente desde los diferentes emplazamientos del programa y contiene una considerable información sobre las características de los proyectos y la supervisión del trabajo así como información sobre las características y el rendimiento de los participantes dentro del programa... Los componentes del 'SIG' proporcionan una base de datos extremadamente rica para el análisis del efecto de las diferentes experiencias del programa de los participantes... sus elementos de datos pueden ser integrados en una sola observación para cada participante en el programa, proporcionando compendios cuantitativos de su experiencia" (Hollister *et al.*, 1982: 208).

Este modo de trabajar difícilmente puede ser aceptado por un investigador cualitativo. ¿Por qué? Porque desde luego estudiaría el proceso de otra manera, es decir, utilizaría otros procedimientos. Pero ¿por qué utilizaría otros procedimientos? (debemos continuar interrogando). Porque su comprensión de lo que es un proceso social y su acceso a la realidad, son diametralmente opuestos a los de un investigador cualitativo, i.e. son *epistemológicamente opuestos*. La cuestión no estriba en dudar de si la investigación cuantitativa está más o menos capacitada para analizar 'procesos' que la cualitativa, sino qué se entiende por proceso y, consecuentemente, cómo se lo estudia. ¡Y este es un principio diferenciador de orden paradigmático! Por lo tanto, Cook y Reichardt (1982) tienen razón, sólo en tanto se acepte que existe un único significado de "proceso", lo que resulta bastante difícil. En relación con la tercera afirmación, el debate puede ser desarrollado en términos muy parecidos a los que acabamos de utilizar. No creo que la discusión deba plantearse en la dicotomía holismo/particularismo, sino con más propiedad quizás entre holismo e individualismo metodológico (Brodbeck, 1963: 52 y ss). Es decir, no se trata de que los métodos cuantitativos tomen en consideración *toda la imagen* de una realidad (Cook y Reichardt, 1982: 36), y los cualitativos perciban también aspectos concretos ("particulares") de la misma; sino de cuál es la relación que el investigador establece entre parte y todo, i.e. cómo se contextualiza la parte en el todo.

Al contrario que un individualista metodológico, para un holista (independientemente de que dicho concepto me pueda parecer altamente problemático y confundente), el todo tiene un significado sobreañadido con respecto a la parte y, además, en su relación existe siempre un elemento de indeterminación; lo que significa que las propiedades de dicha relación no podrán ser totalmente percibidas, y la totalidad como totalidad emergente con respecto de sus partes (lo que Rock denomina "mundo social emergente) (1982: 37), poseerá propiedades indefinibles, o no definibles directamente a partir de sus partes aisladas. Traducida esta jerga a nuestro vocabulario, tenemos que el problema se centra en el modo inconcluso, no aditivo, en que el investigador cualitativo relaciona un hecho concreto con la totalidad contextual en la que ocurre y no en el hecho simple de que estudie partes y estudie totalidades. Lo mismo, pero a la inversa, se puede decir del investigador cuantitativo, para quien dicha relación es parcialmente conclusiva, y en tanto "causal", aditiva o "en cadena".

"[El empirista] mantiene que todos los términos tienen que ser en última instancia referidos a lo que es observable, directa o indirectamente, y

CAPÍTULO 21

que lo que observamos son gentes y sus características... el antiholista mantiene que la conducta *de* los grupos puede ser definida en términos de la conducta *en* los grupos" (Brodbeck, 1963: 53).

Por último, con respecto a la tercera afirmación, aunque es verdad que algunos diseños son más flexibles que otros (Cook y Reicherdt, 1982: 36), al menos, y en general, se necesita postular la estabilidad del "tratamiento" entre el pre y el postest, especificar sus pasos y asumir, *para generalizar*, la uniformidad de la naturaleza. Todas estas cuestiones, desde luego, atentan a la manera en que una investigación cualitativa asume la realidad como cambiante. De nuevo, no se trata de discutir términos, sino del significado que damos a los mismos, cómo concebimos las cosas y cómo actuamos en consecuencia. Y para entender esto, inevitablemente hay que colocarse en una u otra perspectiva paradigmática.

Del conocimiento cuantitativo versus cualitativo

Otro ámbito de debate, destacable por su propia importancia, lo encontramos en las relaciones que la perspectiva interpretativa y positivista mantienen a través de lo que puede ser denominado "confrontación conocimiento cualitativo/conocimiento cuantitativo" (Campbell, 1975). Desde sus formas más primitivas, la perspectiva positivista ha estado íntima e indudablemente asociada al conocimiento cuantitativo en particular y a la cuantificación de la realidad cognoscible en general (Campbell, 1975; Hamilton, 1980; Young, 1979). Apoyándose en la cuantificación, el conocimiento científico positivista ha creído disponer de una herramienta poderosa, que no sólo evitaba el peligroso sesgo de la subjetividad del investigador, i.e. permitiendo una visión objetiva de la realidad, sino que los modelos matemáticos empleados y el rápido desarrollo de los instrumentos y procedimientos de medida y análisis, generaban un conocimiento más exacto y penetrante.

De esta manera, como advierte Young (1979: 65), las "cualidades primarias" de la realidad, como extensión y movimiento, más fácilmente medibles y más fácilmente cuantificables, i.e. matematizables como variables, llegaron a sustituir en el interés del científico a las "cualidades secundarias", como "olor", "color", "sabor", etc. De esta manera, también la ciencia y la investigación científica se han visto atrapadas en lo que Siedman (1977) denomina *la mística de los números*.

"Nuestra búsqueda de la racionalidad científica y la evidencia factual nos ha llevado a una reverencia irracional por la autoridad de los números, raramente cuestionada. La cuantificación siempre ha estado de moda porque contar es confortable y la predicción clave para la cientificidad. Los números han parecido tangibles e innegables. Era inevitable, entonces, que preguntas como '¿en qué cantidad?' y '¿cuánto?' reemplazasen a preguntas sobre el '¿por qué?', como cuestiones clave del análisis" (*ibíd.*, p. 415).

Y añade: "Pero los números no son mágicos por sí mismos, y su 'objetividad' es una ilusión. Los números son producto de la gente que subjetivamente los recoge, los clasifica, los interpreta, y usa..." (*ibíd.*).

Sin embargo, sólo recientemente ha comenzado a ser reconocido que para la "percepción" correcta de la realidad cuantificada es necesario el concurso del conocimiento "cualitativo" y los aspectos interpretativo-subjetivos de nuestra cognición (Campbell, 1975, 1978; Cochran, 1978; Strauch, 1976; Cook y Reichardt, 1982; Toulmin, 1958, 1972).

En relación con esta problemática, resulta esclarecedor el estudio realizado por Strauch (1976) sobre la metodología cuantitativa. Este autor señala que en todo proceso de cuantificación se establece una relación entre un modelo formal matemático (que como sabemos es el que, definiendo cuantitativamente 'las variables', permite su medición) y el problema sustantivo que va a ser medido. En general, con respecto a los problemas en las ciencias naturales y en la ingeniería física, la relación entre uno y otro no plantea serias dificultades de ajuste, puesto que "la estructura y la lógica del problema y el modelo son la misma" (*ibíd.*, p. 123); en este caso el problema es cuantificado *rigurosamente*. "La identidad de estructura entre el modelo y el problema sustantivo significa que los resultados producidos por el análisis matemático del modelo pueden ser directamente interpretados como conclusiones sustantivas sobre el problema" (*ibíd.*, *íd.*) Pero en los problemas sociales, no puede sostenerse tal semejanza entre el problema real estudiado y el modelo matemático que lo representa; y ni siquiera es lícito hablar, en la mayoría de los casos, de problemas *razonablemente cuantificables*, sino de circunstancias altamente resbaladizas (*ibíd.*, *íd.*). "El modelo raramente casa de manera directa con el problema, ni la conclusión es una traslación sencilla de los resultados" (*ibíd.*, p. 124).

En estos casos, que son los normales cuando un investigador cuantitativo hace frente a una realidad social, como mediación entre el modelo y el problema, por un lado, y entre el resultado matemático y la conclusión, por el otro, se introduce un nivel *formal* intermediario (*ibíd.*, p. 125). Éste, ya sea como problema formal mismo o como conclusión formal, relaciona el aspecto material y cognitivo de la situación.

"Delinea las partes del problema señalables por el modelo, las asunciones que se formulan, las partes que se omiten, etc. Delinea también, la relación del modelo con el problema, describiendo y reafirmando quizás el modelo en términos sustantivos. De modo similar, la conclusión formal sirve de unión entre los resultados y las conclusiones... El problema formal y la conclusión formal no pueden ser identificados y separados explícitamente del modelo o problema correspondiente" (Strauch, 1976: 125).

Lo importante es que aún aceptando, como sugiere Strauch, que existan disciplinas fácilmente cuantificables, porque su objeto se adapta sin excesivos problemas (salvo los propios de la imaginación y creatividad humana, para el desarrollo de nuevos sistemas formales) a la formalización matemática, el objeto de las disciplinas sociales no, y se ha de recurrir, en estos casos, a representaciones formales intermedias, en el mejor de los casos, que relacionan y conexionan el nivel matemático con el nivel real. Sin embargo, es ahora cuando comienzan las dificultades para un investigador cuantitativo, pues como advierte Strauch (*ibíd.*, pp. 127 y ss.), no existen estándares objetivos en general por los cuales validar tales instancias intermedias; o dicho de otra manera, no existen estándares objetivos y sólidos por los que seleccionar una formalización intermedia con respecto a otra. Su validez va a depender directamente del juicio y habilidades del investigador o el teórico.

"El punto que separa los problemas rigurosamente cuantificables, de los que no lo son... es el hecho de que el rol del juicio en la conexión entre formulación e interpretación puede ser omitido en los primeros, pero no en los segundos. Las conclusiones alcanzadas tanto a nivel formal como sustantivo, permanecen fundamentadas en el juicio sustantivo del analista" (*ibíd.*, p. 127).

El lector debe percatarse que Strauch no afirma que el juicio, la intuición y el conocimiento tácito del investigador no intervengan en los casos en los que la realidad estudiada resulta fácilmente discernible a través de su formulación matemática. Por el contrario, el "rol del juicio" del investigador también está presente aquí, pero justamente porque la realidad y su descripción formal casan con más facilidad, los aspectos subjetivos y cualitativos de la cognición humana resultan obviables y prescindibles. En la misma tónica, pero desde una óptica más concreta, Campbell (1974) pondera aún aceptando implícitamente la superioridad "científica" de este último también la importante interrelación del conocimiento cualitativo y cuantitativo:

"El conocimiento cualitativo y de sentido común de totalidades y patrones aporta el contexto envolvente necesario para la interpretación de datos cuantitativos particulares... No sólo la ciencia depende del conocimiento de sentido común como el fundamento confiable para la elaboración de su esotérica instrumentación y cuantificación, sino que además muchos productos y logros de esta ciencia esotérica son validados transversalmente de modo accesible al sentido común...

Incluso entre los mismos científicos de laboratorio, esta validación transversal está en continuo uso y es un componente fundamental en la amalgama de identificaciones y expectativas que justifican sus rechazos como error de muchas de sus medidas (debidas a calibración deficiente, malas conexiones, o cualquier otro motivo)" (Campbell, 1974: 192).

En el mismo sentido se expresan Cook y Reichardt (1982: 46):

"La elección de un modelo estadístico que encaje con los datos, la interpretación de los resultados a que dé lugar y la generalización de los descubrimientos a otros entornos se hallan todas basadas en un conocimiento cualitativo. Muy simplemente, los investigadores no pueden beneficiarse del empleo de los números si no conocen, en términos de sentido común, lo que éstos significan".

Aunque la complementariedad, interacción y corrección mutua, mucho antes que por investigadores cuantitativos fue destacada por la fenomenología social (Schütz, 1962, 1964). Lo que la sabiduría cualitativa especialmente nos ayuda a advertir, utilizada como herramienta de análisis, es que el fenómeno de la cuantificación es un acontecimiento social en sí mismo y no sólo técnico (Cicuorel, 1964: 51 y ss.). Como afirma Cochran (1978: 364) "los datos son tanto descripciones de acontecimientos, como acontecimientos ellos mismos". Bogdan (Bogdan, 1980; Bogdan y Ksander, 1980) ha denominado "enumerología" precisamente al estudio cualitativo de la producción e impacto del conocimiento cuantitativo:

"Enumerología es el estudio de los procesos sociales a través de los cuales los números se generan, y el efecto de dichos procesos en la conducta y el pensamiento... Mientras otras perspectivas de investigación sugieren que contar es medir la realidad, la enumerología analiza la estadística como algo que construye realidad. Debe quedar muy claro que la enumerología está separada del campo de la estadística. La estadística aspira a contar mejor, con métodos precisos de agregación de datos y con estimación. La enumerología está dirigida a la comprensión de cómo la medición ocurre actualmente y su lugar en la vida diaria... (Bogdan y Ksander, 1980: 302; Bogdan, 1980: 411 y ss.).

Bogdan (Bogdan y Ksander, 1980: 302; Bogdan, 1980: 411 y ss.) ha destacado una serie de asunciones en las que la enumerología basa su análisis:

i.   No existen "estimaciones reales", ni "medidas reales".
ii. Singularizar categorías de personas, objetos, actividades, resultados y productos de organizaciones, o acontecimientos, con propósitos cuantitativos, cambia el significado de éstos.
iii. Contar, ya sea el número de personas en una categoría particular o el éxito de un programa de intervención social, tiene siempre una dimensión temporal.

iv. Contar, envuelve a muchos participantes en diferentes niveles sociales.
v. La razón por la que se cuenta, y quién inicia la cuantificación, afectan al significado, el proceso y las figuras generadas.
vi. Contar genera procesos sociales en el ambiente donde ocurre, en adición a, o más allá de las actividades directamente conectadas con la cuantificación.
vii. Las personas que producen datos en ambientes organizativos son sujetos de procesos sociales y fuerzas estructurales.
viii. La enumeración y sus productos tienen un componente afectivo y cualidades ritualistas en nuestra sociedad.

Desde luego, la gran mayoría de estas asunciones, bastante críticas ellas mismas, están más allá de la capacidad de aceptación incluso de los investigadores cuantitativos más temperados. No quisiera entrar a discutir detalladamente una por una, pero sí me gustaría detenerme en algunas de las más importantes. La primera asunción implica que los fenómenos sociales medidos sólo aparecen como tales mediciones, después de que *alguna actitud* haya sido adoptada hacia ellos (Bogdan y Ksander, 1980: 303), es decir, y según el análisis de Strauch (1976), hasta que no exista algún modelo que formalice el problema o la realidad. Una vez adoptado, el modelo constituye las dimensiones *científicas* y *cognitivas* (Strauch, 1976: 137) por las que percibimos. Dicho de otra manera, el o los sistemas de medición de una realidad, se convierten en sistemas de conocimiento de la misma, porque vehiculan un modo de representarla. En el peor de los casos, el modelo de cuantificación se convierte no simplemente en una "perspectiva" como otra de acceso a la realidad, y en este sentido se acepta su "representatividad" como aproximada y circunstancial (i.e. dependiendo de la teoría marco del investigador, de su experiencia, de sus posibilidades técnicas, etc.), sino en un sustituto dogmático de la misma (*ibíd.*, pp. 137-138).

"Se nos enseña que la manera de utilizar modelos, particularmente los matemáticos, es construir uno que capture los aspectos relevantes de un problema sustantivo, resolver entonces los problemas definidos por el modelo, y aceptar la solución como aplicable al problema. Haciendo esto, a menudo igualamos el modelo con el problema y ocultamos el hecho de que existe una gran diferencia entre ambos" (*ibíd.*, p. 139).

Detengámonos un momento aquí y veamos hasta dónde nos lleva esta cuestión. Como acabamos de decir, no existen *mediciones verdaderas*, porque todas se producen *mediacionalmente*, es decir, porque sólo son posibles a través de los modelos por los que representamos la realidad o las dimensiones del problema que investigamos. Dicho de otro modo, al depender las mediciones del modelo en el que se sustentan, sus resultados, i.e. el conocimiento que producen, y las inferencias y conjeturas que permiten, son conocimiento, conjeturas e inferencias *según* el modelo concreto que las origina. Por eso cuando un modelo se convierte en la realidad, es decir, la reemplaza y sustituye, nos encontramos con una situación sumamente grave. Al ser la relación de mediación entre modelo y realidad carente como afirma Strauch (*ibíd.*, pp. 137 y ss.) de justificación *lógica*, y, por lo tanto, convencional y arbitraria, la sustitución es ella misma una imposición dogmática.

"Los científicos e investigadores sociales y las administraciones, arbitrariamente eligen una dimensión de significado o desarrollan un conjunto de convenciones para alcanzar un método de construcción de puntuaciones reales, pero sea cual fuere éste, es un producto de las asunciones usadas y de los conceptos empleados y del proceso tal como se desarrolla. Afirmar que se poseen medidas verdaderas es afirmar la supremacía de una definición y un método sobre otros, y no debería ser confundida con la verdad en un sentido estricto" (Bogdan y Ksander, 1980: 303).

De esta manera, la enumerología nos alerta contra los peligros que se ciernen sobre la investigación de los problemas sociales, cuando todas estas condiciones concurren, es decir, cuando la cuantificación, asumida como "verdadera", "objetiva" e "independiente" se convierte en un procedimiento por el que un investigador impone su modo particular de ver las cosas y la realidad social, a expensas de otros modos de percibirla, y especialmente, desde nuestra concepción interpretativa, de cómo la ven los sujetos que la viven.

"La medición por *fiat* –afirma Leiter– no permite recoger el punto de vista del participante. La crítica no es tanto con los números *per se* como con el uso de éstos como sustitutos de la percepción del participante por la del investigador. Los números llegan a ser un método de imposición del sistema de medición del investigador sin haber estudiado el sistema de medida de los miembros de la sociedad investigada" (Leiter, 1980: 22).

Las restantes asunciones de la enumerología, al hilo de lo que estamos argumentando, me parecen sumamente significativas pues todas ellas nos acercan directamente a los aspectos sociales concretos de la cuantificación. Especialmente en la investigación social (aunque también lo mismo podría afirmarse de la investigación en general), el fenómeno de la cuantificación envuelve a muchos participantes y, por lo tanto, a muchas perspectivas e intereses en interacción (asunción 4.º) (Bogdan y Ksander, 1980). No sólo la cuantificación es patrimonio del técnico especializado, sino también de los destinatarios de los resultados; por lo mismo, el técnico no es el único que tiene acceso a las interpretaciones de los datos, sino que, en la complejidad socioestructural y económica en la que la mayoría de las investigaciones se desarrollan, las interpretaciones finales pueden depender de aquellos grupos que por su posición jerárquica hagan prevalecer sus interpretaciones como reflejo y confirmación de sus intereses particulares.

"La gente a diferentes niveles de una burocracia tiene diferentes interpretaciones en relación a la naturaleza de lo que están contando y de cómo realizarlo. A menudo, aquéllos que recogen los datos operan con diferentes principios de comprensión que aquéllos que los reciben" (Bogdan y Ksander, 1980: 305).

El problema es un tanto más enrevesado, porque los diferentes intereses que entran en juego no sólo dependen de una posición jerárquica más o menos generalizable, sino también de las expectativas y experiencias concretas, es decir, de las circunstancias concretas (geográficas, culturales, económicas, etc.) desde las que los sujetos comprenden e interpretan los datos (Trend, 1982; Bogdan y Ksander, 1980). Por otro lado, como señala Bogdan (1980), cualquier proceso de cuantificación genera procesos sociales en los ámbitos en donde se aplica. Dicho de otro modo, un modelo de cuantificación aplicado no sólo supone un modo de ver, sino que resulta en un modo de conducirse y actuar. Esto es así porque, como ya señalamos, el valor místico que incluso inconscientemente adquieren los números y los modos de contar de los que son resultado, se advierte en su determinación de lo que se llega a apreciar como algo valioso a alcanzar y la medida del éxito.

"Contar puede afectar a lo que es tomado como importante y significativo para hacer, y en qué actividades se considera valioso ocuparse. Introducir un esquema de evaluación por test estandarizados que se aplica antes y al finalizar el año académico, por ejemplo, puede cambiar las actividades durante ese año. El test puede llegar a ser algo central en las actividades organizativas de la escuela, tanto para los profesores como para los estudiantes" (Bogdan y Ksander, 1980: 305).

Como afirma Cochran (1978: 370), los datos, las mediciones, son herramientas para las personas y no algo estático. Como tales herramientas, son utilizadas para comprobar y determinar en la dinámica social en la que se encuentran inmersos, los fines y los objetivos de su acción. Esto último nos enlaza con la idea señalada por Bogdan, de que los investigadores son inevitablemente sujetos activos o pasivos de las fuerzas sociales y las condiciones estructurales (asunción 7ª) (Bogdan y Ksander, 1980: 306-307), en el sentido en el que los datos son parte de un contexto social, pertenecen a un grupo social concreto y sin la comprensión de ese contexto social de pertenencia no se puede entender en profundidad el proceso mismo de producción de los datos y con ello su incidencia, su poder y, en general, su capacidad de determinación. Estas tesis y afirmaciones permiten explicar cómo la medición ha cooptado el mundo de la vida desde intereses políticos y especialmente mercantiles al servicio del neoliberalismo imperante en la investigación, como ocurre con los test estandarizados en educación (Angulo, 1995; Grek, 2009, 2013; Hursh, 2013). La cuantificación legitima realidades y percepciones (Cochran, 1978: 371) y es foco, a su vez, de corrupción (*ibíd.*, p. 369). En ello el investigador no es una agente neutral, a cuyos productos se imponen intereses espurios, especialmente cuando sus afirmaciones pretenden *legitimar* la objetividad de su trabajo. Es en ese momento, en el que los resultados de su investigación, al pretender asumir una neutralidad científica y una verdad objetiva (de la que por principio carecen), recurriendo erróneamente a la impersonalidad de los procedimientos, deja la puerta abierta a que interpretaciones sesgadas de los mismos, apoyadas en el poder social del que vienen revestidas, suplanten y oculten otras alternativas.

Todo lo que acabamos de trabajar no debe ser interpretado como si tuviéramos por un lado datos y, por el otro, procesos sociales e intereses particulares que se montan sobre los primeros. Esta no puede ser bajo ningún concepto la conclusión a extraer de la crítica que la enumerología en concreto y el "conocimiento cualitativo", en general, realizan a la *cuantificación*. Cada modelo de cuantificación, cada sistema de medición es en sí mismo un modelo y un sistema de interacción con y de interpretación de la realidad, al que se suma el contexto sociocultural en el que ocurre. Por lo tanto, desde su mismo origen, la cuantificación es tanto una opción técnico-epistemológica, como una *actividad social* y *humana*.

Algunas conclusiones que resumen las ideas que hemos ido desbrozando a lo largo de este apartado pueden ser las siguientes:

1) La relación de complementariedad entre conocimiento cuantitativo y conocimiento cualitativo, recientemente reconocida por investigadores experimentalistas y especialmente a través de los métodos mixtos de investigación, ha de ser entendida de la siguiente manera: el conocimiento cualitativo es un componente *a priori* de la comprensión e interpretación del conocimiento cuantitativo. Esto significa que aunque el segundo puede llegar a corregir al primero (Campbell, 1975: 82-83), ello ocurre generalmente para casos muy concretos y técnicos. En general, el concurso del conocimiento cualitativo, i.e. del juicio subjetivo, intuiciones y conocimiento tácito del investigador, es una condición epistemológica tanto para la construcción de sistemas de cuantificación de la realidad, como para la interpretación de los mismos.

2) La aplicación del conocimiento cualitativo como herramienta de análisis para la comprensión de los fenómenos de cuantificación, nos advierte que estos últimos no son sólo procesos técnicos, sino procesos sociales determinados por las circunstancias sociales concretas en las que se producen y determinantes de nuevos modos de actuar, percibir y significar.

3) De las dos conclusiones anteriores en conjunto se deduce que no existen sistemas de cuantificación (al menos en las ciencias sociales) verdaderos

y objetivos, en cuanto que sistemas justificables única y exclusivamente por su eficacia lógica y operativa. En la justificación de un sistema concreto de cuantificación, entran inevitablemente componentes ideológicos, subjetivos y sociales. La aceptación de esto último asienta las bases de la desmitificación del poder determinante de la cuantificación.

La convergencia técnica y la divergencia epistemológica

Convergencia técnica

La convergencia, integración y utilización conjunta es conveniente, necesaria y realmente un hecho (Creswell, 2003, 2014; Creswell y Plano-Clark, 2007). En este sentido existe ya una serie de trabajos, en los que además de especular sobre los beneficios prácticos resultantes de tal convergencia (Zelditch, 1979; Trow, 1970; Campbell, 1974, 1975; Denzin, 1978; Cook y Reichardt, 1982; Greene, Caracelli y Graham, 1989; Creswell y Plano-Clark, 2007; Creswell, 2014), se explicitan los puntos metodológicos clave en los que se realiza, ponderando en cada caso las ventajas relativas (Vidich y Shapiro, 1955; Sieber, 1973; Myers, 1977; Trend, 1982; Jacob, 1982; Van Maanen, 1983; Downes y Ireland, 1983). Sin embargo, en todos estos trabajos, y especialmente en aquéllos propiamente metodológicos, destaca por encima de cualquier otro el nivel de argumentación que denominamos técnico. Efectivamente, las características citadas, en las que los beneficios de la integración resultan evidentes, son todas ellas características técnicas cuyo objetivo no es otro que reforzar y aumentar la eficacia operativa de la investigación.

Sieber (1973) clasifica la contribución y enriquecimiento mutuo en tres apartados: diseño, recogida de datos y análisis. Para cada uno de ellos señalan una serie de ventajas, según sea de una perspectiva a otra, y viceversa. Concretamente, entre las contribuciones que los métodos cualitativos (el trabajo de campo) aportan a los cuantitativos (análisis de muestras) en el proceso de recogida de información destacan las siguientes:

- Mejora los instrumentos, haciéndolos más sensibles a las categorías conceptuales de los sujetos.
- Mejora su administración, ya sea por la familiaridad con el contexto adquirida por el investigador o bien porque su labor es reconocida y *legitimada* por los sujetos investigados, consiguiendo mayor significatividad en las respuestas.

Por otro lado, lo cuantitativo enriquece a lo cualitativo, según estos autores, aportando información de aquellos sujetos que el investigador haya podido pasar por alto inadvertidamente en el trabajo de campo; evitando el *sesgo de élites* (es decir, aquél que se produce cuando el investigador cualitativo al ser introducido en el ambiente a investigar por sujetos con mayor estatus («*gatekeepers*»), se basa en éstos como fuente casi exclusiva de datos); u orientando un nuevo período de trabajo de campo por el análisis cuantitativo previo. Por otro lado, existe otra característica que los unifica: de un modo explícito (por ejemplo en Jacob, 1982, Downes y Ireland, 1983), o, por el contrario, implícitamente (como por ejemplo en Zelditch, 1962; Campbell, 1974, 1975; Cook y Reichardt, 1982; Vidich y Shapiro, 1955; Sieber, 1973), la *perspectiva de base* desde la cual se realiza el esfuerzo de integración en los ejemplos utilizados es la cuantitativa. ¿Qué significa ésto? Pues que además de que el nivel técnico de discusión es el más apropiado y el único posible para plantear sin confusión esta problemática, la propia discusión no puede realizarse sin la perspectiva en la que el investigador ha sido socializado y que es con la que accede al problema y desde la que lo interpreta y formula sus conclusiones.

Puesto de otra manera: el diálogo técnico entre "metodologías" es un diálogo correcto y posible, siempre que se mueva en ese ámbito. Pero a su vez, sólo es realmente posible desde una perspectiva determinada en la que el investigador se encuentre *epistemológicamente*, o se muestre inclinado. Es decir, aunque parezca superficialmente que se está llevando a cabo un diálogo entre metodologías alternativas, intentando convertirlas en metodologías complementarias y mixtas, y convergentes técnicamente, lo que de verdad se hace es una adaptación, apropiación y corrección de característica y estrategias metodológicas en bien de la *eficacia técnica*. Lo interesante, y lo lógico, es que dicha apropiación o, si se quiere, traducción, sería imposible o cuando menos caótica, si no tuviera el investigador que la realiza una perspectiva epistemológica básica como columna vertebral de sus argumentaciones y de la investigación concreta en donde se plasma. En conclusión: la *convergencia técnica* es factible siempre que se produzca a través de la mediación de un paradigma concreto, que sirve de traductor o significador de la integración.

Divergencia epistemológica

El concepto de divergencia epistemológica significa e implica que es absolutamente erróneo confundir las posibilidades fácticas, técnicas y pragmáticas de integración con la inexistencia de discrepancias paradigmáticas (i.e. epistemológicas) profundas. Es decir –y como ya hemos repetido a lo largo de todo este capítulo– entre la perspectiva experimental (cuantitativa) y la perspectiva interpretativa (cualitativa) existen divergencias de peso, divergencias que se reflejan en modos alternativos de entender el trabajo racional y la investigación en su conjunto; divergencias, en fin, de orden epistemológico y ontológico (Vasilachis de Gialdino, 2006), que hace difícil, si no imposible su integración a este nivel. Por otro lado, el que exista divergencia epistemológica *no es obstáculo* para que la convergencia técnica funcione y rinda sus frutos. De modo no trivial, la primera es la *conditio sine qua non* de la segunda.

De todo ello me parece que es posible extraer dos importantes consecuencias. En primer lugar, el debate, el diálogo y la confrontación epistemológica, a pesar de todas sus posibles dificultades, es de absoluta necesidad para el desarrollo del conocimiento científico en ciencias sociales y, especialmente, para aquellos investigadores comprometidos con la perspectiva interpretativa y cualitativa. Este diálogo no puede ser abandonado o menospreciado por los investigadores como pretenden Miles y Huberman (1984). Dejar el debate a otros (ya sean estos filósofos de la ciencia o epistemólogos) por razones como la de que la "pureza epistemológica no produce investigación" (*ibíd.*, p. 21) o porque "es necesario desarrollar todavía rigurosas estrategias y procedimientos de investigación" (*ibíd.*, p. 20), tal como señalan dichos autores, no sólo hace peligrar la autonomía epistemológica de la perspectiva interpretativa, sino que convierte en general a la investigación en mera tecnología, como pretenden los popperinanos más cualificados (Radnitzky, 1978). Parafraseando una expresión de Siedman (1977), convertir la metodología en mera tecnología de la investigación, anulando o despreciando el nivel de discusión epistemológica, es sustituir las preguntas por el "por qué", por preguntas por el "cómo". Del mismo modo que Becker (1970) advertía que la metodología es demasiado valiosa para dejarla en manos de los metodólogos, la discusión epistemológica de los principios metodológicos también lo es para que la abandonemos en manos de filósofos ociosos u otros "pensadores", esperando que resuelvan eventualmente nuestros problemas (Smith y Hesusius, 1986). Ésta es una cuestión que los mismos investigadores neopositivistas han sabido explotar. Por ejemplo, Campbell entre otros, además de contribuir poderosamente al progreso de la perspectiva experimental, no han abandonado nunca la discusión epistemológica y ésta se ha beneficiado siempre del análisis concreto de la práctica de investigación (Campbell, 1975, 1978; Campbell y Stanley, 1963; Cook y Campbell, 1979; Cronbach, 1957, 1975, 1980; Alvira *et al.*, 1981). Ésta es una enseñanza que los investigadores interpretativos y cualitativos no pueden permitirse el lujo de desoír.

Referencias

Althusser, L. (1967). *Curso de filosofía para científicos*. Barcelona: Laia (1975).

Alvira, F. *et al.* (Comps.) (1980). *Los dos métodos de las ciencias sociales.* Madrid: CIS.

Angulo, J. F. (1991). ¿Es necesaria la explicación causal en la investigación social y educativa? *EuroLiceo, 3,* 79-86.

Angulo Rasco, J.F. (1995). La evaluación del sistema educativo: algunas respuestas al por qué y al cómo. En AA.VV., *Volver a pensar la educación*, Vol. II (pp. 194-219). Madrid: Morata.

Becker, H.S. (1970). *Sociological work. Method and substance.* Chicago: Aldine Publihsing.

Becker, H.S. y Geer, B. (1970). Participant observation and interviewing: a comparison. En W. J. Fieldstead, *Qualitative methodology* (pp. 133-142). Chicago: Rand McNally.

Berger, L. y Kellner, H. (1981). *La reinterpretación de la sociología*. Madrid: Espasa-Calpe, 1985.

Bogdan, R.C. (1980). The soft side of hard data: Education statistic as a human process. *Phi Delta Kappan, 61*, february, 411-412.

Bogdan, R.C. y Ksander, M. (1980). Policy data as a asocial process: a Qualitative approach to quantitative data. *Human Organization, 39* (4), 302-309.

Brodbeck, M. (1963). Methodological Individualism: Definition and reduction. En M. Brodbeck (Ed.) *Readings in the philosophy of social sciences* (pp. 40-66). New York: MacMillan.

Bryman, A. (1982). The debate about quantitative and qualitative research: A question of method or epistemology? *The British Journal of Sociology, XXXV* (1), 75-92.

Campbell, D.T. (1975). Grados de libertad y el estudio de casos. En T.D. Cook y C. S. Reichardt (Eds.) (1982), *Métodos cualitativos y cuantitativos en investigación evaluativa* (pp. 80-104). Madrid: Morata.

Campbell, D.T. (1978). Qualitative knowwing in action research. En E.R. House *et al.* (Eds.) (1986). *Evaluation Series Review Annual*. V. 7. (pp. 117-128). London: Sage.

Campbell, D.T. y Stanley, J.C. (1963). *Diseños experimentales y cuasi-experimetnales en la investigación social*. Buenos Aires: Amorrortu.

Cicourel, A.V. (1964). *El método y la medida en sociología*. Madrid: Editora Nacional, 1982.

Cochran, N. (1978). Grandma Moses and the "corruption of data". *Evaluation Quarterly, 2* (3), 363-373.

Cook, T.D. y Campbell, D.T. (1979). *Quasi-experimentation: Design and analysisis issues for field settings*. Chicago: Rand McNally.

Cook, D.T. y Reichardt, C. S. (1982). Hacia una superación del enfrentamiento entre los métodos cualitativos y los cuantitativos. En T.D. Cook y C. S. Reichardt (Eds.), *Métodos cualitativos y cuantitativos en investigación evaluativa* (pp. 25-57). Madrid: Morata.

Creswell, J. W. (2003). *Research design. Qualitative, quantitative, and mixed methods approaches*. Thousand Oaks: Sage.

Creswell, J. W. (2014). *Educational research: Planning, conducting, and evaluating quantitative and qualitative research* (3rd ed.). Upper Saddle River, NJ: Pearson Publishing.

Creswell, J. W. y Plano-Clark, V. L. (2007). *Designing and conducting mixed methods research*. Thousand Oaks, CA: Sage.

Cronbach, L.J. (1957). Lad dos disciplinas de la psicología científica. En F. Alvira *et al.* (Comps.) (1980), *Los dos métodos de las ciencias sociales* (pp. 93-121). Madrid: CIS.

Cronbach, L.J. (1975). Más allá de las dos disciplinas de la psicología científica. En F. Alvira *et al.* (Comps.) (1980). *Los dos métodos de las ciencias sociales* (pp. 253-280). Madrid: CIS.

Cronbach, L.J. (1980). Validity on parole: can we go straight?. *New directions for testing and measurement, 5*, 99-108.

Chruchill, L. (1971). Ethnomethodology and measurement. *Social Forces, 50*, 182-191.

Denzin, N. (1978). *The research act: A theoretical introduction to sociological methods*. New York: McGraw-Hill.

Downes, H.K. y Ireland, R.D. (1983). Quantitative versus qualitative: environmental assessment in organization studies. En J. Van Maanen (Ed.), *Qualitative Metholodogy* (pp. 179-190). London: Sage.

Di Silvestre, C. (2008). Metodología cuantitativa versus metodología cualitativa y los diseños de investigación mixtos: conceptos fundamentales. Departamento de Salud Pública y Epidemiología, Facultad de Medicina, Universidad de los Andes. Recuperado el 25 de abril de 2010, de: [http://www.anacem.cl/wp-content/uploads/2008/07/metodologia-cuantitativa-versus-cualitativa.pdf].

Gage, N.L. (1978). *The scientific basic of the art of teaching*. New York: Teacher College Press.

Goetz, J.P. y LeCompte, M.D. (1984). *Ethnopraphy and qualitative design in educational research*. New York: Academic Press.

Glaser, B. y Strauss, A.L. (1967). *The discovery of grounded theory. Strategies for qualitative research*. New York: Aldine Publish.

CAPÍTULO 21

Greene, J., Caracelli, V. y Graham, W. (1989). Toward a conceptual framework for mixed-method evaluation desings. *Educational Evaluation and Policy Analysis, 11* (3), 255-274.

Grek, S. (2009). Governing by numbers: the PISA "effect" in Europe. *Journal of Education Policy, 24* (1), 23-37. DOI: 10.1080/02680930802412669

Grek, S. (2013). Expert moves: international comparative testing and the rise of expertocracy. *Journal of Education Policy*, 28 (5), 695-709. DOI: 10.1080/02680939.2012.758825

Hamilton, D. (1980). La investigación educativa y las sombras de Francis Galton y Ronald Fisher. En W.D. Dockrell y D. Hamilton (Eds.), *Nuevas reflexiones sobre la investigación educativa* (pp. 183-203). Madrid: Narcea.

Hernández Sampieri, R.; Fernández Collado, C. y Baptista Lucio, P. (2010). *Metodología de la investigación.* México: Mc Graw Hill.

Hursh, D. (2013). Raising the stakes: high-stakes testing and the attack on public education in New York. *Journal of Education Policy*, 28 (5), 574-588, DOI: 10.1080/02680939.2012.758829.

Jacob, E. (1982). Combining ethnographic and quantitative approaches: Suggestions and examples from a study on Puerto Rico. En P. Cilmore y A. Clatthom (Eds.), *Children in and out of school: Ethnography and education* (pp. 124-147). Washington, DC: Center for Applied Linguistics.

Jacob, E. (1987). Traditions of qualitative research: A review. *Review of Educational Research, 57,* 1-50.

LeCompte, M. D. y Goetz, J.P. (1982). Problems of reliability and validity in ethnographic research. *Review of Educatinal Research, 52* (1), 31-60.

Leiter, K. (1980). *A primer on ethnomethodology.* Oxford: Oxford University Press.

Mehan, H. y Wood, H. (1975). *The reality of Ethnomethodology.* Florida: Robert E. Krieger.

Miles, M.B. y Huberman, A.M. (1984). *Qualitative data analysis: A sourcebook of new mothods.* London: Sage.

Myers, V. (1977). Towards a systhesis of ethnographic and survey methods. *Human Organization, 36* (3), 244-251.

Radnitzky, G. (1978) Los límites de la ciencia y de la tecnología. *Teorema, 8* (3), 229-261.

Rock, P. (1982). Symbolic interaction. En R.B. Smith y P. K. Manning (Eds.), *Qualitative Methods. Handbook of Social Science Methos. V. 2.* (pp. 33-47). Cambridge, Mass: Bullinger.

Sieber, S. D. (1973). The integration of fieldwork and survey methods. *American Journal of Sociology, 78* (6), 1335-1359.

Siedman, E. (1977). Why not qualitative analysis? *Public Management Forum,* July/ August, 415-417.

Smith, J.K. y Heshusius, L. (1986). Closing down the conversarion: The end of the qualitative-quantitative debate among educatinal inquirers. *Educational Researcher, 15* (1), 4-12.

Strauch, R.E. (1976). A critical look at quantitative methodology. *Policy Analysis, 2,* 121-144.

Tashakkori, A. y Teddlie, C. (Eds.) (2010). *Sage Handbook of mixed methods in social and behavioral research* (2nd ed.). Thousand Oaks, CA: Sage.

Toulmin, S. (1958). *The uses of argument.* London: Cambridge University Press.

Toulmin, S. (1972). *La comprensión humana. 1. El uso colectivo y la evoluación de los conceptos.* Madrid: Alianza, 1977.

Trend, M.G. (1982). Sobre la reconciliación de los análisis cualitativos y cuantitativos: un estudio de casos. En T. D. Cook y C. S. Reichardt (Eds.) *Métodos cualitativos y cuantitativos en investigación evaluativa* (pp. 105-130). Madrid: Morata.

Trow, M. (1970). Comment on "Participant observation and interviewwing: a comparison". En W. J. Fieldstead, *Qualitative Methodology* (pp. 164-173). Chicago: Rand McNally.

Van Maanen, J. (Ed.) (1983). *Qualitative methodology.* London: Sage.

Vasilachis de Gialdino, I. (2006). La investigación cualitativa. En I. Vasilachis de Gialdino (Coord.), *Estrategias de investigación cualitativa* (pp. 23-64). Barcelona: Gedisa.

Vidich, A.J. y Shapiro, G. (1955). A comparison of participant observation and survey data. *American Sociological Review, 20* (1), 28-33.

Wilson, S. (1977). The use of tehnograhic techniques in educational research. *Review of educational research, 47* (1), 245-265.

Young, R.M. (1979). Why are figures so significant? The role and the critique of quatification. En J. Irvine, I. Miles y J. Evans (Eds.), *Desmitifying social statistics* (pp. 63-74). London: Pluito Press.

Zelditch, M. Jr. (1979). Some methodological problems of field studies. En W. J. Fielstead (Ed.) (1970) *Qualitative methodology* (pp. 217-231). Chicago: Rand McNally.

CAPÍTULO 21

CAPÍTULO 22

¿Existe causalidad en la investigación social y educativa?

José Félix Angulo Rasco

> *"Causalidad: la relación que existe entre un mosquito y una picadura de mosquito. Fácilmente entendible por ambas partes, pero nunca definida satisfactoriamente por filósofos y científicos".*
> M. Scriven

En este trabajo pretendo plantear, desde un punto de vista interpretativo, el siempre difícil –pero interesante– problema de la explicación causal. Creo que tengo dos razones que justifican este deseo: primero, para la lógica de la experimentación, las inferencias y las proposiciones causales son unos de sus resultados más prestigiosos. Segundo, suele ser un planteamiento bastante común, entre algunos experimentalistas con cierta sensibilidad "cualitativa" y de algunos cualitativos con sensibilidad "experimental", afirmar la importancia de dos tipos de explicaciones, una la interpretativa (por comprensión) y la otra la explicación causal, paralelas e igualmente necesarias en las ciencias sociales. No estoy muy seguro de si podré dar una respuesta razonable e inteligente a la pregunta que encabeza este capítulo, pero estas dos situaciones de la práctica epistemológica, me parece que requieren que se intente.

Strike, en un excelente trabajo (1972) en el que indaga la fuerza epistemológica de la obra de Max Weber, señala que el mayor mérito de la doctrina de la *comprensión* tal como Weber la diseñó, está en el reconocimiento de dos tipos de cuestiones distintas (*ibíd.*, p. 37) que dicha doctrina deslinda:

1. ¿es R la explicación de A?
2. ¿R justifica A?

Según Weber (argumenta Strike), el primer tipo de cuestión es una interrogación causal que pregunta "si es el caso que A fue hecho a causa de R", o, puesto de otra manera, si "R causa A". Este tipo de interrogaciones sólo pueden ser respondidas a través de la confirmación empírica de "posiciones de probabilidad" (*ibíd.*, p. 35). Sin embargo, el segundo tipo de cuestiones son del todo diferentes. En este caso, al contrario que en el anterior, lo que se demanda es "la determinación de si la acción o su *racionalidad* presenta criterios aceptados de evaluación" (*ibíd.*, p. 36) para lo cual se formulan interrogaciones como la siguiente: "¿fue hecha la acción correctamente? ¿fueron buenas las razones?" (*ibíd.*). Mientras que el criterio de evaluación pedido implícitamente en la primera pregunta es la adaptación a una norma, el criterio de la segunda es su conformación con principios ético-morales, o de otro tipo, más generales. Es como si dijéramos que en la primera se interroga por la correcta aplicación de una norma y en la segunda por el valor que subyace a dicha norma. En este sentido Strike (1972) afirma lo siguiente: "decidir si una razón justifica una acción es más la determinación de la validez de un argumento que la verificación empírica de una generalización" (p. 36).

Y concluye la primera parte descriptiva de su trabajo indicando que lo que Weber mantiene es que "el hombre se conduce por razones, que las razones tanto explican como justifican acciones, y que si una razón explica o si justifica son cuestiones diferentes. Subsumir una acción bajo leyes empíricas es explicarla, mientras que verla como autorizada por razones aceptables es comprenderla" (*ibíd.*, p. 37).

Según esto, para Strike, la explicación en términos generales de un "hecho social" conlleva o permite ambos tratamientos, i.e. explicarla "causalmente" por leyes empíricas y explicarla "comprensivamente" por razones.

La parte final del párrafo anterior citado, nos retrotrae al problema de la explicación causal como subsunción a leyes empíricas (tal como se anuncia en la lógica de la experimentación), que es la primera razón por la que planteaba esta reflexión. Por ahora, y aquí, me interesa abordar solamente la afirmación de que frente a un mismo hecho social es admisible tanto un tipo como otro de explicación "diferentes" pero igualmente importantes y, en algún sentido, no trivial *complementarias*.

Lo que intentará mi contraargumentación será demostrar que una explicación causal tergiversa o no contribuye al entendimiento inteligible de los acontecimientos sociales en su propia cualidad social. Veámoslo.

Según yo lo veo, caben dos posturas respecto a los dos tipos de cuestiones delineadas por Strike, que niegan su propuesta. Una, que ambas son, efectivamente como Strike afirma, distintas, pero además indiferentes, i.e. ni paralelas, ni complementarias. Dos, que la primera es dependiente de la segunda y, por lo tanto, que de nuevo, su respuesta es también "indiferente", no añade nada "esencial" a la explicación interpretativa.

Para aclararlo veamos un ejemplo muy simple: "El cuadro se cayó porque Juan cerró la puerta con mucha fuerza". De la manera en la que Strike lo plantea, el ejemplo puede ser desdoblado en los tipos de cuestiones siguientes:

a) La causa de la caída del cuadro fue la fuerza con la que la puerta se cerró (en el tiempo t). Prescinda el lector de otras causas concomitantes como que el cuadro estaba mal clavado, que la pared estaba mal construida y otras por el estilo, y suponga, en nuestro interés, que la relación entre "caída del cuadro" y "cierre de la puerta con fuerza" es directa; en sentido de que mientras no se cierre la puerta así, no se caerá el cuadro como cayó.

b) La razón por la que Juan cerró la puerta con mucha fuerza, está en que se sentía terriblemente molesto con Pedro, a propósito de unos comentarios de este último sobre su mujer y su virilidad.

Desde luego A y B son explicaciones distintas. Está claro que la A nos remite a la ley física de la gravedad, y la B a la comprensión, es decir, nos remite al mundo de significados establecidos entre Juan y Pedro. En este caso, tendríamos que conocer, por ejemplo, que Pedro es jefe de Juan y hasta entonces su mejor amigo; que Pedro mantiene relaciones sexuales con la mujer de Juan, aunque está casado; que Juan está pasando por un período delicado de su vida y que hace un mes conoció a Antonio, un homosexual, con quien aunque no ha mantenido relaciones sexuales se encuentra muy a gusto.

A mí me parece que, puestas así las cosas, además de distintas, las dos cuestiones no son complementarias, ni siquiera paralelas en cuanto a su valor explicativo tal como Strike sugiere, si no indiferentes una con respecto de la otra. Además, esta afirmación tiene más peso, porque en nuestro ejemplo, coinciden un acontecimiento social y otro natural: el cierre de la puerta por Juan y la caída del cuadro.

Hay que añadir que desde otro punto de vista A es dependiente de B, no sólo porque si Pedro no hubiera hecho ciertos comentarios el cuadro no se hubiera caído, sino porque el comprender plenamente la situación, es enteramente dependiente de B y una explicación tipo A no añade nada, que, a su vez, es indiferente a la fuerza de gravedad, a la resistencia y elasticidad y los materiales que componen la pared y a la fuerza con la que la puerta fue cerrada.

Quizás el lector pueda acusarme de utilizar aviesamente un ejemplo muy sesgado. Pero, por ejemplo, Alvira (1982) asumiendo un planteamiento muy parecido al de Strike, afirma lo siguiente:

"Puede que sea deseable que explicación (relación natural) y comprensión (relación de significado) vayan juntas, pero debe señalarse que no siempre es así. A veces cabe explicar un acto sin entenderlo (ejemplo, cómo muere un hombre por el efecto de una bala), y *sensu contrario*, cabe entender una actividad sin poder explicarla causalmente" (p. 37).

Podríamos substituir nuestro ejemplo, perfectamente, por el que ofrece Alvira (Pedro murió por el impacto directo en el corazón de una bala disparada por Juan con una pistola del nueve corto), y la argumentación no mejoraría. No obstante, el párrafo de Alvira es ilustrativo en otro sentido. Si entiendo bien lo que dice, por un lado tenemos un tipo de explicación que él llama causal, y que es una relación natural y, por el otro, una explicación interpretativa, que obedece a una relación de significado y es social. Leído esto, no hace más que confirmar lo que acabamos de decir: en el caso de que tengamos la cuestión del tipo A, ésta es causal en tanto que relación natural; en el caso de que tengamos la del tipo B, ésta es por comprensión, en tanto que es una relación social. Mientras que la primera es física, la segunda es claramente social. Ambas son, por lo tanto, indiferentes; en todo caso, la primera sería competencia de un forense: ¿murió realmente Pedro por impacto de la bala?; y la segunda de un criminólogo o de un sociólogo: ¿por qué disparó Juan matando a Pedro? Ninguna añade nada a la otra y, en todo caso, si es un investigador social el que estudia el acontecimiento, el hecho de que fuera la bala la que ocasionó la muerte, sería tomado éste como un dato, un dato más, pero no como la *explicación causal* dentro de su intento por comprender dicho acontecimiento social.

Pero a pesar de todo, la cita de Alvira nos trae a colación una idea que merece una mayor consideración: las explicaciones causales enuncian relaciones naturales. Éste parece ser el planteamiento implícito en la teoría de la causalidad de Cook y Campbell (1979). Sobre ella afirman expresamente lo siguiente:

"La perspectiva es realista porque asume que las relaciones causales existen fuera de la mente humana y es crítico-realista porque asume que dichas relaciones causales válidas no pueden ser percibidas con total exactitud por nuestras capacidades intelectivas y nuestro sistema sensorial imperfecto" (pp. 28-29).

De este párrafo me gustaría enfatizar especialmente una frase: *fuera de la mente humana.* ¿Qué significa? Bueno, en el sentido en el que Alvira plantea las explicaciones causales, una relación causal fuera de la mente humana, i.e. independiente de ésta, es una relación natural.

Para evitar equívocos al lector quiero proponer la siguiente cuestión: supongamos que aceptamos explicaciones causales como relaciones naturales entre hechos sociales. Aceptada esta posibilidad, preguntemos qué realidad social encontramos en verdad si aplicamos correctamente todo el sistema lógico metodológico que Cook y Campbell desarrollan tanto para evitar como para potenciar las inferencias causales. Como aquí no voy a repetir estos criterios, voy a contestar a nuestra pregunta sin necesidad de desarrollar toda la argumentación en la que se apoya Cook y Campbell (1979). Para ello voy a citar un extenso párrafo de Hultsch y Hickey (1978) en donde, pormenorizadamente, desbrozan los supuestos, que ellos denominan metateóricos, de la teoría de la causalidad de Cook y Campbell (1979).

"La visión de la validez de las inferencias desarrolladas por Cook y Campbell es útil. Sin embargo, es cierto también que está enraizada en una orientación metateórica particular... La perspectiva desarrollada por Cook y Campbell es lógica sólo si se hacen ciertas asunciones consistentes con una visión mecanicista del mundo... Esta perspectiva metateórica asume que el organismo es una colección de elementos. Como tal, la totalidad es predecible de la suma de las partes. El análisis de los elementos se basa en el descubrimiento de relaciones antecedentes-consecuentes, i.e. relaciones causales. Causa y efecto son vistas como sosteniéndose en una relación asimétrica una con la otra: la causa es activa. Es decir, el efecto es estrictametne dependiente de la causa. Finalmente, se presupone que la causa es lineal, es decir, causa y efecto están en una relación única una a la otra, de tal manera que una causa particular resultará en un efecto particular" (Hultsch y Hickey, 1978: 84).

Así pues, la textura de la realidad en general, y de la realidad social en particular, inherente a la teoría de Cook y Campbell, es una visión mecanicista en la que para explicarla se exige: 1) establecer relaciones antecedente-consecuente; 2) unidireccionales; y 3) lineales. Esto encaja con el positivismo de Mill (1843a, 1843b) y con un sentido de causa que Hanson (1971-58) llama *de cadena*.

Ahora podemos convenir en que "fuera de la mente humana" y "relación natural" referidas a las explicaciones causales, invocan automáticamente la necesidad de asumir, directa o indirectamente, una visión mecanicista, "en cadena", de los acontecimientos. Por lo tanto, tenemos que no sólo la explicación causal y la explicación interpretativa son indiferentes, sino que además son antagónicas. Difícilmente pueden conformarse equitativa y rectamente estas dos concepciones tan contrapuestas en cuanto a su modo referencial, para una misma realidad.

Pero no quisiera dejar pasar otra crítica a la explicación causal que venimos comentando que, aunque más metodológica, no es menos importante. Me refiero a la crítica radical que, desde presupuestos etnometodológicos, realizan Mehan y Wood (1975):

"Los modelos requieren conceptos definidos literalmente. Medidas literales... especifican una categoría o clase e identifican propiedades que los objetos tienen que poseer en orden a ser incluidos en dicha clase. Las medidas literales requieren que los fenómenos sean tratados conforme a la *ley del tercero excluso* y a la *ley de la identidad*. Los eventos sociales no son estructuras de eventos causales, ni son dóciles a las descripciones literales... Buscar la causa para la conducta (de los sujetos) requiere la asunción de que se experiencia el mundo a través del uso de conceptos definidos literalmente... Pero las personas no usan los conceptos o hablan entre ellas en conformidad con la ley del tercero excluso y de identidad. Esto no significa que la gente sea irracional, sino que son racionales de una manera incompatible con los requerimientos de la descripción literal. Los objetos no despliegan propiedades constantes y estables. Los acontecimientos significativos del mundo fluyen... La ley de la identidad no es aplicable a cada vida, puesto que, de acuerdo con dicho principio lógico, cada mundo tiene que significar lo mismo para cada persona. Como los significados no presentan los cánones de la lógica, se transforman en descripciones literales, que sí son manejables por modelos causales; pero no (representan) la vida diaria de los sujetos" (pp. 64-66).

La explicación causal, una vez llevada al trabajo práctico del investigador, le exige a éste que utilice *conceptos definidos literalmente*, a través de definiciones operacionales u otra estipulación semejante, para poder emplear los instrumentos adecuados y obtener *medidas literales* de los acontecimientos a los que dichos conceptos se refieren. Estas exigencias entrelazadas presuponen uniformidad de significados, i.e. uniformidad (o al menos semejanza) de experiencias y realidad. Es como si creyéramos que el concepto de "guerra" es equivalente semánticamente o su significado es el mismo sustancialmente para un militar que para un pacifista o el concepto amor el mismo para un sacerdote católico que para una prostituta (aun cuando pueda existir comunicación entre ellos, mientras no se aborden aspectos concretos y centrales de dichos conceptos). Esto no sería ni más ni menos, como Mehan y Wood sugieren, que reducir la realidad social de dichos conceptos a la realidad abstracta en cuanto uniforme, general y hasta cierto punto arbitraria de un diccionario. ¡Y de hecho el empleo de explicaciones causales lo exige!

En fin, o explicamos causalmente la realidad social, en cuyo caso no podemos obviar que la contemplamos a través de un prisma mecanicista, abstracto y arbitrario (aunque la relación causal sea entendida como natural y externa); o, por el contario, la explicamos interpretativamente y entonces aceptamos que tenemos delante una –como afirma Giddens (1976)– realidad preinterpretada, es decir, formas de vida propia, con significación propia y construida. Si aceptamos la primera vía, no sólo nos dejamos en verdad seducir por el positivismo, en el que sí pueden funcionar las explicaciones causales, sino que reducimos los hechos sociales a hechos naturales (no-sociales); por el contrario, aceptar la segunda vía, es afirmar la dignidad propia y distintiva de la realidad social.

Sin embargo, podemos preguntar todavía si es lícito hablar de causalidad cuando tratamos con acontecimientos sociales. Creo que sí, si tenemos en cuenta la advertencia de Erickson (1986):

"la investigación interpretativa tiene una visión diferente de la naturaleza, de la uniformidad y de la causa en la vida social. La uniformidad conductual del día a día, que puede ser observada en un individuo y entre individuos en grupos, no parece ser una evidencia de uniformidad esencial y subyacente entre entidades, sino una ilusión... Los humanos crean interpretaciones significativas de los objetos físicos y conductuales que los rodean en su ambiente, y así actúan hacia los objetos que los rodean a la luz de sus interpretaciones ... Si la gente actúa en razón de sus interpretaciones de las acciones de otros, entonces las interpretaciones de significado son ellas mismas causas para los seres humanos... Porque todas las acciones están fundadas en elecciones de significado interpretado, están abiertas a las posibilidades de reinterpretación y cambio" (pp. 126-127).

Podemos hablar de causas de acontecimientos sociales, como causas construidas, o causalidad construida, que se vertebran a partir de significados. A su vez, por ser construidas, dichas causas pueden ser cambiadas y reconstruidas: la uniformidad es pues una ilusión, aunque a veces necesaria.

Otro modo bastante esclarecedor de la causalidad construida, epistemológicamente contrapuesta al modelo de causalidad clásico que acabamos de criticar, lo encontramos en Schön (1983). Según este autor, el proceso de experimentación por el que un profesional desarrolla un nuevo diseño o soluciona un problema en la práctica no sigue en absoluto los límites y reglas estándar de lo que es una investigación experimental ortodoxa y positivista. Este modelo de investigación, ya sea en el laboratorio o en ambientes naturales, se ejecuta con la intención expresa de describir y probar hipótesis sobre la ocurrencia natural de los fenómenos. La manipulación de variables, que no tiene otra función que la de comprobar si las suposiciones sobre los acontecimientos naturales externos son o no las correctas, se lleva a cabo evitando cualquier influjo personal sobre la situación experimental; con ello se asegura que la ocurrencia registrada, que tiene que ser comparada con la suposición hipotética, no está determinada por los sesgos e intereses del investigador. De esta manera una hipótesis que no haya sido desconfirmada se presume objetivamente como una conjetura aceptable sobre lo que necesariamente ocurre externamente en la naturaleza.

Sin embargo, un profesional en la práctica actúa directa y activamente sobre la realidad tanto para comprenderla como para modificarla. La validación de sus hipótesis es a la vez, como afirma Schön (1983), un proceso por el que pretende conseguir los cambios deseados en la situación, y un modo de explorarla. "El profesional comprende la situación intentando cambiarla, y considera los cambios resultantes no como un defecto de su método experimental, sino como la esencia de su éxito" (*ibíd.*, p. 151). La relación causa y efecto no es en este caso de necesidad sino, por el contrario, una relación causal intencionalmente construida. En este sentido, el modelo de actuación del profesional en la práctica, explicado por Schön (1983), nos permite también comprender, en general, la activa participación de los sujetos en la construcción de su realidad social. Al fin y al cabo un profesional es un sujeto social.

En conclusión, esta parece ser una respuesta adecuada a la pregunta que encabeza este capítulo y muy parecida a la que formula Dale (1973) cuando alude a lo que él denomina *causalidad existencial* (p. 179); Kaplan (1964) con su concepto de *agente causal* (p. 366); von Wright (1977) con las *explicaciones cuasi-causales* (p. 165) para el conocimiento histórico, defendidas a su vez por Fay (1975: 84-85) como un componente esencial de las ciencias sociales no positivistas e idéntica con la idea de *causalidad construida* que Guba y Lincoln (1982: 242) manejan y que, además, como ellos afirman, es la única concebible frente a una realidad que, como la social, está ella misma, y enteramente, construida.

No obstante, no quiero terminar sin aclarar un par de puntos. En primer lugar, no me parece correcto aceptar con la rotundidad con la que no hacen Guba y Lincoln que los fenómenos con los que trata el científico social, no tienen realidad propia sino que existen enteramente en la mente de la gente (*ibíd.*, p. 239). Creo que los hechos sociales, y aunque sólo nos refiramos a interpretaciones y significados, están tanto dentro como fuera de la *mente de la gente*, en el sentido de que dependen tanto de las interpretaciones subjetivas de los sujetos como de las estructuras socioculturales (simbólicas también ellas), desde las que y con las que interactúan y atribuyen significados. En segundo lugar, si hablamos de *causa construida*, no debemos engañarnos, en realidad estamos hablando y buscando las razones por las que un hecho social ocurre y no hablamos o buscamos un pseudomodelo de explicación causal. La búsqueda de razones "objetivas" y "científicas" corresponde en este caso a la investigación interpretativa (cualitativa) que es la articulación metodología de la explicación por comprensión.

Referencias

Alvira Martín, F. (1982). La perspectiva cualitativa y cuantitativa en las investigaciones sociales. *Estudios de Psicología, 11*, 34-39.

Bunge, M. (1980) *Epistemología*. Barcelona: Ariel.

Cook, T.D. y Campbell, D.T. (1979). *Quasi-experimetnation: Design and analysis issues for field settings*. Chicago: Rand McNally.

Dale, R. (1973). Phenomenological perspectives and the sociology of the school. *Educational Review, 125* (3), 175-181.

Erickson, F. (1986). Qualitative methods in research on teaching. En M.C. Wittrock (Ed.) *Handbook of research on teaching. (Third edition)* (pp. 119-161). New York. MacMillan.

CAPÍTULO 22

Fay, B. (1975). *Social theory and political practice*. London: George Allen & Unwin.

Giddens, A. (1976). *New rules of sociological method: a positive critique of interpretative sociologies.* London: Hurchinson & Co.

Guba, E.G. y Lincoln, Y.S. (1982). Epistemological and methodological bases of naturalistic inquiry. *Educational Communication and Technology Journal, 30* (4), 233-252.

Hanson, N.R. (1958-1971). *Observación y explicación: guía de la filosofía de la ciencia. Patrones de descubrimiento.* Madrid: Alianza, 1977.

Hempel, C.G. (1958). Deductive-nomological vs. Statistical explanation. En H. Fleish (Ed.) *Minnesota studies in the philosophy of science.* Vol III. Minneapolis: Universuty of Minnesota Press.

Hempel, C.G. y Oppenheim, P. (1984). Studies in the logic of explanation. *Philosophy of Science, 15*, 135-175.

Hultsch, D.F. y Hickey, T. (1978). External validity in the study of human development: theoretical and methodological issues. *Human Development, 21*, 76-91.

Kaplan, A. (1064). *The conduct of inquiry. Methodology for behavioural science.* Ayslesbury, Bucks: Inernational Textbook Comp.

Mehan, H. y Wood, H. (1975). *The reality of ethnomethodology.* Florida: Robert E. Krieger.

Mill, J. S. (1843a). *A system of logic ratiocinative and inductive.* London: Routledge & Kegan Paul (1974).

Mill, J. S. (1843b). *De los cuatro métodos de indagación experimental.* Valencia: Revista Teorema, 1980.

Popper, K.R. (1950). *La sociedad abierta y sus enemigos.* Buenos Aires: Paidós, 1957.

Schön, D.A. (1983). *The reflective practitiones. How profesional think in action.* London: Temple Smith.

Strike, K.A. (1972). Explaining and understanding: the impact of science on our concept of man. En L. G. Thomas (Ed.) *Philosophical redirection of educational research* (pp. 26-46). Chicago: University of Chicago Press.

Von Wright, G.H. (1971). *Explicación y comprensión.* Madrid: Alianza, 1979.

CAPÍTULO 23

El informe de investigación

Rosa Vázquez Recio

En busca de un texto que hable del objeto de estudio

Cuando se decide emprender una investigación, la persona que desea acometer esta acción es consciente, desde esa primera toma de decisión sobre qué, para qué y cómo investigar, de que tarde o temprano se tendrá que enfrentar a una tarea para la que no puede buscar un pretexto o excusa para no afrontarla. Una tarea que no es otra que el informe de investigación. No hay pretexto alguno que sea aceptable –salvo que este sea éticamente improcedente e incurra en perjuicio y maleficencia–, porque necesariamente se ha de producir, al final del proceso (aunque no hay certeza absoluta de cuál es el fin del mismo), un texto. Si se investiga es para alcanzar un conocimiento más profundo o elaborado sobre el fenómeno estudiado; también para desarrollar estrategias que permitan transformar o mejorar la realidad, o básica y primordialmente para comprenderla. Siempre hay un motivo que impulsa a realizar la investigación, y si lo hay es preciso, cual requisito ético, que quede reflejado y condensado en un texto que es el informe. Es, puede decirse, la mejor huella del proceso de investigación, con todas sus vicisitudes, decisiones, estrategias y temas relevantes, y también de la persona que la ha llevado a cabo.

El informe de investigación no es un tema baladí, dado que no puede saldarse con la rapidez de la idea de que se elabora cuando la persona investigadora entiende que ha llegado a ese punto en el que no es preciso registrar más información, que lo analizado cubre las expectativas y, consecuentemente, está en condiciones de escribir el informe para mostrar los hallazgos o los resultados. Bien es cierto que se tiene una perspectiva más compleja y completa de lo investigado y de lo vivido una vez que ha pasado un tiempo, razonable y ajustado, en contacto e intercambio con la realidad; no es posible narrar si no se cuenta con una base informativa rica, amplia y diversa. Pero también lo es que el texto y su acompañante la escritura no aguardan pacientemente a que llegue su hora de aparecer en la escena del proceso indagatorio. Texto, escritura e informe forman una triada indisoluble en la investigación. Pensar lo contrario, como se ha hecho desde las investigaciones de corte lineal, es ignorar, por una parte, el soporte filosófico y epistemológico de la investigación cualitativa y etnográfica, y por otra, el comportamiento no lineal de los fenómenos sociales. Precisamente, solo se puede atender a tal comportamiento desde la investigación cualitativa, porque esta no concibe cada paso y cada elemento del proceso de manera independiente, sino que existe "una interdependencia mutua de las partes individuales del proceso de investigación" (Flick, 2004: 55); la investigación se caracteriza por su proceso dinámico, flexible y de constante interacción entre las fases que la componen (Calderón Gómez, 2009). Dicha interdependencia igualmente existe entre los factores, los componentes y los contextos que intervienen en los fenómenos sociales.

Paralelamente, y como consecuencia de esa consideración ortodoxa del informe como símbolo de cierre de la investigación, este ocupa un lugar no muy destacado en las producciones existentes sobre estas cuestiones; hay una inexcusable preocupación por el diseño, los instrumentos y las estrategias, la selección de informantes, etc., y la literatura se desboca por arrojar conocimiento y procedimientos para seguir fortaleciendo el campo de la investigación. Pero no puede decirse en igual grado con respecto a ese componente llamado "informe", otorgándosele un espacio propio, directo y exclusivo. No obstante, no puede obviarse que se han producido aportes interesantes y claves desde aspectos que confluyen y tienen que ver con el informe de investigación, aunque en dichos aspectos no se aborde de modo explícito y detallado su implicación en este. Tales son el caso de la escritura –con una larga tradición que se inició con trabajos como los de Marcus y Cushman (1982, 1991), seguido de los de Van Maanen (1988, 1993), Atkinson (1990, 1992), y especialmente el de Clifford y Marcus (1986)–, la retórica, el diálogo y el texto (Tedlock, 1987, 1991), y el papel de la persona investigadora y la autoría (Geertz, 1989, 1996; Clifford, 1991; Guber, 2004). Esta circunstancia se debe a la propia naturaleza de la investigación cualitativa, ligada a la interpretación/traducción, a los significados, a la interacción social con las personas informantes, a concebir estas como sujetos y no como objetos. Los mundos posibles que ofrece esta modalidad de acercamiento y comprensión de la realidad conlleva en sí misma un formato no estandarizado y normativizado (a diferencia de lo que ocurre con el canon que ha caracterizado a la investigación cuantitativa). Esta riqueza dotada de flexibilidad es una vía para configurar de manera idiosincrásica los informes de investigación, dado que "el investigador no sabe exactamente lo que será su informe de investigación, lo que contendrá tal o cual capítulo, él conoce solamente el esquema general y los datos que puede allí incorporar" (Gómez Mendoza, 2000: s/p). De ahí que el informe puede presentar diferentes maneras de organización y estructura (Taylor y Bogdan, 1984; Hammersley y Atkinson, 1994), atendiendo a la finalidad de la investigación (Simon, 2011), e incorporando distintos estilos de presentación y escritura (Gómez Mendoza, 2000; Cisneros-Puebla, 2004).

Como señala Kahn (2011: 176), la escritura, y por ende, el informe "no puede seguir una fórmula convencional", ni tampoco puede provocar la descontextualización del conocimiento ni la desvinculación con la práctica indagatoria (Cisneros-Puebla, Faux y Mey, 2004).

La credibilidad, la confiabilidad y la fortaleza del informe de investigación y, por tanto, del texto producido no responde simplemente a la presentación de los hallazgos sin más, sino a su potencial para facilitar la comprensión de una realidad estudiada que es mostrada y compartida con la comunidad científica. Un alcance que requiere de la consideración de una serie de aspectos y compromisos éticos que inciden en esa producción discursiva, narrativa y textual. En este abordaje, por tanto, el punto de partida es el informe de investigación desde el que atender a:

- el sujeto que investiga, entre los márgenes de la presencia y la ausencia;
- los marcos ideológicos que subyacen en el informe;
- los procesos reflexivos como parabién del informe;
- la escritura y sus artificios que configuran el texto;
- la ética para el texto y en el texto;
- la orquestación necesaria entre las posibles partes del informe.

Trazando los límites difusos del informe de investigación

El trazado de los límites del informe es posible a partir de los aspectos antes señalados; unos aspectos, dicho sea de paso, que no son exclusivos del informe, sino que afectan, de un modo u otro, a todo el proceso indagatorio y a los diversos momentos del mismo. Dichos aspectos, además, no intervienen de manera independiente en la configuración del informe, ni tienen carácter sumatorio. Puede decirse que existe una clara implicatura entre ellos (Figura 1).

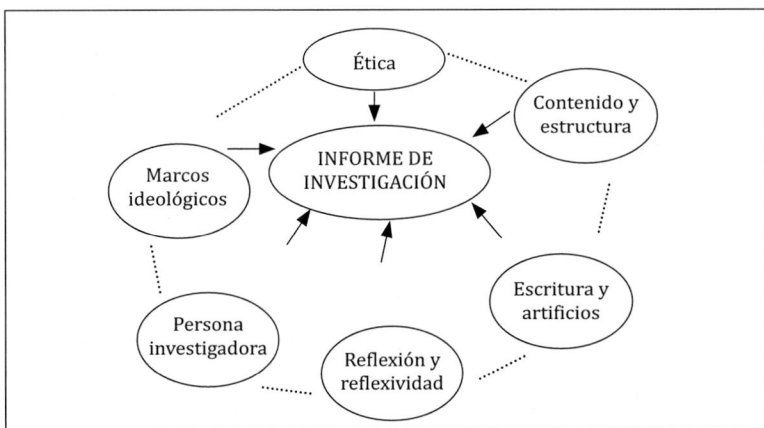

Figura 1. Informe de investigación y aspectos implicados

El sujeto que investiga: entre los márgenes de la presencia y la ausencia

Cada vez hay menos duda del lugar que ocupa la persona que investiga en todo el proceso de investigación, tanto que sin ella no habría posibilidad de hablar de *investigación*. Esta empieza a tomar existencia desde el momento en el que la persona toma esa decisión, de tal forma que la ligazón es permanente hasta llegado el cierre del proceso indagatorio. En este sentido, es pertinente extender la idea de autoría no solo al texto que da cuenta de lo investigado, sino a todo ese proceso desencadenado. La persona investigadora se proyecta de manera patente en cada toma de decisiones que afronta para encauzar la propuesta de estudio, y ello va a determinar el rumbo de la investigación, so pena de la confluencia de factores y condicionantes externos que puedan dificultar y obstaculizar el decurso de la investigación. La autobiografía no solo se muestra o se alcanza en el texto (informe) narrado, sino que esa autobiografía se va gestando, modelando y transformando a lo largo del proceso. El informe de investigación, cual discurso creado por la persona que investiga, da cuenta de la realidad estudiada a través de ella, de ahí el carácter idiosincrásico de los informes.

Por otra parte, los límites de interpretación del informe son los propios de la persona que investiga; hasta donde esta alcance a comprender la realidad estudiada, así será el potencial del informe que se muestre. Un alcance que está condicionado, precisamente, por cómo haya sido diseñado el proyecto a desarrollar, qué resortes teóricos y modelos toma como fundamento para justificar la investigación, en qué términos ha establecido las preguntas de investigación, con qué informantes ha desarrollado el estudio, qué estrategias ha empleado para el registro de información, cómo han sido diseñadas y llevadas a cabo las entrevistas, qué categorías de análisis se han manejado y cuándo se han establecido (antes de, durante o tras la recopilación de información), etc. Esta serie de cuestiones remiten directamente a la persona que investiga. Consecuentemente, esta es autora, creadora y principal instrumento –como ya lo definían Guba y Lincoln (1981) y Wolcott (1975)– de la propia investigación que desarrolla. Además actúa desde su conocimiento de la realidad, su identidad, sus prejuicios, sus marcos de referencia social, cultural, política e ideológica, y desde el mundo social que comparte con los informantes (Denzin y Lincoln, 1995). La persona que investiga "es un sujeto situado" (De la Cuesta Benjumea, 2003: s/p) que genera mediante su informe de investigación un conocimiento situado posicionado políticamente (Haraway, 1995). Al mismo tiempo, ella se arroja a la investigación y se proyecta en el informe que construye desde la amalgama de componentes que la definen y que van más allá de teorías y estrategias de actuación. La dimensión dinámica (sentimientos, emociones, deseos, motivaciones, etc.) interfiere de manera evidente en todo. La idea que aportan Fullan y Hargreaves (1997) para el profesorado como personas totales encaja perfectamente para el caso que nos ocupa: el investigador o la investigadora es una persona total. De este modo, el informe pierde su máscara técnica (articulada en partes concretas y específicas con las que supuestamente se le da rigor) para convertirse en buena medida en un texto artístico narrado, y en el que lo metódico no está reñido, como diría Van Maanen (1993: 48), con lo espontáneo y lo imaginario.

Así mismo, el informe de investigación no solo se caracterizará por la presencia de la persona investigadora, en tanto que ella se mostrará en la construcción del texto discursivo y dialógico, sino también por su ausencia. Difícilmente, debido a la complejidad del proceso indagatorio y a la relación vivencial experimentada por ella, callará y silenciará aquello que no puede decir, bien porque no es prudente o procedente, o bien porque lo vivido no encuentra una traducción perfecta en el texto (Vázquez Recio, 2011). Pese a ello, la persona investigadora asume su responsabilidad y compromiso con el conocimiento, intentando dar cuenta de manera comprensiva de la realidad estudiada. No se busca con ello una imagen mimética entre texto y realidad –en tanto que el texto no deja de ser una representación de esta– sino un retrato discursivo que dé muestra de lo aprendido y de lo que puede aportar para ampliar el conocimiento acerca de esa realidad, mejorarla o cambiarla.

El informe de investigación y los marcos ideológicos

Desde la conjunción indisociable entre el informe y la persona investigadora, por una parte, y por otra, desde el reconocimiento de que la investigación no es una acción neutral, el informe de investigación nunca puede resultar un texto técnico sustentado en criterios puramente objetivos, variables controladas y categorías predefinidas. El informe es una construcción social que deriva de: a) una investigación que se sostiene sobre unos principios epistemológicos, ideológicos, políticos y éticos (Vázquez Recio, 2014), y b) una persona investigadora que actúa desde su marco ideológico definido por intereses, intenciones, valores y concepciones particulares. El estilo que se adopte, el lenguaje que se emplee, la estructura y la organización que presenten los temas relevantes, el público al que va dirigido, las conclusiones que se muestren, etc., responden a las pretensiones, nada ingenuas, de la persona investigadora. En el informe no quedan fuera factores sociales como pueden ser el género, la edad, la etnia y la educación, ni tampoco el contexto sociopolítico, económico y cultural en el que se desarrolla la investigación y al que pertenece la persona investigadora. Por todo ello, el efecto que tiene ignorar la influencia de los marcos ideológicos es la creación de sesgos, no solo en el propio informe (no disgregar los datos por sexo, por ejemplo) sino a lo largo de todo el proceso de investigación.

La legitimidad del informe no se logra mediante el discurso de que el conocimiento alcanzado es objetivo, generalizable y neutral, sino evidenciando los procedimientos adecuados que han permitido gestionar y evaluar la calidad de la investigación (Calderón Gómez, 2009; Flick, 2004, 2014), y no ocultando las deficiencias o las carencias (contenido, estrategias, recursos, etc.). También no adoptando "criterios de verdad y falsedad referidos a modelos lógicamente construidos [...], sino en términos de «sentidos» social y culturalmente contextualizados" (Iriarte Esguerra, 1999: 98).

Los procesos reflexivos como parabién del informe de investigación

Desde la asunción de que la investigación se caracteriza por ser flexible, emergente y sujeta a modificaciones, según se van produciendo los acontecimientos durante su desarrollo, hay un componente que está acaparando la atención: la reflexión (De la Cuesta Benjumea, 2003, 2011; Breuer, 2003; Sánchez Carretero, 2003; Albertín Carbó, 2009). La conducción de la investigación requiere de decisiones que son tomadas no arbitrariamente, sino desde el acto reflexivo de la persona investigadora. Es a través de los procesos reflexivos como consigue darle sentido a la acción indagatoria, se descubre a sí misma como agente que incide e interfiere en el contexto y en los sujetos informantes con los que interacciona, y toma conciencia de quién es, de lo que hace (o deja de hacer) y de lo que dice (o no dice). También reconoce la incidencia mutua que se produce entre ella y la realidad social que estudia. Como señala Albertín Carbó (2009: s/p), "la práctica reflexiva se convierte en una herramienta para "darse cuenta" y a la vez, permitir la abertura de múltiples posibilidades en el quehacer creativo y político de lo científico". Esta función de la reflexión debe evitar, al mismo tiempo, la autocomplacencia y la exaltación del "yo" investigador, dado que con ello fácilmente se puede perder de vista la perspectiva de la investigación y del informe.

No puede caer en el olvido que el informe de investigación se encarna en un contexto complejo definido por la interdependencia simultánea de factores y condicionantes diversos; un contexto de indagación que no puede ser controlado por la persona investigadora en su plenitud, de ahí que esta se tenga que enfrentar a la concomitancia de circunstancias, dificultades y contratiempos. La imprevisibilidad de los fenómenos sociales hace que la reflexión durante la acción investigadora como después de la misma (escritura del informe) se convierta en un requisito ineludible. Con ello, las decisiones técnicas vinculadas al proceso y al texto quedan supeditadas al acto reflexivo de tomar conciencia de la situación, de las estrategias diseñadas, de las preguntas de investigación y de la propia acción de la persona investigadora. Los procesos reflexivos permiten la inmersión plena y consciente del investigador en la realidad de estudio, dejando de ser un espectador para convertirse en un nativo de la propia experiencia indagatoria que se posiciona ante la misma. Desde esta mirada introspectiva es posible dar sentido y credibilidad al informe de investigación.

Asimismo, los procesos reflexivos permiten que el informe dé señas de las formas de pensamiento de la persona investigadora, de su manera de representar y de preguntarse por la realidad, su actitud ante sus exposiciones argumentativas y de su compromiso social y político. Dichos procesos no dejan de ser una cuestión ideológica (Marcus, 1995), y los informes, que se nutren de tales procesos reflexivos, también lo son. Darle a la reflexión un lugar destacado en la investigación y en el texto que se deriva de la misma es una clara muestra del intento de superar sin tapujos la relación mecánica entre el conocimiento comprensivo que se produce y la acción investigadora.

La escritura y sus artificios que configuran el texto

La escritura es la que posibilita que el texto (informe) tome corporeidad; permite que los datos registrados mediante diferentes estrategias se transformen en conocimiento situado que hable de la realidad estudiada, y en ello juega un papel clave la persona investigadora. Como ya se ha apuntado, la escritura constituye uno de los temas de mayor interés, existiendo una prolija literatura que recoge controversias y acuerdos.

La escritura no solo debe ser asumida como instrumento para la investigación –dimensión técnica–, sino también, y al mismo tiempo, como objeto de reflexión desde la acción indagatoria. La escritura "viene a ser el resultado de la combinación de fenómenos diferentes: es fruto de un trabajo intelectual, pero también de un ejercicio reflexivo de pensar la escritura y sobre la escritura de la experiencia; es un ejercicio malabárico que, como juego, se pierde en las innumerables posibilidades de encontrar la combinación ajustada de palabras" (Vázquez Recio, 2011: 52). Por ello, no hay un modelo de escritura estándar, pues cada persona investigadora afronta la redacción del informe según considere pertinente a la finalidad del estudio y la audiencia. Es necesario, dada la naturaleza y el propósito de la investigación, huir de esa escritura severa y discurso objetivo e impersonal que ha establecido la cultura científica tradicional con el intento de describir la realidad tal cual es (Gómez Mendoza, 2000; Sánchez Carretero, 2003; Castelló y otros, 2011), y adoptar un estilo narrativo que acoja la intertextualidad de las voces implicadas (persona investigadora e informantes) en un contexto concreto. Todo informe de investigación no deja de ser el relato de lo indagado y de haber estado esta allí. Una escritura que denote sensibilidad, empatía y apego hacia la realidad estudiada hace que la audiencia se sienta cautiva y persuadida por el texto narrado. Actualmente se apuesta por una escritura en la que confluyen la retórica, la literatura, la creatividad, la performatividad del texto y la persuasión.

Este cambio de género en la escritura requiere por parte de la persona investigadora de un estar en los márgenes que delimita lo extraño y novedoso de lo familiar y conocido; es decir, la construcción del texto se ha de producir en un continuo desplazamiento entre extrañamiento/distanciamiento y la familiaridad/acercamiento de lo que se narra, situándose la persona investigadora entre esos dos extremos no excluyentes. Este giro narrativo no conlleva pérdida de rigor en el tratamiento de los datos y su transformación en texto. Es de obligado cumplimiento que la persona investigadora busque la transparencia, la coherencia y la credibilidad del texto mediante los procedimientos necesarios y pertinentes a la investigación y al objeto de estudio.

La ética para el texto y en el texto

En todo cuanto se ha expuesto acerca del informe de investigación, subyace una cuestión que no se puede pasar por alto, más cuando la investigación se realiza en contextos sociales y en permanente interacción con los informantes. En concreto se trata de la ética, la cual constituye una parte indisociable de toda investigación como se viene constatando (Roth, 2005). No sólo a lo largo del proceso de investigación se ha de cumplir con unos principios éticos que garanticen un trato justo, respetuoso y equitativo con las personas que participan en la investigación, sino también en el momento de la escritura del texto pensada para la difusión de los hallazgos. En este sentido, se convierte en una exigencia asegurar un equilibrio entre los derechos de las personas informantes y los resultados alcanzados (Mesía Maravi, 2007). El informe, en tanto que construcción de la realidad por parte de la persona que investiga, exige un compromiso ético con los informantes, con el propio estudio y con la audiencia a la que vaya dirigido. Como señala Simon (2011: 140), es preciso "establecer una relación con los participantes que respete la dignidad humana y la integridad, y en la que las personas puedan confiar". Guillemin y Gillam (2004: 263 y ss.) plantean la consideración de la ética en la investigación en una doble dimensión: la ética procedimental [*ethics procedural*] y la ética en la práctica [*ethics in practice*]. La primera alude a la aceptación por parte de un comité ético del proyecto de investigación, y la segunda hace referencia a los dilemas y problemas éticos que van emergiendo durante el proceso de la investigación. Una vez superada la primera fase (aprobación del proyecto), a la que ha de hacer frente la persona investigadora de manera constante es a la ética en la práctica.

"Son ya comunes los principios éticos de confidencialidad y anonima-to, pero hay que tener presentes otros, tales como: la negociación, la autonomía, la colaboración, la realidad situada, la imparcialidad, la paridad, las consecuencias y beneficencia, la equidad y justicia, y el compromiso con el conocimiento" (Vázquez Recio, 2014, s/p).

La orquestación necesaria entre las posibles partes del informe

Pese a las particularidades que encierra el informe que hacen de este un texto idiosincrásico y genuino, debido a su vínculo directo con la realidad estudiada y con la persona investigadora, artífice del mismo, es posible establecer una serie de partes que definen la estructura del informe, pero no así el contenido de las mismas. Dicha estructura no responde a un formato convencional de presentación, precisamente por lo expuesto en apartados anteriores. A modo orientativo, el informe de investigación puede contemplar:

a) *Anclajes teóricos para la investigación.* Se trata de establecer los fundamentos teóricos que sirven de soporte argumentativo para la justificación del valor del estudio.

b) *Contexto y diseño de la investigación.* El primer aspecto hace referencia al contexto en el que se ha desarrollado el estudio, destacando los elementos clave para la comprensión de los resultados y las conclusiones (informantes, escenarios, funciones, identidad del grupo o colectivo, etc.). El segundo expone de manera concreta el posicionamiento metodológico, los objetivos, las estrategias para la recogida de información, las cuestiones de investigación, los informantes, las categorías de análisis y los procedimientos que se han adoptado para este, los principios éticos que se asumen, y las estrategias contempladas para garantizar la calidad del estudio.

c) *El proceso de investigación.* Es imprescindible, antes de presentar propiamente el texto en el que quedan fundidos los datos analizados, que la persona investigadora dé cuenta del proceso de manera reflexiva y crítica. Es la versión más directa de ella que se muestra en la confluencia de decisiones, dilemas, acciones, discursos, relaciones, tiempos y silencios. Es la autobiografía contextualizada en el pleno sentido de la palabra. Este apartado ayuda tangencialmente a comprender la narración intertextual de la realidad estudiada.

d) *Traducción/interpretación de los datos.* Constituye el texto central del informe, habida cuenta de que viene a ser la expresión máxima de la realidad estudiada. Este texto se puede articular en torno a las categorías de análisis (preliminares y emergentes) siguiendo la lógica que mejor pueda narrar dicha realidad de manera comprensiva. Su contenido y organización no pueden determinarse de antemano. Sus partes y dimensiones se irán vislumbrando a medida que la persona investigadora vaya componiendo armónica y analíticamente las mismas para hacer visible y comprensible la realidad a través de los temas o tópicos.

e) *Conclusiones.* Constituyen el cierre del proceso en el que se intenta sistematizar el alcance del estudio, y concretar los aportes que ofrece la investigación. Un punto de cierre que puede representar el punto de partida de una nueva investigación dirigida a seguir aportando conocimiento.

f) *Referencias bibliográficas.* Resulta un aspecto imprescindible en todo trabajo que se preste con rigor. Las fuentes empleadas para el abordaje del tema objeto de estudio deben ser indicadas siguiendo el sistema de citación establecido.

Conclusiones: no es necesaria la cuadratura del círculo

Tras el recorrido realizado por los diferentes apartados, es imposible establecer un patrón estándar y universal para los informes de investigación. Un impedimento que viene justificado por la naturaleza de los fenómenos sociales. No es necesario buscar fórmulas que garanticen que el texto dado hable de manera objetiva de la realidad estudiada, porque no se trata de verdades ni de falsedades. El referente es siempre una realidad compleja, cambiante y emergente, que está bajo la influencia de factores de diversa índole. Hay que perder el miedo a superar la barrera del modelo asentado en la tradición científica marcada por el positivismo, y elaborar textos que narren de manera potente y objetivada el fenómeno estudiado. El atrevimiento de una escritura que aproxime la realidad, de manera persuasiva, creativa y narrativa, a la audiencia constituye un paso importante en la investigación. Sentir la libertad de mostrar con la escritura que la persona investigadora ha estado allí, y salir del encorsetamiento intelectual e indagatorio impuesto se convierten en una hermosa oportunidad para seguir aprendiendo y profundizando tanto el tema de estudio como en los propios procedimientos de la investigación.

Referencias

Albertín Carbó, P. (2009). La práctica reflexiva en el texto etnográfico. Aproximaciones, relaciones y significados sobre el uso de heroína y otras drogas en una comunidad urbana. *Forum Qualitative Sozialforschung/ Forum: Qualitative Social Research, 10* (2), Art. 23. Recuperado de: [http://nbn-ree solving.de/urn:nbn:de:0114-fqs0902235].

Atkinson, P. (1990). *The ethnographic imagination: Textual construction of reality.* London: Routledge.

Atkinson, P. (1992). *Understanding ethnographic texts*. Newbury Park: Sage.

Boruch, R.F. (1975). On common contentions about randomized experiments. En G.V. Glass (Ed.) (1976) *Evaluation Studies Review Annual*. Vol. 1 (pp. 158-194). London: Sage.

Breuer, F. (2003). Lo subjetivo del conocimiento socio-científico y su reflexión: ventanas epistemológicas y traducciones metodológicas. *Forum Qualitative Sozialforschung/Forum: Qualitative Social Research, 4* (2), Art. 25. Recuperado de: [http://www.qualitative-research.net/index.php/fqs/article/view/698/1513].

Calderón Gómez, C. (2009). Evaluación de la calidad de la investigación cualitativa en salud: criterios, proceso y escritura. *Forum Qualitative Sozialforschung / Forum: Qualitative Social Research, 10* (2), Art. 17. Recuperado de: [http://nbn-resolving.de/urn:nbn:de:0114-fqs0902178].

Campbell, D. T. (1969). Reforms as Experiments. *American Psychologist, 24*, 409-429.

Campbell, D. T. y Stanley, J.C. (1963). *Diseños experimentales y cuasi-experimentales en la investigación social*. Buenos Aires: Amorrortu (Trad. 1982).

Castelló, M. y otros (2011). La voz del autor en la escritura académica: Una propuesta para su análisis. *Revista Signos, 44* (76), 105-117. Recuperado de: [http://www.scielo.cl/pdf/signos/v44n76/a01.pdf].

Cisneros-Puebla, C. A. (2004). "Aprender a pensar conceptualmente". Juliet Corbin en conversación con César A. Cisneros-Puebla. *Forum Qualitative Sozialforschung /Forum: Qualitative Social Research, 5* (3), Art. 32. Recuperado de: [http://nbn resolving.de/urn:nbn:de:0114-fqs0403325].

Cisneros-Puebla, C. A.; Faux, R. y Mey, G. (2004). Investigadores cualitativos –historias dichas, historias compartidas: narración de la investigación cualitativa. Introducción al volumen especial: Entrevistas FQS I. *Forum Qualitative Sozialforschung / Forum: Qualitative Social Research, 5* (3), Art. 37. Recuperado de: [http://nbn-resolving.de/urn:nbn:de:0114-fqs0403370].

Clifford, J. (1991). Sobre la autoridad etnográfica. En C. Geertz; J. Clifford y otros, *El surgimiento de la antropología posmoderna* (pp. 141-170). México: Gedisa.

Clifford, J. y Marcus, G. (1986). *Writing Culture: The poetics and politics of ethnography*. Berkeley: University of California Press.

Connelly, F. M. *et al.* (Eds.) (1982). *The Sage Handbook of Curriculum and Instruction*. London: Sage.

Cronbach, L. J. (1980). *Toward reform of program evaluation*. San Francisco: Jossey-Bass.

De la Cuesta Benjumea, C. (2003). El investigador como instrumento flexible de la indagación. *International Journal of Qualitative Methods, 2* (4). Article 3. Recuperado de: [http://www.ualberta.ca/~iiqm/backissues/2_4/pdf/delacuesta.pdf].

De la Cuesta Benjumea, C. (2011). La reflexividad: un asunto crítico en la investigación cualitativa. *Enfermería Clínica, 21* (3), 163-167. Recuperado de: [http://dps.ua.es/es/documentos/pdf/2011/la-reflexividad.pdf].

Denzin, N. K. y Lincoln, Y. (1995). *Handbook of Qualitative Research*. London: Sage.

Flick, U. (2004). *Introducción a la investigación cualitativa*. Madrid: Morata.

Flick, U. (2014). *La gestión de la calidad en investigación cualitativa*. Madrid: Morata.

Fullan, M. y Hargreaves, A. (1997). *¿Hay algo por lo que merezca la pena luchar en la escuela*. Sevilla: Publicaciones M.C.E.P./Ideología, Pensamiento y Educación.

Geertz, C. (1989). *El antropólogo como autor*. Barcelona: Paidós.

Geertz, C. (1996). *La interpretación de las culturas*. [1973]. Barcelona: Gedisa.

Gómez Mendoza, M.A. (2000). Escribir la investigación: El informe en el enfoque Cualitativo. *Revista de Ciencias Humanas, 21*. Recuperado de: [http://www.utp.edu.co/~chumanas/revistas/revistas/rev21/gomez.htm].

Guba, E. G. y Lincoln, Y. (1981). *Effective evaluation. Improving the usefulness of evaluation results through responsive and naturalistic approaches*. San Francisco: Jossey-Bass Publishers.

Guber, R. (2004). *El salvaje metropolitano. Reconstrucción del conocimiento social en el trabajo de campo*. Buenos Aires: Paidós/ Estudios de Comunicación.

Guillemin, M. y Gillam, L. (2004). Ethics, reflexivity and "ethically important moments" in research. *Qualitative Inquiry*, *10* (2), 261-280.

Hammersley, M. y Atkinson, P. (1994). *Etnografía. Métodos de investigación*. Barcelona: Paidós.

Haraway, D. (1995). *Ciencia, cyborgs y mujeres. La reinvención de la naturaleza*. Madrid: Cátedra.

Iriarte Esguerra, G. (1999). Escritura etnográfica y autobiografía. Ponencia presentada en las *Jornadas sobre escritura, letra e inconsciente*. Universidad Nacional de Colombia. Recuperado de: [http://www.bdigital.unal.edu.co/16660/1/11593-28695-1-PB.pdf].

Kahn, S. (2011). Putting ethnographic writing in context. En C. Lowe y P. Zemliansky (Eds.), *Writing spaces: Readings on writing*, 2 (pp. 175-192). Anderson, South Carolina: Parlor Press. Recuperado de: [http://www.parlorpress.com/pdf/writing-spaces-readings-on-writing-vol-2.pdf].

Marcus, G. (1995). What comes (just) after "post". The case of ethnography. En N. K. Denzin & Y. Lincoln, *Handbook of qualitative research* (pp. 563-574). London: Sage.

Marcus, G. y Cushman, D. (1982). Ethnography as text. *Annual Review of Sociology*, *11*, 25-69. Recuperado de: [http://links.jstor.org/sici?sici=0084-6570%281982%292%3A1 1%3C25%3AEAT%3E2.0.CO%3B2-C].

Marcus, G. y Cushman, D. (1991). Las etnografías como textos. En C. Geertz; J. Clifford y otros, *El surgimiento de la antropología posmoderna* (pp. 171 - 213). México: Gedisa.

Mesía Maravi, R. (2007). Contexto ético de la investigación social. *Investigación Educativa*, *11* (19), 137-151. Recuperado de: [http://sisbib.unmsm.edu.pe/bibvirtualdata/publicaciones/inv_educativa/2007n19/a11.pdf].

Rivlin, R. (1971). *Sistematic Thinking for Socuial Action*. Washintong, D.C.: The Brookings Institution.

Rivlin, R. (1974). Allocating resources for policy research: How can experiments be more useful? *American Economic Review*, *64* (2), 346-354.

Roth, W-M. (2005). Ethics as social practice: Introducing the debate on qualitative research and ethics. *Forum Qualitative Sozialforschung / Forum: Qualitative Social Research*, *6* (1), Art. 9. Recuperado de: [http://nbn-resolving.de/urn:nbn:de:0114-fqs050195].

Sánchez Carretero, C. (2003). Voces y escritura: la reflexividad en el texto etnográfico. *Revista de Dialectología y Tradiciones Populares*, *LVIII* (1), 71-84.

Simon, H. (2011). *El estudio de caso: teoría y práctica*. Madrid: Morata.

Taylor, S. J. y Bogdan, R. (1984). *Introducción a los métodos cualitativos de investigación*. Barcelona: Paidós.

Tedlock, D. (1987). *The unspeakable: discourse, dialogue and rhetoric in the postmodern world*. Madisson: University of Wisconsin Press.

Tedlock, D. (1991). Sobre la representación del discurso en el discurso. En C. Geertz; J. Clifford y otros, *El surgimiento de la antropología posmoderna* (pp. 295-296). México: Gedisa.

Valles, M. S. (1997). *Técnicas cualitativas de investigación Social. Reflexión metodológica y práctica profesional*. Madrid: Síntesis.

Van Maanen, J. (1988). *Tales of the field: On writing ethnography*. Chicago: University of Chicago Press.

Van Maanen, J. (1993). Secretos del oficio: sobre escribir en etnografía. *Revista Colombiana de Sociología*, *2* (1), 48-68. Recuperado de: [http://www.bdigital.unal.edu.co/14670/1/3-8676-PB.pdf].

Vázquez Recio, R. (2011). *Investigar con estudio de caso la dirección escolar. Relato de una experiencia*. Archidona: Aljibe.

Vázquez Recio, R. (2014). Investigación, género y ética: una triada necesaria para el cambio. *Forum Qualitative Sozialforschung / Forum: Qualitative Social Research*, *15* (2), Art. 10. Recuperado de: [http://www.qualitative-research.net/index.php/fqs/article/view/2150/3665].

Wolcott, H. F. (1975). Criteria for an ethnographic approach to research in schools. *Human Organization*, *34* (2), 111-127.

CAPÍTULO 24

Ética en la investigación cualitativa

Silvia Redon Pantoja

El presente artículo ofrece una visión práctica de las consideraciones éticas en la investigación cualitativa, desde la recogida de información, su análisis, el proceso metodológico y la divulgación de los resultados. La ética como rama de la filosofía se ocupa de consensuar criterios "objetivos" para la valoración de la acción humana; estableciendo una escala que iría desde el mayor grado de bondad de la acción a lo más reprochable de la misma. La búsqueda axiológica de la conducta humana en la metodología de la investigación no será discutida en este capítulo, tampoco la reflexión de las aproximaciones teóricas que nos ofrece la filosofía de la ética misma; el objetivo de este apartado es ofrecer al lector una guía práctica de los protocolos éticos que, sin duda, involucran una serie de valores que se requieren tener en cuenta a la hora de investigar en las ciencias sociales desde perspectivas naturalistas, fenomenológicas y hermenéuticas. El marco de la ciencia social en el que nos movemos es complejo e insondable, tiene por objeto de estudio a las personas en sus contextos institucionales y/o comunitarios, como por ejemplo: la escuela, la familia o el barrio. Involucra emociones, interacciones, comunicación a través de los diversos lenguajes, que constituyen la realidad social y personal como configuradora de los múltiples mundos posibles (Wittgenstein, 1953; Goodman, 1978).

Indagar en el mundo de la vida como objeto de estudio, nos conecta no sólo con el mundo simbólico del sujeto, sino que además con su memoria, sus proyecciones, sus anhelos, sus emociones, lo que implica para la investigación cualitativa, velar por la protección y cuidado de esa vida que se nos entrega. Que una vida nos confíe su mundo privado y su intimidad, supone en primer lugar como condición *sine qua non*, adherir al sentimiento de gratitud: gratitud por la generosidad en la participación, por usar discursos, por la donación, la confianza, por regalarnos su tiempo. Otra actitud necesaria por relevar es la del reconocimiento y la toma de conciencia del poder del que el investigador o investigadora forma parte. Los investigadores e investigadoras están en una posición de privilegio y supremacía, por tanto, es necesario revisar esta condición en primer lugar y luego desarrollar el sentimiento de empatía ante el mundo –sabio– de sentido común de los informantes; es decir, para ver ese mundo es necesario que los investigadores e investigadoras asuman modestamente su condición y se sacudan parte de la cultura dominante y hegemónica que cargan en sus hombros.

Ello conlleva que la persona investigadora se mire en el espejo de los otros; implica un continuo proceso reflexivo de deconstrucción que permita reconstruir desde otros códigos, a veces desde la exclusión, la invisibilidad y la precariedad, una sabiduría que supera toda condición de privilegio de los conocimientos que la persona investigadora porta.

Hemos organizado este capítulo, como ya se dijo anteriormente, desde una perspectiva práctica, con la siguiente estructura: la primera parte aborda el cuidado ético que debe tener la propia persona investigadora por transparentar su lugar de habla; en segundo lugar, el cuidado ético por el campo y los informantes y, finalmente, el cuidado ético por el conocimiento emergente.

El cuidado ético por los informantes o personas implicadas en el campo de la investigación involucrará formatos y protocolos de asentimientos y consentimientos informados, dejando muy en claro que esta acción es apenas un atisbo de la compleja plataforma ética en la que se mueve la investigación cualitativa. Eisner (1989) lo expresa muy bien:

"¿Qué sucede con la observación en las aulas? Algunas escuelas experimentales tienen espejos-cristal de una sola cara para realizar observación encubierta. ¿Se están violando los derechos de los niños con tal práctica? ¿Qué pasa con los profesores? ¿Es correcto observar a los niños subrepticiamente, pero no a sus profesores? ¿Tienen los adultos más derechos que les permiten más protección que a los niños? Normalmente es cierto el caso contrario. ¿Ofrece esto un sentido moral o práctico para pedir permiso a un niño de siete años? Las respuestas a éstas y otras preguntas no son muy sencillas y... los principios éticos a los que se puede apelar son abstractos y generales, en lugar de concretos y específicos. Como he indicado, la noción de consentimiento informado implica que los investigadores son capaces de prever los hechos que surgirán en el campo, sobre el cual tienen que estar informados aquellos que van a ser observados. Esto está muy lejos de ser un rasgo característico de la investigación de campo. Los investigadores no suelen saber qué surgirá, excepto quizás en temas generales, y, por lo tanto, no están en una buena posición para informar a quienes van a ser observados sobre lo que esperan" (1998: 249).

Fig. 1. Dimensiones de la ética en la investigación cualitativa. (Elaboración propia)

Pero no solamente la ética se vincula con el cuidado y protección de los informantes sino también con las instituciones y con el conocimiento en sí mimo. El conocimiento y su renovación y/o discusión como resultado de la investigación tiene implicancias para la sociedad y su bienestar por una parte, pero también los resultados como nuevos conocimientos deberán dar cuenta del rigor científico, del valor de verdad, credibilidad, transferibilidad, consistencia y relevancia del conocimiento aportado.

La ética del investigador y el habla situada

Uno de los principios y sustentos teóricos epistemológicos de la investigación cualitativa, afirma que el investigador es instrumento de medida de la investigación; esto quiere decir que la subjetividad que se pone en juego para interpretar la realidad y el objeto de estudio problematizado debe transparentar la no-neutralidad de sus ojos para mirar y la necesaria independencia respecto de la información que recoge. Vasilachis de Gialdino lo expone muy bien al afirmar que:

"Quien realice investigación cualitativa debe ser plenamente consciente de que conoce en un contexto epistemológico determinado, de que no es independiente de él (Ceci, Houger Limacher y McLeod, 2002: 717) y de que, como persona situada, es quien conoce y el medio a través del cual se conoce. Debe tener presente que sus valores, perspectivas, creencias, deseos, expectativas influyen en la percepción y en la construcción de la realidad que estudia, y que la experiencia vivida es también una experiencia corporeizada, siendo la propia investigadora o el propio investigador una fuente de datos" (Vasilachis de Gialdino, 2006: 36).

Estas dos cuestiones se resuelven con dos acciones:

1. La no-neutralidad: explicitar el habla situada de la persona investigadora. ¿Qué quiere decir? Que en algún lugar del informe de investigación se debe explicitar desde dónde (lugar biográfico) el investigador mira al objeto de estudio. La biografía de la persona que investiga, sus sensibilidades, valores, ideologías, creencias, intereses, saberes, emociones y motivaciones en la opción temática del objeto de estudio. No es neutral y menos casual lo que lleva al investigador a optar por un tema desde un marco epistemológico, teórico referencial. Hay un nicho profundo en la subjetividad del que investiga que explica de alguna manera el alcance que desee lograr con su trabajo investigativo. Y ello se debe por ética, explicitar.

2. Independencia: la persona investigadora NO es neutra, es más, es instrumento de medida de la investigación. Sin embargo, debe cuidar prolijamente en su metodología los criterios de validez de la técnica que utilizará, especialmente en los criterios de selección de los informantes y los procesos analíticos, los que deben evidenciar la coherencia entre los resultados y las analíticas para llegar a ellos. Estas cuestiones no son directamente partes de la ética, sino de la metodología, pero atañen a la ética justamente porque el rigor y la calidad de la investigación no se logran sin un expreso cuidado de la independencia que debe tener el investigador o la investigadora.

"La investigación cualitativa requiere de quien la realiza una profunda sensibilidad social para evitar toda acción, todo gesto que atente contra la identidad de los participantes pero, además, exige estricta formación en esta metodología, rigor, sistematicidad, entrenamiento, creatividad y, especialmente, flexibilidad para, entre otros: a) volver una y otra vez al campo para afinar, ajustar la pregunta de investigación; b) reconsiderar el diseño; c) recolectar nuevos datos; d) implementar nuevas estrategias de recolección y análisis; y e) revisar y, si fuera necesario, modificar las interpretaciones" (Vasilachis de Gialdino, 2006: 37).

La ética del campo y los informantes

El primer elemento que subyace en la ética referida a las personas se vincula con los valores que se desprenden de los Derechos Humanos desde el ámbito jurídico: la libertad de los sujetos por decidir participar, la responsabilidad del investigador o investigadora por cuidar y proteger la integridad del informante (trabajo, salud psicológica y física, intimidad, emociones, etc.), el trato de igualdad que merece todo participante y el respeto a sus saberes, especialmente en ámbitos de simetría relacional. Tal como lo desarrolla Kemmis (1981), un primer aspecto se vincula con dar a conocer la naturaleza del trabajo que se va a realizar; los fines que se persiguen; los métodos que se van a utilizar; el tipo de colaboración que se requiere; la confidencialidad de los datos; el calendario de trabajo; el momento y la forma de entregar los informes; el contenido de los informes; la utilización de los informes por otras personas ajenas al centro; y el equipo que va a realizar el trabajo. La ética supone un proyecto sociopersonal, una apuesta y una intencionalidad de valores. La moral son las normas que los grupos, las sociedades, las instituciones acuerdan para su funcionamiento, por tanto, conformarse sólo con la intencionalidad ética puede ser muy idealista y el proyecto ético correr el riesgo de quedarse en la dimensión de las "ideas" alejado del "aquí y del ahora" que supone espacios comunitarios como por ejemplo: la familia, el trabajo, la escuela, el curso, los colegas, el barrio, los vecinos, los amigos y amigas, etc. Los valores necesitan de una plataforma moral, porque de otro modo quedan en el aire, pero las normas que constituyen la plataforma moral, tienen que ser permanentemente revitalizadas por los valores que las orientan. Vale decir, la valoración del valor, en continua revisión, en una relación dialéctica entre intencionalidad ética y normas en que se concreta esa intencionalidad. Los valores no son normas, las normas son disciplinantes e imperativas (Redon, 2006). Tampoco son destrezas o actitudes; sin embargo, los valores subyacen a las normas, potencian y encarnan las actitudes. Desde este marco, la investigación cualitativa cargada de declaraciones e intenciones cuentan con una plataforma de declaración de principios cargados de valores que inspiran las normativas consignadas en los contratos éticos, los consentimientos y los asentimientos de los informantes.

Los protocolos y documentos tienen su sentido en principios clave. Según Kemmis y Robottom (1981: 152-153) el investigador debe adherir a nueve principios básicos en toda investigación cualitativa, a saber:

1. INDEPENDENCIA: ningún participante en el proyecto tendrá acceso privilegiado a los datos recogidos en el proceso de investigación. Ningún participante gozará de derecho unilateral sobre el contenido del informe, en el diseño de estudios de casos por ejemplo, pero también es válido este principio para los informes de investigación.

2. DESINTERÉS: el evaluador tiene la obligación de representar de la forma más amplia posible los puntos de vista de los participantes.

3. ACCESO NEGOCIADO: la evaluación perseguirá tan solo un "acceso razonable" a las fuentes de datos relevantes.

4. NEGOCIACIÓN DE LOS LÍMITES: debe orientarse la investigación a las perspectivas que mejoren la comprensión del problema. El principio para excluir temas es que estos sean falsos, infundados, irrelevantes o perjudiciales al proyecto.

5. NEGOCIACIÓN DE LA PRESENTACIÓN DE LOS RESULTADOS: los criterios de justicia, relevancia y exactitud constituyen la base de la negociación entre investigador/a y participantes.

6. NEGOCIACIÓN DE LA CIRCULACIÓN DE INFORMES: no habrá informes secretos. Se entregará en primer lugar a las personas cuyo trabajo está reflejado en ellos. Una vez que se consideren justos, relevantes y exactos se podrá difundir al público de segunda fila, siempre que no perjudique a algún miembro de la primera.

7. PUBLICACIÓN: los informes serán objeto de una publicación más amplia solo si ha favorecido al juicio razonable de los usuarios de primera línea. El investigador se reserva el derecho de rechazar toda versión incompleta o resumida del informe presentado.

8. CONFIDENCIALIDAD: el investigador no podrá consultar ficheros, correspondencia u otra documentación sin autorización expresa, el evaluador se hará responsable de la confidencialidad de los datos. Esto no se empleará para ocultar los informes al público general.

9. RESPONSABILIDAD: ante los participantes y en el cumplimiento de estos principios.

Cuadro 1. Principios básicos de toda investigación cualitativa. Tomado y adaptado de Kemmis y Robottom (1981).

También Angulo y Vázquez (2003) aluden a cinco principios básicos, los cuales son: "COLABORACIÓN: entre los participantes, de tal manera que todo persona tenga el derecho tanto a participar como a no participar en la investigación. CONFIDENCIALIDAD: tanto con respecto al anonimato de las informaciones (si así se desea), como con respecto a la no utilización de información o documentación que no haya sido previamente negociada y producto de la colaboración. IMPARCIALIDAD: sobre puntos de vista divergentes, juicios y percepciones particulares y sobre sesgos y presiones externas. EQUIDAD: de tal manera que la investigación no pueda ser utilizada como amenaza sobre un particular o un grupo, que colectivos o individuos reciban un trato justo (no desequilibrado ni tendencioso), y que existan cauces de réplica y discusión de los informes. COMPROMISO CON EL CONOCIMIENTO: que quiere decir, asumir el compromiso colectivo e individual de indagar, hasta donde sea materialmente posible, las causas, los motivos y las razones que se encuentran generando y propiciando los acontecimientos estudiados. Es, de todos los criterios mencionados, el de mayor importancia, por cuanto está relacionado con la responsabilidad pública que toda investigación tiene con la comunidad educativa y con la sociedad en general (Angulo y Vázquez, 2003).

Estos principios nos debieran orientar para dirigir todo el proceso investigativo con las personas y en la indagación. También estos principios debieran estar en la base de los contratos éticos, asentimientos y consentimientos ya sea con el informante o con las instituciones para proteger no solamente a los participantes, sino también al propio proceso investigativo y a la persona investigadora. Un ejemplo de consentimiento informado para realizar entrevistas con sujetos menores de 18 años, se presenta a continuación:

CAPÍTULO 24

MODELO de Consentimiento para ENTREVISTAS
PROYECTO DE INVESTIGACIÓN: "NOMBRE _____"

CONSENTIMIENTO INFORMADO DE PARTICIPACIÓN EN ENTREVISTAS
DIRIGIDO A PADRES, MADRES, TUTORES DE JÓVENES ENTRE 12 Y 17 AÑOS DE EDAD.

En el siguiente texto te damos información y te explicamos los detalles de la actividad a la que se te desea invitar a participar. Para participar, primero debes leer lo siguiente:

La investigadora (Nombre).... está realizando un proyecto que se llama: (nombre del proyecto)....
El objetivo del proyecto es:_____ y por eso se te ha pedido que participes en una entrevista, que consiste en: Una conversación en el establecimiento escolar, en un horario que no interrumpa o perjudique tus horarios regulares de clases. Esta conversación durará aproximadamente entre 45-60 minutos y se relacionará con: (especificar las temáticas por las cuáles transitará la entrevista). Se realiza una sola vez (esto puede cambiar y la periodicidad depende del diseño y opción metodológica) y será grabada. Tu participación es absolutamente libre y voluntaria, manteniendo el absoluto anonimato, confidencialidad de la información relatada. Si en cualquier momento no deseas seguir participando, no recibirás sanciones ni se afectarán tus condiciones, derechos u obligaciones. La investigadora responsable velará por mantener el estricto anonimato y privacidad (tanto de los estudiantes como del establecimiento). Además de la absoluta confidencialidad, la información recogida sólo se usará para los fines científicos contenidos en esta investigación, y/o en estudios relacionados con este mismo proyecto. La investigadora responsable adoptarán todas las medidas que sean necesarias, de modo de garantizar en la debida forma, la salud e integridad física y psíquica de los participantes.
Para que puedas participar, pediremos la autorización de tu padre/madre/tutor, pero aunque ellos estén de acuerdo en tu participación, tú puedes decidir libre y voluntariamente si deseas participar o no.
Todos los datos que se recojan en la actividad serán totalmente anónimos y privados. Además, los datos que entregues serán absolutamente confidenciales y sólo se usarán para el proyecto de investigación. La investigadora (nombre) será la encargada de cuidar y proteger los datos, y tomará todas las medidas necesarias para esto.
Además, se asegurará la total cobertura de los costos de la actividad, por lo que tu participación no te significará gasto alguno. Te contamos que se tomarán todas las medidas que sean necesarias para garantizar tu salud e integridad mientras participas de la actividad.

Si tú consideras que se ha hecho algo incorrecto durante la actividad, te puedes comunicar con la profesora _____ o al organismo que financia y patrocina esta investigación _____ (nombres, contactos teléfonos distintos de la investigadora).

Si tienes dudas sobre esta actividad o sobre tu participación en ella, puedes hacer preguntas en cualquier momento que lo desees. Igualmente, puedes decidir retirarte de la actividad en cualquier momento, sin que eso tenga malas consecuencias. Además, tienes derecho a negarte a participar o a dejar de participar en cualquier momento que lo desees.

Si decides participar, muchas gracias!

El presente asentimiento se firma en dos ejemplares, con el propósito de asegurar que cada parte involucrada conserve una copia original de la documentación oficial.

_____   _____
Investigador responsable   Padre/madre/tutor

FECHA

Cuadro 2. Consentimiento de elaboración propia en conjunto con la Dirección de Investigación de la Pontificia Universidad Católica de Valparaíso. (Fuente: Proyecto FONDECYT 1160391).

Este formato "tipo" del consentimiento informado debiera firmarse en dos copias, una se queda en custodia del investigador y la otra de los firmantes: padres, madres y/o tutores de informantes menores de 18 años. El formato-tipo de consentimiento o asentimiento suele tener dos partes: una primera parte explicativa y una segunda con el contrato de participación firmado, que paso a detallar.

Fecha: _____

Mi nombre es _____, soy padre/madre/ tutor del estudiante del curso _____, del colegio/liceo _____. La investigadora _____ me ha invitado a participar de un proyecto que se llama: _____. Acepto que mi hijo/hija participe en la actividad a la que le han invitado, y además quisiera decir que:

1. He leído lo anterior, o me lo han leído, y he entendido toda la información.
2. Cuando no entendí algo, pude preguntar, y me han contestado a todas mis preguntas.
3. Sé que puedo decidir no participar, y nada malo ocurrirá por ello. Si tengo alguna duda en cualquier momento de la actividad, puedo preguntar todas las veces que necesite.
4. Sé que puedo elegir participar, pero después puedo cambiar de opinión en cualquier momento, y nadie me retará por ello.
5. Sé que la información que entregue en esta actividad sólo la sabrán los profesores del proyecto y la usarán sólo para su investigación. Si mis respuestas llegasen a ser publicadas, no estarán relacionadas con mi nombre, así que nadie sabrá cuales fueron mis decisiones o respuestas.
6. De tener alguna pregunta sobre la actividad, después podré llamar o escribir a un profesor que podrá responder todas mis preguntas y comentarios.
7. Si acepto participar en la actividad debo firmar este papel, y me entregarán una copia para guardarla y tenerla en mi poder si tengo cualquier duda después.
8. Al final de todo, podré pedirle al profesor que me invitó a participar, información sobre los resultados de su proyecto. Sus datos de contacto son:.....................

Nombre, firma y/o huella dactilar del participante_____

Nombre, firma del investigador responsable _____

Cuadro 3. Consentimiento de elaboración propia en conjunto con la Dirección de Investigación de la Pontificia Universidad Católica de Valparaíso. (Fuente: Proyecto FONDECYT 1160391).

Con estos documentos firmados, la investigadora deja en custodia una de las copias y el padre/madre/tutor se queda con la otra copia firmada. Cabe destacar que estos certificados éticos en el caso de los consentimientos, también deben ser firmados por el participante de forma DIRECTA, sólo en caso que sean menores de 18 años se consideran los CONSENTIMIENTOS, en el caso de que el informante ya haya cumplido los 18 años de edad, sólo basta el ASENTIMIENTO. Este marco formal y protocolar evidencia, de alguna forma, un cierto rigor y seriedad en el cuidado que se debe tener por la vida íntima de las personas, pero no la protege totalmente y menos asegura el componente ético de la investigación: "todos queremos actuar de manera virtuosa y obtener el consentimiento informado de quienes estudiamos, pero está claro que no siempre podemos informar a otros de la evolución de nuestra investigación, no sólo porque a menudo no podemos predecir su curso, sino porque a veces no podemos predecir nuestros propósitos" (Eisner, 1998: 261).

Es importante destacar que el formato que se expone a modo de ejemplo corresponde a un consentimiento informado de entrevistas dirigido a familias; en el caso de redactar un asentimiento, tendría que ir dirigido al joven. Lo mismo sucede con la variación de la técnica: se debe explicitar muy bien si el sujeto será partícipe de registros de observación, grupos focales, grupos de discusión u otra técnica en particular. Detallando de forma minuciosa lo que implica temáticamente, el tiempo de duración, el lugar donde se realizará y su periodicidad.

El campo, la institución y la comunidad

Un espacio social de relaciones, que tiene una trayectoria de vida en común, unos ejes de poder que articulan su funcionamiento y determinan las interacciones, unos sentidos de pertenencia comunitaria, de memoria, motivaciones, afectos, anhelos y proyecciones que de pronto debe aceptar la "intromisión" de un extranjero que aunque explique las bondades del trabajo investigativo para la institucionalidad o comunidad, es un extraño. Por ello, los estudios de investigación cualitativa, como por ejemplo podrían ser diseños con estudios de caso, requieren algo más que de un consentimiento informado o asentimiento del participante. Estar en el campo por largos periodos, recogiendo información desde diferentes técnicas (entrevistas, grupos focales, registros de observación, fotos etc.) y distintas fuentes (padres, madres, personal técnico, profesores, directivos, estudiantes, documentos) requiere además de un contrato ético entre las partes responsables de la investigación y la institución. Un ejemplo de contrato ético entre las partes podría ser el que se da como ejemplo a continuación.

CONTRATO ÉTICO ENTRE LAS PARTES:

Doña o Don, Director/a del Establecimiento: (Nombre del director o directora del establecimiento) _____ ubicada en: _____. ACUERDA con Doña o Don (Nombre del investigador responsable) investigadora responsable del proyecto: (Nombre del proyecto de investigación, código y registro), que suscribe el presente documento en que se estipulan los compromisos que asumen las partes en el desarrollo del trabajo de investigación con diseño de Estudios de caso:

I. Compromisos éticos.

a) El investigador protegerá el principio de confidencialidad de personas, conversaciones, documentos, entrevistas, diálogos, reuniones.

b) Se respetará en todo momento la dignidad de los participantes salvaguardando la confianza, la intimidad y la no discriminación.

c) Se garantiza por parte del investigador el anonimato de datos, documentos y participantes durante el proceso como en los resultados y elaboración del informe de investigación.

d) Se seguirá el principio de maximización del beneficio, la mejor decisión es el mayor beneficio para la mayoría de las personas.

e) La investigadora garantiza que para obtener unos resultados satisfactorios en los objetivos propuestos en el proyecto de investigación utilizará las técnicas, métodos e instrumentos más adecuados, garantizando la otra parte la posibilidad de su utilización en todo el desarrollo.

f) Se garantiza el principio de respeto a la autonomía, es decir, los profesionales tienen de. hecho a una libertad razonable en el ejercicio de su trabajo.

g) Cualquier persona implicada como fuente de datos será partícipe de los mismos y deberá ser debidamente informada de todo el proceso y resultados, siendo responsable del uso de la información.

h) En todo momento la investigadora seguirá un principio de transparencia, es decir, se estará abierto a responder, clarificar, y explicar el proyecto a las personas que participan en él.

i) Se garantiza que durante el transcurso de la investigación se volverá a negociar aspectos emergentes no considerados en este contrato.

II. Compromisos sobre los datos.

a) La investigadora se hará responsable de la confidencialidad de los datos que recoja en el transcurso de la investigación.

b) La investigadora no podrá consultar ficheros, correspondencia u otra documentación sin autorización expresa del responsable y no podrá copiar material de tales fuentes sin permiso.

c) Ningún participante gozará de un derecho unilateral o poder de veto sobre el contenido

d) La investigadora sabrá abordar libremente a cualquier participante con el fin de recoger datos, sin interferir las labores habituales de funcionamiento.

III. Compromisos sobre los informes y su divulgación.

a) No habrá informes secretos. Los informes se entregarán en primer lugar a las personas cuya observación y registro se vean reflejados en ellos y cuyos textos se correspondan como informantes textuales. Si esos informes se consideran por la fuente acorde a la realidad, justos, relevantes y exactos podrán ser utilizados con el propósito de la investigación.

b) Las partes implicadas en las entrevistas, reuniones e intercambios escritos podrán suprimir aspectos o partes de tales, corregir o mejorar su exposición. Las citas textuales, transcripciones fieles y observaciones, juicios, conclusiones o recomendaciones atribuidas, en los casos en que se utilicen.

c) La base de negociación de los resultados serán los criterios de justicia, relevancia y exactitud.

d) Podrán negociarse partes de un informe con los/las participantes afectados, cuando sea necesario, para evitar consecuencias negativas para ellos/as.

e) La investigadora se reserva el derecho de rechazar toda versión incompleta o resumida de la información recogida en el proceso de investigación.

f) Una vez que se cumplan en los resultados las condiciones previstas en este contrato (justicia, relevancia y exactitud) y se hallen presentados de modo que no revelen datos innecesarios o comprometedores de los participantes, no podrán ser retenidos los informes al público general invocando a las prohibiciones de confidencialidad.

g) Ningún participante en el estudio de caso tendrá acceso privilegiado a los datos que se obtengan de su desarrollo. Todos/as los/las participantes tienen el mismo derecho de acceso.

h) Se garantiza el acceso a los informes finales por parte de todos/as los/las participantes en el estudio de caso.

En virtud de la decisión colectiva del equipo docente, la decisión de los directivos del centro, para realizar esta investigación con una duración aproximada de un año en el centro escolar, de la consiguiente aceptación se comprometen a observar estos principios de procedimiento. Ambas partes que firman el acuerdo aceptan libremente las reglas de procedimientos que han sido formuladas de manera clara, debatida, construida en conjunto de las partes (democrática) y transparente.

FIRMADO, EN_____ A_____DEL AÑO_____

RESPONSABLE DEL CENTRO   RESPONSABLE DEL PROYECTO DE
                                          INVESTIGACIÓN

Cuadro 5. Contrato utilizado en la investigación en Redon (2006).

Con la producción de conocimiento

En esta parte se complejiza la ética. ¿Qué es bueno investigar? ¿Qué conocimiento se difunde, dónde y cómo? ¿Qué es lo que corresponde investigar? ¿Qué proyectos se financian y cuáles no? En primer lugar, al inicio de este libro hemos dicho que el conocimiento es una invención humana propia de su facultad simbólica. Este hecho implica que el conocimiento está determinado por las variables contextuales culturales que dan valor a lo que es cierto (epistemología), bueno (ética) y hermoso (estética). También hemos dicho que todo conocimiento tiene su sentido en la mejora de la convivencia humana en un planeta que sistemáticamente hemos venido destruyendo. Hoy en día cuesta separar las aguas de la ciencia y del mercado. Las universidades de lo rentable, de proyectos I+D vale decir, con posibilidad de transferencia a utilidades y productividad. El cultivo disciplinar de las humanidades y las ciencias sociales van lentamente desapareciendo en su gran valor por "pensar el mundo"; ya no son rentables, dejan de ser utilidades económicas (Romero Tobar, 2013; Pérez Ledesma, 2013) y pensar no es una competencia evidenciable y "medible". Hablar de la ciencia en los tiempos de hoy, de la falta de autonomía de las universidades para su producción, del mercado de las patentes como la gran falacia en las ciencias sociales en los que el conocimiento siempre han emergido de un nicho comunitario, y de los proyectos de investigación financiados por el Estado, ya sea de forma directa o indirecta a través de las universidades estatales, olvidando que los resultados y la investigación misma le pertenecen al pueblo, es decir, a la ciudadanía y no a un particular, ya sea empresa editorial o cualquier otra entidad de lucro, es ignorar el valor del conocimiento para el conjunto de la sociedad y para la mejora misma de quienes con su trabajo están, en realidad, financiando estos proyectos. Ello sin dejar de mencionar que los que aportaron y ofrecieron su vida tienen el derecho sobre dicho conocimiento en primer lugar. Insisto, necestiaríamos un libro entero para hablar de cómo el sistema capitalista en su modelo neoliberal junto con destruir al planeta, ha anestesiado a la población haciendo que olvidemos el sentido de lo común, del nosotros, de la comunidad, como lo constitutivo de lo humano y de toda posibilidad de vida justa. El conocimiento es parte de lo común, del procomún y todos y todas debemos beneficiarnos con él.

Quisiera concluir esta breve discusión, enfatizando que las decisiones que se tomen con el nuevo conocimiento aportado por la investigación cualitativa, dependerán de la inexorable y apreciada libertad de los individuos que investigan. Parafraseando a Eisner (1989), en el fondo todo depende de la propia libertad de los investigadores e investigadoras.

Referencias

Angulo, J.F. y Vázquez, R. (2003). *Introducción a los Estudios de Caso*. Málaga: Aljibe.

Eisner, E.W. (1989). *El ojo ilustrado. Indagación cualitativa y mejora de la práctica educativa*. Barcelona: Paidós.

Goodman, N. (1978). *Maneras de hacer mundos*. Madrid: Visor, 1990.

Kemmis, S. y Robottom, I. (1981). Principles of procedure in curriculum evaluation. *Journal of Curriculum studies, 13* (2), 151-155.

Pérez Ledesma, M. (2013). Viaje al país del engaño. En J. Hernáncez *et al.*, *La universidad cercada. Testimonios de un naufragio* (pp. 317-324). Barcelona: Anagrama.

Redon, S. (2006). La transversalidad del curriculum. Un estudio de caso. Tesis doctoral, Facultad de Ciencias de la Educación, Universidad de Cádiz-España Educación/ Pontificia Universidad Católica de Valparaíso-Chile.

Redon, S. (2007). Proyecto de investigación adjudicado por CONICYT. Comisión Nacional de Investigación Científica y Tecnológica del Gobierno de Chile. FONDECYT DE INICIACIÓN N° 11070100: *La escuela como espacio de formación ciudadana: las representaciones de los niños y niñas de 4 a 10 años de edad*.

Redon, S. (2012). Proyecto de investigación adjudicado por CONICYT. Comisión Nacional de Investigación Científica y Tecnológica del Gobierno de Chile. FONDECYT REGULAR N° 1121037: *El sentido de lo común como experiencia de construcción democrática: estudio de casos en escuelas en contextos de pobreza*.

Redon, S. (2016). Proyecto de investigación adjudicado por CONICYT. Comisión Nacional de Investigación Científica y Tecnológica del Gobierno de Chile. FONDECYT REGULAR N° 1160391: *El sentido de lo común: de las redes sociales a las redes virtuales en educación*.

Romero Tobar, L. (2013). Humanidades y estudios literarios en la universidad de hoy. En J. Hernáncez *et al.*, *La universidad cercada. Testimonios de un naufragio* (pp. 325-342). Barcelona: Anagrama.

Vasilachis de Gialdino, I. (2006). La investigación cualitativa. En I. Vasilachis de Gialdino (Comp.), *Estrategias de investigación cualitativa* (pp. 23-64). Barcelona: Gedisa.

Wittgenstein, L. (1953). *Investigaciones filosóficas*. Barcelona: Altaya.

CAPÍTULO 25

La revisión bibliográfica desde una perspectiva sistemática

Jaume Sureda-Negre y Rubén Comas-Forgas

Introducción

A pesar de que la revisión de la literatura constituya una parte crucial del diseño y desarrollo de cualquier estudio, la mayoría de investigadores en el campo de la educación no ha recibido formación específica sobre cómo abordarla. Este hecho provoca que, en muchas ocasiones, lo que debería ser un proceso riguroso se guíe principalmente por las intuiciones o percepciones personales del investigador. Y ello puede generar que los resultados de sus trabajos puedan verse seriamente afectados al no considerar aportaciones anteriores que pueden ser fundamentales con relación al tema trabajado. Una revisión rigurosa es fundamental para definir y delimitar el objeto de cualquier actividad científica, es de gran ayuda para evitar repeticiones innecesarias, es imprescindible para situar el contexto y la perspectiva teórica adecuada y, finalmente, es orientativa para poder adoptar un enfoque metodológico correcto, pertinente y válido. En este apartado se proporcionan orientaciones básicas sobre cómo abordar la revisión bibliográfica desde una perspectiva y metodología sistemática.

Existen básicamente dos categorías de revisiones de la literatura: la revisión tradicional o narrativa y la sistemática. La primera –la más sencilla de abordar– se caracteriza por realizarse con criterios poco estrictos en la selección de los documentos y con procedimientos escasamente definidos a la hora de analizarlos y sintetizarlos[1]. Por el contrario, la revisión sistemática sigue métodos rigurosos y transparentes, tanto para la localización

---

1. Conviene señalar que las revisiones tradicionales o narrativas pueden clasificarse, a su vez, en diversas categorías. Jesson, Matheson & Lacey (2011) hacen referencia, entre otras, a: "conceptual reviews" orientadas a sintetizar los conceptos en relación a un determinado tema; "state-of-the-art review", centradas en el análisis de los documentos más recientes sobre un tema; "expert review", realizada por un reconocido experto sobre la temática; y, finalmente, "scoping review" que son aproximaciones exploratorias a la literatura sobre un tema escasamente analizado (se intentan identificar los conceptos clave, las teorías y las fuentes de evidencias existentes, etc.)

y selección de los recursos como para el análisis de los mismos (Aveyard, 2007), posibilitando, de esta manera, que el proceso sea fácilmente reproducible por otro investigador. Así pues, la amplitud, la objetividad y la posibilidad de que otros puedan seguir el mismo camino llegando a las mismas conclusiones es lo que diferencia una revisión sistemática de una narrativa y tradicional (Higgins y Green, 2011).

Aspectos de la revisión	Revisión tradicional o narrativa	Revisión sistemática
Objetivos	Objetivos más difusos orientados, generalmente, a obtener una comprensión y descripción de un tema	Objetivos más concretos orientados por preguntas específicas sobre un tema
Planificación de la revisión	Escasamente planificada y, por lo tanto, difícilmente reproducible	Claramente definida y fácilmente reproducible por otro investigador
Identificación y selección de documentos	Identificación y selección de estudios a analizar hecha por el autor del trabajo sin criterios explícitos	Criterios rigurosos y predeterminados, tanto para la identificación como para la selección, lo que facilita que otros autores puedan reproducir el proceso
Valoración de los documentos	Sin criterios explícitos y, consecuentemente, con elevado grado de subjetividad	A partir de criterios explícitos que proporcionen garantía de objetividad
Análisis y síntesis	Discursiva y cualitativa	Permite la cuantificación

Tabla 1. Principales diferencias entre la revisión narrativa y la sistemática (elaboración propia a partir de Petticrew y Roberts (2006), Aveyard (2007), Higgins y Green (2011) Jesson, Matheson y Lacey (2011).

Optar por uno u otro tipo de revisión dependerá fundamentalmente, y entre otros factores, de las necesidades, recursos y propósitos del investigador. Si, por ejemplo, se trata de realizar una revisión para una tesis doctoral, el camino más adecuado consiste en optar por una revisión sistemática. Si se trata de un artículo académico[2], con las lógicas limitaciones del número

---

2. El concepto "revisión sistemática" es utilizado en dos sentidos (Jesson, Matheson y Lacey, 2011): uno hace referencia a una forma de abordar al análisis de la literatura; una forma sistemática y transparente de recopilar, sintetizar y evaluar los resultados de estudios sobre un determinado tema. La otra acepción hace referencia al artículo de investigación en el que se identifican estudios relevantes, se valora su calidad y se resumen sus resultados utilizando una metodología transparente.
Existen diversos tipos de revisiones sistemáticas, la más especializada es la llamada meta análisis. Se trata de una revisión que se utiliza en estudios cuantitativos y que se puede definir como "...*a review that uses a specific statistical technique for synthesising the results of several studies into a single quantitaive estimate (the summary size effect)*" (Petticrew y Roberts, 2006: 19, citado por Jesson, Matheson y Lacey, 2011: 130). Los

de palabras, es evidente que la revisión –o cuando menos la redacción del apartado– deberá limitarse a las aportaciones más relevantes en relación con la cuestión planteada. En todo caso, las limitaciones y peligros de las revisiones narrativas (el mayor riesgo consiste en fundamentar y abordar de forma errónea un tema de indagación) recomiendan optar sino por una revisión del todo sistemática sí al menos por seguir los pasos básicos de este enfoque[3].

Así pues, con este capítulo no se pretende tratar sobre los múltiples aspectos que plantea una revisión sistemática de la literatura; el objetivo se limita a proporcionar algunas orientaciones básicas que faciliten el seguimiento de un enfoque sistemático a la hora de revisar la bibliografía, enfoque que, a grandes rasgos, implica:

a) Centrar el tema objeto de investigación.
b) Identificar los principales documentos bibliográficos relacionados con el tema.
c) Seleccionar a partir de criterios claros y explicitados los documentos que serán objeto de análisis.
d) Analizar los documentos.
e) Redactar el informe de resultados y conclusiones.

Centrar el tema

En esta etapa se persigue ordenar los propios conocimientos y especificar de la forma más clara posible las cuestiones a las que se pretende dar respuesta con el trabajo a llevar a cabo, clarificando para ello las preguntas de investigación. Hay que tener en cuenta que, muy probablemente, los documentos que se vayan localizando y analizando sirvan también para centrar o reorientar las preguntas a las que se pretende responder con la investigación. Es decir, puede suceder que a través del análisis de trabajos localizados se vaya modificando el centro de interés de la indagación y reformulando el sentido de las preguntas de investigación que se desea contestar con el análisis documental. Una buena revisión documental planteará nuevos problemas, cuestiones y posicionamientos sobre los que desarrollar la indagación.

---

estudios analizados en este tipo de revisiones tienen que partir de una misma, o muy similar, pregunta de investigación.

3. La revisión sistemática no es la más utilizada en el campo de la educación. El hecho de que en este campo solo en contadas ocasiones se opte por este tipo de revisiones quizás sea debido a la diversidad de planteamientos teóricos inherentes a la disciplina, a la naturaleza multidisciplinar de las cuestiones que se investigan y a los diversos enfoques metodológicos que se adoptan. En todo caso, ninguno de estos elementos puede justificar la falta de rigor a la hora de revisar la literatura existente.

Identificar los documentos

Una vez centrado el tema hay que identificar los documentos más relevantes que sobre el mismo se han publicado[4]. Para ello, en primer lugar, hay que seleccionar las fuentes de donde recopilarlos y determinar las estrategias de búsqueda a seguir. Las bases de datos bibliográficas constituyen la opción más recomendable para esta identificación y en cada una de ellas se deberá seguir –siempre que el sistema de búsqueda lo permita– una misma estrategia. Cabe destacar que en aquellos casos en que se quiera que el procedimiento sistemático se refleje en la publicación del estudio, es conveniente proporcionar información sobre el camino seguido para que así otro investigador pueda reproducir la revisión realizada. Se trata pues de explicitar de la forma más trasparente posible la estrategia seguida para localizar la literatura objeto de análisis (véase el ejemplo de la Tabla 2)

---

4. Para una buena gestión de los documentos que se vayan identificando y para facilitar su utilización a la hora de redactar las conclusiones es recomendable la utilización de un gestor bibliográfico. Existe un gran número de ellos, algunos gratuitos y otros de pago; también los hay que se incorporan o se descargan al ordenador mientras que a otros se accede a través de plataformas online. Excede a los objetivos de este capítulo analizar y explicar el funcionamiento de estos programas pero recomendamos al lector que analice las posibilidades de uno muy sencillo, BIBOPIA (www.bibopia.com) y otro más complejo, MENDELEY (www.mendeley.com).

FUENTES DE INFORMACIÓN	ESTRATEGIA DE BÚSQUEDA (Ecuaciones de búsqueda utilizadas)	RESULTADOS
ERIC	title:drop-out OR title:engagement AND title:vocational	12
	title:"early leaving" AND title:VET	1
	title:"early leaving" AND title:Vocational	1
SCOPUS	TITLE (dropout) OR TITLE (engagement) AND TITLE (vocational)	28
	(TITLE (early leaving) AND TITLE (vet))	1
	(TITLE (early leaving) AND TITLE (vocational)	2
WEB OF SCIENCE	TI=(dropout OR engagement) AND TI=(vocational)	25
ISOC	TI "Abandono escolar" AND TI "formación profesional"	1

Tabla 2. Ejemplo de los datos a tener en cuenta a la hora de consultar fuentes de información. En este ejemplo se trataba de localizar documentos sobre "abandono y la vinculación escolar/académica en la formación profesional". Obsérvese que se consultaron cuatro bases de datos. En la primera (ERIC) se siguió la siguiente estrategia: se buscaron documentos en cuyo título aparecieran las palabras *"drop-out"* o *"engagement"* y al mismo tiempo la palabra "vocational". Así se localizaron doce documentos. Puesto que en inglés para referirse al abandono prematuro se utiliza el concepto *"early leaving"* y para la formación profesional también se usa el acrónimo VET, en un segundo y tercer momento la búsqueda se centró en localizar documentos en cuyo título se incluyera *"early leaving"* y "VET" (se localizó un documento) o *"vocational"* (se localizó otro documento)[5]. Adviértase que la estrategia de búsqueda implica criterios de inclusión o exclusión de documentos a localizar; en el caso del ejemplo se utiliza solo un criterio de contenido (documentos que en el título incluyan las palabras *"drop-out"*, *"engagement"*, *"vocational"*, etc.). Evidentemente, podrían utilizarse otros criterios como por ejemplo la fecha de publicación, el idioma, el tipo de documento, etc.

A continuación se señalan y comentan muy brevemente las fuentes (básicamente las de acceso libre) más recomendables para un investigador en educación en el ámbito iberoamericano. Las fuentes aparecen clasificadas en tres categorías: a) bases de datos bibliográficas; b) repositorios; y c) buscadores de literatura académica.

---

5. Los datos que se presentan en la tabla se obtuvieron mediante una búsqueda realizada en el mes de noviembre de 2014.

a) Bases de datos bibliográficas

- Education Resources Information Center. ERIC Database [http://www.eric.ed.gov/]

Desarrollada por el Institute of Education Sciences del Departamento de Educación de los EE.UU., es considerada la base de datos más importante en el campo de la educación. Contiene documentos publicados desde 1966 hasta la actualidad. Se actualiza semanalmente y los documentos que incluye –unos 1,2 millones de registros– son de características muy diversas: libros, informes, legislaciones, tesis, artículos, etc. Son más de setecientas las revistas cuyo contenido es regularmente referenciado en ERIC.

El sistema de búsqueda de ERIC permite una opción simplificada, una avanzada y una sobre Tesauro[6].

La búsqueda simplificada (captura de pantalla 1) permite recuperar documentos que contengan la palabra o conjunto de palabras que se escriban en el formulario en cualquier lugar del registro. En el ejemplo de la captura de pantalla 1, se observa que si introducimos la palabra "plagiarism" obtenemos hasta 958 documentos[7].

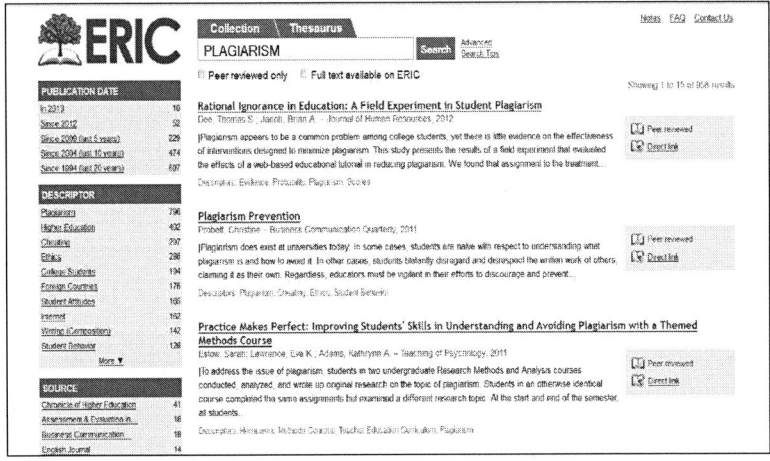

Captura de pantalla 1: Sistema de búsqueda simple de ERIC.

Si se observa la columna de la izquierda, se verá que se pueden perfilar y precisar las características de la búsqueda: a) por año; b) por descriptores

---

6. La lógica de los sistemas de búsqueda es la misma en todas las bases de datos. En el presente capítulo se explica el funcionamiento de ERIC, pero no seremos tan explícitos con el resto de bases de datos.

7. Datos obtenidos a principios del mes de octubre de 2013.

o palabras clave; c) por tipo de documento; d) por nivel educativo al que se refieren los documentos; e) por autor/es, etc.

Si desde la ventana de búsqueda se accede a la pestaña de "Advanced Search", obtendrá información sobre cómo efectuar búsquedas más precisas.

Obsérvese que desde la opción Search ERIC se ofrece la posibilidad de consultar el Tesauro y así poder conocer los descriptores que utiliza ERIC para clasificar los documentos. Si, por ejemplo, buscamos con la palabra "plagiarism" (capturas de pantalla 2 y 3) vemos que: a) es un descriptor utilizado en el tesauro y clicando sobre la opción "Start an ERIC Search" obtendremos los documentos clasificados con este descriptor; b) clicando sobre la palabra "plagiarism" llegamos a una pantalla en la que podemos informarnos sobre qué términos relacionados con "plagio" son indexados en ERIC; así sabemos que si nos conviene ampliar la búsqueda podemos hacerlo utilizando, por ejemplo, los descriptores *"cheating"*, *"ethics"*, *"copyrights"*. Además, si accedemos al enlace "Search collection using this descriptor" nos llevará a todos los recursos que alberga la base de datos con este descriptor (*plagiarism*).

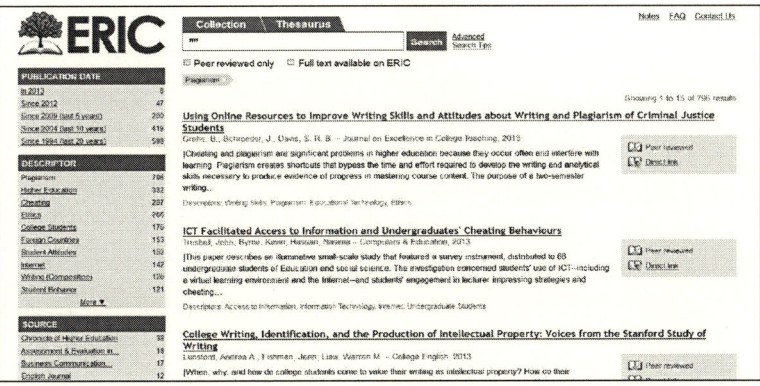

Capturas de pantalla 2 y 3: Consulta al Tesauro con la palabra *"plagiarism"* y resultados obtenidos.

Una última observación sobre ERIC: al proporcionar los resultados de una búsqueda ofrece la posibilidad de limitarlos a aquellos documentos que están disponibles en ERIC a texto completo ("Full text available on ERIC") y/o a aquellos resultados que han sido objeto de una evaluación por pares ("Peer reviewed only"), es decir: recursos que, en principio, ofrecen mayores garantías de calidad al haber pasado un proceso de revisión por parte de especialistas.

- Dialnet [http://dialnet.unirioja.es/]

A través de Dialnet se puede acceder a las referencias de más de cuatro millones de documentos –no sólo artículos de revistas; también hay tesis y libros– algunos de los cuales están a texto completo.

Desde la página principal[8], el sistema ofrece la posibilidad de buscar documentos o revistas. Si se opta por la primera alternativa hay que introducir en la casilla correspondiente la palabra o palabras que se quieran buscar. Existe la posibilidad de llevar a cabo una búsqueda avanzada a través de http://dialnet.unirioja.es/documentos. Cuando se obtiene el resultado informa si el artículo está disponible a texto completo o si sólo hay un resumen[9].

- Latindex [http://www.latindex.org/index.html]

Latindex se presenta como "un sistema de información sobre las revistas de investigación científica, técnico-profesionales y de divulgación científica y cultural que se editan en los países de América Latina, el Caribe, España y Portugal (...) Actualmente Latindex ofrece tres bases de datos: 1) Directorio, con datos bibliográficos y de contacto de todas las revistas registradas, ya sea que se publiquen en soporte impreso o electrónico; 2) Catálogo, que incluye únicamente las revistas –impresas o electrónicas– que cumplen los criterios de calidad editorial diseñados por Latindex y 3) Enlace a Revistas Electrónicas, que permite el acceso a los textos completos en los sitios en que se encuentran disponibles".

- REDIB Red Iberoamericana de Innovación y Conocimiento Científico. [https://www.redib.org/]

Se trata de una plataforma de agregación de contenidos científicos y académicos en formato electrónico producidos en el ámbito iberoamericano. Facilita el acceso al contenido de más de 1.650 revistas académicas.

---

8. Desde la opción "Cómo usar Dialnet" se puede acceder a un tutorial que explica cómo realizar búsquedas.

9. Dialnet también ofrece un excelente servicio de alertas bibliográficas.

CAPÍTULO 25

- REDINED. Red estatal española de bases de datos de información educativa: investigación, innovación y recursos didácticos. [http://www.REDINED.mec.es/]

   Esta base de datos está organizada en cuatro secciones: 1) REDINED-INVESTIGACIÓN, que pone a disposición de los usuarios referencias sobre investigaciones educativas tales como tesis doctorales, memorias de licenciatura, proyectos de investigación, etc.; 2) REDINED-INNOVACIÓN, que ofrece referencias de proyectos educativos, de renovación pedagógica y diseños curriculares; 3) REDINED-RECURSOS DIDÁCTICOS, que permite el acceso a referencias sobre guías didácticas, proyectos y programaciones de desarrollo curricular, cuadernos de trabajo y otros materiales relacionados con la práctica docente; 4) REDINED-REVISTAS/ANALÍTICAS incorpora a la base registros con fichas analíticas sobre artículos de revistas españolas, aunque también es posible que figuren registros correspondientes a partes de otras tipologías documentales: ponencias de congresos, etc. Permite realizar búsquedas avanzadas y dispone de una guía de ayuda muy útil para aquellas personas poco familiarizadas con la base de datos.

- Web of Knowledge [www.webofknowledge.com/]

   A pesar de que el acceso a esta base de datos es de pago y multidisciplinar, la incorporamos por cuanto su acceso es gratuito desde los servidores de la mayoría de las universidades españolas e iberoamericanas[10].

   Se trata de la principal base de datos científica multidisciplinar de referencia ya que alberga las revistas de mayor impacto en todos los ámbitos de conocimiento.

- SCOPUS [http://www.scopus.com]

   Se presenta como la mayor base de datos de resúmenes de literatura científica revisada por pares. Como Web of Knowledge, es de pago y generalista (incluye referencias de los campos de las ciencias, la tecnología, la medicina, las humanidades, las ciencias sociales, etc.) y de consulta recomendable para obtener una visión global de los temas.

- DART [http://www.dart-europe.eu/basic-search.php]

   Acceso libre a unas 619.417 tesis de investigación de 584 universidades de 28 países europeos.

---

10. PsycINFO es otra base de datos de pago cuya consulta es muy recomendable. Algunas universidades tienen contratado el acceso a esta y otras bases de datos; recomendamos acceder a los servicios bibliotecarios de las universidades a las que se tenga acceso para averiguar de qué bases de datos se puede obtener información de forma gratuita.

- TDR. Tesis Doctorales en Red [http://www.tesisenred.net/]
  Contiene, en formato digital, más de 3.500 tesis doctorales leídas en diversas universidades españolas. Permite la consulta del texto completo de las tesis, así como hacer búsquedas por autor, título, materia de la tesis, universidad donde ha sido defendida la tesis, etc.

- IRESIE. Banco de datos sobre Educación Iberoamericana [http://www.unam.mx/cesu/iresie/]
  La base de datos IRESIE (Índice de Revistas de Educación Superior e Investigación Educativa) ofrece el acceso a las referencias y resúmenes de más de 90.000 documentos generados en el campo de la educación y publicados en más de 1.000 títulos de revistas científicas y técnicas especializadas en educación y escritas en español o portugués. Algunos de los artículos están a texto completo.

- REDALYC (Red de Revistas Científicas de América Latina y el Caribe, España y Portugal) [http://www.redalyc.org/home.oa]
  La Red de Revistas Científicas de América Latina y el Caribe, España y Portugal es un proyecto impulsado por la Universidad Autónoma de Estado de México (UAEM), con el objetivo de contribuir a la difusión de la actividad científica editorial que se produce en y sobre Iberoamérica. Actualmente (octubre de 2015) son casi 428.000 los artículos a texto completo a los que se puede acceder desde esta base de datos.

  A través de la búsqueda avanzada se puede hacer la búsqueda en todas las revistas o bien limitarla a un ámbito temático (en nuestro caso sería el de educación).

b) Repositorios

- OpenDOAR Directorio de repositorios abiertos [http://www.opendoar.org]
  Se trata de uno de los más interesantes directorios de repositorios. El formulario de búsqueda de repositorios permite hacerlo por temas –hay cincuenta y siete con contenidos relacionados con la educación– por países, por contenido, etc.

  Por otra parte, a partir de la opción "Search repository contents" se pueden buscar documentos contenidos en todos los repositorios.

c) *Buscadores académicos*

Los buscadores constituyen el recurso más utilizado por aquellos investigadores con escasa formación documental. No es una buena opción iniciar la búsqueda mediante estas herramientas aunque su utilización –especialmente la de buscadores académicos– puede ser una buena fuente secundaria para identificar posibles estudios sobre el tema de interés. Destacamos el buscador Google Académico, http://scholar.google.es/ y Microsoft Academic https://academic.microsoft.com.

Seleccionar los documentos a partir de criterios explícitos

En esta tercera etapa se persigue seleccionar, de entre los documentos identificados en la anterior fase, aquellos que serán objeto de análisis. Esta selección tiene que realizarse a partir de unos criterios claros que orienten la inclusión o exclusión de trabajos para el análisis. Obsérvese que en la etapa anterior, a la hora de establecer la estrategia de búsqueda, ya se siguen criterios de inclusión. Así, en el ejemplo de la Tabla 2, se intentaba identificar en cuatro bases de datos todo tipo de documentos en cuyo título aparezcan las palabras "abandono escolar", "drop-out", "early leaving" "engagement" "formación profesional" y "vocational". A partir de los resultados obtenidos en esta fase de identificación es conveniente llevar a cabo –e informar de forma pertinente– las siguientes operaciones que concluirán con la relación/listado de todos aquellos documentos que formarán parte del análisis:

a) Señalar el número de documentos identificados en cada base de datos consultada, explicitando, como ya se ha señalado, la estrategia de búsqueda que se ha utilizado.

b) Si procede, señalar el número de documentos identificados a través de otros medios, explicando cómo se ha accedido a su identificación.

c) Señalar, si procede, el número de documentos duplicados en las diversas bases de datos.

d) Señalar, si procede, los documentos descartados, especificando los criterios utilizados para incluirlos o excluirlos. Los criterios de inclusión y/o descarte pueden hacer referencia al tipo de documentos (es posible, por ejemplo, limitarse a artículos de revistas indexadas, a tesis doctorales, a informes, etc.), a aspectos de contenido (limitarse, por ejemplo, a trabajos empíricos que adoptan una determinada metodología o enfoque), a aspectos temporales (incluir, por ejemplo, solo los trabajos publicados en los últimos cinco años), al idioma, etc. En todo caso, lo importante es explicitar y justificar los criterios de inclusión y exclusión aplicados.

Realizadas las anteriores operaciones se está en disposición de analizar los documentos.

Análisis de los documentos

Para el análisis de los documentos seleccionados es recomendable establecer las dimensiones que serán objeto de estudio. Algunas de estas dimensiones dependerán de los objetivos de la investigación y de las características de la temática. Hay, sin embargo, una serie de aspectos de los documentos localizados que conviene señalar y/o resumir: título y autor del estudio; marco teórico en el que se mueven los trabajos; las preguntas de investigación y las hipótesis de los estudios; información sobre la muestra, instrumentos y análisis de datos; resultados y conclusiones (Petticrew y Roberts, 2006). En la tabla 3 se señalan, a modo de ejemplo, las dimensiones que se consideraron en la revisión sobre el abandono escolar en formación profesional de cuya identificación documental se hace referencia en la tabla 2.

Título y autor (Referencia del documento siguiendo la normativa APA)
Autores. Datos de contacto y centro/institución de trabajo
Síntesis del documento
Conceptos fundamentales
Objetivos y/o preguntas de la investigación
Enfoque disciplinar desde el que se aborda la investigación (educación, psicología, economía, sociología, etc.)
Características de la muestra estudiada
Metodología adoptada
Principales resultados obtenidos
Principales conclusiones
Principales recomendaciones
Principales limitaciones
Valoración global de la investigación

Tabla 3. Ejemplo de dimensiones contempladas a la hora de realizar una revisión sobre el abandono escolar en formación profesional.

Redactar las conclusiones

Una vez localizados, seleccionados y analizados los documentos hay que redactar las conclusiones. El formato de esta redacción dependerá del

Capítulo 25

tipo de documento final; si se trata de una tesis es recomendable explicar detalladamente no solo las conclusiones en relación con las diversas dimensiones consideradas sino también el proceso seguido. Si se trata de un artículo será suficiente referenciar las conclusiones referidas a las dimensiones que interesan. Evidentemente, si el producto final es un artículo de revisión se tendrán que explicar detalladamente tanto el itinerario seguido como las conclusiones. En referencia a los artículos de revisiones cabe recordar la existencia de revistas dedicadas específicamente a la publicación de este tipo de trabajos. Es el caso de la Educational Research Review y la Review of Educational Research.

Finalmente, cabe remarcar la gran importancia de citar y referenciar de forma correcta los documentos utilizados; si no se hace se incurre en el peligro de que el trabajo pueda ser constitutivo de plagio. Para evitarlo debemos citar y referenciar los documentos utilizados. Para ello conviene adoptar uno de los diversos manuales de estilo o normativas de citación de los que existe una gran diversidad. El más utilizado en ámbito de la educación es de la American Psychological Association (APA).

Referencias

Aveyard, H. (2007). *Doing a literature review in health and social care*. Maidenhead: McGraw-Hill Education.

Collins, J.A. y Fauser, B.C. (2005). Balancing the strengths of systematic and narrative reviews. *Human Reproduction Update*, *11* (2), 103-104. doi: 10.1093/humupd/dmh058

Higgins, J.P.T. y Green, S. (edit.) (2011). *Cochrane Handbook for systematic reviews of interventions. The Cochrane Collaboration*. Disponible en: [www.cochrane-handbook.org]. Versión disponible en español en: [http://www.cochrane.es/files/handbookcast/Manual_Cochrane_510.pdf].

Jesson, J.K., Matheson, L. y Lacey, F. M. (2011). Doing your literature review. *Tradictional and Systematic Techniques*. London: Sage.

Petticrew, M. y Roberts, H. (2006). *Systematic reviews in the social sciences: A practical guide*. Oxford: Blackwell.

Uman, L.S. (2011). Systematic reviews and meta-analyses. *Journal of the Canadian Academy of Child and Adolescent Psychiatry*, *20* (1), 57.

CAPÍTULO 26

Algunas lecturas claves para orientar la investigación

José Félix Angulo Rasco, Guadalupe Calvo García,
Marina Picazo Gutiérrez y Silvia Redon Pantoja

Todo trabajo de investigación requiere de una minuciosa y exhaustiva revisión teórica, tanto de los marcos teóricos que sustentan, actualizan y explican los conceptos que tejen la problemática del estudio, como de la revisión bibliográfica que ha de realizarse en el marco de las opciones metodológicas que el investigador realiza para recoger la información y lograr los objetivos propuestos en dicho trabajo. Llevar a cabo una buena revisión de la literatura existente, evidencia los indicadores de calidad y rigor de la propia investigación, ya que son la base sobre la cual se establece la realización de un buen estudio. El proceso de delimitación y discusión del marco teórico, dnado cuenta del estado de la cuestión temática, es un paso necesario y fundamental. La parte metodológica implica plantear los objetivos e hipótesis para conectar (coherencia estructural interna metodológica) con el diseño metodológico, el paradigma epistemológico y el campo en el que se recogerá la información (unidad de estudio o muestra).

Dentro de este capítulo, nos centraremos en presentar sucintamente los autores claves que han influido en el desarrollo de la investigación cualitativa, de tal manera que le ofrezca al lector una orientación en la revisión bibliográfica epistemológica y metodológica de la investigación cualitativa, en el marco de ciertos libros clave que, estamos seguros, podrán orientarlo. Teniendo en consideración que la producción bibliográfica de metodologías de la investigación cualitativa es exponencial, pues sólo en una simple búsqueda en Google aparecen textos académicos que alcanzan casi el medio millón de referencias[1]. Ante el mar de productividad en este universo, amerita señalar desde una línea de tiempo los textos que han sido un hito, los más revisado y reconocidos, i.e. también llamados clásicos en la metodología de la investigación cualitativa.

---

1. El concepto de metodología de la investigación cualitativa devuelve 428.000 referencias, y si ponemos *"qualitative research"*, 1.780.000, en Google Schoolar.

Algunos libros clave en la investigación cualitativa

De entre todos los libros y documentos que se podía elegir para comenzar este apartado, una de las lecturas imprescindibles dentro del tema que nos ocupa, es el libro escrito por S. J. Taylor y R. Bogdan (1984). Un texto clásico, aún vigente y válido, que constituye una piedra fundamental para introducirse en el conocimiento de la investigación cualitativa. A lo largo del mismo, los autores ofrecen la posibilidad de acercarse al método desde una perspectiva general que ofrece al lector una visión globalizada sobre la cuestión. Uno de sus mayores puntos fuertes y principal característica se encuentra en que es un documento que parte de la práctica y propia experiencia de los autores. Junto a este texto, otro importante que constituyó a su manera un hito, es el de Drockell y Hamilton (1980), especialmente por el capítulo que el mismo Hamilton escribía: *La investigación cualitativa y las sombras de Francis Galton y Ronald Fisher* (una crítica profunda a las bases de la investigación cuantitativa) y por los textos seminales de Walker sobre estudio de casos y Robert Stake sobre evaluación respondiente o de réplica. De este último autor, aunque nunca se tradujo su pionero trabajo sobre los estudios de caso de 1979[2], sí se publicó años más tarde –traduciéndose al castellano– el libro que situaría en su lugar este enfoque: *Investigación con estudio de casos* (Stake, 2005)[3]. Otros trabajos tampoco publicados en castellano, pero que merecen ser citados aquí lo constituyen dos libros relacionados con un grupo de investigadores norteamericanos e ingleses que desde principios de los setenta hasta bien entrados los noventa, revolucionaron a su manera, la evaluación de programas introduciendo la investigación cualitativa en un contexto enormemente refractario a los enfoques cualitativos[4]. Me refiero al titulado justamente *Towards a science of the singular* coordinado por Helen Simons, que recoge la mayoría de las ponencias y trabajos presentados en las Cambridge Conferences[5] sobre los estudios de caso. También es importante el libro publicado en 1977 *Beyond*

---

2. Stake (1979), The case study method in social inquiry. *Educational Researcher*, *7* (2): 5-8, anterior al de Walker (1980) que hemos mencionado en el texto.

3. Además del texto de Stake, sobre los estudios de caso resulta enormemente recomendable el trabajo de Helen Simons (2011).

4. Baste recordar que el trabajo de Hamilton y Parlett de *Evaluation as illumination: A new approach to the study of innovatory programs*, traducido al castellano en Gimeno Sacristán y Pérez Gómez (1983), fue rechazado por muchas revistas hasta que se convirtió en un *best-seller*. En este libro se traduce también un trabajo de E.G. Guba, muy importante: "Criterios de credibilidad en la investigación naturalista" (Guba, 1981).

5. La primera Cambridge Conference se celebró en 1972 en el Churchill College de Cambridge (MacDonald y Parlett, 1973); la segunda conferencia se llevó a cabo en 1976 (Adelman, Jenkins y Kemmis 1976). Ambas reuniones congregaron a investigadores y evaluadores tan importantes como Clem Adelman, Barry MacDonald, Ernie House,

the numbers game: a reader in educational evaluation, coordinado, entre otros, por David Hamilton, en el que participaron a su vez la mayoría de los investigadores de las conferencias de Cambridge. De esta época merece ser nombrado uno de los primeros trabajos de Norman Denzin (1971) *The research act: A theoretical introduction to sociological methods;* autor que se ha convertido en una referencia clave, como luego veremos, para y en la investigación cualitativa. Una década después –en 1981– Egon G. Guba e Yvona Lincoln publican un excelente libro en el que se menciona prácticamente por primera vez la idea de *investigación o enfoque naturalista: Effective Evaluation. Improving the usefulness of evaluation results through responsive and naturalistic approaches*[6]. A fuer de sinceros y es fácil de colegir, teniendo en cuenta este breve repaso histórico, que el origen de la investigación cualitativa en educación se encuentra fuertemente conectado con los primeros intentos en *evaluación de programas*; intentos y propuestas que plantearon un nuevo enfoque tanto a la evaluación por objetivos como a los modelos de evaluación fuertemente influenciados por la metodología cuantitativa y los diseños cuasiexperimentales imperantes desde la publicaciones de Campbell y Stanley (1963), Suchman (1967), Campbell (1969), Rivlin (1971, 1974) y Boruch (1975)[7].

No es exagerado afirmar que a finales de los ochenta y la década de los noventa supusieron la explosión y la *validación* de la investigación cualitativa en educación. Quizás el "acto innaugural", el punto clave de aceptación de la investigación cualitativa en la educación, lo constituya el capítulo escrito por Frederick Erickson (1985) ("Qualitative methods in research on teaching") para el *Handbook of Research on Teaching* de Merlin Wittrock

---

David Hamilton, Malcolm Parlett, Luois Smith, Robert Stake, Mike Atkins, Stephen Kemmis y David Jenkins.

6. No olvidemos que Guba publicó en 1978 y en 1979 sendos artículos sobre investigación naturalista.

7. Quizás por ello, ha quedado entre nosotros una confusión que merece ser abordada, si bien brevemente aquí. Nos referimos a la confusión entre investigación y evaluación y, especialmente, al concepto de investigación evaluativa. Hemos de tener claro que toda evaluación supone e implica una investigación; pero no toda investigación conlleva o se orienta hacia una evaluación. En la investigación prima el, por así decir, *incremento del conocimiento* por el conocimiento mismo; en la evaluación prima la mejora de los programas, de los ambientes, de las actividades evaluadas. La evaluación tiene audiencias interesadas en la mejora de sus acciones; la investigación tiene audiencias genéricas. La evaluación que, repetimos, se ayuda de los datos generados en un proceso de indagación pretende servir de fuente para la formulación de juicios de valor sobre el objeto evaluado; la investigación no, o al menos explícitamente. Por ello, como planteó en su momento Cronbach (1980), un evaluador ni elige ni controla el tema de indagación, no puede caer en la trampa de responder preguntas que nadie ha planteado y está enredado en la acción, en el proceso político de distribución del poder (p. 473). Así pues, mientras un investigador ha de, precisamente, huir de estas circunstancias, un evaluador ha de bregar con ellas, son el sentido de su trabajo.

(1986)[8]. Hay que recordar que en los manuales anteriores (Gage, 1963; Travers, 1973) no se incluyó ningún capítulo sobre el enfoque cualitativo; por eso, el hecho de publicarse en el tercer manual de Wittrock, tiene un valor sobresaliente, puesto que los Handbooks constituyeron desde los sesenta hasta la actualidad (Gitomer y Bell, 2016), las referencias obligadas y claves en la investigación en educación. Posteriormente, los manuales se fueron diferenciando y especializando, con el muy importante *Manual de investigación en el curriculum* (Jackson, 1992) y el *Manual de investigación en educación multicultural* (Banks y Banks, 1995)[9], en los que se incluyeron capítulos también enfocados en la investigación cualitativa.

En castellano se publicaron textos tan importantes como los de Cook y Reichardt (1982), LeCompte y Goetz (1988), Walker (1989), Woods (1987) y Elliot (1990). Las dos últimas traducciones importantes son las de Simons (2011) sobre los estudios de caso –trabajo que complementa, pero no substituye al de Stake (2005)– y la importante colección de monográficas puntuales (desde la observación a la utilización de datos visuales) encabezada por Uwe Flick (2004). Pero hemos de citar también excelentes trabajos publicados por investigadores de lengua castellana. En España destacan Velasco y Díaz de Rada (1997), Valles (1997) y el pionero y todavía un clásico manual de Delgado y Gutiérrez (1994). Mientras el primero se centra en la etnografía específicamente y el de Valles representa una excelente síntesis epistemológica y metodológica, el trabajo de Delgado y Gutiérrez, con sus más de seiscientas páginas es uno de los textos más sólidos que se hayan escrito en castellano sobre la investigación cualitativa, abordando en profundidad todas las cuestiones clave, las técnicas y sus implicaciones. Curiosamente, el trabajo de Delgado y Gutiérrez (1994) se publica el mismo año en el que también aparece el imprescindible manual de Denzin y Lincoln (1994); manual que se irá editando y cambiando en cuanto al contenido hasta la última edición conocida de 2011 en inglés, que ha sido recientemente traducida al castellano (2014). Este manual constituye una compilación fundamental al menos por tres cuestiones sobre las que quisiéramos detenernos brevemente. En primer lugar, el manual afronta y recoge las tendencias más novedosas en teoría social: la teoría crítica (Kincheloe y McLaren 1994) las teorías feministas (Olesen, 2011), la teoría queer (Plummer, 2011) y las epistemologías asiáticas (Liu, 2011), entre otras. En segundo lugar, ofrece una estructuración temporal del desarrollo de la historia de la investigación cualitativa según momentos. En la edición de 1994, diferenciaban cinco (Denzin y Lincoln, 1994b:

---

8. Partes de este manual y el capítulo de Erickson, fueron traducidos al castellano en tres volúmenes en 1989.

9. Una tendencia que se ha seguido en este siglo. Véanse, por ejemplo, Pinar (2008) o Connely *et al.* (2008).

7 y ss.) a los que se añadirá en publicaciones sucesivas de Denzin (1997; 2002a, 2002b, 2003) dos momentos más. El cuadro siguiente resume esquemáticamente los momentos.

MOMENTO	CARACTERÍSTICA
Periodo tradicional (1990-1945)	La investigación enfocada a la validez, la fiabilidad y la objetividad.
Fase modernista (1945-1970)	Fase del realismo social, el naturalismo las etnografías capa a capa. Intentos de formalizar los métodos cualitativos.
Fase de géneros borrosos (1970-1986)	La investigación cualtativa tuvo a su disposición un complemento completo de paradigmas, métodos, estrategias. Las teorías abarcaron un rango amplio, desde el interaccionismo simbólico, a la semiótica y la etnometodología, por ejemplo.
Crisis de la representación (1986-1990)	La escritura y la investigación misma se hace más reflexiva, poniendo en cuestión el género, la clase y la raza. Se buscan nuevos modelos sobre la validez y se comienzan a erosionar las normas clásicas de la antropología.
El quinto momento (década de 1990)	Modelada por las crisis anterioes. Énfasis en la lectura narrativa de las teorías, preocupación sobre la representación del otro; surgen tendencias hacia una investigación más activista, con mayor crítica social.
El sexto momento (el futuro)	Orientado hacia la "convergencia" entre la etnografía crítica y la investigación acción aplicada.
El séptimo momento (ruptura)	Ruptura con las tendencias inciales. Interés en el discurso moral, en la ruptura de fronteras entre la epistemología, la ética y la estética.

Cuadro 1. Los momentos de la investigación cualitativa. Tomado y adaptado de Denzin y Lincoln (1994); Denzin (1997); Denzin (2002a, 2002b, 2003) y Vasilachis de Gialdino (2006b).

Esta división histórica es *prima facie* un tanto chovinista, ya que ignora los primeros esfuerzos por introducir y desarrollar la investigación cualitativa llevada a cabo, y que mencionamos arriba, por investigadores e investigadoras inglesas. De todas maneras, Vasilachis de Gialdino (2006b) hace una revisión en profundidad de las ventajas, pero especialmente de las críticas que han recibido Denzin y Lincoln y, especialmente, del sentido de las últimas fases o momentos de la investigación cualitativa (sexto y séptimo momento). No nos detendremos en ella. Nos resulta más relevante señalar algo que nos parece una debilidad, y no un acierto en el cuadro histórico. La posición que Denzin y Lincoln adoptan en lo que denominan *séptimo momento,* implica por un lado, borrar los límites entre la epistemología, la ética y la estética, colocando a la investigación cualitativa como guardiana de lo ético-político, en la que no se puede distinguir entre lo *verdadero y lo bello,* sustituidos por lo bueno, entendido como justicia social. Dicho así, y sin negar la importancia de la justicia social misma, ¿cómo analizar dicha justicia y los fundamentos de la misma, si olvidamos o diluimos cualquier principio de razón? Si Denzin pretende orientar la investigación como una herramienta crítica contra el neocolonialismo y neoliberalismo imperante, apoyándose en un imperativo ético contrahegemónico, necesita precisamente un sólido sustento epistemológico –epistemología del sur– (Sousa Santos, 2009) y metodológico, que no quede diluido ni subestimado. Defender una postura de justicia social no neoliberal, requiere fundamentarla en un principio de razón; porque en caso contrario, ¿cómo distinguir la justicia de la injusticia?

Por otra parte, al relevar la epistemología del subalterno desde el principio innegable del poder neocolonial de occidente por configurar una única comprensión de lo "cierto" (Sousa Santos, 2009), se debilita y confunde la voz del investigador o la investigadora que resulta ser clave y decidora para reparar el abuso de poder de un conocimiento inventado por siglos desde códigos patriarcales y neocoloniales. Lo problemático al exacerbar sólo la voz de los "sin voz" es que se anula el sentido de las publicaciones mismas en las que Denzin, especialmente, defiende estas ideas. Habría que distinguir entre la supremacía epistemológica de quien investiga y el proceso de diálogo que se puede generar en una investigación cualitativa simétrica y el análisis del discurso, de los procesos y de los acontecimientos, i.e. la doble hermenéutica. Es la danza dialógica epistemológica, simétrica, metodológica, respetuosa e intercultural, lo que nos permitirá una trama narrativa enriquecida para el futuro de la investigación cualitativa sin olvidar los criterios de rigor y validez que en la persona investigadora no pueden desconocerse y menos olvidarse.

Recomendaciones para introducirse en la investigación cualitativa

Ya hemos afirmado al inicio de este capítulo, que la explosión de productividad teórica en torno a la metodología de la investigación es exponencial; aquí hemos escogido con pinzas aquellos que nos parecen claves, clásicos, relevantes para comenzar con la lectura en el área. Aunque cualquiera de los textos que hemos citado y discutido a lo largo de este libro pueden ser leídos y estudiados con provecho, queremos para cerrar este capítulo indicar cuáles creemos serán de mayor utilidad para cualquier investigador o investigadora neófita. La mayoría son manuales comprensivos en donde se encontrarán capítulos y debates específicos sobre técnicas y procedimientos.

- Taylor y Bogdan. *Introducción a los métodos cualitativos de investigación.* Pese a su antigüedad, es un texto todavía vigente, con muchas ideas sugerentes y muchos aciertos y recomendaciones.
- Goezt y LeCompte. *Etnografía y diseño cualiativo en educación.*

- Velasco, Honorio y Díaz de Rada, Ángel. *La lógica de la investigación etnográfica.*

  Estos textos son una excelente introducción a la etnografía y no sólo a la investigación cualitativa en general. Ambos ofrecen sugerencias, procedimientos e ideas clave para cualquier investigación cualitativa.

- Delgado y Gutiérrez. *Métodos y técnicas cualitativas de investigación en ciencias sociales.*
- Vallés, Miguel. *Técnicas cualitativas de investigación social.*

  Se trata de dos excelentes compendios sobre la investigación cualitativa, que aunque estén muy enfocados a la sociología, resultan iluminadores para cualquier investigador o investigadora en eduación. El primero es una compilación de capítulos específicos que desarrollan *in extenso* la epistemología, sus alcances, su historia y las técnicas con enorme profundidad. El segundo es un sólido compendio que logra sintetizar la mayoría de las ideas del anterior.

- Vasilachis de Gialdino. *Estrategias de investigación cualitativa.*

  Lo mismo podríamos decir del trabajo de Vasilachis, en donde se revisa la historia de la investigación cualitativa, plantea temáticas epistemológicas relevantes, junto con ofrecer un compendio metodológico actualizado de las técnicas cualitativas para recoger información.

- Flick, Uwe. *Introducción a la investigación cualtiativa.*

  Este texto como los publicados y pertenecientes a la misma colección, resultan también excelentes introducciones. Quizás el libro de Flick parezca a primera vista excesivamente esquemático y menos fluido que, por ejemplo, el trabajo de Taylor y Bogdan, pero es junto con el resto de los manuales que le siguen, unas lecturas introductorias muy recomendables.
- Stake, R. *Investigación con estudio de casos.*

  Es sin duda el trabajo más importante sobre la metodología de estudio de casos y de lectura obligatoria para cualquiera que quiera indagar cualitativamente. Si bien Stake ha sido el pionero y sus textos involucran detalles metodológicos, Helen Simons realiza un excelente y completo compendio del estudios de caso en su publicación reciente *El estudio de caso: teoría y práctica* del 2009 y traducido por Morata en 2011.

- Denzin y Lincoln.

  Éste último manual publicado en castellano (2012), es el adecuado para quien quiera adentrarse en las nuevas tendencias epistemológicas y metodológicas.

Referencias

Adelman, C., Jenkins, D. y Kemmis, S. (1976). Re-thinking case study: Notes from the second Cambridge Conference. *Cambridge Journal of Education, 6* (3), 139-150.

Álvarez Álvarez, C. (2008). La etnografía como modelo de investigación en educación. *Gaceta de Antropología, 24* (1). Artículo 10.

Banks, J. A. y Banks, C.A. McGee (Eds.) (1995). *Handbook of research on multicultural education.* New York: MacMillan.

Cook, T.D. y Reichardt, C.S. (Eds.) (1982). *Métodos cualitativos y cuantitativos en investigación evaluativa* (pp. 80-104). Madrid: Morata.

Delgado, J. M. y Gutiérrez, J. (1994). *Métodos y técnicas cualitativas de investigación en ciencias sociales.* Madrid: Síntesis.

Denzin, N. K. (1997). *Interpretative ethnography. Ethnographic practices for the 21st Century.* Thousand Oaks, CA: Sage.

Denzin, N. K. (2002a). Review symposium: crisis in representation. Confronting ethnography's crisis of representation. *Journal of Contemporary Ethnography, 31* (4), 482-490.

Denzin, N. K. (2002b). Social work in the seventh moment. *Qualitative Social Work, 1* (1), 25-38.

Denzin, N. K. (2003). Reading and writing performance. *Qualitative Research, 3* (2), 243-268.

Denzin, N. K. y Lincoln, Y. S. (2005). *The Sage Handbook of Qualitative Research.* Thousand Oaks, CA: Sage.

Denzin, N. K. y Lincoln, Y. S. (2012). *Manual de investigación cualitativa.* 5 Vols. Barcelona: Gedisa.

Díaz de Rada, A. *et al.* (Comps.) (2007). *Lecturas de antropología para educadores. El ámbito de la antropología de la educación y de la etnografía escolar.* Madrid: Trotta.

Drockell, W. B. y Hamilton, D. (1980). *Nuevas reflexiones sobre la investigación educativa.* Madrid: Narcea.

Elliot, J. (1990). *La investigación acción en educación.* Madrid: Morata.

Erickson, F. (1986). Qualitative methods in research on teaching. En M. C. Wittrock (Ed.), *Handbook of research on teaching. Third edition* (pp. 119-162). New York: MacMillan.

Flick, U. (2004). *Introducción a la investigación cualitativa.* Madrid: Morata.

Gage, N.L. (Ed) (1963). *Handbook of research on teaching.* Chicago: Rand McNally.

Gibbs, G. (2012). *El análisis de datos en investigación cualitativa.* Madrid: Morata.

Gimeno Sacristán, J. y Pérez Gómez, A. I. (Comp.) (1983). *La enseñanza: su teoría y su práctica.* Madrid: Akal.

Gitomer, D. H. y Bell, C. A. (2016). *Handbook of research on teaching, Fifth Edition.* New York: AERA.

Goetz, J.P. y Lecompte, M.D. (1988). *Etnografía y diseño cualitativo en investigación educativa.* Madrid: Morata.

Guba, E.G. (1978). *Toward a methodology of naturalistic inquiry in educational evaluation.* Center for the study of Evaluation. Los Angeles: University of California.

Guba, E.G. (1979). Naturalistic inquiry. *Improving Human Performance Quarterly, 8* (4): 268-276.

Guba, E.G. (1981). Criterios de credibilidad en la investigación naturalista. En J. Gimeno Sacristán y A. Pérez Gómez (Comp.) (1983), *La enseñanza: su teoría y su práctica.* Madrid: Akal.

Guba, E.G. y Lincoln, Y.S. (1981). *Effective Evaluation. Improving the usefulness of evaluation results through responsive and naturalistic approaches.* San Francisco: Jossey-Bass Publish.

Hamilton, D. *et al.* (1977). *Beyond the numbers game: a reader in educational evaluation.* London: Macmillan Education.

Jackson, P. W. (Ed.) (1992). *Handbook of research on curriculum. A project of the American Educational Research Association.* New York: MacMillan.

Kincheloe, J. L. y McLaren, P. L. (1994). Rethinking critical theory and qualitative reearch. En N. Denzin & Y. Lincoln (Eds.), *Handbook of Qualitative Research* (pp. 138-156). London: Sage.

LeCompte, M. D. y Goetz, J. P. (1988). *Etnografía y diseño cualitativo en investigación educativa*. Madrid: Morata.

Liu, J. H. (2011). Asian epistemologies and contemporary social psychology research. En N. Denzin & Y. S. Lincoln (Eds.), *The Sage handbook of qualitative research*. (pp. 213-226). London: Sage.

MacDonald, B. y Parlett, M. (1973). Re-thinking evaluation: Notes from the Cambridge ConferenceAuthority, Teacher Education and Educational Studies. *Cambridge Journal of Education*, 3 (2), 74-82, DOI: 10.1080/0305764730030202.

Olesen, V. (2011). Feminist qualitative research in the millenium's first decade: Developments, chanllenges prospects. En N. Denzin & Y. S. Lincoln (Eds.), *The Sage handbook of qualitative research* (pp. 195-211). London: Sage.

Parlett, M. y Gamilton, D. (1976). La evaluación como Iluminación. En J. Gimeno Sacrdistán y A. I. Pérez Gómez (Comps.) (1983), *La enseñanza: su teoría y su práctica* (pp. 450-466). Madrid: Akal.

Pinar, W. (Ed.) (2008). *International handbook of curriculum research*. New Jersey: Lawrence Erlbaum.

Plummer, K. (2011). Critical humanism and Queer Theory: Living with the tensions. Postscript 2011 to Living with the contradictions. En N. Denzin & Y. S. Lincoln (Eds.), *The Sage handbook of qualitative research* (pp. 129-145). London: Sage.

Ríos da Silva, A. (2015). Calidad transparencia y ética. *Cuadernos de Pedagogía*, *452*, 112.

Scandroglio, B. y López Martínez, J. (2007). Reseña de "The Sage Handbook of Qualitative Research" de Norman K. Denzin & Yvonna S. Lincoln (ed.), *AIBR. Revista de Antropología Iberoamericana*, mayo-agosto, 382-387.

Simons, H. (2011). *Estudio de caso, investigación y práctica*. Madrid: Morata.

Sousa Santos, B. de (2009). *Epistemología del Sur*. México: Siglo XXI.

Stake, R. E. (2005). *Investigación con estudio de casos*. Madrid: Morata.

Taylor, S. J. y Bogdan, R. (1984). *Introducción a los métodos cualitativos de investigación*. Barcelona: Paidós, 1992.

Travers, R. (Ed.) (1973). *Second Handbook of Research on Teaching*. Chicago: Rand MacNally.

Vasilachis de Gialdino, I. (Comp.) (2006a). *Estrategias de investigación cualitativa*. Barcelona: Gedisa.

Vasilachis de Gialdino, I. (2006b). La investigación cualitativa. En I. Vasilachis de Gialdino (Comp.), *Estrategias de investigación cualitativa* (pp. 23-64). Barcelona: Gedisa.

Vázquez Recio, R. y Angulo, F. (2003). *Introducción a los estudios de casos: los primeros contactos con la investigación etnográfica*. Málaga: Aljibe.

Velasco, H. y Díaz de Rada, A. (1997). *La lógica de la investigación etnográfica*. Madrid: Trotta.

Walker, R. (1989). *Métodos de Investigación para el profesorado*. Madrid: Morata.

Wittrock, M. C. (Ed.) (1986). *Handbook of research on teaching. Third edition*. New York: MacMillan.

Woods, P. (1987). *La escuela por dentro. La etnografía en la investigación educativa*. Barcelona/Madrid: Paidós/MEC.

Acerca de los autores y autoras

Teresa Alzás García (España). Licenciada en Sociología por la Universidad de Salamanca, Master y Doctora en Ciencias de la Educación por la Universidad de Extremadura. Ha trabajado como profesora de sociología en la Universidad de Extremadura y actualmente está vinculada a la Universidad de Cádiz como investigadora y colaboradora con la Universidad Isabel I. Entre las líneas de investigación están relacionada con las técnicas y procedimientos de investigación y con temas vinculados con la sociología de la educación y los estudios de género. alzasgarcia@gmail.com

José Félix Angulo Rasco (España). Catedrático de Didáctica y Organización Escolar de la Universidad de Cádiz y Profesor Permanente Claustro Postgrado del Magister en Educación de la PUCV-Chile. Ha dirigido varios proyectos europeos y españoles de investigación en educación. Actualmente está dirigiendo un proyecto en Chile (Proyecto FONDECYT) y otro en Andalucía (España) sobre abandono en secundaria. Ha obtenido varios premios de investigación, es autor de múltiples publicaciones y ha sido fundador del grupo de investigación L.A.C.E. (Laboratorio de Análisis del Cambio Educativo). universidad.felix.angulo@uca.es

Leticia Arancibia Martínez (Chile). Doctora en Sociología y Ciencias Políticas por la Université Catholique de Louvain, profesora de la Escuela de Trabajo social de la Pontificia Universidad Católica de Valparaíso-CHILE. Desde el Núcleo de estudios de los imaginarios sociales Valparaíso, ha realizado diferentes investigaciones, las principales: Imaginarios del conflicto en la Escuela, Lógicas de relación política en la Organización estudiantil, así como Producción y circulación del conocimiento sobre el problema de lo social en América Latina en las décadas de los 60 y 70. **leticia.arancibia@pucv.cl**

Pablo Andrés Cáceres Serrano (Chile). Psicólogo de la Pontificia Universidad Católica de Valparaíso y Magíster en Metodología en Ciencias del Comportamiento de la Universidad Complutense de Madrid. Profesor de Metodología de la Investigación Cuantitativa, Metodología de la Investigación Cualitativa, Teoría de la Medición y Análisis Multivariante en diversas titulaciones. Ha trabajado como consultor y analista de datos cuantitativos y cualitativos en múltiples proyectos chilenos de investigación. Coordinador del área de investigación y selección del Programa para Talentos Académicos de la Pontificia Universidad Católica de Valparaíso. pablo.caceres@ucv.cl

Guadalupe Calvo García (España). Maestra de Educación Especial y Psicopedagoga, cuenta con un Máster en Género, Identidad y Ciudadanía, y con un Doctorado en

Ciencias Sociales y Jurídicas por la Universidad de Cádiz. En dicha universidad ha trabajado desde 2003; en una primera etapa, en la Dirección General de Acción Social y Solidaria; y desde 2009, como Profesora docente e investigadora predoctoral, postdoctoral y como profesora en el Departamento de Didáctica de la Facultad de Ciencias de la Educación. Sus principales línea de investigación se refieren a la adolescencia y a las desigualdades vinculadas a la diversidad de género. guadalupe.calvo@uca.es

Juan Pablo Catalán Cueto (Chile). Doctor en Educación, Universidad Alcalá de Henares. Master en Educación: Planificación, Innovación y Gestión de la Práctica Educativa, Universidad Alcalá de Henares; Magíster en Liderazgo de Gestión y Administración Educacional, Universidad Andrés Bello. Académico de la Pontificia Universidad Católica de Valparaíso; Docente e Investigador de la Escuela de Postgrado de la Universidad Andrés Bello; Asesor Pedagógico de la Vicerrectoría Académica de la Universidad Autónoma de Chile. jpcatalan@gmail.com

Rubén Comas Forgas (España). Profesor Contratado Doctor y desempeña su labor docente e investigadora en el Departamento de Pedagogía Aplicada y Psicología de la Educación de la Universidad de las Islas Baleares, perteneciendo al Grupo de Investigación "Educación y Ciudadanía". Sus principales líneas de investigación se centran en: integridad académica, procesos de abandono escolar y la formación inicial del profesorado. rubencomas@uib.es

Tatiana Cisternas (Chile). Académica e Investigadora de la Facultad de Educación de la Universidad Alberto Hurtado (UAH)-CHILE. Doctora en Ciencias de la Educación. Investigaciones en el ámbito de la profesión y formación docente, las prácticas pedagógicas, los saberes del profesorado, procesos de inclusión escolar e influencia de los contextos escolares en el aprendizaje docente. En postgrado imparte cursos de metodología de la investigación cualitativa e investigación didáctica. Académica del programa de Doctorado en Educación que imparten la Universidad Alberto Hurtado y la Universidad Diego Portales de Chile. tcistern@uahurtado.cl

Donatila Ferrada Torres (Chile). Profesora Titular de la Universidad Católica del Maule, Talca. Dra. En Filosofía, mención Currículum e Interculturalidad y Magister en Educación, mención Currículum. Autora de los libros: Currículum crítico comunicativo. Barcelona, El Roure, 2001; Construyendo escuela, compartiendo esperanzas. La experiencia del proyecto Enlazando Mundos. Santiago, RIL Editores, 2012; y Transformar la formación. Las voces del profesorado, Santiago, RIL Editores, 2015; y de numerosos artículos en revistas de corriente principal. dferrada@ucm.cl

Jorge Mario Flores Osorio (México). Doctor en Filosofía de las Ciencias Sociales, Presidente del Centro Latinoamericano de Investigación, Intervención y Atención. Sus publicaciones y proyectos de investigación tanto a nivel nacional como internacional son múltiples, colaborador activo de las sociedades científicas, Interamericana de Psicología, Comité Internacional Psicología de la Liberación, Red Internacional de Intervención y Praxis Comunitaria, Red Mexicana de Investigadores Educativos, Red de Educación y Cultura Política, entre otros. jomafo@gmail.com

Mónica López Gil (España). Doctora por la Universidad de Cádiz, y docente del Departamento de Didáctica en el área de Didáctica y Organización Escolar. Miembro del Grupo de investigación LACE (HUM-109). Ha participado como investigadora principal en proyectos de innovación e investigadora en proyectos de regional, nacional e internacional. Sus líneas de investigación están relacionadas con las Tecnologías de la Información y Comunicación, plagio académico, las escuelas rurales y TIC y el género y la educación. monica.maria@uca.es

María Jesús Márquez (España). Universidad de Valladolid. Facultad de Educación de Soria, Profesora Doctora del Departamento de Pedagogía de la Universidad de Valladolid en el área de Didáctica y Organización Escolar. Una de las líneas principales de trabajo es la de minorías étnicas y culturales e inclusión social y educativa e investigación biográfica-narrativa. Otra línea de investigación que desarrolla es la identidad del profesorado y educación democrática. Pertenece al grupo de Investigación Profesorado, Cultura e Institución educativa de la Universidad de Málaga. mariajesus.marquez@uva.es.

Daniela Padua Arcos (España). Doctora en Educación. Actualmente pertenece al grupo de Investigación Profesorado, Cultura e Institución educativa de la Universidad de Málaga. Desarrolla líneas de investigación sobre género, inclusión social y educativa, identidad del profesorado y educación democrática e investigación biográfica-narrativa habiendo dirigido algunas tesis que desarrollan estas temáticas. Ha participado y participa en proyectos I+D+I sobre esta temática. dapdua@ual.es

Marina Picasso (España). Marina Picazo Gutiérrez es Maestra de Primaria y Educación Musical por la Universidad de Granada, cuenta con el Diploma de Estudios Avanzados realizado en la Universidad de Málaga y es Doctora en Ciencias Sociales y Jurídicas por la Universidad de Cádiz. Además, combina su faceta investigadora dentro del Grupo de Investigación LACE (HUM-109) con la docencia universitaria y la interpretación musical. Ha participado en proyectos de investigación dentro del ámbito regional y nacional. Sus líneas de investigación se centran en el género, la música y la educación. marina.picazo@uca.es

Mª Esther Prados Megías (España). Licenciada en Ciencias de la Actividad Física y el Deporte y Doctora en Antropología Social y Cultural por la Universidad de Granada. Profesora Titular de Didáctica de la Expresión Corporal. Pertenece al departamento de Educación de la Universidad de Almería. Investigadora del grupo de investigación Hum-619, Profesorado, Cultura e Institución Edcuativa (ProCie). Pertenece a la red REUNI+D. Participación en diversos proyectos de investigación I+D+I, relacionados con Identidad del profesorado, estudios feministas y Ecologías de aprendizaje. Especialista en técnicas de conciencia corporal y en el Sistema Consciente para la Técnica del Movimiento de Fedora Aberastury. esprame@gmail.com

Silvia Redon Pantoja (Chile). Catedrática por la Pontificia Universidad Católica de Valparaíso-Chile. Investigadora responsable de proyectos nacionales por el Consejo de Ciencia y Tecnología de Chile y por el Ministerio de Educación en líneas de Ciudadanía y Educación. Responsable del área de docencia de las asignaturas de Metodología de la Investigación Cualitativa en la Pontificia Universidad Católica de Valparaíso-Chile. Doctora en Filosofía y Ciencias de la Educación por la Universidad de Cádiz, Magister en Educación por la Universidad de Salta Argentina, Licenciada en Educación, Maestra de infantil. silvia.redon@pucv.cl

Jaume Sureda Negre (España). Catedrático de Universidad. Ha ocupado diversos cargos de gestión académica (entre ellos director del ICE y vicerrector de la Universidad de las Islas Baleares) y actualmente dirige el Departamento de Pedagogía Aplicada y Psicología de la Educación de esta Universidad. En la actualidad trabaja en proyectos de investigación sobre honestidad académica; abandono escolar en la formación profesional, Educación Ambiental y sobre la formación inicial de los maestros. sureda.negre@gmail.com

Gresilda A. Tilley-Lubbs, Ph.D. (EEUU). Profesor Asociado de ESL y Educación Multicultural en la Escuela de Educación de Virginia Tech. Su investigación se fundamenta en la pedagogía crítica y en la autoetnografía para la formación de maestros/as para enseñar en las comunidades de inmigrantes y refugiados. Su investigación centra en escuchar las voces de los inmigrantes mexicanos a través de la perspectiva de la (auto) etnografía transnacional, combinando la pedagogía crítica. Su trabajo ha sido publicado en inglés y castellano en los Estados Unidos, España y México. Enseña cursos sobre autoetnografía crítica y multiculturalismo en el Instituto de Pedagogía Crítica de Chihuahua, México. glubbs@vt.edu

Natalia F. Vallejos Silva (Chile). Profesora de la Pontificia Universidad Católica de Valparaíso, Chile. Licenciada en Historia. Magíster en Historia y Magíster en Educación mención Evaluación Educativa. Doctora © en Equidad e Innovación en Educación en la Universidad de la Coruña. Sus líneas de investigación se relacionan con los temas de ciudadanía y currículum, sobre los cuales ha indagado y publicado en revistas especializadas. Investigadora y asistente técnica en proyectos Nacionales adjudicados por el Fondo Nacional de Desarrollo Científico y Tecnológico (FONDECYT) del Consejo Nacional de Ciencia y Tecnología, CONICYT-CHILE. nf.vallejos@gmail.com

Rosa Vázquez Recio (España). Doctora en Filosofía y Ciencias de la Educación por la Universidad de Cádiz, donde es Profesora Titular del Departamento de Didáctica. Ha participado como investigadora principal en proyectos de investigación de ámbito regional, nacional e internacional, y cuenta con publicaciones en revistas nacionales (Pixel-Bit, Revista Interuniversitaria de Formación del Profesorado), latinoamericanas (Novedades Educativas, Revista Iberoamericana de Educación), y europeas, tanto en lengua castellana como inglesa. Actualmente es directora del Grupo de Investigación L.A.C.E. (Laboratorio para el Análisis del Cambio Educativo) de la Universidad de Cádiz. rmaria.vazquez@uca.es

Esta edición se terminó de imprimir en abril de 2017,
en los talleres de Gráfica LAF s.r.l., ubicados en Monteagudo 741,
San Martín, Provincia de Buenos Aires, Argentina.